D0110207

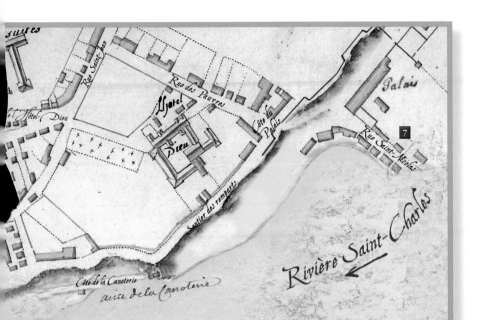

Rivière Saint-Charles

Nord

CARTE ADAPTÉE DE :

# PLAN DE QUÉBEC EN 1732

PAR GASPARD CHAUSSEGROS DE LÉRY, INGÉNIEUR

*Archives nationales du Canada, C 15738.*

Rue du Cul-de-sac

Les ?

2

Rue de Buade
La Catedrale

Palais
Episcopal

1

Place
Royale

Côte de la Montagne

Rue Notre-Dame

3

Ruelle du Porche

6  5

Rue du Sault-au-Matelot

Rue Sainte-Famille

Rue Saint-Pierre

Jardin du
Seminaire

Sentier des remparts

4

Fleuve Saint-Laurent

1. Maison Chambalon
2. Maison d'Aloigny
3. Maison de Sanzelles
4. Maison La Durantaye
5. Maison de Françoise Zachée
6. Auberge Charlotte Campion
7. Auberge Dauphin d'Acadie

# DIEULEFIT

# ANDRÉ SÉVIGNY

# DIEULEFIT

*La Nouvelle-France
en sursis*

ROMAN

MARCEL BROQUET
*La nouvelle édition*

Catalogage avant publication de Bibliothèque et Archives nationales du Québec
et Bibliothèque et Archives Canada

Sévigny, P.-André (Paul-André), 1944-

Dieulefit: la Nouvelle-France en sursis: roman historique
(Collection La Mandragore)
ISBN 978-2-89726-041-5

1. Canada - Histoire - 1713-1763 (Nouvelle-France) - Romans, nouvelles, etc. I. Titre.
II. Collection: Collection La Mandragore.

PS8637.E94D53 2013 C843'.6    C2012-942743-8
PS9637.E94D53 2013

Pour l'aide à la réalisation de son programme éditorial, l'éditeur remercie la Société de Développement des Entreprises Culturelles (SODEC), le Programme de crédit d'impôt pour l'édition de livres – gestion SODEC ainsi que le Conseil des Arts du Canada. L'éditeur remercie également le Gouvernement du Canada pour son aide par l'entremise du Fonds du livre du Canada.

**SODEC**
Québec ■■ ■■

**Conseil des Arts
du Canada**

Marcel Broquet Éditeur
351, chemin du Lac Millette, Saint-Sauveur, Qc J0R 1R6
Téléphone: 450 744-1236
marcel@marcelbroquet.com • www.marcelbroquet.com

Illustration, conception graphique et mise en page: Olivier Lasser
Révision: Christine St-Laurent


Distribution: Messageries ADP*
2315, rue de la Province Longueuil, Québec J4G 1G4
Tél.: 450 640-1237 • Téléc.: 450 674-6237 • www.messageries-adp.com
* filiale du Groupe Sogides Inc.
Filiale du Groupe Livre Quebecor Media inc.



Distribution pour l'Europe francophone:
DNM Distribution du Nouveau Monde
30, rue Gay-Lussac, 75005, Paris
Tél.: 01 42 54 50 24 • Fax: 01 43 54 39 15
Librairie du Québec
30, rue Gay-Lussac, 75005, Paris
Tél.: 01 43 54 49 02
www.librairieduquebec.fr

Diffusion – Promotion:
r.pipar@phoenix3alliance.com

Dépôt légal: 1er trimestre 2013
Bibliothèque et Archives nationales du Québec
Bibliothèque et Archives nationales Canada
Bibliothèque nationale de France

*À Louise, pour tout et bien plus encore...*

*À mon père, qui aurait eu cent ans le jour précis
où je mis le point final à mon manuscrit.*

# Liste des personnages

Sébastien Dieulefit, dit La Plume : sergent des troupes,
secrétaire du commandant d'Aloigny

Françoise Granger, dite Fanchon, aubergiste, veuve du sergent Bertrand Genest

Julien Genest, dit Papou, fils de Françoise Granger et de Bertrand Genest

Charles-Henri d'Aloigny, marquis de la Groye, commandant
des troupes de la Marine

Geneviève Macard, femme de Charles-Henri d'Aloigny

Madeleine Gilbert, apprentie servante chez Charles-Henri d'Aloigny

Guillaume Chasteigner, chanoine retraité, oncle de d'Aloigny,
précepteur de Dieulefit

Vincent Marquet, marchand

Paul Dupuy, sieur de Lisloye, lieutenant général de la Prévôté de Québec

Jean-Paul Dupuy, marchand-navigateur, fils de Paul

Louise-Madeleine Dupuy (Mère de la Nativité), religieuse hospitalière, fille de Paul

Jacques de Sanzelles, chevalier de Saint-Ustre, lieutenant des troupes

Françoise Zachée, veuve de Lotbinière

Paul-Augustin Juchereau de Maure, seigneur, préposé à la recette des castors

Louis Prat, armateur et capitaine du port de Québec

Martin Kellogg, colon de la Nouvelle-Angleterre

Philippe de Rigaud, marquis de Vaudreuil, gouverneur général
de la Nouvelle-France

Michel Bégon de la Picardière, intendant de la Nouvelle-France

Charles Seurat, secrétaire de Bégon

Gédéon Nicolas, sieur de Voutron, capitaine de *L'Afriquain*

Abel Morineau, capitaine de *La Bonne Aventure*

Jean Durant, capitaine du Saint-Jérôme

Clément Chapelle, dit Languedoc, ancien soldat des troupes

Agnès Maufay, veuve Lefebvre, aubergiste

Charlotte Campion, veuve Fauconnier, aubergiste

Louis Chambalon, notaire

Jourdain Lajus, chirurgien

Pierre Lefebvre, interprète en langue abénaquise

René Hubert, concierge des prisons

Marie-Anne de Laporte, geôlière et épouse Hubert

… et, bien sûr, Québec, la belle des belles.

# PROLOGUE

*Il est permis de violer l'histoire, à condition de lui faire un enfant.*

ALEXANDRE DUMAS

Vers la fin du dix-huitième siècle, le comte de Mirabeau, l'une des têtes d'affiche de la Révolution française, a écrit que la guerre était l'industrie première de la Prusse de Frédéric le Grand. Avec d'autres mots et des nuances, les historiens ont souvent dit la même chose de la France de Louis XIV. En 55 années de règne personnel, l'absolu monarque n'en avait-il pas sacrifié 32 à des conflits armés majeurs afin d'accomplir sa politique de prestige et de conquête ?

La Nouvelle-France, comme toute colonie, fut automatiquement enrôlée dans ces guerres de la mère patrie. De plus, elle avait dû livrer ses propres batailles en terre d'Amérique, soit quelques décennies d'affrontements furieux contre l'Iroquois des bois, d'abord dans un contexte de traite de fourrure puis dans le cadre d'une alliance militaire avec l'Anglais d'Albany et de Boston. En tout et partout, jusqu'en 1713, les Canadiens pourraient avoir passé plus de temps à faire le coup de feu, ou à s'en prémunir, qu'à manier la charrue.

1713! Justement l'année où s'ouvre notre récit. Les 18 000 habitants de la Nouvelle-France viennent de vivre 22 des 25 dernières années dans des conditions de guerre. Leurs ennemis : les colonies américaines, soit 350 000 personnes, déjà, qui occupent la plaine côtière atlantique avec le sentiment de plus en plus vif d'être corsetés par la longue barrière des Appalaches. Or, les voies d'accès vers l'intérieur du continent sont situées au nord, du côté des Grands Lacs, ces Pays d'en Haut qui sont à la source même du Saint-Laurent. Depuis plus de cinquante ans, ce territoire français est occupé par quelques centaines de Blancs seulement, alliés, toutefois, commercialement et politiquement, avec les nombreuses nations autochtones de cette vaste contrée.

D'autre part, les colonies néo-anglaises ont un atout en main. Les Iroquois, leurs alliés fidèles, habitent un pays stratégiquement localisé au sud du fleuve et du lac Ontario, un véritable coin qui s'enfonce dans le flanc mou de l'empire français, entre Canada et Pays d'en Haut. Depuis le lac Champlain jusqu'à Niagara, à la pointe ouest du lac Érié, ils sont en mesure de faire irruption à tout moment dans ce pays sauvage, aux communications difficiles, longues et non protégées. La stratégie est donc simple pour les belligérants de France et d'Angleterre : à travers leurs représentants coloniaux, soulever et entraîner leurs alliés autochtones respectifs dans des actions guerrières contre l'adversaire. Les premiers, afin de contenir les colons anglais dans leur territoire ; les seconds, pour déloger les Français des Grands Lacs et ouvrir les routes terrestres et maritimes vers l'*hinterland* américain.

Évoquer la guerre, c'est, bien sûr, rappeler des affrontements armés. Des tentatives d'invasion à grande échelle : William Phipps devant Québec en 1690, la flotte de Hovenden Walker en 1711. Mais aussi de nombreux raids tous azimuts menés par des Blancs, des Indiens ou, le plus souvent, de concert : les Iroquois à Lachine (1689), François Hertel et Robineau de Portneuf à Corlaer, Salmon Falls et Casco (1690), Peter Schuyler à Laprairie (1691), Le Moyne d'Iberville et ses frères en Acadie, à Terre-Neuve et à la baie d'Hudson (1694-1696), Le Neuf de Beaubassin à Wells (1703), Hertel de Rouville à Deerfield (1704), Francis Nicholson à Port-Royal (1710), et l'on pourrait poursuivre.

Pour le peuple du Saint-Laurent, vingt-deux années de conflit presque ininterrompu ont généré bien d'autres situations difficiles au plan de la vie quotidienne. Pensons, particulièrement, aux subsides de l'État, dont la générosité est inversement proportionnelle à la hausse des charges de la guerre, au logement des soldats, à l'incorporation obligatoire dans les milices et au temps dévolu à celles-ci, aux corvées reliées, par exemple, à la construction et à l'entretien de fortifications, et autres ouvrages défensifs, aux difficultés d'approvisionnement outre-Atlantique et à l'inflation souvent galopante qui s'ensuit. Comment ne pas songer, par ailleurs, aux travaux de la terre qui doivent attendre, à l'absence d'espèces numéraires dans la colonie, y compris le salaire des nombreux fonctionnaires, lorsque les navires du roi sont interceptés par l'ennemi, aux lettres de change qui attendent d'être remboursées, au manque d'engagés à la ville comme à la campagne, au report de travaux personnels de construction à cause de l'accaparement des ouvriers spécialisés par les ouvrages prioritaires de la colonie. Enfin, si l'on désirait pousser plus loin la liste des désagréments de temps de guerre, il serait même loisible d'aborder le soin des âmes. L'évêque de Québec, monseigneur de Saint-Vallier, étant prisonnier des Anglais (il ne revient au pays qu'au bout de treize ans), les fidèles de la Nouvelle-France sont privés de la confirmation pendant tout ce temps et, surtout, des nombreux prêtres qui auraient dû être ordonnés et dont les paroisses de la colonie ont bien besoin[1]. Pour ces croyants pratiquants, la contrariété est de taille.

«De la famine, de la peste, de la guerre, délivrez-nous, Seigneur!»[2], telle était la prière la plus entendue chez les peuples d'Europe depuis le Moyen Âge. Plusieurs, très certainement,

---

1    Une quinzaine de prêtres, réguliers et séculiers, étaient décédés au cours des années 1711 et 1712.

2    «*A fame, a peste, a bello, libera nos, Domine*»: des frayeurs ancestrales chez les paysans et les gagne-petit.

auraient voulu ajouter : «... surtout des guerres dynastiques!» Charles II, roi d'Espagne, de la famille des Bourbons comme Louis XIV, meurt sans enfant en 1700. Par testament, il désigne pour lui succéder le petit-fils du roi de France, Philippe, le duc d'Anjou. En acceptant la succession, Louis XIV chamboule le fragile équilibre des forces sur l'échiquier européen. L'Angleterre, la Hollande, l'Allemagne, comme prévu, déclarent la guerre à la France en 1701. Les peuples avaient à peine eu le temps de ranger leurs armes, de soigner leurs plaies.

Guerre longue, ruineuse, très mal engagée et difficile pour la France, dont les généraux courtisans ne peuvent rivaliser avec le duc de Marlborough ou le prince Eugène. Le pays est envahi et les alliés, lorsque la paix est recherchée en 1709-1710, exigent que le roi français détrône son petit-fils, ce qu'il se refuse à faire. En Nouvelle-France, pendant ce temps, les raids meurtriers se succèdent de part et d'autre de la frontière. Les morts, les estropiés, les captifs se multiplient comme aussi les veuves et les orphelins. La colonie du Saint-Laurent ne cède pas un pouce à ses rivales du sud ; pourtant, souvent privée des secours maritimes de la France, elle s'essouffle.

En 1709, les colonies américaines du nord, harcelées sans cesse par les partis franco-indiens, retiennent enfin l'oreille sympathique de la reine Anne à Londres ; celle-ci annonce son intention de libérer les colons anglais du «voisinage des Français du Canada». La flotte qu'elle envoie alors conquérir la Nouvelle-France, commandée par l'amiral Walker, fait naufrage dans l'estuaire du Saint-Laurent et se retire. Nous sommes en 1711 et la conquête du pays a été évitée sans coup férir. Cependant, pas un Français, pas un Canadien ne se fait d'illusion : «ils» reviendront, c'est certain, d'autant qu' «ils» n'ont pas été vaincus. Le gouverneur général, monsieur de Vaudreuil, ainsi que les cadres français de la colonie, savent très bien que le conflit a trop duré, que la population est lasse de cette vie spartiate. Cependant, ils sont formels : «Les Canadiens sont prêts à sacrifier leur vie pour leur pays.» Et ces gens attachés à ce point par la naissance à leur terre, représentent, en 1712, plus de la moitié des adultes de 35 ans et plus[3].

Ce don de leur vie ne sera peut-être pas nécessaire. À leur insu, et en dépit de la paix ratée de 1710, la cessation des hostilités obsède toutes les chancelleries des pays belligérants. En Angleterre, particulièrement, les *Tories* du parti conservateur ont pris le pouvoir à l'automne de 1710 en promettant la paix à une population excédée par la guerre et ses conséquences. C'est un tournant décisif. Des tractations de coulisses s'instaurent, se multiplient, s'accélèrent et aboutissent, en octobre 1711, à la signature des préliminaires de Londres. Enfin, dans les derniers jours de janvier 1712, le Congrès s'ouvre à Utrecht dans les Pays-Bas. Français, Anglais, Hollandais et Allemands sont assis à la même table : tous sont déterminés à mettre fin au long conflit.

Quand même, il faut savoir que les nouvelles, fussent-elles diplomatiques, de première importance et urgentes, prennent plusieurs mois, sinon un an, à rejoindre leurs destinataires d'outre-mer.

---

3  Pour l'ensemble de la population, c'est-à-dire incluant les enfants et la jeunesse, les démographes estiment que c'est vers 1678 que les natifs de la colonie ont surpassé en nombre les personnes nées en France ou à l'extérieur du Canada. En 1712, l'ensemble des Canadiens de naissance regroupe environ 90% de la population coloniale.

# I

## DANS LA CHALEUR DE L'HIVER

*Vendredi, 6 janvier 1713*

S a mère, la Jacquette, le répétait souvent : « Il faut que le vent soit bien mauvais pour n'être bon à personne. » C'était dans sa nature de trouver une utilité aux choses les plus contrariantes et désespérantes de la vie. Le souffle de l'air, même impétueux, moulait la farine, asséchait les chemins boueux, chassait les nuages et débarrassait des miasmes les marais croupissants, voilà ce qu'elle disait, la Vendéenne. « Jour de vent, jour de tourment ! », lui répondait invariablement son mari, Romain, dont l'âpreté des racines poitevines s'adoucissait au contact de la proche Touraine. Deux mondes, aurait-on dit.

Minuit. Au creux de sa paillasse, Bastien sourit. « Mes pauvres vieux ! Vos phrases toutes faites et votre sagesse ancestrale, si elles s'ajustent assez bien aux travaux et aux jours du Poitou natal, sont tout à fait irrecevables en ce pays de démesure. Vos mots mêmes perdent ici leur sens. Ils sont incapables, parmi tant d'autres choses, de dire la froidure et la glace, la neige et la pluie, la tempête et le vent. Vous seriez ici, ce soir, et vous sauriez pourquoi les Canadiens s'inventent une parlure. Françoise, l'Acadienne, appelle ça les mots obligés».

Fanchon l'amante. Bastien leva légèrement sa tête du traversin et la contempla. La scène était familière. Nue, comme toujours après la douce tempête, elle reposait sur lui, inerte, presque sans souffle, endormie déjà. Deux mèches de longs cheveux blonds collaient à ses tempes et une moiteur tiède mouillait le duvet de ses reins. En toute saison, en tout lieu, même par un froid à pierre fendre, comme celui qui tourmentait la ville cette nuit-là, leurs joutes amoureuses se terminaient ainsi.

Du plus loin qu'il se souvienne, les vents hargneux l'avaient épouvanté. Encore enfant, à Ingrandes, sur les bords pourtant paisibles de la Vienne, les rares bourrasques furibondes qui le surprenaient dans les champs l'angoissaient au point, parfois, de le faire suffoquer. Ici, au pays nouveau, la vastitude du territoire engendrait, croyait-il, le grand dérèglement des vents et particulièrement celui de la bise hivernale. Un habitant de la Côte-du-Sud lui avait déclaré péremptoirement peu de temps après son arrivée dans la colonie: «Le vent, icitte, y'a tout' la place qu'y veut pour prendre son élan!»

En cette nuit de la fête des Rois, Québec et toute la vallée du Saint-Laurent subissaient la dernière phase du déroulement usuel d'une tourmente hivernale: une vaste dépression atmosphérique s'était amenée de l'ouest et avait traîné dans son sillage de lourds nuages gorgés de neige que des vents démesurés du nordet s'étaient chargés de déverser avec rage sur une nature soumise et résignée. Dix ou vingt heures plus tard, après une bordée blanche de trois ou quatre pieds, la bacchanale dantesque avait cédé la place à un ciel enfin libre de son fardeau. La nuit était étoilée, enlunée et colorisée magiquement d'un alliage d'acier et de cobalt. Mais le prix de ce firmament retrouvé était élevé. Une chute fulgurante de la température, un froid extrême rendu mortel par un noroît débridé, uniquement soucieux d'introduire l'anticyclone réparateur. Et pas d'état d'âme, entre-temps, pour toute la neige tombée et remise en scène dans une chorégraphie satanique de pirouettes et de saltos.

Sébastien Dieulefit se dégagea doucement de Françoise et la fit glisser sur sa gauche. Il rabattit sur elle une couverture de toile, puis une de laine blanche. Enfin, il déploya sur le lit deux peaux de bœuf illinois cousues ensemble : aux grands maux les grands remèdes. Les courants d'air étaient des habitués de l'auberge du *Dauphin d'Acadie*, mais par cette nuit d'enfer, ils régnaient en maîtres dans la maison de bois de la rue Saint-Nicolas. Bastien, les dents serrées, se saisit du pot de chambre en grès et se soulagea prestement. Puis, en marmonnant des «Jésus, Marie, Joseph», il enfila sa chemise de nuit et rejoignit en cuillères sa compagne sous les couvertures.

Les yeux fermés, et malgré la chaleur émanant de leurs corps, Dieulefit ne trouvait pas le sommeil. La plainte incessante du vent d'ouest, voire par moments ses hurlements, mettait à mal le bâtiment de deux étages. Les craquements sinistres de la structure, sans parler du bruit sec des clous du plancher qui pétaient au froid, le gardaient éveillé comme toujours. Appuyé sur un coude, il s'approcha du visage de Françoise. Bien sûr qu'elle dort, se dit-il, les vents, elle connaît. Il allait se laisser retomber lorsqu'une lueur s'accrocha furtivement à la pointe d'une des boucles blondes de la femme endormie et se mit à danser. D'abord perplexe, il en chercha naturellement l'origine du côté de la fenêtre de la chambre, derrière lui. Depuis quelques années, il avait fait cadeau à sa Fanchon, la propriétaire des lieux, de carreaux de verre pour les croisées de l'auberge ; en ville, le temps de l'épais papier ciré quasi opaque était presque révolu. Il se leva et jeta un coup d'œil à l'extérieur. Ce qu'il vit alors le pétrifia sur place.

🔥

La rue Saint-Nicolas constituait, alors, la seule rue digne de ce nom à l'intérieur de ce que l'on pourrait nommer la seconde basse ville de Québec, la première étant la place Royale qui s'étalait contre le fleuve au pied du château Saint-Louis du gouverneur. À l'autre extrémité de la cité, du côté de l'Hôtel-Dieu et au bas de l'escarpement de la Haute-Ville, le prolongement de la rue des

Pauvres donnait naissance à la rue Saint-Nicolas, à l'origine un simple sentier menant au gué de la rivière Saint-Charles et, par-delà, à Beauport et à la côte de Beaupré.

Cette deuxième ville basse, plus au nord, s'était inscrite vérita-blement dans le paysage de Québec à partir de 1685. L'intendant de la colonie, Jacques de Meulles, avait alors obtenu de Louis XIV la permission d'établir le palais de l'intendance à proximité de la rivière Saint-Charles, dans l'ancienne brasserie qu'un de ses prédécesseurs, Jean Talon, avait fait ériger en 1669, adossée à la falaise, face à la rivière. Haut de deux étages, l'imposant bâtiment s'étendait sur environ 190 pieds de longueur.

Une fois aménagé et rallongé à l'est de 30 pieds, ce palais administratif, qui hébergeait, outre le logis de l'intendant, les cours de justice, les prisons, des entrepôts-magasins, des ateliers et une boulangerie, avait attiré dans sa périphérie immédiate des repré-sentants de tous les métiers et professions en lien avec les diverses fonctions de ce vaste et important complexe. Une vingtaine de maisons de bois relativement modestes avaient bientôt surgi de part et d'autre de la rue Saint-Nicolas et l'enseigne du *Dauphin d'Acadie* pendait à l'ouest de la rue, du même côté que le palais et perpendiculairement à celui-ci.

— Jarnicoton! Enfer et damnation! dit Dieulefit en se signant.

Il regardait tout en refusant d'admettre ce qu'il voyait. Des flammes orangées, chamarrées de rouge et de noir, se ruaient dans le large ciel de glace et, aux prises avec les bourrasques, façonnaient de monstrueuses griffes qui, croyait-il, ne tarderaient pas à s'en prendre au royaume des cieux.

À la fenêtre arrière de l'auberge, en étirant le cou, il apercevait bien sur sa gauche les lances ardentes, mais il était incapable d'en localiser le foyer. Au sud, vers le cap, oui bien sûr, mais où préci-sément? Chez son voisin immédiat, Moreau-La Taupine, le garde du port, chez le charpentier Guillot, un peu au-delà, à la bou-langerie du roi, au palais?

— Fanchon! Au feu, au feu! Vite, dehors… Réveille les autres! hurla-t-il.

Le feu. Le châtiment de Dieu que nos fautes appellent, comme disaient les *Messieurs* du Séminaire. Aucune catastrophe n'effrayait autant la population et ne suscitait chez elle une panique aussi vive. Attisé par un tel souffle, le plus petit incendie risquait de dégénérer en conflagration majeure. Tous les citoyens de plus de quarante ans gardaient, pour toujours, en mémoire la tragédie d'une nuit du mois d'août 1682 : en sept heures, un banal incendie d'arrière-boutique avait gagné et rasé pas moins de 55 logis et entrepôts de la place Royale, au pied de la côte de la Montagne. Peu après, en 1686, le feu avait jeté les Ursulines de la Haute-Ville à la rue et, plus récemment, à deux reprises, il avait consumé le Séminaire.

Le sergent Dieulefit enfila ses habits, sauta dans ses bottes, jeta un œil circonspect sur le poêle de tôle de la chambre et se rua dans l'escalier en calant son caudebec[4] sur sa tête. C'est seulement à l'extérieur qu'il parviendrait à en apprendre davantage.

Dans la rue, il voulut crier pour alerter les voisins mais le vent rabattait de force une fumée noire, dense et âcre qui, amalgamée à la poudrerie, lui irritait la gorge et les yeux. Peu importait, finalement, car au même moment, une voix féminine, à laquelle faisait écho celle d'un homme, se fit entendre. Dans le haut de la rue, vers la falaise, ils s'époumonaient à annoncer le drame.

— Au feu! Au feu! Le palais flambe! Bonne Vierge, au secours!

Bastien, courbé en deux, une main sur le foulard qui lui couvrait le visage, l'autre sur son chapeau, fonça vers l'intendance. La maison de La Taupine semblait intacte, mais il décelait, à l'intérieur, un grand branle-bas. Même chose chez Jean-Baptiste Guillot, le charpentier naval, dont la demeure occupait le coin inférieur du chemin public qui s'ouvrait à cet endroit. Celui-ci, curieusement, traversait sur toute leur largeur le palais et le jardin

---

4    Chapeau en tricorne fabriqué dans la ville normande de Caudebec-en-Caux, non loin de Rouen.

de l'intendant. De la sorte, ce passage séparait le domaine en deux et isolait quelque peu le bâtiment de la rivière. C'était la route qui menait à l'Hôpital Général des Hospitalières aux abords de la Saint-Charles. Ce bâtiment avait succédé en 1692 au couvent des Récollets, construit en 1618[5].

— Holà! cria le sergent en apercevant, à 25 pieds, une forme humaine fondue dans les éléments déchaînés. Il est où, le feu? Chez monsieur Bégon? Dans les hangars?

Une femme, les bras au ciel, accourut aussitôt et, en dépit d'un accoutrement de mi-carême dicté par les circonstances, Bastien, derrière des yeux exorbités de terreur, reconnut Marie-Anne de Laporte, la femme de René Hubert, le vieux geôlier de la prison. Chaussée de ses raquettes, elle revenait d'arpenter la façade du palais dans toute sa longueur et le souffle manquait cruellement à la femme de 66 ans pour débiter son récit des événements.

— Monsieur Bastien! C'est horrible! Tout va y passer! s'égosillait-elle.

— Reprenez votre air, madame Marie-Anne, reprenez d'abord votre air. Et où se trouve votre mari?

— Monsieur Bastien… Y'é là-bas, chez l'intendant, y'é parti à sa recherche… Regardez… regardez le feu dans les ouvertures… et sur la couverture. Et y s'en vient par ici, monsieur Bastien, et nous allons y passer nous aussi!

Un coup d'œil confirma les craintes de la bonne femme. Déjà le feu s'était emparé des deux étages des appartements de l'intendant, à l'extrémité ouest du vaste bâtiment, et il gagnait à présent sa section médiane, soit celle des magasins et entrepôts. La panique de la dame geôlière reposait, évidemment, sur le fait que rien ne pourrait, dans les circonstances, empêcher le secteur est de l'édifice de subir à son tour l'assaut irrésistible des flammes. Or c'était celui qui abritait, outre la salle du Conseil, les prisons et son logis.

---

5    Ce chemin correspond aujourd'hui aux rues Saint-Vallier, en bas et le long de la falaise, et Langelier qui, perpendiculairement à la précédente, rejoint la rivière.

En temps ordinaire, grâce particulièrement au tocsin de la cathédrale et à celui de Notre-Dame-des-Victoires, les volontaires auraient déjà afflué, de la Haute-Ville et de la place Royale, pour livrer bataille à l'implacable ennemi. Sauf qu'en cette nuit de froid extrême et de poudrerie sauvage, le quartier du Palais était plus isolé que jamais et les appels à l'aide apparaissaient, sinon inutiles, du moins condamnés à des retards fatals.

Ce furent donc les locaux, les gens du quartier Saint-Nicolas, qui supportèrent le fardeau de la lutte contre l'incendie. Au lendemain de la destruction par le feu du Séminaire de Québec, en 1705, les autorités de la colonie avaient imposé une taxe de 30 sols sur chacune des 661 cheminées de la ville, excluant celles du château, du palais et des établissements religieux, ceci afin de doter les habitants de 100 seaux de cuir pour combattre les incendies. Ces récipients, marqués de la fleur de lys, avaient été distribués par vingtaines dans cinq quartiers de la ville dont celui du palais. Mais à cet endroit, les seaux avaient été entreposés... à l'intérieur même du vaste bâtiment d'intendance.

Abandonnant la femme Laporte à ses lamentations, Dieulefit s'élança en direction de la résidence de l'intendant Michel Bégon[6]. Enfonçant dans des bancs de neige jusqu'à la taille, il fut témoin, à son arrivée, d'une scène pathétique. Pendant que Bégon et sa femme, enceinte de cinq mois, à peine vêtus de robes de chambre et de mules, étaient pris en charge par les premiers citoyens arrivés sur les lieux, des appels de détresse pitoyables déchiraient l'air en provenance des fenêtres grillagées des chambres hautes, en façade du logis. À travers l'épaisse fumée grise, avec, en arrière-scène, des flammes rouges grenat ondoyantes, il était possible de distinguer trois visages, dont deux de femmes, et des mains qui, en vain, cherchaient à desceller les grilles.

---

6    Alors âgé de 45 ans, Michel Bégon de la Picardière (1667-1747) était originaire de Blois, en Orléanais, et membre d'une grande famille de fonctionnaires maritimes et coloniaux. Son père, cousin du ministre Jean-Baptiste Colbert, avait été intendant de Saint-Domingue puis intendant du grand port de Rochefort de 1688 jusqu'à sa mort, en 1710. Michel Bégon avait épousé en France, en 1711, Jeanne-Élisabeth de Beauharnois, sœur de François de Beauharnois, intendant de la Nouvelle-France de 1702 à 1705, et aussi sœur de Charles de Beauharnois, futur gouverneur de la colonie de 1726 à 1747.

— Regardez, à gauche! s'écria soudain un spectateur impuissant. C'est Brisset, le valet de chambre de monsieur!

— Et là-bas, de l'autre côté, deux visages! reprit une voisine. Je les ai vus! Les filles de chambre de madame!

Bégon, sa femme et leur suite n'étaient arrivés à Québec qu'en octobre dernier et rares étaient les habitants qui connaissaient la domesticité du palais, amenée de France, comme de coutume. Mais Jeanne-Élisabeth estimait beaucoup ses servantes et elle était incapable d'arracher ses yeux des funestes lucarnes.

— Michel, s'il vous plaît, je les vois! Marguerite et Madeleine! Elles sont là! suppliait-elle[7].

— Mais... je ne comprends pas, soliloquait l'intendant en titubant, l'œil hagard. J'ai moi-même inspecté les feux de toute la maison avant de me mettre au lit! Tout était en ordre, j'en suis certain... Où est Seurat... je ne le vois pas?

Et pendant que l'on jetait des couvertures sur les épaules de Bégon et de sa femme, et qu'on les escortait à cent pas de là, vers la maison cossue de l'architecte et armateur François de La Joüe[8], tout au haut de la rue Saint-Nicolas, Bastien et une dizaine d'hommes cherchaient à s'approcher de la demeure en feu afin de porter secours aux personnes emprisonnées. Mais les flammes, dont l'appétit vorace était décuplé par la tourmente et alimenté par la vieille structure de bois de l'édifice, obstruaient maintenant toutes les ouvertures. Par ailleurs, l'intensité de la chaleur dégagée était telle que toute tentative pour pénétrer à l'intérieur de la fournaise aurait été folie pure.

Dieulefit eut tôt fait de le réaliser. Et si l'accès par l'arrière restait possible? Au moment où il allait contourner l'intendance par les jardins, une course haletante dans son dos le fit se retourner. Deux énergumènes, blanchis comme des spectres, du frimas aux narines et de la glace aux sourcils, accouraient vers lui.

---

7   Ces deux jeunes servantes se nommaient Marguerite Carrey et Marie-Madeleine David.

8   Né à Paris vers 1656, ce fils de chirurgien se construisit en 1700-1701 l'une des plus belles résidences de pierre de la capitale. Elle mesurait 54 pieds de long, sur deux étages, avec des combles brisés à la Mansart et six lucarnes. Au pied de l'Hôtel-Dieu, et vis-à-vis la fontaine du Roi, elle marquait l'entrée de la rue Saint-Nicolas.

— Nous v'là, sergent! On est là! Qu'est-ce qu'on peut faire?
C'est terrible, Sainte-Guenipe! soufflait le plus vieux des deux,
les yeux presque clos à cause de la fumée ambiante.

— Ah! V'là mes malandrins, enfin!

Les deux arrivants, quoique de la même famille, étaient
d'allure et d'apparence contrastées. Alexis Granger, le frère cadet
de Françoise, était âgé de 24 ans, soit sept de moins que son aînée.
Moyen de taille, la mine replète, ce célibataire avait les cheveux et
la barbe châtain roux et les sourcils épais. Le cou large et les bras
comme des rondins, cet épicurien dans l'âme était batelier à
l'intendance où il entretenait et manœuvrait chaloupes, bateaux
et chalands de transbordement.

Quant à Julien Genest, 15 ans, le fils de Fanchon, c'était, au
physique, tout le portrait de son défunt père, le sergent des troupes
Bertrand Genest, dit La Grandeur. Adolescent longiligne, il dépas-
sait déjà d'une tête, pratiquement, son oncle Alexis. Plus blond
encore que sa mère, il était d'un tempérament actif et rieur et, pour
le moment, il n'envisageait l'avenir qu'à travers les agréments de la
vie et, en particulier, les aventures au gré du grand fleuve ou à dos
de cheval. Il faut dire que, jusqu'à son décès accidentel, il y avait
maintenant trois ans, le sergent Genest avait cherché, de toute son
autorité militaire, à mater ce fils unique qu'il jugeait par trop
sauvage et agité. Depuis, sous l'aile de Bastien, il avait goûté les
joies de la camaraderie et de l'indépendance si chère à son âge. Il
avait même repris goût à la vie familiale.

— Venez, tous les deux, nous allons tenter de pénétrer du
côté de la falaise.

Ils contournèrent le bâtiment plus facilement que prévu car
le vent d'ouest éloignait d'eux les flammes et la fumée. Mais la
neige accumulée rendait néanmoins la tâche ardue. À l'arrière,
une annexe prolongeait à angle droit le mur latéral du logement
jusqu'au cap. On y rangeait divers outils, particulièrement pour
les travaux dans le jardin adjacent. L'appentis servait, en même
temps, de tambour pour isoler une porte d'entrée. Du temps de
la brasserie, le sentier menant aux Récollets de la Saint-Charles
passait non devant l'édifice mais derrière, tout contre la paroi

rocheuse. Les intendants, lors de l'aménagement de leur jardin privé, fermèrent la voie de transit envahissante grâce à ce hangar et redessinèrent un véritable chemin carrossable entre le palais et la rivière.

Dieulefit, dit La Plume, car tel était le nom de guerre du sergent, n'avait jamais remarqué la présence de ce tambour. Il ignorait même l'existence d'une entrée à cet endroit du palais. C'est en s'approchant avec ses compagnons qu'il remarqua non seulement que la porte était ouverte mais que des pas avaient à plusieurs endroits enfoncé la neige, particulièrement entre le logis et le jardin. Julien, dont les jambes étaient aussi souples que longues, se porta vers l'enclos du parc et, de l'autre côté d'une lame de neige poudreuse, il aperçut, étendu, le corps d'un homme, également vêtu d'une robe de chambre mais nu-pieds.

— Par ici! cria-t-il. J'ai trouvé quequ'un… J'sais pas s'il est vivant!

Le sergent accourut, s'agenouilla et dégagea le visage et la tête de l'homme avec ses mitaines en peau de phoque.

— Jarnicoton! C'est Seurat, le secrétaire de monsieur l'intendant. Et il respire!

L'homme lui avait déjà été présenté lors d'une course au palais. Il avait mis pied à Québec en même temps que son maître, il y avait précisément 91 jours.

En plus des pistes de pas, on trouva, contre la clôture du jardin, dans un creux de neige, plusieurs effets appartenant au fonctionnaire. C'était un butin bien mince, pourtant le sien, quasiment tout ce qu'il avait apporté de France. N'empêche, cela représentait bien deux ou trois allers-retours.

Bastien donna instruction aux deux garçons de transporter sur-le-champ Charles Seurat à l'auberge et de mander le médecin, ce qu'ils s'empressèrent de faire. Lorsque le trio, sous d'aveuglantes rafales de poudrerie, eut quitté les lieux, le sergent retrouva la porte du tambour, garnie d'une minuscule fenêtre vitrée, puis poussa celle du palais, également entrouverte. Un premier regard lui indiqua la situation: si l'avant de l'édifice, était gravement rongé par les flammes, et si les étages étaient sur le point de s'effondrer, à l'arrière, les murs de soutènement jouaient toujours leur rôle et il pouvait, de toute évidence, compter sur quelques minutes de grâce.

Avec d'infinies précautions et tous les sens aux aguets, il mit pied dans la bâtisse. Que cherchait-il, au juste? Des survivants, probablement... Mais, d'un autre côté, sa tête raisonnait encore des mots de l'intendant: «J'ai inspecté les feux... tout était en ordre!» Hanté par ces paroles, il pénétra dans une pièce, sans doute la cuisine, puis s'arrêta, l'oreille tendue. Il n'entendait que le sifflement du noroît, les craquements des poutres de bois et le crépitement des flammes à la base du toit; rien ne permettait de croire en la présence, dans le bâtiment, d'un souffle de vie.

Regards à gauche, puis à droite, et enfin au niveau du sol. Des tisons et de longues flammèches pirouettaient dans l'air en de larges tourbillons, avant de glisser sur le plancher. À quelques endroits bien en évidence, entre la porte et l'escalier menant à l'étage, juste en face, le sergent ramassa quelques objets, sans doute appartenant au secrétaire et échappés dans sa précipitation frénétique: un petit sablier intact, une tabatière ovale en corne, un martinet[9], un bassin à barbe, cassé en deux morceaux, un rasoir, un couteau de poche et une boîte à savonnette. S'avançant davantage vers l'escalier, il recueillit sur les premiers degrés une bassinoire[10] à long manche et une écritoire en bois, en forme de coffre et recouverte de cuir noir.

Impossible de demeurer plus longtemps dans ce four infernal. Dieulefit lança à pleins poumons quelques appels qui restèrent sans réponse. Il s'empara de l'écritoire, en souleva la tablette, y fourra les plus petits des objets trouvés et retraita sans plus tarder vers le tambour. En y pénétrant, son pied buta contre le seuil de la porte et c'est en titubant, dans la pénombre, qu'il foula le sol en terre de l'annexe. À ce moment, il frappa du bout de sa botte un objet métallique qui alla percuter un quelconque râteau et

---

9    Petit chandelier à queue.

10   Récipient en cuivre à couvercle ajouré et long manche en bois. On le remplissait de braises chaudes et l'on bassinait les draps du lit pour le réchauffer.

revint se poser à ses pieds. Il plia les genoux et, d'une main, le ramassa. Il tenta sans trop de succès de l'examiner : à peine put-il conclure qu'il s'agissait d'un contenant de métal muni d'un couvercle et mesurant environ trois pouces de longueur sur un pouce et demi de largeur et autant en profondeur.

Des pièces de monnaie, à ce qu'il pouvait en juger, se heurtaient à l'intérieur du boîtier. Il déposa l'écritoire sur le sol et, de sa main droite déployée, il ratissa doucement la terre gelée. En quelques secondes, il enrichit sa cagnotte d'une demi-douzaine de pièces supplémentaires. Il les ajouta aux autres et glissa la cassette sous la tablette de l'écritoire.

C'est au moment de regagner l'extérieur qu'il remarqua la présence dans la remise d'une seconde porte, face à la première mais aveugle et d'une moindre largeur. Elle était clenchée mais sa barre gisait au sol. Bastien l'ouvrit, repoussant la neige qui l'obstruait, et obtint une vue dégagée sur la pleine longueur arrière du palais. Le long de l'ancien sentier, bien qu'en bonne partie déjà comblées, des traces de pas se dirigeaient vers l'Hôtel-Dieu. Laissant la porte entrouverte, il sortit par celle du jardin.

Dehors, devant l'intendance, où une bonne centaine d'habitants étaient maintenant rassemblés, Dieulefit constata que l'incendie, comme tous l'avaient craint, avait pris des proportions catastrophiques. La section médiane du palais était sur le point de s'écrouler et c'est sans surprise qu'il croisa deux spectateurs terrassés par l'événement et leur incapacité à intervenir : Robert Desnoyers, le garde-magasins du roi, et Martin Gareau, l'écrivain-commis au même endroit. Leur regard croisa brièvement celui du sergent et ce dernier put y lire autant de tristesse que d'impuissance.

À quelques pas de là, en direction de la rue Saint-Nicolas, il vit deux autres gaillards venir à sa rencontre, des voisins du bas de sa rue, le charretier Legris et le forgeron Chauvin. Ils accompagnaient Françoise, vêtue de la tête aux pieds de peaux de fourrure.

— Sergent Bastien, comme plusieurs appelaient familièrement Dieulefit, est-ce que ça vaut la peine d'aller quérir des seaux ? C'est peine perdue, vous trouvez pas ? demanda Chauvin.

Outre ceux du palais, maintenant brûlés et hors d'usage, les autres lots de chaudières en cuir étaient conservés assez loin du brasier, soit au château du gouverneur, au collège des Jésuites et à la résidence du conseiller François Hazeur, à la place Royale. Il y en avait bien aussi une vingtaine rue du Sault-au-Matelot, chez le conseiller François Aubert, mais on ne pouvait communiquer d'une basse-ville à l'autre à cause de ce que l'on nommait « l'anse de la Canoterie ». Celle-ci, propriété du Séminaire, séparait le fief du Sault-au-Matelot de celui des Hospitalières de l'Hôtel-Dieu et constituait, contre la falaise, un lieu d'échouement pour les *cageux* de bois, de même qu'un port d'arrivée pour les barques et canots d'approvisionnement du Séminaire[11].

— Non, il faut essayer, répondit le sergent. Montez chez les Jésuites, Chauvin, faites-vous aider de quelqu'un et rapportez les seaux. On a peut-être des chances, encore, de sauver les prisons, la Prévôté et le logement des Hubert. Quant à vous, Legris, j'aimerais que vous trouviez une traîne quelconque et que vous alliez rapailler les effets du secrétaire Seurat. Ce qu'il a pu sauver est entassé contre la clôture du jardin, là-bas, par derrière le palais. Rapportez ça à l'auberge, voulez-vous ?

Vers une heure trente du matin, en fin de compte, ce ne sont pas les chaudiérées d'eau à la chaîne, depuis la rivière, qui assouvirent l'appétit vorace de l'ogre mais la combinaison de deux facteurs déterminants : l'accalmie assez subite des vents et l'entrée en scène de plusieurs haches tenues par de bras puissants et habitués qui, en abattant les murs de refend, lui coupèrent l'alimentation. Ce qui n'empêcha pas le monstre, dans un ultime accès de rage, de consumer le reste de la couverture de bardeaux et, du même coup, l'élégant et monumental clocheton qui trônait fièrement sur le palais. Il conférait à l'important édifice une belle visibilité depuis la rivière et une certaine grandeur, sinon une majesté, à la hauteur des décisions administratives et de justice qui y étaient prises.

---

11  Cette anse, aujourd'hui comblée, occupait l'emplacement actuel de la place du Marché du Vieux-Port. D'ailleurs, la rue pentue menant de cette place à la rue Sainte-Famille, c'est-à-dire au Séminaire, porte toujours le nom de « côte de la Canoterie ».

# II

## LE PETIT TROUPEAU

*Samedi, 7 janvier 1713*

Brève avait été la nuit et fixes étaient les regards autour de la table du déjeuner. Les échanges étaient parcimonieux et seule Françoise, comme toujours la première levée, distillait un peu d'animation dans la cuisine du rez-de-chaussée de l'auberge. Un soleil éclatant venait de s'installer sur la ville mais un seul de ses rayons parvenait à rejoindre la pièce arrière de la maison en rasant la porte ouverte de la salle publique. La propriétaire, les cheveux blonds ramassés soigneusement sous une coiffe empesée, un tablier de toile grise épousant ses hanches arrondies, allait et venait entre la table à battants et l'âtre.

Julien, que son père avait surnommé Papou, aimait les crêpes de blé noir, ou sarrasin, trempées dans le chocolat chaud. Alexis, le matin, se contentait d'un quignon de pain qu'il mouillait dans une tasse d'eau-de-vie et qu'il avalait goulûment en ponctuant sa satisfaction de *mioums* sonores. Et Bastien, lui, jetait son dévolu sur un café au lait avec du pain beurré. C'est chez son patron, le marquis d'Aloigny, qu'il avait contracté l'habitude de boire ce nectar des citadins aisés, comme le chocolat, d'ailleurs.

— Une autre crêpe, Papou? demanda Fanchon, déjà penchée dans l'âtre sur la galetière[12], la tournette[13] à la main.

— Et pourquoi pas? Courailler dans une nuit de poudrerie et dans trois pieds de neige, ça creuse! De toute façon, à partir de maintenant, l'ouvrage va s'faire rare au palais. Mais y'aura certainement de la neige à pelleter et des débris à transporter.

Julien, depuis quelques mois, ne fréquentait plus le Petit Séminaire. Le préfet, l'abbé Ignace Hamel, peu après la rentrée scolaire de l'automne dernier, avait signifié à sa mère que le garçon était assez rébarbatif à l'autorité et, surtout, beaucoup trop attiré par les jupons. Son père, La Grandeur, avait insisté pour que l'enfant ait une bonne instruction, mais maintenant, Françoise était résignée. C'est son oncle Alexis qui l'avait introduit au palais, auprès du garde-magasins Desnoyers qui, depuis, employait l'adolescent comme manœuvre surnuméraire, coursier, voire matelot à bord des barques de déchargement, lorsque besoin était.

— Neige, débris, ça, c'est certain, Sainte-Guenipe, commenta Alexis en mâchonnant son pain rassis. Mais n'oubliez pas qu'avant longtemps not' cour va devenir une véritable ruche car ils vont vouloir reconstruire rapidement, si vous voulez mon avis. De ben des façons, le palais est plus important que le château, vous l'savez. C'est l'endroit de la ville où on travaille le plus, et à toutes sortes de choses, à part ça!

— Toi, mon sergent, reprit Françoise, tu voulais sans doute passer par l'hôpital avant d'aller chez le marquis d'en haut? C'est ainsi qu'elle nommait, parfois, Charles-Henri d'Aloigny, marquis de la Groye, qui habitait près du château. Depuis sa nomination au poste de commandant des troupes de la colonie, il y avait bien huit ans, l'ancien capitaine avait choisi Dieulefit, un des sergents de sa compagnie, comme secrétaire particulier et factotum. Le

12  Ou «galettière»: plaque de fer, souvent sur pieds, pour cuire galettes ou crêpes.
13  Sorte de demi-cuillère à manche pour verser et étaler diverses bouillies ou liquides pâteux sur une poêle.

procédé n'avait rien d'unique : le gouverneur-marquis de Vaudreuil, ex-capitaine et commandant des troupes, avait également promu secrétaire son sergent de compagnie, François Dumontier. Prérogative de noblesse, sans doute.

— On ne peut rien te cacher, belle patronne. D'ailleurs, je désire non seulement prendre des nouvelles du malade mais aussi lui apporter certaines bricoles qu'il a laissées derrière lui, la nuit passée. Auparavant, je ferai un détour par l'intendance. Je parie que ce sera, aujourd'hui, le coin le plus achalandé de la ville, et le plus surveillé aussi.

Pourquoi ce détour par l'hôpital ? Alexis et Julien, la nuit précédente, avaient bien transporté le secrétaire Seurat à l'auberge, comme demandé. Mais le quartier du Palais ne comptait aucun médecin ou chirurgien résidant. Les disciples d'Hippocrate habitaient aux quatre coins de la ville, rue Saint-Louis, de la Montagne, place Royale, ainsi qu'au Cul-de-Sac, mais ils étaient absents de la nouvelle ville basse, au-dessous de l'Hôtel-Dieu. Le charpentier Guillot, un voisin de l'aubergiste, se souvint, alors, qu'un chirurgien de marine était hébergé pour la saison morte chez l'architecte de La Joüe. Le secrétaire de l'intendant qui, pieds nus dans la neige et le froid extrême, s'était gelé les jambes, fut donc déplacé vers la vaste résidence de pierre du haut de la rue.

Charles Andrieux, un chirurgien de 40 ans environ, examina Seurat. Il était venu l'été précédent à bord du navire *L'Heureux Retour*, et il était demeuré dans la colonie au départ des vaisseaux parce que non encore rétabli des *fièvres pourprées*, ou typhus, contractées en s'amenant au pays. Il regarda attentivement les membres inférieurs : pieds et jambes très enflés, crevassés, et de couleur rouge violacé.

— Très sévères engelures, dit-il aussitôt, en tâtant délicatement les tissus abîmés de l'extrémité de ses doigts ; à ce stade, des complications sont à craindre. Il doit être porté en haut de la côte, à l'Hôtel-Dieu. Il est aussi très fiévreux... Ça s'annonce plutôt mal. J'ai, tout de même, une pommade grasse dans mon coffre qui soulage bien les matelots qui ont passé de trop longs moments agrippés aux vergues ou aux haubans des vaisseaux.

Le chirurgien appliqua son onguent, s'attardant particulièrement au niveau des ampoules et des boursouflures. Puis, le bas du corps enveloppé dans une épaisse couverture de laine, le malade fut emporté vers l'Hôtel-Dieu. Andrieux, plus tôt dans la nuit, avait aussi soigné madame l'intendante lorsque de La Joüe l'avait recueillie avec son mari. Avant de quitter le palais, elle s'était, en effet, infligée de vilaines coupures aux mains en brisant les carreaux de sa chambre afin de ne pas étouffer.

◆

Depuis huit heures ce matin-là, et même plus tôt, une foule bigarrée avait envahi les abords du palais en bonne partie carbonisé du sieur Bégon. On venait de partout en ville pour pousser des «oh!» et des «ah!», pour assister aux recherches des disparus dans les ruines, évaluer l'état du long bâtiment et conjecturer sur les causes et les conséquences de la tragédie. Plusieurs habitants de la Canardière, de Beauport et du chemin de Charlesbourg avaient franchi la Saint-Charles glacée pour observer la scène du désastre de leurs propres yeux. Pétri de croyances religieuses, mais surtout de religiosité et de superstition qui perduraient en dépit de la croisade contre-réformiste de l'Église, le petit peuple avait grand peur de ces calamités spectaculaires, particulièrement si leur déclenchement apparaissait obscur et mystérieux et si elles avaient entraîné mort d'homme.

Depuis que d'Aloigny en avait fait son secrétaire particulier, le sergent Dieulefit était, en quelque sorte, détaché de sa compagnie avec laquelle il n'avait plus, officiellement, que d'épisodiques contacts. Il ne revêtait donc que rarement sa tenue réglementaire gris-blanc et rouge et circulait en ville en habit de bourgeois. En cette journée hivernale, par exemple, il portait une chemise blanche au poignet et au cou, une veste sans manche brun clair, un justaucorps marron, une culotte beige s'arrêtant sous le genou et des bas de laine brun foncé. De longues bottes de cuir noir et un tricorne en feutre épais de la même couleur complétaient la mise que notre homme, de toute évidence, tenait à soigner. Et c'est ainsi qu'il quitta la rue Saint-Nicolas, avec sur le dos un havresac contenant l'écritoire et certains des effets personnels de Seurat.

Comme des voisins le lui avaient déjà signalé, le matin même, en quittant l'auberge, le palais était une ruine presque totale. Seul le pavillon jouxtant la côte du Palais, avec ses murs en maçonnerie, se maintenait debout. Sa toiture à quatre versants, cependant, s'était effondrée. Un important dispositif de surveillance armée tenait les curieux à distance car les ruines fumantes recelaient, on peut le penser, une panoplie d'objets de valeur ou personnels, des bijoux, par exemple, sans oublier des documents confidentiels. À l'intérieur de ce vaste demi-cercle, un groupe de dignitaires, au milieu duquel Bastien reconnut le gouverneur Philippe de Rigaud de Vaudreuil, l'intendant Bégon, habillé par les soins de son hôte, de La Joüe, les membres du Conseil supérieur et quelques religieux, discutaient devant le funeste logis, sans doute pour reconstituer la séquence des événements.

Un peu à l'écart, se tenait le corps des officiers militaires, autour du commandant des troupes coloniales, le marquis d'Aloigny de la Groye, un homme de haute taille, mince et sec, à la mine autoritaire et au regard de faucon ; cependant, à l'étonnement de ceux qui ne le connaissaient pas, il s'exprimait d'une voix calme et posée. Un second cardinal de Richelieu, en plus élancé. Dans le privé, les liens entre le commandant et son secrétaire étaient étroits et leurs relations souvent complices. Cependant, au grand jour, sous les regards de l'entourage, ils gardaient entre eux une distance et un vouvoiement propres à marquer la déférence du sous-officier envers le statut social et les hautes responsabilités de son commandant.

Apercevant parmi les officiers le second de la compagnie d'Aloigny, le lieutenant Jacques de Sanzelles, le sergent attira son attention d'un signe de la main et lui fit signe d'approcher. En sautillant d'une jambe à l'autre et en se décochant, les bras croisés, des tapes dans les côtes pour se réchauffer, l'officier arriva à la hauteur de Dieulefit.

— Bonjour, monsieur le secrétaire. On raconte que vous auriez connu une nuit des plus... tumultueuses ? Pour être si près des événements, railla Sanzelles, vous boudiez sans doute le confort et la chaleur de la rue de Buade et les attentions de dame Geneviève ?

Le lieutenant faisait allusion à la résidence du marquis et de sa femme, Geneviève Macard, au coin de la rue du Fort, à l'intérieur de laquelle d'Aloigny avait aménagé son bureau de fonction et où, par ailleurs, Bastien jouissait de sa propre chambre et d'un modeste cabinet de travail à l'étage. Mais celui-ci n'était pas dupe du persiflage de l'officier qui visait avant tout sa double adresse et ses attentions pour la patronne du *Dauphin d'Acadie*.

— Chevalier, rétorqua en riant le sergent, à mon âge, il y a de ces tumultes que je puis encore affronter sans peine, ne vous en déplaise.

— Mais, c'est qu'il a de la répartie, le pays ! Mais que puis-je ?

— Il est vrai que nous sommes pays[14], comme aussi notre commandant, le marquis de la Groye, à qui j'aimerais que vous fassiez savoir que je mettrai la main à la plume sitôt que j'aurai fait une visite à l'Hôtel-Dieu.

— Ce sera avec plaisir, mon ami.

— Merci et à bientôt.

Et, Dieulefit se fraya un chemin dans la foule, gagna la rue Saint-Nicolas et, sac sur l'épaule, grimpa la côte de l'hôpital.

🌀

Les Hospitalières de la Miséricorde de Jésus[15], bien que débarquées à Québec en 1639, n'occupaient leur couvent de la haute ville que depuis le milieu des années 1640. Depuis ce temps, au milieu de leur vaste fief de neuf arpents[16] surplombant la rivière Saint-Charles, elles avaient fait ériger, autour d'une cour intérieure, un vaste carré d'habitation à deux étages et couvert d'ardoises qui logeait à la fois leur monastère et l'hôpital qu'elles dirigeaient.

---

14  C'est-à-dire originaires de la même province ou région française.
15  Habituellement nommées les Augustines.
16  L'arpent carré équivaut à 100 perches carrées, à 4 096 verges carrées ou 0,846 acre. En mesure métrique, l'arpent carré est égal à 0,342 hectare.

La montée donnait accès à la rue des Pauvres qui, à son extrémité, joignait la rue Saint-Jean[17]. Le domaine des religieuses était ceinturé par une palissade de pieux de cèdre de dix pieds de hauteur hors terre, là où il n'y avait pas de bâtiments limitrophes. La haute barrière ne tenait pas seulement à leur statut de femmes cloîtrées. Partout en ville, chez les bourgeois comme chez les artisans ou les journaliers, l'habitude était de clore sa propriété en dressant des clôtures de pieux, parfois de six ou sept pieds seulement.

Grâce au pas lent mais régulier du pèlerin, celui que les habitants aguerris avaient appris à utiliser dans les montées éreintantes de la cité, Bastien parvint à mi-chemin de la rue des Pauvres sans trop tirer la langue. Il avait laissé, sur sa gauche, l'étable-écurie des religieuses et la maison du fermier, tout en donnant le bonjour à monsieur de Saint-Simon, le prévôt de la maréchaussée, qui, de l'autre côté de la rue, quittait sa résidence avec deux de ses archers, en route vers le palais.

Une ouverture dans la palissade signalait l'entrée secondaire de l'Hôtel-Dieu qui menait à la chapelle. La voie d'accès principale se trouvait, pour sa part, à l'orée de la rue Saint-Jean, là où, entre potager et cimetière, l'«allée de l'Hôpital» menait au parloir intérieur. Le sergent longea donc la chapelle, dans l'axe de laquelle se dressaient la salle des femmes puis celle des hommes. À la jonction de celles-ci, un portail, servant de vestibule et de parloir extérieur, permettait de rendre visite soit aux femmes, soit aux hommes.

Dieulefit pénétra dans le portail et agita la cordelette d'une clochette suspendue au mur. Bientôt, un visage apparut derrière un treillis de bois enchâssé entre deux portes.

— Bastien! dit une jeune voix joyeuse. Oh! Pardon... sergent Bastien, euh... je veux dire sergent... Dieulefit, oui, c'est cela, sergent Dieulefit. Excusez-moi, ajouta-t-elle en baissant les yeux et la voix. Comment allez-vous monsieur... je veux dire... que puis-je pour vous, Bastien? Non! Dieulefit...

---

17    À ce moment, le toponyme de «Côte-du-Palais» ne s'appliquait qu'à la portion la plus pentue de la rue actuelle, soit le secteur de la falaise proprement dite. Au haut de cette dernière se dressait la «porte du Palais».

La pauvre fille, dont le bandeau et la guimpe blanches, ainsi que le long voile noir, parvenaient mal à masquer la fraîche beauté, était confuse et bougeait ses lèvres roses sans émettre un son, sans doute en se triturant les doigts. Le sergent, un moment surpris et désemparé, éclata d'un rire franc en face des belles joues devenues rouges de gêne.

— Madeleine! C'est bien toi? Je veux dire... vous, Louise-Madeleine? Euh... sœur Madeleine, Dupuy... non, j'y suis: sœur de la Naissance... enfin...

À son tour, l'homme était troublé. Il avait perdu contenance. Il ne trouva rien d'autre à faire que d'enlever son chapeau et de le faire passer d'une main à l'autre, en le tapotant de ses doigts. C'est Madeleine qui refit surface la première et rétablit le dialogue.

— Mère de la Nativité, sergent, vous y étiez presque, dit-elle en conservant un léger sourire. Comment puis-je vous aider?

— Mais... déjà, Madeleine? Vous êtes entrée... hier, me semble-t-il...

— Vous retardez sérieusement, sergent. Je suis religieuse professe[18] depuis le mois de septembre dernier.

Louise-Madeleine, à 19 ans, était la benjamine du couple Paul Dupuy – Jeanne Couillard. Bastien avait connu les seigneurs de l'île aux Oies peu de temps après son arrivée au pays, par l'entremise du marquis d'Aloigny mais surtout de sa femme, Geneviève Macard, la cousine germaine de Jeanne Couillard. Paul Dupuy avait rapidement octroyé une terre au sergent de la compagnie d'Aloigny dans sa seigneurie, en face du cap Saint-Ignace, treize lieues en bas de Québec. Il espérait que l'ami de ses fils, Simon et Jean-Paul, se fixerait au pays. Depuis sa venue, en 1693, Dieulefit était entré dans le cercle de la famille Dupuy. Il était d'ailleurs, lui aussi, un amant inconditionnel de l'île aux Oies, sur laquelle il s'était construit une maisonnette en pièce sur pièce. La mère de Louise-Madeleine était décédée depuis dix ans, déjà, et son père, maintenant septuagénaire, exerçait les importantes fonctions de lieutenant général de la Prévôté de Québec.

---

18    Qui a prononcé ses vœux.

— Je n'ai pas vraiment pris conscience du temps qui passe depuis quelques années, surtout les dix dernières où nous avons été en guerre, répondit le sergent. Le marquis m'a pris auprès de lui il y a huit ans passés et tout, dirait-on, s'est accéléré. J'en parlais d'ailleurs à votre père dernièrement, chez lui, mais je n'aurais pas dû ; ça n'a fait que l'attrister, je crois. À son âge, il est vrai...

— Vous savez, Bastien, intervint la religieuse en utilisant, volontairement cette fois, le prénom de son visiteur, mon père est triste et mélancolique parce qu'il vend son île, son refuge spirituel, son paradis, celui qu'il chérit depuis que ma mère le lui a apporté en dot, lors de leur mariage, il y a 44 ans de cela. Et vous savez pourquoi il s'en départit ? Parce qu'il vit maintenant en ville, ici, non loin de l'hôpital ? Non. Parce qu'il est trop vieux pour poursuivre sa mise en valeur ? Pas du tout. Je vais vous le dire, Bastien, parce que je le sais mieux que personne. L'entrée de fonds lui permettra de payer enfin ma dot à la communauté. Malgré ses terres, malgré ses fonctions insignes, mon père n'était pas assez riche pour doter trois religieuses, Geneviève[19] et moi ici, chez les Hospitalières, et Marie[20], chez les Ursulines. Je connais le prix de mon entrée en religion : 3 000 livres, rien de moins. La vente de l'île devrait lui rapporter environ 12 000 livres ; avec le reste, il remboursera une dette importante envers les héritiers du marchand Gobin. Voilà la vérité. Je vous le dis, Bastien, je crains que mon p'tit papa ne survive pas longtemps à la transaction.

— Oui, je suis au courant. Monsieur de Lisloye[21], votre père, a lui-même offert sa seigneurie aux Hospitalières, il y a presque deux ans de cela. Avant de prendre une décision définitive, elles ont envoyé leur fermier, Romain Chapeau, visiter les lieux afin de leur faire rapport. C'était peu de temps avant la noyade de ce dernier et c'est en ma compagnie, dans ma barque, qu'il s'est rendu à l'île. Je savais déjà que son rapport serait très favorable.

---

19  Mère de la Croix, née en 1675
20  Mère de l'Enfant Jésus (1679-1703)
21  Paul Dupuy, ancien officier du régiment de Carignan, portait le nom de Sieur de Lisloye depuis l'acquisition de sa seigneurie, en 1668.

Le notaire finalisera sans doute l'affaire sous peu... malheureusement, si je puis dire[22].

Une voix chevrotante et aiguë interrompit subitement la conversation tandis qu'un visage raviné et percé de petits yeux de fouine cherchait à s'approcher de la grille afin d'identifier l'individu qui accaparait ainsi la jeune sœur.

— Ma sœur, que se passe-t-il, qui est cet homme, que désire-t-il, enfin ?

C'était Mère de la Visitation, la plus vieille religieuse de l'établissement et une ancienne supérieure. Elle consacrait maintenant son existence, aurait-on dit, à surveiller les jeunes professes et à les prendre en défaut, si possible.

— Oh ! Ma Mère, répondit aussitôt la jeune recrue, embarrassée et confondue, c'est le sergent Bastien... euh... je veux dire Dieulefit, qui désire... euh... je ne sais pas... Vous veniez visiter un de nos malades, sergent Bastien ?

— Oui, ma sœur. J'aurais voulu me rendre auprès du secrétaire de monsieur l'intendant, monsieur Seurat. Il est arrivé la nuit passée, suite à l'incendie du palais.

— Oui, bien sûr, répondit Louise-Madeleine en cherchant à se dégager de la présence envahissante de la surveillante. Mais... attendez-moi un instant, je vais aller voir s'il est éveillé.

À son retour, elle ouvrit la porte de droite et invita le sergent à la suivre. La salle dans laquelle ils pénétrèrent était vaste, environ 50 pieds sur 36, soit à peu près les mêmes dimensions que celle réservée aux femmes, dont elle était le prolongement. Elle pouvait accueillir 24 malades, contre dix du côté des femmes. Cela tenait au fait qu'à l'année longue, de nombreux soldats et matelots étaient admis dans l'institution, gonflant du même coup le nombre des hommes soignés. À l'extrémité de la salle, par ailleurs, une chambre particulière, capable de recevoir quatre ou cinq personnes, était réservée aux officiers et aux gens de qualité.

Tout au fond, entre deux fenêtres étroites laissant pénétrer la pâle lumière du levant, un foyer de bonne taille occupait une partie

---

22    La vente aura lieu devant le notaire La Cetière, à Québec, le 14 février 1713.

du mur. Tout à côté, prenait place un autel où l'on célébrait la messe quotidienne. La salle, en effet, contrairement à sa voisine, n'offrait pas de percée visuelle sur l'église. Aux murs, des crucifix de bois et des images saintes : le Christ, la Vierge, la Sainte-Famille. Et aussi, dans des cadres dépouillés, des pensées réconfortantes pour les malades et les agonisants, à la manière des hôtels-Dieu de France. Ces méditations, évidemment, étaient lues et commentées aux analphabètes par les religieuses.

*Dieu s'occupe de moi. Il a les yeux spécialement attachés sur moi, et je ne suis singulièrement éprouvé que parce que je suis singulièrement aimé.*

Ou plus loin :
*Mon cœur se remplit de la plus douce espérance. Dans un moment je verrai mon sauveur ; il est mon chef. Je vais lui être réuni, sans crainte d'en être jamais séparé.*

Et ailleurs encore :
*Ô Jésus, qu'il m'est doux de mourir dans l'espérance de vivre éternellement avec vous.*

La salle des hommes était à moitié occupée et, par cette matinée d'hiver, un certain bien-être, paradoxalement, l'enveloppait ; la bonne chaleur de la cheminée et du poêle de fer réchauffait les froids rayons de soleil qui, grâce à huit fenêtres, inondaient l'espace. Entourés de quelques sœurs infirmières, deux hommes faisaient la tournée des malades : le chirurgien Jourdain Lajus, 40 ans, fort apprécié de toute la population, compétent mais sévère et d'esprit tatillon, et Michel Sarrazin, le seul médecin véritable du pays, 53 ans, savant botaniste et scientifique de renom international, une légende en ce pays qu'il habitait depuis près trente ans. Il était marié en premières noces depuis moins de six mois avec une jeune beauté de vingt ans, Marie-Anne Hazeur, fille d'un riche marchand de la place Royale.

— Monsieur Seurat occupe le lit *Saint-Philippe*, dit, en marchant, la jeune professe. Viens... non ! Venez !

Ici comme ailleurs, il était coutumier de mettre chacun des lits d'un hôpital sous la garde tutélaire d'un saint patron.

À peine atteignaient-ils le chevet du malade que le chirurgien Lajus accourut, l'air très courroucé. Le visage émacié, tel celui d'un personnage du Gréco, n'en paraissait que plus livide. Il s'adressa à Dieulefit, qu'il avait reconnu en dépit de l'absence d'uniforme.

— Sergent! On m'a dit que monsieur Seurat avait été transporté chez vous durant l'incendie de la nuit dernière, c'est exact?

— Tout à fait monsieur le chirurgien. Mais, compte tenu de son état, il fut jugé à propos de le faire examiner par monsieur Andrieux, chez Lajoüe.

— Dieulefit, vous ne pouvez ignorer l'ordonnance de 1710 qui interdit formellement à tout chirurgien de vaisseau de soigner la population de la colonie! Il s'agit d'actes qui sont de notre compétence exclusive, à mes confrères et à moi, c'est bien connu de tous!

— Monsieur Lajus, répliqua l'interpellé, qui sentait ses bonnes manières l'abandonner rapidement, vous n'êtes pas sans savoir que le quartier du Palais n'est habité par aucun de vos collègues. Vous résidez vous-même à l'autre bout de la ville, près du Cul-de-Sac. De plus, la nuit dernière, la tempête et le froid régnaient en maîtres sur la cité et la conflagration qui s'est invitée à l'improviste n'a pas permis, disons, de respecter vos prérogatives. Un homme sensé comme vous le comprendra certainement.

— Enfin, sergent, l'hôpital n'était pas bien éloigné, il me semble; Seurat aurait aussi bien pu y être porté.

— Vous y étiez, vous, la nuit dernière, à l'hôpital? Vos collèges y étaient? Andrieux était chez Lajoüe, lui. Il me semble que ça suffit, non?

— Trêve d'excuses, Dieulefit! Je n'ai pas l'intention de laisser l'affaire lettre morte.

— Libre à vous, conclut Bastien, assommé par la perte de temps. Mais prenez d'abord la mesure de ceci: madame l'intendante, la nuit passée, a elle-même eu recours aux services d'Andrieux. Et j'ai ouï-dire que monsieur son mari s'est montré fort satisfait des soins reçus, et généreux même envers le locataire providentiel de monsieur Lajoüe.

Le chirurgien, un long moment interloqué, tourna enfin les talons et s'éloigna prestement en marmonnant entre ses dents. Louise-Madeleine s'approcha de Bastien et, le plus sérieusement du monde, sans même le regarder, murmura :

— Incorrigible Bastien... tu as encore gagné.

— Incorrigible Madeleine... avec ou sans voile, tu seras toujours une Couillard-Dupuy.

✹

Charles Seurat n'avait pas bonne mine. L'homme dans la trentaine était de taille moyenne et, d'ordinaire, on remarquait surtout chez lui son teint pâle et cireux ainsi que sa maigreur rachitique. Son aventure de la nuit précédente n'avait en rien amélioré sa physionomie. Aux prises avec une forte fièvre intermittente, son visage tantôt baignait dans une sueur épaisse, tantôt se contractait dans des rictus crispés. Ses yeux, qui n'avaient jamais été la partie la plus expressive de sa figure, semblaient éteints, même lorsque secoués par des frissons.

Dieulefit s'approcha de son lit. Le malade le regardait fixement, la respiration haletante. De la main droite, il épongeait son triste visage, sur lequel se plaquaient de longues mèches de cheveux poivre et sel. Malgré cela, Seurat paraissait profiter, pour le moment, d'une certaine accalmie dans la tempête qui n'avait cessé de le harceler.

— Comment allez-vous, monsieur le secrétaire ? Mieux, d'après ce que je vois, mentit le sergent.

— Nous nous sommes déjà rencontrés, n'est-ce pas, monsieur ? Votre visage m'est familier, répondit Seurat en ignorant la question posée.

— C'est que je portais, alors, ma casaque des troupes. Sergent Dieulefit, dit Laplume...

— Oui, je me rappelle maintenant. Laplume... oui, le sergent Laplume... dit d'une voix faible le malade, dans un sourire qui dégagea des dents assez blanches et bien alignées. C'est un nom de guerre qui ne s'oublie pas. Je me souviens avoir pensé que vous convoitiez peut-être mon poste de secrétaire, ajouta-t-il en plaisantant.

— Bien que j'occupe, monsieur, un peu les mêmes fonctions auprès du commandant des troupes, le marquis d'Aloigny, il ne s'agit pas pour moi d'une carrière mais bien plutôt d'une bifurcation imprévue de parcours. D'ailleurs, je ne sais si ce double emploi se prolongera encore longtemps.

— Quelque chose me dit, sergent, que votre visite est reliée à mon aventure de la nuit dernière. Vous savez, tôt ce matin, lorsque j'ai repris mes esprits, on m'a raconté la suite de ma mésaventure et, surtout, les conséquences tragiques de l'incendie.

— Vous avez raison, monsieur. Mes amis et moi vous avons découvert dans un très piteux état, à proximité du jardin de monsieur Bégon, à peu près vers une heure du matin. On vous a transporté au *Dauphin d'Acadie* et de là chez monsieur de La Joüe où le chirurgien Andrieux vous a examiné. Puis un dernier saut jusqu'ici.

— J'avais sans doute perdu conscience car je n'ai pas souvenir de ce périple dans la tempête. Si ce n'est, peut-être, un visage de femme penché sur moi, celui, je crois bien, de madame l'intendante.

Seurat recommençait à grelotter, la fièvre était de retour. Dieulefit décida donc d'écourter la conversation et d'aller droit au but.

— Après vous avoir fait transporter, la nuit dernière, j'ai tenté de pénétrer dans le palais. Par la porte arrière, près du jardin, celle que vous avez utilisée, de toute évidence. Oh! Je ne suis pas allé bien loin, la cuisine et le bas de l'escalier seulement. C'était la forge de Vulcain, là-dedans! J'ai tout de même ramassé au sol divers objets, en plus de ceux laissés près du jardin. Je présume qu'ils vous appartiennent et j'aurais aimé vous les montrer.

— Mais d'abord que je vous explique, sergent, dit l'homme en dressant la main. C'est moi qui, le premier, ai découvert l'incendie. J'avais travaillé tard à la copie de documents et, après avoir déposé ces papiers dans le cabinet de mon maître, je fermai la porte et gagnai la chambrette que j'occupe tout à côté du secrétariat, sur le même plancher. Vers minuit et demi, prenant conscience d'un oubli, je retournai dans le cabinet en robe de chambre. C'est en parvenant à la porte que je vis de la fumée s'échapper sous celle-ci. J'ouvris et l'air qui s'engouffra à ce moment dans la pièce provoqua l'irruption devant moi d'une muraille de flammes.

En narrant son aventure, Seurat, surexcité, s'était appuyé sur un coude et les muscles de son visage émacié s'étaient contractés. C'est avec des yeux exorbités de terreur et une voix haletante qu'il continua son récit.

« J'étais épouvanté, ajouta le malade, et je me suis mis à courir et à crier en même temps. Je me précipitai à l'étage, déjà très enfumé, et je frappai à coup de poing dans la porte de chambre de monsieur l'intendant. Je voulus ensuite gagner le plancher supérieur pour prévenir les domestiques mais, dans ce puits d'air ascendant, j'étouffais. Je criai de toutes mes forces pour donner l'alerte. Oh ! J'aurais dû m'élancer vers les combles, mais... j'étais frappé de stupeur, paralysé, et je croyais sincèrement que mes appels répétés les rejoindraient. »

« Je regagnai ma chambre où je rassemblai tout ce qui me tombait sous la main, vêtements, livres, objets de travail, de toilette. En sortant précipitamment, je laissai sans doute tomber la moitié de mes choses. Je comptais m'échapper par la porte principale du palais mais le feu avait envahi la grande salle. Je résolus donc de fuir par l'arrière, en empruntant les marches menant à la cuisine puis la porte du jardin. Une fois à l'extérieur, je réalisai que j'étais nu-pieds avec de la neige aux cuisses. Malgré le froid cuisant, je suis retourné à ma chambre à deux ou trois reprises. Et puis, j'ai dû perdre conscience dans la neige... Il faisait tellement froid, mais mon corps m'était étranger. »

— Lorsque nous vous avons trouvé, monsieur, nous vous avons cru mort, mais nous ne savions si c'était de froid ou d'étouffement.

Cela dit, Bastien ramassa son sac, s'assit sur une chaise de chevet que Louise-Madeleine venait de lui apporter, et présenta au patient les fruits de son incursion dans le palais. Celui-ci, au premier coup d'œil, reconnut comme siens tous et chacun des articles récupérés au rez-de-chaussée de l'intendance. Tous, sauf le petit contenant métallique et sa dizaine de pièces rondes ressemblant à de la monnaie. Il demanda à examiner celles-ci de plus près.

Mesurant environ un pouce et quart de diamètre, elles étaient faites d'étain. La plupart, sur une de leurs faces, montraient une coupe flanquée de deux billettes[23] et, au verso, des lettres séparées par des doubles points, des initiales de mots, de toute évidence. Trois ou quatre, par contre, affichaient au recto un jeune berger, entouré de ses moutons, soufflant dans son cor et, à l'endos, deux pages d'un livre ouvert. Sur celle de gauche, on lisait : « ne crains rien petit troup » et, à droite : « S$^t$ Luc C$^e$ XII V$^t$ 32 ».

— Ces pièces ne m'appartiennent pas, sergent. Il s'agit de jetons religieux, huguenots pour être précis. Des méreaux. Grâce à ces jetons, ils se reconnaissent entre eux. Lisez l'inscription biblique et sa référence. Quant aux pièces marquées d'une coupe, un calice en fait, leur fonction est la même, sans doute, comme aussi leur appartenance.

Dieulefit ne dit mot. À son tour, il inspecta les rondelles d'étain, les faisant tourner entre ses doigts. Jusqu'à ce moment, il n'avait pas prêté attention à ces jetons recueillis dans la poussière de l'appentis-tambour, convaincu qu'il était qu'il s'agissait de pièces de monnaie échappées par Seurat dans sa course folle. Mais maintenant qu'il les regardait, dans la paume de sa main, il se rappelait. Le berger et la citation de Saint-Luc l'évangéliste, ça remontait bien à quelques mois déjà, en octobre passé, au moment de l'arrivée à Québec du *Héros*, le navire du roi. Quant au calice, son évocation était ambivalente car si proche et si lointaine dans sa mémoire : proche par le très vif souvenir qu'il en gardait, lointaine jusqu'à ses premiers sabots d'enfant. Par-delà le paradoxe, un fait s'imposait à son esprit : le calice était bien le symbole protestant de ralliement chez lui, en Poitou.

---

23   Pièces d'armoiries en forme de rectangle.

# III

## Les boulins de la mémoire

*Dimanche, 1ᵉʳ août 1683*

— Sébastien! Sébastien! Où te caches-tu encore? La fête pour Charles-Henri se prépare, alors viens vite! Il part demain matin à la première heure et c'est ta dernière chance de le voir. C'est ton ami, pas vrai? Tu ne voudrais pas le manquer, d'autant que tu ne le reverras pas de sitôt? Allez, sors de ton trou, petit pouilleux!

Le chanoine Chasteigner avait un faible pour le fils du régisseur, un petit noiraud aux cheveux bouclés, dégourdi et intelligent, mais parfois, il ne pouvait s'empêcher de tempêter contre ce garnement indiscipliné et sans cesse en mouvement. On avait même vu, certains l'affirment, l'ancien membre du chapitre de la cathédrale Saint-Pierre de Poitiers, à bout de patience, saisir sa calotte, la lancer rageusement par terre et la piétiner avec fureur. Mais aujourd'hui, au château, quelques dizaines de personnes étaient assemblées pour un événement bien particulier et le sieur Guillaume, endimanché, ne souhaitait pas se départir de sa bonne humeur.

La seigneurie de la Groye, était l'apanage depuis le 13ᵉ siècle de la famille d'Aloigny, l'une des plus anciennes et des plus illustres du Poitou. Particulièrement en faveur à la cour de France au 15ᵉ siècle, sous les règnes de Louis XI et de son fils Charles VIII, les seigneurs de la famille avaient contribué à asseoir le pouvoir royal dans le haut de la province au lendemain de la guerre de Cent ans. C'est alors qu'avait été érigé un château fort à environ une lieue à l'est d'Ingrandes, entre Vienne et Creuse, à cheval ou presque sur la frontière de la Touraine[24]. Quatre grosses tours d'enceinte en poivrière et à mâchicoulis faisaient la jonction de chemins de ronde haut perchés. Au dix-septième siècle, en 1661, le domaine avait été érigé en marquisat en faveur de Louis d'Aloigny de la Groye.

L'ecclésiastique faisait mentir l'image très répandue, même au dix-septième siècle, du gras chanoine. Mince, comme tous ceux de sa famille, sa démarche était vive et nerveuse, en dépit de ses soixante ans. Il sortit de la cour intérieure du château à longues enjambées, franchissant un porche de pierre qui avait succédé à l'ancien pont-levis. Sculptées au fronton de ce porche arqué, les armoiries de la famille, surmontées d'une couronne marquisale, s'affichaient fièrement. Les héraldistes disaient : « De gueules à cinq fleurs de lys d'argent posées en sautoir », c'est-à-dire dans la position 2-1-2.

Le château du « haut et puissant seigneur » Louis d'Aloigny s'adossait à un coteau au sommet duquel, à deux arpents environ, se dressait un majestueux colombier cylindrique de pierre chaulée. Un toit conique le coiffait, percé d'une lucarne avec plage d'envol, et surmonté d'un lanternon. Large de 30 pieds et haut de plus de 38, il contenait 2 600 boulins, ou niches, en terre cuite. Outre le cheval dans certaines écuries, seule la colombe, parmi les animaux domestiques, était gratifiée par l'homme d'un logement dont l'architecture pouvait, parfois, être qualifiée d'œuvre d'art, alliant l'élégance au fonctionnel. L'oiseau, en retour, procurait à son

---

24  À cette époque, le ruisseau qui délimitait les deux provinces s'appelait le Battreau. De nos jours, on le nomme le Rémilly et il se jette toujours dans la Vienne.

maître œufs, viande et colombine[25] et son habitat exprimait la noblesse et la richesse du propriétaire. En effet, le pigeonnier à pied, c'est-à-dire doté de boulins sur toute sa hauteur, était réservé au seigneur haut justicier. D'autre part, le nombre de nichoirs était proportionnel à la superficie des terres du seigneur. Un garde-manger, certes, mais aussi une vitrine sociale.

Guillaume Chasteigner se dirigea vers le sentier pentu menant au colombier blanc crayeux. Sébastien aimait bien le noble bâtiment et il ne se lassait pas d'observer le travail de Louis Pointureau, dit Pointu, auprès des pensionnaires volatiles.

— Le sacripant de gredin ! Me faire grimper ce talus de misère sous ce soleil de plomb !

La porte de bois du pigeonnier était ouverte. Sur la clé de voute, au-dessus, l'on distinguait aussi les armes des d'Aloigny. Le silence régnait à l'intérieur. Le chanoine, le mouchoir sur sa tête chauve, entra et, ce faisant, provoqua agitation et battements d'ailes au sommet de la tour massive. Il attendit quelques secondes que ses yeux s'y retrouvent dans la pénombre ; en même temps, il appliqua le mouchoir sur son nez tellement l'odeur étouffante de l'ammoniaque lui attaquait la muqueuse. Il appela puis porta son regard vers les échelles qui, rattachées à un poteau central, longeaient la muraille intérieure. Pivotant sur 360 degrés autour de cet axe, rien de moins qu'un long fût monolithe, les échelles jumelées permettaient à deux hommes de visiter en même temps les boulins.

Chaque échelle comptait 35 barreaux ; au sommet de l'une d'elles, l'homme à la soutane dénicha enfin son jeune protégé. Immobile, le regard fixé sur l'intrus, le garçonnet de cinq ans retenait son souffle. Son bras droit entourait l'un des montants de l'échelle et assurait sa stabilité. Dans sa main droite, il tenait un pigeonneau, grisâtre et ébouriffé, tandis que la gauche agrippait une boîte métallique sombre mesurant environ six pouces sur quatre.

— Alors, monsieur Dieulefit, vous voilà ! Et comme je vous trouve ! En pleine désobéissance car il vous est interdit de monter

---

25  Fiente qui servait d'engrais, surtout dans les régions où l'on cultivait le blé, le lin et le chanvre.

là-haut, n'est-ce-pas? Il vous reste à choisir : le battoir de maman Jacquette ou la cuisante colère de papa Romain.

Sébastien ne bougeait pas d'un poil. Seules ses paupières, soudain actives, témoignaient de sa réflexion et de son trouble.

— Évidemment, poursuivit le chanoine, se faire rôtir les fesses par une aussi belle journée, et au moment où toute la famille et les amis sont réunis autour de monsieur Charles-Henri, ça risque de gâcher la fête, ne trouvez-vous pas? Hum... que faire?

L'enfant, ne quittait pas l'homme des yeux. Puis, étirant son bras droit, il déposa lentement le pigeonneau dans sa niche. Il entreprit enfin sa lente descente, en profitant pour prendre la parole.

— Monsieur Guillaume, c'est que j'ai trouvé quelque chose que je voulais vous montrer. Une boîte avec un livre dedans... Vous voulez voir? Et puis il y a des sous..., 33, je les ai comptés... Car vous savez que je sais compter, c'est vous qui m'avez montré. Vous vous rappelez?

L'abbé esquissa un sourire qu'il se hâta de réprimer et croisa les bras sur sa poitrine en adoptant un air renfrogné.

— On cherche à détourner la conversation, petiot? Arrivez plutôt ici que je vous regarde le fond des yeux.

Sébastien sauta au bas des trois derniers barreaux de l'échelle et, à peine au sol, tendit les bras vers son maître d'école en lui présentant la cassette un peu rouillée.

Ce dernier la prit entre ses doigts, l'approcha de la lumière de la porte, l'examina et l'ouvrit enfin. Il en retira un livre d'environ trois pouces sur un et demi. Relié sous une couverture cartonnée brune, Chasteigner remarqua que la page de titre avait été arrachée. Il feuilleta rapidement le volume et le referma brusquement.

— Maudits Huguenots! Une bible de chignon! Ici, à la Groye!

Imprimées en français, soit en Suisse soit en Hollande, et destinées aux Protestants de plus en plus clandestins de France, ces bibles miniatures étaient apparues depuis deux ou trois ans dans l'ouest de la France, particulièrement en Poitou. Dans cette province, depuis 1681, le ministre de la Guerre du roi, monsieur de Louvois, afin de hâter les conversions, avait ordonné à l'intendant,

René de Marillac, d'accabler les Réformés par des impôts spéciaux et le logement à outrance des soudards. Ce fut là le début des «missions bottées», mieux connues sous le nom de dragonnades. Pour échapper à ces exactions, les Huguenots abjuraient nombreux, pour la forme, et s'assemblaient en cachette pour pratiquer leur culte et lire la bible.

Les femmes parvenaient à dissimuler ces bibles miniatures sous leur coiffe ou dans leur chignon, d'où leur nom. Le chanoine en avait entendu parler, certes, mais c'était la première fois qu'il en tenait une dans ses mains. En colère, ses doigts tambourinèrent pendant quelques secondes sur la couverture de l'ouvrage ; puis il inspecta à nouveau le contenu de la boîte : 33 méreaux poitevins, montrant un calice entre deux billettes. Ça aussi, il connaissait. À Poitiers, récemment, l'évêque avait annoncé à son clergé la circulation dans le diocèse de ces pièces de reconnaissance parmi les RPR[26] et il en avait exhibé quelques-unes.

— Si je m'attendais à cela aujourd'hui, soupira-t-il.

Tout en baissant les yeux vers le gamin qui lui, sur la pointe de ses pieds nus, lorgnait la cassette, l'abbé Guillaume gratta de ses ongles le fond métallique du contenant. Il en sortit une croix en argent qui, avec ses quatre bras d'égale longueur et ses huit pointes, reproduisait à s'y méprendre la croix de Malte. Cependant, quatre lys s'intercalaient entre les bras, symboles à la fois de pureté et de fidélité à la couronne de France. Enfin, évoquant la présence de l'Esprit saint, une colombe aux ailes déployées était suspendue par la queue à la base de la croix.

— La croix des Huguenots... murmura l'homme, comme épouvanté. Telle que Monseigneur l'a décrite... ici, chez nous.

— Je veux la voir... s'il vous plaît !

Se tournant vers l'enfant, il lui montra et dit : «Sébastien, écoute-moi bien. Si tu réponds à ma question, je ne dirai rien à tes parents à propos de l'échelle. Bien sûr, tu as trouvé la boîte... mais je prétendrai que c'était près du sol et cela restera entre toi et moi. Alors dis-moi : comment l'as-tu découverte, la boîte ?

---

26    Les adeptes de la Religion Prétendue Réformée, *alias* Protestants.

— Hier, le matin, je déjeunais avec papa et j'ai vu Pointu qui allait au pigeonnier. Après, j'ai couru le rejoindre et, en entrant je l'ai vu, en haut de l'échelle qui sortait la boîte d'une boulite[27]. Je crois qu'il a pris quelque chose dedans. Mais il était bien occupé et il ne m'a pas vu. Sans faire de bruit, je suis sorti ; et aujourd'hui, je suis revenu voir ce qu'il y avait dans la boîte. Elle était cachée derrière le pigeonneau. C'est tout ce que je sais, promis, monsieur Guillaume.

— Je te crois, petit. Allons, viens maintenant, dit l'abbé en lui prenant la main. Il est deux heures et maman Jacquette t'attend pour te débarbouiller, te changer, et te donner tes sabots avant de rejoindre les autres. Le guenillou[28] est plus présentable que toi.

Une demi-heure plus tard, remontant de la cuisine, encadré de ses parents, Sébastien sortit du château par la porte latérale. Aussitôt franchis le potager et le jardin de simples, et en dépit des rappels à l'ordre de ses père et mère, il bifurqua vers la gauche et s'élança dans la longue allée de hêtres qui, à l'arrière de l'ancienne demeure fortifiée, bordait le verger. Il courait avec toute la vigueur qu'il pouvait mettre dans ses jambes minces ; cependant sa vitesse et son agilité se trouvaient bien gênées par les sabots neufs en ormeau qui encombraient ses pieds. Parvenu à la hauteur du bassin de pierre qui ornait le centre d'un vaste jardin carré, l'enfant se jeta dans l'une des allées qui menaient à la pièce d'eau.

Le soleil était haut dans le ciel et ses rayons ardents avaient provoqué la sortie des mouchoirs chez la dizaine d'hommes qui se tenaient debout, dos au bassin, et qui contemplaient le château. Pendant que tous s'épongeaient, qui le front, qui la nuque, à l'écart, sous une charmille, le groupe des femmes devisaient gaiement et se gaussaient gentiment de l'exubérance des gestes et de la volubilité du maître de céans. Celui-ci décrivait en détail les

---

27  Les boulins étaient dits boulites par les Poitevins.

28  La France ne semble pas reconnaître dans ce mot notre mendiant québécois couvert de guenilles, non plus que le pauvre marchand qui, arpentant les ruelles des villes avec sa charrette, achetait aux mères de famille leurs guenilles pour quelques sous. Le guenillou poitevin, aussi nommé bouraillou, c'est le baudet de l'endroit, dont la robe noire est parée de longues mèches pendouillantes d'aspect laineux et de couleur brun-roux.

nombreuses modifications qu'il avait, au fil des ans, apportées à son logis et qui avaient fait passer l'antique demeure du Moyen Âge à l'ère moderne. Il était fier aussi de l'assèchement des douves qu'il avait fait réaliser ainsi que des trois ponts de pierre et de la vaste terrasse arrière qui, aujourd'hui, les franchissaient.

Alors que le marquis Louis d'Aloigny était tourné vers ses gens, dont les figures s'empourpraient de chaleur, une masse humaine à la chevelure noire et hirsute déboula l'allée gazonnée bordée de buis et de rosiers galliques et, comme hors de contrôle, vint se prendre les pieds dans un tube de plans, tapissé de cuir vert repoussé, que le seigneur avait déposé sur le sol. Instinctivement, elle rentra la tête, roula sur elle-même sur une distance de six pieds et emboutit par derrière les jambes du guide. À l'exemple d'une quille frappée de plein fouet, le marquis fut projeté vers l'avant et, fort heureusement, vint atterrir dans les bras de son fils Charles-Henri, le héros de la journée.

Pendant que quelques-uns se portaient au secours du quinquagénaire, d'autres, inquiets, se penchaient sur le fils Dieulefit qui, déjà assis, se frictionnait le front et rassemblait ses idées.

— Par tous les bâtards de France, s'exclama Louis, la perruque noire de guingois sur la tête, qu'est-ce que cette tempête, enfin?

Romain Dieulefit, le régisseur des fermes seigneuriales, venait d'arriver en courant sur les lieux de la commotion et cherchait son souffle, les mains appuyées sur les genoux.

— C'est encore... mon garnement, monsieur le marquis, qui d'autre voulez-vous que ce soit? Il est à l'âge maudit, vous savez, et la Jacquette ne parvient pas à le dompter. Je vous présente toutes mes excuses.

Les yeux mauvais, la respiration bruyante, il allait s'emparer furieusement de son gamin lorsque Charles-Henri se montra plus rapide et empoigna le garçon par le fond de culotte avant de le redresser dans ses bras.

— Laissez, Romain, laissez, dit-il en riant. Avant de tuer mon père, ou de se faire trucider par vos soins, avant qu'il n'y ait mort d'homme, quoi, je propose de vous débarrasser de cet énergumène. Je le mets dans mes bagages et je lui fais traverser l'océan. Là-bas, au Canada, ils le troqueront aux Sauvages! Paraît qu'ils adorent les morveux, ceux-là! Ou, mieux encore, je le confie au capitaine de la *Tempête*, sur lequel je m'embarquerai dans un mois. N'a-t-il pas l'étoffe d'un mousse, ce babouin grimpeur?

— Vous avez dit *grimpeur*, mon neveu, intervint le chanoine Guillaume? Si je vous racontais...

— Non! s'écria soudain Sébastien, le regard angoissé, vous avez promis!

— Et... qu'est-ce que vous lui avez promis, monsieur l'abbé, s'inquiéta alors la mère qui s'était approchée du groupe?

Comme Chasteigner, la tête basse, se préparait à répondre, il entendit le cri de l'enfant: «La croix des Huguenots!»

Dans les bras du fils d'Aloigny, Sébastien avait les yeux braqués sur la poitrine du châtelain et, de son index tendu, il pointait la croix de chevalier de l'ordre de Malte qui y était épinglée. En tout autre circonstance, le chef de famille aurait été honoré que l'on remarquât la haute marque de distinction, qu'il avait reçue il y avait deux ans, à peine, et qu'il arborait si fièrement en cette journée bien spéciale. Aussitôt, pourtant, son visage se décomposa d'effroi et il retraita d'un pas. Le regard qu'il jeta sur l'enfant n'aurait pas été différent s'il avait eu devant lui l'antéchrist fait chair.

— Le diable que ce garçon! Mais enfin... comment peut-il? Il est possédé ou quoi?

Le chanoine, constatant la profonde confusion et le vif malaise engendrés chez les hommes et aussi chez les femmes, qui venaient de se joindre au groupe, réalisa que lui seul pouvait désamorcer la crise.

— Un instant, s'il vous plaît... Je suis en mesure d'expliquer rapidement ce malentendu et, par la suite, tout se débrouillera, vous verrez. Seulement, je ne crois pas que ce soit le meilleur endroit pour fournir ces éclaircissements. Pourquoi ne pas nous retrouver au salon? Ici, le soleil commence à nous chauffer les esprits.

La salle familiale du château, qui donnait sur la terrasse et dans laquelle se tenaient également les réceptions et fêtes en tous genres, avait gardé des temps anciens ses quatre fenêtres à coussièges[29] et à meneaux[30], relativement exiguës. Au milieu, une large porte en chêne foncé, à deux battants, s'encadrait dans un arc de pierre en plein cintre[31]. Un haut plafond exhibait de larges poutres transversales dont l'aspect massif et sombre était agrémenté de délicats écus rouge garance constellés des cinq fleurs de lys blanches des d'Aloigny. Quelques coffres, chaises droites, armoires et cabinets, de même que deux tapisseries des Flandres, rappelaient la vie quotidienne du seizième siècle. Les autres meubles, chaises, tables, vaisselier, dressoir et buffets, étaient, pour leur part, du siècle courant.

Outre les tapisseries, les murs offraient à la vue quelques portraits d'ancêtres, dont les parents du châtelain, Charles-Martin d'Aloigny et Françoise d'Aviau, celle-ci toujours vivante, d'ailleurs. Face à la porte d'entrée, enfin, les invités se montraient impressionnés par la copie d'un tableau représentant le jeune Louis XIV.

Néanmoins, la pièce maîtresse de ce salon, comme souvent dans les demeures nobles, était, certes, la cheminée de la fin du quinzième siècle, trônant à l'une de ses extrémités. Massive mais élégante, on y retrouvait, assurément, l'écu et la devise de la famille, *Lilia Semper Florent* – Les lys fleurissent toujours – gravés dans l'épais manteau. En outre, au-dessus de ce dernier, un vaste décor peint dans un large ovale, soutenu par deux cariatides, et représentant de belle façon le château d'Aloigny au début du dix-septième siècle.

Il était bien quatre heures de l'après-midi, lorsque parents et amis furent enfin assemblés dans le salon. Outre Louis, Charles-Henri et le chanoine Chasteigner, et en l'absence de la châtelaine, Charlotte Chasteigner, décédée quatre ans auparavant, toute la famille immédiate était présente : l'aïeule, Françoise d'Aviau, âgée de 73 ans, et les frères et sœurs de Charles-Henri : Louis-Gabriel, l'aîné, capitaine au régiment de Saint-Aignan, François, prêtre

---

29 Bancs de pierre intégrés à la maçonnerie et ménagés dans l'embrasure d'une fenêtre. Avant de prendre place sur un tel siège, on y déposait, le plus souvent, un coussin.
30 Montant ou traverse de pierre qui divise la baie d'une fenêtre.
31 Dont la courbure est en demi-cercle, ou berceau.

attaché à la cathédrale de Tournai, en Flandres, Roch, aussi capitaine dans l'armée, Alexis, 12 ans, et deux filles, Louise-Charlotte et Suzanne. Du côté maternel, ou Chasteigner, des oncles et tantes et quelques cousins et cousines. Parmi un certain nombre de voisins et amis, les plus intimes étaient certainement les Sanzelles : Samuel, baron de Nailhac, le père, Judith de la Boisnière, sa femme, et leurs deux fils, Jacques, 13 ans, et Gédéon, 8 ans.

Les femmes assises, les hommes debout, les jeunes avaient été priés de se rendre à l'écurie où une jument avait pouliné la nuit précédente. Tous, un verre à la main, formaient un large demi-cercle devant la cheminée et attendaient que Guillaume Chasteigner prenne la parole. Celui-ci s'avança, les bras dans le dos, et dévisagea l'assistance un assez long moment. Louis, au centre, impatient autant qu'intrigué, avait rapproché sa chaise, à haut dossier et sans accoudoirs, de celle de sa mère.

— Alors, voilà, dit le longiligne chanoine. J'avais préparé aujourd'hui un discours qui devait s'adresser à mon cher neveu Charles-Henri. L'occasion, vous le savez tous, était sa toute récente nomination au grade de lieutenant des troupes de la Marine mais aussi son prochain départ pour la Nouvelle-France. Trois compagnies quitteront bientôt le port de La Rochelle pour aller combattre les sauvages Iroquois qui, à nouveau, menacent notre colonie. Charles-Henri, en sa nouvelle qualité, secondera ainsi le capitaine du Tast au sein de sa compagnie. À 21 ans, être ainsi remarqué par notre roi et ses gens, c'est un honneur insigne qui rejaillit sur toute notre famille et monsieur le marquis, mon beau-frère, ne doit certainement pas regretter sa décision d'il y a trois ans de placer son fils parmi les gardes-marine, à Rochefort. Le poste se révéla à la hauteur du jeune homme qui, il va sans dire, ne manqua pas d'y faire rapidement ses preuves. Nul doute qu'une belle carrière s'ouvre aujourd'hui devant lui et que le continent nouveau sur lequel il mettra bientôt le cap lui fournira toutes les occasions possibles de s'illustrer, de gagner du galon et de faire honneur à son nom. Alors, chers parents et amis, levons notre verre à la santé du chevalier de la Groye, à ses succès et à la gloire de nos armes en cette lointaine frontière qu'est la Nouvelle-France. Et, afin qu'il n'oublie jamais sa bonne terre du Poitou, faisons-lui goûter une fois encore notre bon Chauché[32].

Tous se levèrent, se tournèrent vers Charles-Henri, et trinquèrent à sa santé, après quoi Chasteigner déposa son verre, reprit sa place et demanda le silence.

— Maintenant, apportons des explications aux paroles de notre jeune brigand.

Et l'orateur, s'emparant derrière lui de la boîte rouillée, dévoila à l'auditoire médusé la découverte aussi fortuite qu'insolite que Sébastien venait à peine de faire, passant, bien sûr, sous silence l'épisode de l'échelle. Il fit circuler le contenant, insistant sur le fait que c'était bien la première fois, à sa connaissance, que de tels objets apparaissaient dans la région. Le marquis approcha la croix huguenote de celle qui parait le col de son justaucorps :

— Bastien a bien pu sursauter, dit-il. C'est quasiment une réplique exacte, si l'on oublie la colombe et les lys. Maintenant, à qui appartiennent ces... articles ? Probablement pas à Louis Pointureau, tout de même. J'estime plutôt qu'il les dissimule pour quelqu'un, un ministre du culte, vraisemblablement ?

— Si vous permettez, Louis, je tirerai cela au clair avec Pointu lui-même. Mais, chose certaine, il s'agit d'un premier signal qui atteint ce coin de la province : à n'en pas douter, l'hérésie se prépare à lancer une autre offensive contre les croyants. Je sais qu'ici, depuis plus d'un siècle, ceux de la RPR et nous, Catholiques, avons assez bien réussi à éviter les brimades, les provocations et les bains de sang. Nous avons su coexister car des amis, souvent même des parents, étaient rangés dans l'autre camp. Mais aujourd'hui, à la lumière de la dernière trouvaille, je crois que ce fragile équilibre sera rompu, ici même, si nous fermons les yeux. C'est trop nous demander de rester les bras croisés pendant que les religionnaires[33],

---

32   Vin blanc de la région Poitou-Charentes, issu du cépage Chauché, ou « trousseau gris », et bien présent dans cette région jusqu'à la Révolution, au moins. Ce « petit vin blanc » sera aussi offert dans les cabarets et auberges de la Nouvelle-France.

33   Membres de la religion réformée ou Protestants.

poussés à l'action par leurs amis du Languedoc, passent à l'attaque. En conséquence, j'irai voir l'évêque, à Poitiers, dans les prochains jours, et je lui demanderai de... prévenir notre intendant, monsieur de Marillac.

Des murmures s'élevèrent aussitôt dans le salon pendant que l'assemblée échangeait des regards sombres et inquiets. Soudain, un cri se fit entendre et une dame, blanche d'émoi et de colère, se leva d'un trait. Âgée d'environ 33 ans, on aurait pu la trouver assez jolie n'eût été sa mine sévère, une coiffure sans recherche qui la vieillissait, une peau terne, mais, surtout un regard dur et cassant. Du coup, toutes les têtes se tournèrent vers Judith de la Boisnière, la femme du baron de Sanzelles. Les lèvres pincées, elle serrait ses mains l'une dans l'autre, comme pour les retenir de frapper.

— Ah non! Vous ne pouvez poser un tel geste, monsieur: ce serait criminel, rien de moins! Vous m'entendez? Ce serait indigne et, surtout, inhumain! Qui ne connaît, maintenant, les procédés et les excès de ce Marillac? Cela fait deux années que, strictement pour se mériter les éloges et les faveurs du ministre Louvois, il impose les dragonnades et des impôts iniques à une population qui n'a en rien justifié ou provoqué sa colère. Ses soldats, vous le savez parfaitement, pillent et maltraitent physiquement les Réformés de l'ouest et du sud de la province. Les enfants sont brutalisés, les filles et les femmes souvent violées et ce, jusqu'à ce qu'une conversion intervienne. Ce que vous avez trouvé, monsieur Chasteigner, ce n'est pas la preuve d'une campagne de recrutement protestant mais bien, au contraire, celle de la répression exercée par Marillac qui oblige nos gens à se cacher comme des rats pour célébrer leur foi. Mais, à ce que je sache, l'édit de Nantes, promulgué par notre bon roi Henri IV, n'a pas été révoqué! Sur quoi s'appuient ces horreurs? Je vous le dis: moi et ma famille sommes Protestants, comme plusieurs autres dans la région, et pourtant nous avons toujours été vos amis. Si, un jour, nous n'avons plus la liberté de pratiquer notre religion, il nous faudra partir, s'exiler. Est-ce cela que vous souhaitez?

Sur ces paroles, madame de Sanzelles, les larmes aux yeux mais digne, se leva et sortit de la pièce. Le baron, plus calme mais pâle, la suivit, non sans avoir déclaré, d'un ton tout à fait modéré : « Cette fois, je ne crois pas que ma femme ait exagéré, vous savez. Veuillez nous excuser, s'il vous plaît. »

C'est donc sur une note triste, chargée d'émotion et de questionnements, que l'assemblée prit fin et que les visiteurs rentrèrent chez eux, non sans être allés préalablement embrasser ou donner l'accolade à Charles-Henri d'Aloigny que plusieurs, et ils en étaient bien conscients, ne reverraient jamais plus. Le chanoine fut particulièrement ébranlé lorsque, à distance, il vit la baronne de Sanzelles, entourée de son mari et de ses fils, enlacer et embrasser affectueusement le nouveau lieutenant des troupes de la Marine, qu'elle connaissait si bien.

Plus tard, en fin de journée, alors que le soleil déclinant rasait de ses longs rayons ambrés la façade du château et le flanc du coteau menant au colombier, Charles-Henri et le marquis, les mains dans le dos, partageaient, au pas de la confidence, une ultime conversation père-fils. Entre chien et loup, ils devisaient encore dans l'allée creuse bordée de chênes devant le portail monumental de la demeure. Débouchant lentement de la cour intérieure du château, ils aperçurent alors le garçonnet qui venait vers eux, ou, plus exactement, qui hésitait à s'avancer et qui cherchait davantage une invitation à s'approcher.

— Ah ! dit Louis, en fronçant le sourcil, te voilà, coquin de fripon ! Quel bel après-midi tu nous as fait passer. Si j'étais ton père, tu ne serais pas ici à contempler les étoiles, ça, je te l'assure !

À son habitude dans de telles circonstances, un peu comme le renard surpris à proximité du poulailler, l'enfant s'était immobilisé, cherchant à se fondre dans la pâle noirceur ambiante. Et n'eût été du blanc luminescent de ses yeux, nul n'aurait remarqué ses prunelles noires et dilatées qui, alternativement et rapidement, se fixaient sur les deux adultes.

— Allons, père ! dit Charles-Henri d'un ton conciliant. Ce que nous avons découvert aujourd'hui n'est peut-être pas réjouissant. Disons, je vous l'accorde, que le moment n'était pas idéal pour en apprendre l'existence. Mais, enfin, l'espiègle marmot n'est que la personne choisie par le hasard pour nous révéler la vérité.

En entendant ces mots d'accommodement, Sébastien avait repris sa marche lente en avant mais en bifurquant de façon très marquée vers celui qui venait de parler. Il termina son trajet blotti contre la jambe du lieutenant et la main dans sa main.

— Petit Sébastien, vilaine sauterelle, je vais m'ennuyer de toi, ça, c'est certain, reprit le jeune homme en le serrant contre lui, puis en le prenant dans ses bras. Car tu as mis de la vie dans la maison. À cause de toi, certains de ses habitants devront peut-être effectuer un séjour un peu plus long au purgatoire, mais la vie ici-bas, à tes côtés, aura été fertile en émotions. Mais... dis-moi la vérité : ce n'est pas... au bas de l'échelle que tu as déniché la cassette, pas vrai ?

Tout en jetant un œil inquiet en direction du marquis, le garçon acquiesça de la tête et dit : « J'avais aperçu le pigeonneau tout en haut, dans sa boulite, et je voulais tellement le prendre dans mes mains. Alors, j'ai grimpé... »

— C'est bien ce que je pensais... Mais, tu sais, je crois bien que j'aurais fait de même. D'ailleurs, je vais te faire une confidence et tu dois me promettre de ne pas la répéter à mon père : lorsque nous avions ton âge, et plus encore, mes sœurs, mes frères et moi nous avons tous grimpé et joué dans ces échelles.

Le lendemain, aux aurores, le beau carrosse des d'Aloigny, tiré par deux magnifiques chevaux noirs, et avec les armes familiales sur les portières, prenait le chemin de La Rochelle. Une grosse malle était fixée à l'arrière et deux boîtes de bois, renfermant essentiellement des volumes et des objets personnels, reposaient sur un support installé, pour la circonstance, sur la caisse de la voiture. Châtellerault, Poitiers, Niort : quand reverrait-il son Poitou natal ? Et ses parents, ses amis, combien seraient encore de ce monde à son retour ?

— Quand reviendras-tu? lui avait demandé Sébastien en pleurant. Tu m'amèneras avec toi, la prochaine fois? Tu me prendrais sur tes épaules et on irait voir un chef indien et il me donnerait une plume blanche de son chapeau.

La frégate *La Tempête* quitta La Rochelle le 29 août 1683 avec, à son bord, trois compagnies de 50 soldats chacune. À son arrivée à Québec, le 7 novembre, au moins 20 de ces militaires avaient péri en mer. Journée, par ailleurs, inoubliable: des centaines d'habitants de la ville et des dignitaires rassemblés pour un accueil chaleureux au pied d'une place Royale presque totalement ruinée après la conflagration qui l'avait traversée un peu plus d'un an auparavant.

# IV

## Un de Beaucaire

*Mercredi, 5 octobre 1712*

C'est, à n'en pas douter, l'un des paysages les plus grandioses du pays. À quinze ans, lorsqu'il avait remonté le Saint-Laurent avec une recrue de plus de 400 soldats, sous l'administration du vieux comte de Frontenac, il avait certes admiré ce tableau majestueux d'îles jetées à la volée dans le haut estuaire, à la façon du semeur dans les sillons prometteurs. Ce jour-là, pourtant, les difficultés et les risques de la navigation dans le fleuve rétrécissant avaient tôt fait de monopoliser l'attention de tout un chacun et, il le réalisait, la beauté extraordinaire des lieux lui avait échappé.

Aujourd'hui, était-ce le vague à l'âme qui l'habitait depuis quelque temps, Dieulefit était entièrement livré à ses méditations et pénétré du cadre physique de celles-ci. C'est dans un endroit semblable, se disait-il, que l'aventure de l'homme sur terre devrait à la fois commencer et prendre fin. Ces premières et ces dernières années de vie ont trop souvent pour cadre des lieux insignifiants et stériles, incapables de susciter l'élévation des cœurs et des esprits. Et l'île aux Oies, pour le sergent, répondait certainement à la définition de ces lieux magiques et inspirants.

La cour de la Prévôté ne siégeant pas cette journée-là, ni le lendemain, au palais de l'intendant, Paul Dupuy, le sieur de Lisloye, avait obtenu du marquis de la Groye l'autorisation de débaucher son secrétaire afin de visiter, une dernière fois, peut-être bien, son domaine chéri. En compagnie de Julien, le fils de Fanchon, et d'un ami acadien, Basile Richard, Bastien avait fait embarquer le seigneur dans *La Marie-Josèphe*, une barque que Louis Prat, le capitaine du port de Québec, lui louait à prix très amical.

Ce n'était pas encore l'été indien, mais ce début d'octobre était particulièrement clément pour l'arrière-saison. Le soleil, incliné dans le ciel, décochait néanmoins de francs rayons qui irisaient les eaux du fleuve et enflammaient les forêts de la Côte-du-Sud et de l'île d'Orléans. De part et d'autre du cours d'eau, ces hautes futaies formaient, au gré des cumulus de passage, une couverture chatoyante enluminée de rouge et d'or et, pour quelques jours encore, de touches vertes dégradées. À l'intérieur de l'immense courtepointe ondoyante étaient piqués des rectangles roux ou marrons qui témoignaient de la présence humaine en ces lieux et des progrès lents mais assurés du défrichement et des labours. La nature sauvage régnait en maître, certes, mais le colon jurait de l'attaquer et d'y tailler sa place au soleil. D'ailleurs, en descendant le fleuve, au sommet des escarpements ou d'un premier plateau, des maisons de bois, blanchies à la chaux, se rapprochaient les unes des autres, souvent à moins de trois ou quatre arpents.

En aval de Saint-Jean, le Saint-Laurent, semblable à une gigantesque baleine affamée, ouvrait ses larges mâchoires pour, le croirait-on, avaler goulûment la vingtaine d'îles et îlots qui, tel un banc de krill, tentaient de lui échapper en gagnant le large. Entre cette paroisse et l'île aux Oies, le fleuve devenait bras de mer, passant d'une à quatre lieues de largeur.

Ce jour-là, dépassé la pointe d'Argentenay, à l'extrémité orientale de l'île d'Orléans, un noroît de saison déboulait des contreforts des Laurentides et balayait sans qu'on lui fît obstacle la vaste plaine maritime. En frappant l'étrave de la barque semi-pontée, la houle de trois pieds, avec ses crêtes écumeuses, éclaboussait voiles et voyageurs. Heureusement, ces derniers s'étaient munis de longs cirés de marin mais, nonobstant, Dieulefit décida de poursuivre le voyage en prenant abri derrière la Grosse-Île, l'île Sainte-Marguerite et l'île aux Grues. De la sorte, qui plus est, le débarquement à l'île aux Oies s'effectuerait à proximité du manoir du sieur Dupuy, du côté sud de l'île.

Si l'île aux Grues présentait un couvert forestier à peu près total sur environ une lieue, sa siamoise d'en bas, un peu plus étendue, était à moitié boisée et à moitié couverte de battures et de prairies sauvages. Plus encore, l'île aux Oies était constituée de deux îles, la petite et la grosse, séparées à marée haute par un mince filet de mer orienté nord-sud. De longues battures de foin marin, submergées aux saisons des hautes eaux, occupaient environ une lieue entre l'île aux Grues et l'île aux Oies.

Paul Dupuy, le seigneur de l'île aux Oies, avait choisi d'ériger son manoir de pierre dans les prairies naturelles et fertiles, face à la rive sud. Afin de se soustraire à la montée des eaux saumâtres du fleuve[34], il l'avait bâti sur le replat d'une crête rocheuse émergeant du sol à environ 300 pieds du rivage et au sommet de laquelle il avait vue sur la majeure partie de sa seigneurie, y compris les deux bras de la grande rivière. Longue d'environ 40 pieds, la résidence à étage était entourée de nombreux bâtiments agricoles et d'un vaste jardin. À proximité, le fermier, Joseph Asselin, habitait avec sa famille la maison de bois que Dupuy avait construite en 1668, en prenant possession de sa seigneurie. En ce début d'automne,

---

34   Entre l'île d'Orléans et le Saguenay se mélangent les eaux douces du fleuve et les eaux salées du golfe Saint-Laurent.

enfin, quelques dizaines de bêtes à cornes et trois chevaux à robe noire broutaient placidement les restes de foin dans les pâturages.

*La Marie-Josèphe* venait à peine d'amorcer son virage vers la rive et d'affaler ses voiles que des cris et des rires d'enfants, doublés de sauts et de courses folles, signalèrent aux arrivants qu'ils étaient reconnus. Lorsqu'ils mirent finalement pied à terre, autour de quatre heures, une troupe joyeuse d'une dizaine d'adultes et de deux fois plus de gamins les entourèrent en leur souhaitant la bienvenue de façon aussi sonore que physique. En effet, ces gens, s'ils se connaissaient bien, se touchaient volontiers, se serrant non seulement la main mais s'embrassant en se massant les bras et les épaules, en se tapant le dos.

Seul le seigneur était l'objet d'une déférence polie, du moins de la part des adultes. Pendant que les pères, chapeaux à la main, et les mères, têtes inclinées et les mains dans le tablier, saluaient le *maître* respectueusement, les marmots s'épargnaient sans vergogne ces manières superflues. Les plus jeunes s'agrippaient aux longues bottes du vieillard ou à ses basques alors que les aînés s'attachaient à ses bras et à sa large ceinture de cuir. Quelle fête pour tous que la venue du sieur Dupuy, le valeureux soldat de Carignan, le régiment dont tous parlaient encore, le soir au coin du feu, et le lieutenant général de la Prévôté de Québec!

C'est avec un sentiment de tristesse non dissimulée que le seigneur échangea avec ses peu nombreux censitaires, les familles Saucier, Lamy et Greslon. Les circonstances étaient connues de tous : à toutes fins pratiques, Paul Dupuy n'était plus propriétaire de l'île aux Oies, la rumeur était avérée. Plusieurs, à commencer par le vieil officier, avaient versé des larmes, puis une question avait jailli : « Mais, que deviendrons-nous maintenant, nous les censitaires ? Il paraît que les Mères hospitalières ne voudront plus de nous, si ce n'est en qualité de fermiers. Notre concession ne sera plus nôtre ; nous cultiverons pour elles des terres qu'elles nous auront rachetées mais dont nous ne serons plus propriétaires ! Alors, nous laisserons quoi à nos enfants ? »

Le souper aurait lieu chez Asselin dont la femme, Marie Carpentier, avait la réputation de n'être jamais prise au dépourvu. D'ici là, le sieur de Lisloye comptait bien parcourir son domaine une dernière fois en renouant lentement avec ses souvenirs et en gravant dans sa mémoire encore vive les paysages si attachants de son île. Comme Sébastien l'avait prévu, il fut prié par le seigneur de l'accompagner dans ce pèlerinage émotif. Ce serait l'occasion pour le vieillard de se confier, d'exprimer à haute voix des pensées longtemps gardées secrètes.

Ils s'engagèrent dans le seul véritable chemin de l'île, celui qui, en son milieu, à travers les prairies, reliait entre eux les colons de la seigneurie. Mais Dupuy orienta d'abord leurs pas vers l'ouest, en direction de la petite île aux Oies.

— C'est un peu ici que tout a commencé, dit-il, d'une voix éteinte. Deux officiers, Pierre Bécard[35], de la compagnie de Grandfontaine, et moi, de celle de Maximy, les deux dans le régiment de Carignan. J'étais plus vieux que lui, huit ans en fait, mais, Parisien de naissance, il était plus entreprenant et dégourdi que moi. Sorti du Midi, de Beaucaire, j'étais d'un tempérament calme, on pourrait dire contemplatif et méditatif. À peine débarqués à Québec, c'était en 1665, nous sommes devenus des inséparables, probablement parce que nous nous complétions bien.

— Et cette décision de rester au pays, vous l'avez prise d'un commun accord, intervint Dieulefit ? Je demande cela parce que, vous le savez peut-être, je suis face à la même décision présentement.

— Sous les drapeaux, ici, durant trois années, nous avons eu la chance de parcourir le pays, d'en connaître les saisons, d'en apprécier les défis et les opportunités. Rentrer en France ne nous offrait rien de comparable. Et puis, surtout, il y a eu les gens d'ici, leur familiarité, leur hospitalité et leur générosité.

---

35   Sieur de Granville.

Nous avons senti qu'ils nous appréciaient et souhaitaient nous accueillir parmi eux.

— Vous voulez sans doute parler de la famille Couillard?

— Vous êtes un coquin, Sébastien, répondit le seigneur en toisant son censitaire du coin de l'œil. Bien sûr les Couillard. C'est par une journée semblable d'automne que Pierre et moi étions venus à la chasse sur la Côte-du-Sud, à la pointe à la Caille[36]. En fin de journée, nous nous étions arrêtés au manoir des Couillard pour demander l'hospitalité pour la nuit. Une fête de famille battait son plein : le seigneur, Louis Couillard de l'Espinay, venait de recevoir du roi ses lettres de noblesse. Toute la tribu était sur place. La grand-mère, madame Couillard[37], les enfants et les petits-enfants. C'est à ce moment que notre sort, à Pierre et à moi, fut scellé. Il fut séduit par une jeune beauté de seize ans, Anne, la fille de Nicolas Macard et de Marguerite Couillard et, de mon côté, je capturai les plus beaux yeux de la côte. C'était Jeanne, la fille aînée du seigneur et la cousine d'Anne; elle n'avait que quatorze ans. Depuis ce jour, aucun chasseur ne rapporta de ce coin de pays de plus belles prises. Les deux couples, nous nous sommes mariés le même jour, à Québec, en 1668.

Dupuy continuait sa marche et traversait le ponceau de planches enjambant l'étroit bras de mer.

— Vous voyez, la rivière sépare la petite île de la grosse. Pendant que Jeanne m'apportait ce que son père venait de lui donner en avancement d'hoirie, soit la moitié de l'île aux Grues et de l'île aux Oies, Pierre Bécard achetait au seigneur l'autre moitié. Pendant trois ans, nous avons mis en commun nos terres, nos ressources et notre sueur. Il a bâti sa première maison là-bas, de l'autre côté de ce pont, où se trouve le manoir de sa famille, sur la crête de roches qui fait partie, comme vous le savez, de la petite île aux Oies. J'ai construit la mienne

---

36  Montmagny

37  Guillemette Hébert (ca.1608-1684), fille de Louis Hébert et épouse de Guillaume Couillard (ca1591 -1663).

sur le site de mon actuel manoir. En ces temps incertains et dangereux, il fallait pouvoir compter l'un sur l'autre ; nous n'étions séparés que par environ trois quarts de mille de basses prairies et, sur nos buttes respectives, nous ne nous perdions jamais de vue. Cela rassurait beaucoup les deux cousines.

Paul Dupuy parlait maintenant d'une voix plus assurée et, tout en s'adressant à Dieulefit, c'est à lui-même, en fait, qu'il racontait en détails ces péripéties de jeunesse, comme pour corriger sa propre mémoire, parfois défaillante. Des images claires défilaient de toute évidence dans sa tête, celle de Pierre Bécard, son ami, son frère, décédé quatre ans passés dans sa maison de la petite île aux Oies, celle de Jeanne, sa femme, morte depuis dix ans déjà, à 48 ans, après lui avoir donné quatorze enfants. Quatorze. Magnifique famille réduite aujourd'hui à quatre : deux religieuses et deux jeunes officiers. Tant de décès cruels et inattendus. Trois en bas âge, trois à l'adolescence, et quatre, outre Jeanne, sacrifiés à la petite vérole de 1702-1703.

Le sieur de Lisloye tourna les talons. Plus qu'ému, Sébastien le sentit brisé, anéanti. Il ne vit pas les larmes emprunter les profonds sillons de ses joues creuses mais, en retrait, il remarqua ses lèvres qui frémissaient en silence et la pointe de son menton secouée de convulsions incontrôlables. Posant sa main sur son épaule, le sergent lui dit : « Allons voir les montagnes, du côté de l'anse du nord-est. À cette heure, elles sont en feu. »

Rebroussant chemin, ils bifurquèrent vers le nord le long du sentier à charrette qui, entre prairie et forêt, menait à la baie abritée de crans rocheux. Les barques et chaloupes venant de Québec, ou même parfois du bas du fleuve, choisissaient d'ordinaire de s'amarrer à cet endroit. Sébastien, dont la modeste chaumière se dressait à quelques arpents à l'est, face au nord, ne débarquait jamais ailleurs. Sans échanger un mot, ils parvinrent à la crique où leur arrivée, pourtant silencieuse, provoqua l'envol soudain d'une douzaine d'oies blanches qui, la tête tachée de rouille, s'étaient gavées de rhizomes de scirpe sur le rivage. Un peu au large, quelques familles de canards noirs avaient interrompu leurs ébats et observaient attentivement le comportement des intrus. Et là, dans la lumière éblouissante du soleil qui allait bientôt terminer sa course quotidienne, l'on put assister au spectacle touchant de l'homme qui, subitement, prend la mesure de la place spécifique, relativement restreinte, qu'il occupe dans l'univers cosmologique.

Sans doute apaisé par la majestueuse représentation scénique qui, devant ses yeux, prenait pour cadre l'immense colisée des Laurentides, Dupuy renoua avec l'esprit du lieu et prenant à son tour le bras de son compagnon lui demanda : «Allez ! Faites-moi visiter votre château, là où, je l'espère, vous voudrez vous enraciner et apporter votre contribution au peuplement de ce pays extraordinaire ! »

Alors qu'ils approchaient de la maisonnette, ils aperçurent entre deux chênes majestueux la haute voilure d'un vaisseau qui remontait le fleuve depuis l'île aux Coudres, à quelque trois lieues de distance[38].

— Ah ! dit monsieur de Lisloye, tout à coup joyeux, c'est *Le Héros*, le vaisseau du roi. J'étais au palais, hier, et j'ai su que nos vigies l'avaient signalé, lui et un marchand, *La Bonne Aventure*, je crois. À l'heure qu'il est, il n'ira plus bien loin et demain il prendra la traverse[39].

Comme de fait, le navire ne fut pas long à mouiller l'ancre entre l'île et le cap Maillard, par 30 brasses[40] d'eau, alors que les deux hommes poursuivaient leur déambulation sur une grève de marée basse.

— Regardez ! Voilà le second, pas très loin derrière, observa le sergent quelque temps après. Ça ne ressemble pas à une

---

38　Environ 9 milles.

39　Remontant le fleuve, les navires longeaient la rive nord, particulièrement à cause de la profondeur avantageuse des eaux aux pieds des grands caps. Mais le capitaine devait entrer à Québec en empruntant le chenal sud du fleuve, entre l'île d'Orléans et la Côte-du-Sud. Il lui fallait, par conséquent, *traverser* en diagonale le cours d'eau du nord au sud, en se dirigeant vers les villages de Saint-François et de Saint-Jean et en laissant sur sa gauche l'île aux Ruaux et l'île Madame.

40　Une brasse équivaut à 5,25 pieds.

flûte[41], il est trop bas sur l'eau; je dirais plutôt une ancienne frégate transformée en navire de charge.

— Enfin une bonne nouvelle, commenta l'aîné, la mine ragaillardie. À chaque année, à la même période, c'est angoissant à la fin de toujours se demander: «Arriveront-ils, seront-ils pris, auront-ils fait naufrage?» Si seulement, mon Dieu, nous disposions, comme nos ennemis, de ports de mer accessibles à longueur d'année! Actuellement, ils savent très bien à quel moment les navires de France se présentent dans le golfe ou s'en retournent. Le développement de ce pays, je dirais même son sort ultime, a toujours dépendu et dépendra de plus en plus de notre capacité à communiquer. Aujourd'hui, nous ne pouvons croître au même rythme que les Anglais et encore moins nous défendre sur mer.

— Je suis bien d'accord, intervint Dieulefit. Je me rappelle, et vous aussi, très certainement, de la capture de *La Seine* par les Anglais. C'était en 1704 et le marquis d'Aloigny venait de me prendre à son service comme secrétaire. Le roi n'avait envoyé, cette année-là, qu'un seul navire vers la colonie et la population de Québec avait vainement attendu son arrivée, des semaines et des mois durant. C'est tout le ravitaillement d'une année qui s'était envolé. À lui seul, le Séminaire de Québec avait perdu quelque vingt mille livres dans la tragédie car, à bord de *La Seine*, le Séminaire des Missions-Étrangères de Paris avait embarqué une grande quantité de matériaux rares et coûteux dans le but de reconstruire le Séminaire, détruit par le feu trois ans auparavant.

Depuis quelque temps, déjà, le soleil s'était éclipsé derrière le long massif montagneux du septentrion et ses reflets s'estompaient rapidement. Les promeneurs allaient reprendre le sentier du manoir lorsque Dieulefit se figea dans une attitude de surprise incrédule: «Mais... il va où, celui-là? Qu'est-ce qui lui

---

41  Bâtiment de charge, ancêtre du cargo, à fond plat et à faible tirant d'eau. Ses formes sont relativement massives. Peut accueillir plusieurs canons, si nécessaire.

prend, enfin ? », s'écria-t-il en étendant le bras en direction du large.

Au lieu de s'immobiliser en amont de l'île aux Coudres, quelque part dans les parages de la Petite-Rivière-Saint-François et dans le chenal habituel des vaisseaux, *La Bonne Aventure* poursuivait sa remontée du fleuve. Elle contournait les battures du cap Maillard et abandonnait la sécurité des huit à dix brasses d'eau de la rive nord pour venir se ranger pratiquement dans le sillage de l'île aux Oies mais un peu au nord et par le travers de la grande anse. Pour atteindre l'endroit, où la profondeur à marée basse n'était que de quatre brasses environ, le capitaine cargua les voiles[42] et mit à l'eau la chaloupe et un canot. Avec douze rameurs et un officier-timonier à bord, la première embarcation entreprit alors de remorquer la frégate au bout d'un long câble de chanvre ; le canot à cinq hommes les précédait de peu, sondant minutieusement la profondeur des eaux au fur et à mesure de l'avancée vers l'île aux Oies. La nuit avait fait main basse sur la scène mystérieuse lorsque *La Bonne Aventure* affourcha[43] enfin.

Il était écrit qu'une lune accomplie se montrerait indiscrète. Au moment où la frégate se livrait à ces manœuvres délicates et subreptices, le sergent et le juge avaient, d'un commun accord, mis leur appétit en veilleuse et s'étaient dirigés rapidement vers le chemin forestier et la pointe nord-est de l'île. À peine avaient-ils pris cette direction qu'ils étaient tombés sur Julien, dont les borborygmes pressants se chargeaient de transmettre son message. Lisloye le retourna chez le fermier : « Va dire aux Asselin et aux autres de se mettre à table sans nous attendre davantage. Ensuite rapporte-moi le plus vite possible ma lunette d'approche ; elle est au manoir, accrochée dans son étui de cuir rouge au-dessus de ma table de travail. Et si tu as

---

42   « Serrer et trousser les voiles contre leurs vergues au moyen des cargues » (*Le Nouveau Littré*, Éditions Garnier, 2004).

43   Affourché : se dit d'un bâtiment qui est au mouillage sur deux ancres placées dans des directions différentes.

si faim, demande un quignon de pain à madame Marie ; ça fera taire tes angoisses ! »

Alors qu'ils rejoignaient la pointe, les sens aux aguets, l'astre de la nuit gagnait son belvédère et, tel le pêcheur son filet, jetait un pont d'or au travers du fleuve. De la rivière des Trois-Saumons, au sud, jusqu'au Sault-au-Cochon, sur la rive d'en face, le décor était démesuré et la source lumineuse mettait en place un jeu de clairs-obscurs qui, par moment, n'était pas sans rappeler un théâtre d'ombres chinoises.

Lorsqu'ils débouchèrent dans la grande anse, Dupuy et Dieulefit portèrent sur le champ leur regard vers le lieu anticipé de mouillage. Eussent-ils été plus simples d'esprit qu'ils auraient juré apercevoir, à plus d'un mille de l'île, l'un de ces vaisseaux fantômes maudits qui, croyait-on encore assez généralement, étaient condamnés à errer sur les océans avec leur équipage réduit à l'état de squelettes. Pour l'heure, ils avaient sous les yeux un navire encalminé et silencieux, d'autant que le noroît qui avait sévi tout au long de la journée avait fait place à une brise froide mais légère qui agitait, presque sans bruit, les églantiers, les foins de mer et les quelques sureaux rouges du haut de la plage rocailleuse.

L'entracte de la nuit semblait commencé sur la frégate. Les deux témoins immobiles allaient tourner les talons et rentrer, lorsque le canot réapparut lentement à la proue du navire, dont on n'apercevait alors que le tribord. Tel un projecteur, les implacables rayons de la lune s'emparèrent de la petite embarcation. À l'intérieur, on distinguait vaguement cinq hommes dont quatre rameurs. Ceux-ci contournèrent la pointe sud-est de l'anse et, à plus de 600 pieds de la rive, remontèrent le bras sud du fleuve.

Sans échanger une parole, les deux spectateurs avaient suivi le canot des yeux jusqu'à ce qu'il disparaisse derrière la pointe extrême de l'île.

— Venez sergent. Le mystère s'éclaircira peut-être du côté du Cap-Saint-Ignace ?

Le seigneur de l'île avait rompu le silence sur un ton songeur. Lui et son compagnon, d'ailleurs, ne savaient trop que penser de la scène qui venait de se dérouler sous leurs yeux. À ce moment, Julien survint à grandes enjambées, le souffle à peine un peu plus court. Ensemble, ils se dirigèrent aussitôt vers un sentier qui, à travers la longue pointe du sud-est, menait au bras sud du Saint-Laurent. Et là, sur place, dissimulés derrière un îlot de peupliers, ils virent s'avancer l'énigmatique canot qui, au bout de quelques minutes, défila devant eux à une encablure[44] du rivage et dans un silence quasi total.

Paul Dupuy, l'œil droit ajusté à la lunette, ne perdait rien de la scène : l'embarcation de près de 20 pieds de long montrait, en sa partie centrale, quatre rameurs coiffés de bonnets de laine gris ; à l'arrière, sur le banc du capitaine, un passager sombre, immobile, de taille moyenne pouvait-on juger, enveloppé jusqu'au menton dans un long manteau, pratiquement une houppelande. Assis bien droit, sa tête, qui disparaissait presque entièrement sous un chapeau à larges bords, restait fixée vers l'avant de l'embarcation.

L'homme à la lunette grommelait entre ses dents : « Peste ! C'est lui, à l'arrière, qui me taraude et je ne distingue rien de son visage ! »

Bastien, impatient, s'empara sans autre formalité de l'instrument. Le temps pressait. Dans un jeune saule voisin, il trouva un embranchement où assujettir la lunette et reprit l'inspection du sujet. Soudain il sursauta :

— Jarnicoton ! Attendez... Oui, regarde ici mon bonhomme... C'est bien ce que je pensais... il porte un bandeau sur l'œil gauche, un bandeau noir ou très foncé, je dirais. Et... ce n'est pas tout, notre homme est... barbu, oui... une barbe, pas très longue, probablement entretenue, et plutôt... frisée, oui, un peu frisée et de couleur pâle, blonde peut-être, ou même rousse. Voilà qui est beaucoup mieux, n'est-ce pas ?

---

44    Une encablure vaut environ 650 pieds.

Il était temps. La chaloupe obliqua peu après vers la rive sud du fleuve et ne fut, bientôt, qu'un point dans le lointain.

— Rentrons et allons manger, conclut le seigneur. Je suis fourbu et, de toute façon, on réfléchira mieux sur un estomac plein. Mais j'ai déjà des questions qui me turlupinent : qui est l'homme au bandeau et reviendra-t-il à bord du vaisseau cette nuit?

À l'honneur ce soir-là à la table de Marie Carpentier : une oie au vin mijotée deux jours durant avec du lard, des oignons, du beurre, de l'huile et des herbes. Ce devait être un repas d'anniversaire de mariage mais, la femme Asselin en était convaincue, son mari ne le remarquerait même pas. Dupuy avait envoyé quérir dans sa cave un tonnelet de vin rouge de Graves et tous lui firent honneur bruyamment.

Basile Richard, d'ordinaire taciturne, était un peu éméché lorsqu'il s'adressa à Julien: «La Fanchon m'a demandé de t'surveiller, Papou, alors j't'ai à l'œil, mon garçon !»

— Ma mère, j'l'aime bien, mais j'la traîne jamais dans ma sacoche. Et puis laisse tomber le Papou: pour toi c'est Julien, d'accord, maudit Acadien? Quant au vin, il coule à flots au *Dauphin* et y m'en faut plus que toi pour m'enfarger les pieds, tu sauras. Paraît même que ma mère, des fois, m'faisait boire la goutte pour m'endormir.

Le seigneur riait de bon cœur et, s'adressant au sergent: «Les jeunes Canadiens sont de plus en plus fanfarons et indépendants, et j'en connais un bout sur cette race de monde, à commencer par ma femme et mes filles. Mes garçons, ceux qui me restent, sont davantage entrés dans le rang, heureusement!»

— Monsieur Genest, dit La Grandeur, continua Dupuy sur un ton moqueur et en accentuant le monsieur, j'ai un nouveau service à vous demander. Je m'attends à ce que le canot du navire rentre au bercail ce soir, peut-être en début de nuit. Je tiens à savoir si notre barbu sera à bord ou non. Si tu acceptes de faire le guet ce soir pendant quelques heures, je te prêterai mon cheval personnel demain matin pendant que je réglerai des affaires avec mes gens. On me dit que tu adores les chevaux et j'ai bien vu, en arrivant, que tu rêvais de monter Scipion, alors ça te va?

— Oh! Que oui, m'sieur Dupuy. J'rêve d'avoir, un jour, un cheval à moé à Québec et de me promener par les rues de la ville.

— Et, bien sûr, enchaîna Basile, tous les beaux mollets de not' coin te prieraient, les mains jointes et l'cœur battant, de les laisser monter en croupe, pas vrai?

— Toi, Basile, pour te faire pardonner tes moqueries, tu m'tiendras compagnie, ce soir, d'accord?

— Bah! De toute façon j'ai promis à madame ta mère de ne pas t'perdre de vue.

— Une dernière chose Julien, interrompit le seigneur, n'oublie pas d'apporter la lunette et, de grâce, restez bien éveillés tous les deux.

❦

*Jeudi, 6 octobre 1712*

La délicate brise de la nuit n'avait servi, selon toute apparence, qu'à transporter dans l'estuaire du fleuve une couverture nuageuse épaisse et basse. Une pluie fine avait sévi des heures durant et, par la suite, une importante accalmie s'était imposée. Aucun souffle d'air, aucun bruit non plus si ce n'est le croassement de quelques corneilles qui, à tire d'aile, filaient vers les battures et le cacardement des oies blanches dans les marais côtiers. Et dans cette atmosphère immobile et attentiste, des nappes de brume opaque s'invitèrent bientôt, au fur et à mesure de la levée du jour. Au parfum des dernières fleurs d'églantiers et à celui de la rouche[45], que la faux des colons n'avait pas encore couchée au sol, se mêlaient maintenant l'odeur du marais vaseux, des pins et du terreau trempé.

---

45   Nom que l'on donnait, et que l'on donne encore, au foin de mer à l'île aux Grues et à l'île aux Oies. Du côté de l'île d'Orléans, ce foin était appelé «jonc de cajeu».

Paul Dupuy, vers les sept heures, sortit du manoir en toute hâte. En robe de chambre, décoiffé et avec, au front et dans les yeux, l'air anxieux de celui qui aurait raté un rendez-vous. Il cherchait son jeune guetteur du regard et ne le trouvait pas. Il contourna le bâtiment, traversa le verger, piétina quelques pommes trop mûres et poussa jusqu'à l'enclos des chevaux. Il aurait dû le savoir : Julien était là, à nourrir Scipion de touffes de foin et d'herbe.

— Alors, mon garçon, lança-t-il aussitôt, quoi de neuf, allez... raconte !

— C'est ben comme vous l'aviez prévu, m'sieur. Le canot est r'venu vers une heure du matin. Le temps avait changé, y pleuvait. Y'avaient dû souquer ferme ces gars car y'avaient l'air vannés.

— Mais je me moque de la pluie et de la fatigue de ces gens. Je te demande : était-il à bord ?

— Ah oui ! Le barbu borgne, vous voulez dire ! Non, non, on l'a pas vu. Y'avait que quatre matelots à la langue ben longue et à la mine ben basse.

— Je m'en doutais bien ! s'écria monsieur de Lisloye en se frappant le creux de la main avec son poing. Un passager clandestin, ou pas si clandestin mais que l'on désire faire entrer en douce à Québec. Je dois en parler avec Sébastien. Tu sais où il est ?

— Très tôt, y s'est pointé à la grande anse pour surveiller *La Bonne Aventure*. J'crois qu'y meurt d'envie de rencontrer son capitaine. Et moi, m'sieur... j'meurs d'envie de monter Scipion...

Lorsque Dieulefit apparut, trente minutes après, il était enveloppé dans son long ciré de marin qu'il avait enfilé pour se protéger de la pluie. Néanmoins, la brume pénétrante qui cernait les îles l'avait transi et il se hâta de gagner le manoir dont la cheminée fumante annonçait une chaleur réconfortante.

— Ah ! Vous voilà sergent. Approchez-vous du feu, vous avez l'air engourdi de froid. Je parie que vous n'avez pas déjeuné : Marie va vous préparer quelque chose de chaud.

— Ce sera bienvenu, monsieur, les dents me claquent dans la bouche, répondit le soldat en se débarrassant de ses vêtements humides et en s'approchant de l'âtre démesuré où une souche entière se consumait.

— Je viens de quitter Julien, fier comme un paon sur mon cheval. Il a fait du bon boulot. Vous a-t-il dit que le passager du canot n'était pas rentré ?

— Oui, il était debout en même temps que moi. Mais il vous attendait impatiemment, bien sûr, et il n'a pas insisté pour m'accompagner dans l'anse. Scipion ! Scipion ! Il n'avait que ce nom à la bouche !

— Et *La Bonne Aventure*, elle n'a pas bougé, je suppose, par ce temps exécrable ?

— Avant que la brume ne se mette de la partie, elle a été remorquée un peu plus au large. Le capitaine croyait peut-être pouvoir hisser les voiles sans trop de retard. Mais inutile d'y penser, maintenant. Ce brouillard sera probablement aussi tenace qu'il est épais et le vent qui le chasserait ne se lèvera, selon moi, qu'en fin d'après-midi ou ce soir. D'ailleurs, monsieur, je voulais vous dire : avec ou sans brume, il nous faudrait à tout prix rentrer à Québec aujourd'hui. D'une part, *Le Héros* s'y présentera certainement demain et du travail m'attend car des soldats de recrue sont à bord, quelques dizaines, je crois. D'autre part, je tiens à être sur place lorsque *La Bonne Aventure* jettera l'ancre. L'affaire du clandestin me tarabuste.

— J'ai déjà rencontré Asselin, mon fermier, et il me reste à préparer certains papiers administratifs et personnels que je désire rapporter à la ville. Ce sera fait d'ici une heure, après quoi rien ne me retiendra. D'ailleurs, j'ai séance demain au palais.

✺

C'est à la rame, vers les dix heures et à marée montante, que les quatre voyageurs quittèrent l'île aux Oies, le vieux seigneur assis en poupe de *La Marie-Josèphe*. Basile Richard, l'Acadien, était un marin hors pair et la navigation de brume le laissait imperturbable. Il en avait vu d'autres à la baie Française, du côté de Port-Royal. À midi, ils se faufilaient entre la Grosse-Île et l'île aux Ruaux afin d'emprunter le chenal nord de l'île d'Orléans où la brume était d'ordinaire moins dense que le long de la Côte-du-Sud. Une heure plus tard, après avoir salué Sainte-Anne d'une prière et d'un signe de la croix, comme les marins n'oubliaient jamais de le faire en croisant son sanctuaire, une brise du nordet se leva. Tous, sans exception, attribuèrent la chose à une intervention bienveillante de la sainte patronne du pays. Les deux voiles carrées de la barque se chargeant du reste, on s'engagea dans la rivière Saint-Charles avant la fin de l'après-midi.

# V

## Coquilles de bois

Québec était, en tout temps, une ville débordante de vie et d'activité. Ville portuaire sept mois sur douze, occupée par des dizaines de marchands, de marins, de passagers et d'arrivants ; ville militaire de garnison, avec sa cohorte de soldats, d'officiers et d'ingénieurs ; ville capitale et administrative représentée par la foultitude obligée des fonctionnaires de tous niveaux, des conseillers et juges aux huissiers, notaires et archers de prévôté ; ville de service, où commerçants et artisans divers croisaient en tous sens les indispensables journaliers et manœuvres ; ville religieuse et diocésaine, enfin, fortement animée par son évêché, ses hôpitaux, son séminaire, ses collèges et écoles, et ses communautés d'hommes et de femmes, cloîtrées ou non. Un microcosme social dont l'organigramme affichait complet.

Il était des jours où une frénésie palpable s'emparait de la cité, où la fourmilière grouillait d'habitants pressés se déplaçant à tous azimuts. À croire que ce petit monde n'aurait pas assez d'heures dans la journée pour réaliser son programme. Vendredi, jour de marché, comme le mardi, à la place de la basse ville : premiers arrivés, premiers servis et à nous le meilleur choix ! Les marchands, derrière leurs étals, sous la halle de bois, commenceraient la vente dès sept heures le matin. Au même moment, en bas, sur la grève, des fermiers de l'île d'Orléans, de la rive sud, de la côte de Beaupré et d'ailleurs auraient échoué leurs barques, parfois même des radeaux, remplis de bois de chauffage de quatre pieds qu'ils offriraient à la corde, demi-corde ou cordon. Dans des canots, juste à côté, d'autres colons annonceraient des anguilles à vendre, un aliment de base très apprécié. Québec était alors le *pays* par excellence de ce poisson dont la saison, début octobre, battait son plein.

Si, ce jour-là, la multitude convergerait vers la place Royale, certains citoyens et habitants prendraient plutôt la direction de l'autre basse ville. C'est que la Prévôté siégeait au palais de l'intendant les mardis et vendredis, dès huit heures le matin, et parfois jusqu'à la tombée du jour. Ce tribunal de première instance entendait les procès civils et criminels ; ces derniers, cependant, ne représentant que deux ou trois pour cent des causes. Tous les litiges y passaient : titres de propriété, querelles de propriétaires-locataires, dettes, paiement des cens et rentes, marchés non respectés, contestations d'héritage, altercations et injures, différends commerciaux ou dégâts causés par des bestiaux. Après la vacation des récoltes[46], la séance de la Prévôté du vendredi reprenait aujourd'hui et l'on attendait bon nombre de plaideurs.

Mais, plus excitant encore, et la nouvelle avait été confirmée par les guetteurs, le vaisseau du roi *Le Héros* et la frégate marchande *La Bonne Aventure* mouilleraient l'ancre devant la ville dans quelques heures à peine. Si tard en saison, c'était quasi inespéré : enfin des nouvelles, du courrier, des habits, des tissus, des denrées diverses, du vin et de la boisson aussi ! Sans compter des soldats de recrue, des engagés, des marchands : les affaires allaient reprendre ! « Ah ! La belle journée que voilà ! Ce sera la fête en ville ! On en

---

46    Les « vacations » avaient lieu deux fois l'an, au moment des semences, au printemps, et à celui des récoltes, à l'automne. Durant ces périodes, le tribunal siégeait le mardi seulement.

oublierait presque la guerre, nos malheurs et les difficultés de vivre en ce pays. »

La féérie des couleurs serait de courte durée cette année. Un nordet insolent montait à l'assaut du château Saint-Louis, s'infiltrant malicieusement entre l'évêché et la cathédrale et bousculant sur son passage de gros cumulus blancs pourtant bien pacifiques. Dans ce voisinage, ouvert sur le fleuve et le large, le dieu Éole régnait. Il sifflait et batifolait en dépouillant les hêtres, les érables et les ormes de leur parure multicolore. Seuls deux gros chênes résistaient victorieusement à ce triste déshabillage saisonnier.

L'homme, d'une main, enfonçait son chapeau sur sa tête et, de l'autre, entraînait deux fillettes d'une dizaine d'années qui n'avaient d'yeux que pour la grande ville qu'elles visitaient pour la première fois. Débouchant de la côte de la Montagne, il enfila en diagonale dans la rue de Buade, céda le passage à deux dames qui descendaient au marché panier au bras, et s'empara à son tour du haut du pavé. C'est avec soulagement qu'il franchit la porte cochère qui s'ouvrait à main gauche et pénétra dans la cour intérieure de la maison du marquis d'Aloigny.

Les d'Aloigny possédaient alors la quasi-totalité du quadrilatère formé par les rues du Fort, de Buade, Sainte-Anne et du Trésor. Seuls deux terrains sur celle-ci leur échappaient. Le domaine était clos sur trois côtés d'une haute muraille ; à l'intérieur de celle-ci, à équidistance des rues Sainte-Anne et de Buade, s'élevait, sur deux étages, la belle maison de pierre, coiffée à la mansarde. De vastes jardins, percés d'une porte pleine, communiquaient, à l'arrière, avec la place d'Armes. La propriété était, sans conteste, l'une des plus belles et des plus riches de la ville et il fallait en remercier François Provost, le deuxième époux de la marquise, longtemps major de la ville et du château puis lieutenant du roi à Québec. Grâce à des achats et à des échanges de lots, il avait patiemment constitué ce bel emplacement et fait ériger la noble demeure.

— Nous sommes arrivés, mesdemoiselles, c'est ici !

Laissant à main droite les écuries et un hangar, ils se préparaient à monter les quelques marches du perron lorsqu'un homme, sorti du hangar, les interpella.

— Bien le bonjour, monsieur Juchereau! C'est ce mistral qui vous amène, et à pied à part ça?

Il avait drôle d'allure Valentin Barrault, un autre *pays* du marquis, dont le surnom était d'ailleurs Poitevin. Un vétéran de la compagnie d'Aloigny, blanchi sous le harnais, il avait trouvé emploi chez son capitaine en qualité de valet et de cocher. À soixante ans, près de trois décennies sur ce continent en avaient fait un vieillard. Le dos voûté, les bras décharnés, les mains noueuses, les jambes arquées, à peine quelques chicots jaunes dans la bouche, il portait une tenue à la fois militaire et civile : un justaucorps de munition[47], gris-blanc et bleu, une culotte noire et, à la place du tricorne, un caudebec noir à larges bords à peine roulés qui devait remonter au siège de Québec. Sa chevelure, ramassée en deux couettes, était blanche comme poil de lapin alors que ses épaisses moustaches tombantes grisonnaient. Mais toute sa personne était impeccablement propre : c'était le désir, voire le mot d'ordre, de la marquise.

— Ah! C'est toi, Valentin! Non, ce n'est pas le mistral, d'autant que ce n'est pas lui qui souffle ce matin. Je crois que tu as perdu la tramontane[48], mon Poitevin : c'est une bise mordante qui nous tombe dessus.

— Sauf vot' respect, monsieur, je connais mes vents et je n'ai rien perdu du tout. Admettons qu'il soit plus nordet que noroît : c'est, en ce cas, qu'il a dû virer depuis que je suis sorti. Si vous venez voir monsieur le marquis, il n'est pas encore parti, mais ça ne tardera pas ; je bouchonnais justement son cheval.

Sur le pas de la porte, Juchereau frappa. Bientôt, une jeune fille costaude, aux joues rubicondes et tirée à quatre épingles vint ouvrir.

— Bonjour monsieur, dit Marie Racette, la servante de la maison, âgée de dix-neuf ans. Entrez! Et voilà les deux filles dont vous nous avez parlé, sans doute?

— Tout à fait Marie. Leur père me les a confiées hier, à Saint-Augustin. Avant de monter, nous nous sommes arrêtés dire une

---

47    Munition : toute fourniture distribuée à un soldat : fusil, pain, vêtements, etc.

48    Tramontane : vent du nord-ouest dans le midi de la France. Perdre la tramontane, c'est perdre le nord et, familièrement, être désorienté.

prière chez les sœurs de la Congrégation, rue Saint-Pierre, et nous voici. J'ai juste le temps de les remettre à vos maîtres et je me sauve par où je suis venu car j'ai rendez-vous chez le notaire La Cétière, au bas de la côte. En passant, nos jeunes paysannes semblent éblouies par notre ville.

— Oui... Enfin, ça leur passera, comme à nous toutes... Monsieur le marquis est à s'habiller, ça ne sera pas bien long. En attendant, que je regarde les sœurettes... Toi, la plus grande, tu es sans doute... Madeleine?

— Non, madame, vous faites erreur. Mon nom est Louise, Louise Gilbert, j'ai douze ans et je viens de chez monsieur Juchereau.

— Mais... je ne comprends pas...

— Ben oui! Monsieur Juchereau, c'est le seigneur chez nous!

Paul-Augustin Juchereau était dit « sieur de Maure » parce qu'il possédait la seigneurie du même nom, aussi appelée Saint-Augustin, à quatre lieues à l'ouest de Québec. Le fief était dans le giron de la vieille famille percheronne depuis 1647. Un peu grassouillet, ce célibataire dans la cinquantaine était receveur préposé à la recette des castors pour la colonie et partageait son temps entre son manoir de campagne et son bureau de la rue Saint-Pierre, non loin de la place Royale.

Juchereau et les d'Aloigny de la Groye se connaissaient très bien; rien de plus naturel, d'ailleurs, au sein de la noblesse coloniale restreinte. En outre, l'immense maison de pierre à deux étages qui abritait, rue Saint-Pierre, les locaux de ce que l'on appelait « la ferme des castors » était la propriété de Geneviève Macard, marquise d'Aloigny. C'est, ici encore, le major François Provost qui, au lendemain de l'incendie de 1682, avait fait ériger ce bâtiment de 82 pieds de longueur. Depuis le décès de ce dernier, dix ans auparavant, sa veuve mettait l'immeuble en location, opération qui lui rapportait mille livres par an, rien de moins.

— Alors dans ce cas, reprit la domestique en s'adressant à la plus petite, c'est surement toi Madeleine? Je te donne... dix ans, c'est exact?

— Oui, madame, dix ans, et ça fait longtemps que je rêve de voir la ville. Mais je ne croyais pas y venir pour travailler chez madame la marquise, non. Je voulais étudier chez les Mères Ursulines, apprendre toutes sortes de choses et porter des belles robes. Est-ce que j'aurai une belle robe ici, chez la marquise ? C'est que...

— Tu bavardes beaucoup trop, Madeleine, interrompit sa sœur sur un ton de remontrance. Papa a dit de te surveiller, tu jacasses comme une pie, il l'a dit.

— Oui, il dit ça pour me taquiner mais je sais qu'il aime bien quand je lui fais la conversation ; il dit que ce que je raconte est intéressant.

Les deux fillettes, en dépit de leur différence d'âge, provenaient vraiment d'un même moule : mêmes formes graciles, même regard profond, même chevelure brune, même ovale du visage. Sans les voir côte à côte, on aurait pu les confondre. Elles avaient perdu leur mère depuis plusieurs années et Étienne Gilbert, leur père cultivateur, n'en finissait pas de placer ses quatorze enfants soit en apprentissage auprès d'artisans, soit comme domestiques dans des maisons bourgeoises. Et le seigneur Juchereau, qui connaissait bien son monde paysan, avait déniché deux familles de la ville où les cadettes Gilbert seraient bien élevées et traitées humainement : Madeleine, la plus jeune, demeurerait chez Geneviève Macard, où Marie Racette, aussi originaire de Saint-Augustin, la prendrait sous son aile, et l'aînée se rendrait utile chez Anne Macard, la sœur cadette de la marquise, qui habitait à la basse ville, rue du Sault-au-Matelot. Celle-ci avait perdu son mari, Pierre Bécard de Granville, le seigneur de l'île aux Grues et de la petite île aux Oies, quatre ans auparavant et, pour le moment, seul un jeune prisonnier anglais, prénommé Étienne, lui venait en aide dans ses tâches quotidiennes.

Marie Racette fit entrer les visiteurs. Un tambour intérieur, avec sa porte percée de deux carreaux de verre, donnait accès à un hall relativement vaste. Ce vestibule, qui servait également d'anti-chambre pour les visiteurs, était meublé de trois chaises françaises au dossier orné de colonnes torses et au siège de velours damassé de fleurs rouges ; deux guéridons en noyer s'inséraient entre elles et supportaient chacun un chandelier en étain à deux branches.

Face à l'entrée et limitant la pièce d'accueil, un escalier en bois d'érable était accolé, sur la gauche, au mur de la cuisine. Sa descente vers la cave était fermée d'une porte pleine. À la droite du vestibule, une vaste chambre courait de la cour avant jusqu'au jardin avec des fenêtres à chacune des extrémités. L'espace entre la chambre et l'escalier formait un large corridor qui menait à une grande salle fermée d'où l'œil, à travers deux fenêtres à carreaux, embrassait un joli jardin en carrés. Entre les croisées, une porte donnait accès à l'îlot de verdure.

La salle était véritablement polyvalente ; elle servait de salle à manger mais elle accueillait aussi des réceptions, des bals et des réunions diverses. Le marquis, commandant des troupes de la colonie, y présidait même, parfois, des séances de cours martiales. C'est dire que la disposition intérieure du mobilier y était très variable, selon les occasions et les besoins. Seuls éléments fixes, pourrait-on dire : le bureau « Mazarin » du marquis, avec ses sept tiroirs fermant à clé, à proximité d'une des croisées et d'un âtre considérable qui doublait et prolongeait celui de la chambre voisine. Et, de chaque côté du foyer, deux hautes armoires en chêne, à deux battants, fermant à clé et contenant les papiers personnels et de fonction du maître de maison.

Pendant que la servante s'affairait à déboutonner le manteau des filles et à enlever leur bonnet de toile matelassé, le couple d'Aloigny apparut dans le hall d'entrée. Lui, par la droite, venant de la chambre, était à nouer sa cravate, elle, débouchant de la cuisine, tenait à la main la veste de son mari, à laquelle elle venait de recoudre un bouton.

— Voilà ! Charles-Henri, j'espère que ça tiendra, dit-elle.

Puis, se tournant vers les visiteurs : « Oh ! Monsieur de Maure nous présente enfin ses protégées. C'est gentil à vous, Paul-Augustin ! Ma sœur et moi les attendions avec impatience car l'automne, dans une maison, occasionne de nombreuses tâches domestiques. »

Et, s'adressant aux deux jeunes filles : « Bonjour mesdemoi-selles, soyez les bienvenues en ville. Nous irons tout à l'heure reconduire Louise chez ma sœur Anne, au bas de la côte puis, Madeleine et moi, nous irons au marché. » La marquise se pencha alors vers la cadette et, lui tâtant les mollets, elle ajouta : « Nous verrons alors ce qu'elle a dans les jambes, cette enfant. Si elle veut devenir une vraie belle fille de la ville, un jour, il lui faudra renforcer ses longues cannes. »

— Moi, je trouve, madame, que, sous une belle robe, comme en portent les filles chez les Ursulines, des jambes fines comme les miennes sont plus jolies, rétorqua spontanément la fillette. D'ailleurs, je rêve d'aller chez les Ursulines.

La réplique, inattendue, renversa Geneviève Macard qui, un instant, en demeura bouche bée.

— Tu sais, ma fille, je crois que nous allons bien nous en-tendre... Tu me rappelles... une autre dégourdie de dix ans qui, il y a très longtemps, se présenta au parloir des bonnes Mères.

En prononçant ces mots, la marquise à la ligne mince et aux cheveux blancs avait plongé son regard dans celui de son mari, comme pour le prendre à témoin d'une existence qu'il n'avait, pourtant, qu'à peine partagée.

Son père, Nicolas Macard, était arrivé de Champagne en 1640. À Québec, il occupait les fonctions de commis pour la compagnie des Cent Associés. Six ans plus tard, il épousait Marguerite Couillard, la veuve de l'explorateur-interprète Jean Nicolet[49]. Établi à Québec, le couple eut quatre filles et deux garçons. Au printemps de 1655, au moment des guerres iroquoises, Macard et sa famille d'alors[50] étaient à l'île Sainte-Marguerite[51] qu'ils songeaient à acqué-rir pour y exploiter son bois de chauffage. Un parti d'Iroquois s'abattit soudain sur les environs : à l'île aux Oies, Jean Moyen, sieur des Granges, et sa femme furent scalpés et tués et leurs deux

---

49  Samuel de Champlain, par son testament de 1635, avait légué 300 livres à Marguerite, sa filleule « pour aider à la marier ».

50  Catherine-Gertrude et Charles naîtront respectivement en novembre 1655 et en 1656.

51  L'île porte depuis très longtemps ce nom en l'honneur de Marguerite Couillard qui, en 1662, en obtint officiellement la concession en fief et seigneurie.

filles, Élisabeth, 14 ans, et Marie, huit ans, furent enlevées. Se faufilant entre les îles de l'archipel, les guerriers aperçurent ensuite, non loin du rivage de l'île Sainte-Marguerite, les deux aînées des enfants Macard, Marie, sept ans, et Geneviève, cinq ans, qui jouaient en bordure de la forêt. Le rapt des deux fillettes ne fut qu'un jeu d'enfant pour ces hommes rapides et élusifs.

Le dénouement de la cruelle histoire est connu. Les quatre jeunes filles, à pied et en canot, furent amenées en pays onontagué, au sud du lac Ontario. À Montréal, grâce à leurs antennes en territoire iroquois et à une ruse courageuse, Maisonneuve, Charles Le Moyne et le major Lambert Closse forcèrent les ravisseurs à accepter un échange de prisonniers. Les captives furent, peu après, accueillies triomphalement à Ville-Marie. Elles avaient été les premières Françaises à se rendre en Iroquoisie et à en revenir. Et Élisabeth Moyen éprouva une telle gratitude envers le major Closse... qu'elle l'épousa peu après, au mois d'août 1657.

Geneviève Macard, pour sa part, regagna Québec et, deux ans plus tard, à l'âge de dix ans, entama ses études chez les Ursulines, soit un mois avant le décès de son père. En sérieuses difficultés financières, la veuve Macard reçut le soutien de madame de La Peltrie, la fondatrice séculière des Ursulines de la ville, pour payer la pension de l'élève. À 17 ans, la jeune fille épousa le riche marchand Charles Bazire, son aîné de 25 ans, qui prit la famille Macard sous son aile. Un fils naquit de leur union mais il décéda après deux semaines. Bazire mourut lui-même en 1677 léguant à Geneviève une fortune rondelette[52].

En secondes noces, deux années plus tard, la veuve Bazire, alors âgée de trente ans, convola avec François Provost, major puis lieutenant du roi à Québec. Il avait été, de l'avis de tous, le véritable héros de la défense de la cité lors du siège des Anglais de 1690. Homme intègre et apprécié de la population, il décéda en 1702, sans enfant, laissant sa femme dans une position financière et sociale toujours plus avantageuse. Celle-ci prit mari pour la

---

52 Par testament, il laissa à son père, vivant en Normandie, 20 000 livres et 30 000 aux diverses institutions religieuses de la ville de Québec.

troisième fois dès l'année suivante. Charles-Henri d'Aloigny, marquis de la Groye depuis 1694, avait treize ans de moins que sa femme. Il était un officier des troupes de la Marine qui, depuis son arrivée au pays en 1683, avait gravi tous les échelons de la hiérarchie et il se préparait, à ce moment, à prendre le commandement de toutes les forces militaires du pays. En 1705, enfin, le roi le ferait chevalier de l'ordre de Saint-Louis, un véritable couronnement de carrière.

Tel était le parcours de cette femme d'exception. Âgée de 63 ans au moment de notre récit, elle prenait place, plus que jamais, au sommet de la pyramide sociale de la colonie. Elle vivait dans une aisance rare mais n'aurait-elle pas sacrifié son titre, sa position, pour un ou quelques enfants? On peut le penser, elle qui était très proche de ses neveux et nièces et qui, au cours de sa vie, en qualité de marraine, tiendrait dans ses bras 78 nouveau-nés et ce, pour des gens de toutes les classes de la société.

Revêtu de l'uniforme rouge et bleu des officiers de vaisseau, afin de se distinguer des officiers supérieurs des troupes de la Marine[53], le marquis d'Aloigny, l'épée au côté et la croix de Saint-Louis à la poitrine, avait fière allure. Complétée d'une perruque blanche de belle facture, sa tenue, même à Versailles, n'aurait pas démérité. Pour qui le côtoyait régulièrement, cependant, sa mine élégante ne pouvait dissimuler la maladie qui lui minait de plus en plus l'existence. Il souffrait de rhumatisme et d'arthrite, de sérieux malaises hérités de trente années de vie à parcourir en tous sens la colonie, dans des froids à geler la moelle des os et des pluies crues et pénétrantes, à portager dans l'eau glacée des rivières, à coucher sur la dure ou dans des postes fortifiés insalubres. Vivre en ce pays, dans ce climat souvent extrême, c'était à coup sûr souffrir mille maux et abréger ses jours.

---

53 Les officiers des «Compagnies franches d'Infanterie de la Marine» se voyaient attribuer deux grades, l'un en tant qu'officier d'infanterie, l'autre en qualité d'officier de la marine. Ainsi le commandant d'Aloigny, en 1712, était-il aussi capitaine de frégate. Il sera promu capitaine de vaisseau l'année suivante. Les officiers des troupes franches partageaient avec leurs soldats la couleur de l'habit, soit écru (gris-blanc) et bleu. Les officiers de vaisseau, en revanche, portaient traditionnellement le justaucorps bleu royal avec revers des manches et doublure rouges. Aussi rouges étaient la veste, la culotte et les bas.

Charles-Henri salua le seigneur de Maure, abandonna dames et demoiselles à leur programme et gagna la salle. Assis à son bureau, il avait sa tête des mauvais jours. Ses articulations le faisaient souffrir atrocement et, de ses deux mains, il massait les rotules de ses genoux. En même temps, il contemplait à sa droite, entre porte et fenêtre du jardin, la copie du magnifique portrait de Louis XIV peint en 1701 par Hyacinthe Rigaud. Il l'avait rapportée lors de son séjour en France, en 1707-1708, et il aimait, le matin, en prenant place à sa table de travail, rencontrer le regard de son maître, en costume de sacre. D'autant, lui avait-on précisé, que c'est à contrecœur, et seulement pour accéder à une demande expresse de son petit-fils, le futur roi d'Espagne, qu'il avait accepté de se plier aux longues séances de pose. Et depuis, tous convenaient, le modèle en premier, que l'artiste avait produit l'image la plus ressemblante.

— Sergent! cria-t-il soudain. Au rapport!

Dieulefit venait justement de quitter le cabinet qui lui servait de bureau, à l'étage. Attenant à sa chambre, il donnait, comme celle-ci, sur la cour avant de la maison. Au moment même, ou presque, où d'Aloigny lançait son ordre, le secrétaire franchissait la porte de la salle dans l'uniforme blanc et rouge des sergents, les bras chargés de dossiers.

— Présent, monsieur le marquis! Présent!

Bastien connaissait bien son chef et quand celui-ci lui donnait du *sergent*, il lui rendait du *marquis*. Cela se produisait rarement lorsque les deux hommes étaient seuls; il fallait des circonstances marquées d'impatience ou de frustration pour que le commandant adopte ce ton avec son bras droit. Ce dernier ne se formalisait pas du tout de cette attitude distante et autoritaire. Il jouait le jeu, si l'on peut dire, et recherchait plutôt les raisons de l'humeur maussade.

— Voici les textes demandés, ajouta-t-il aussitôt: l'état des troupes au premier septembre, par compagnie, par grade, par lieu d'affectation, avec, aussi, l'âge et l'ancienneté. Également le nombre et l'identité, par compagnie, de ceux qui ont demandé la demi-solde[54], avec les certificats de service et les attestations médicales de ceux qui invoquent des raisons de santé ou d'infirmité. Enfin, une évaluation, la plus précise possible, des besoins en uniformes, depuis les chapeaux jusqu'aux souliers, en passant par les mitaines et les tapabords[55] d'hiver. Vous verrez : les besoins sont criants. Les hommes se promènent à moitié nus, du jamais vu !

— Je sais, je sais, Bastien, je l'observe tous les jours, moi aussi. Heureusement que le roi ne voit pas cela, il en serait humilié. Je me bats pour du ravitaillement à chaque année dans mes lettres à monsieur de Pontchartrain[56], à ma demande le gouverneur, monsieur de Vaudreuil, fait de même, pourtant nous attendons toujours. Tenez, je parie avec vous qu'il n'y a pas un seul caleçon à bord du *Héros* qui va mouiller l'ancre d'un instant à l'autre ! Même rareté chez les hommes, d'ailleurs. Imaginez : à la veille de la guerre de '89, avant votre venue, nous comptions environ 1 750 hommes dans nos compagnies, outre les officiers. Aujourd'hui, après une invasion majeure ratée de peu, nous rassemblons à peine 500 hommes de troupe, dont plusieurs sont, soit trop âgés, soit trop infirmes pour servir. Et cela, sans doute, pendant qu'une nouvelle attaque anglaise s'organise car les Bostonnais n'ont pas été battus et ils préparent leur retour.

Lorsque le marquis se livrait de la sorte à ses états d'âme, lorsqu'il se laissait aller à ses frustrations et à ses inquiétudes, Dieulefit demeurait coi. Sa tâche consistait aussi à prêter l'oreille au commandant, à lui fournir l'opportunité d'épancher ses contrariétés et ses sentiments enfouis.

— Parfois, continua d'Aloigny après un moment de silence et en regardant vers le jardin, je me demande si je ne serais pas mûr pour regagner mes terres, vivre doucement de mes rentes seigneuriales et de l'exploitation de ma forêt, me rapprocher de ce qui me reste de famille, du côté d'Ingrandes mais aussi de La

---

54    La mise à la retraite.

55    Casques d'hiver dont les rebords se rabattent pour former une visière, un couvre-oreille et un couvre-nuque.

56    Jérôme Phélypeaux, comte de Pontchartrain (1674-1747), secrétaire d'État à la Marine (et donc aux colonies).

Roche-Posay. Tu te rappelles, il y a quatre ans, j'avais profité de mon voyage pour prendre les eaux dans ce beau coin de la Creuse, le pays des Chasteigner et de ma mère, comme tu le sais. Quel bien cela m'avait fait! Néanmoins... je ne pourrais jamais arracher Geneviève à son pays et aux siens, je le sais bien, et c'est probablement ce qui m'empêche de franchir le Rubicon. Elle a le fleuve, les îles, les montagnes, les forêts et les prés rivés au cœur et au corps. Et même si nous n'avons pas d'enfant, elle connaît toute la population de la région et elle en est aimée. Tous les bambins lui tendent les bras, tu le sais, tu l'as vu, n'est-ce pas?

Et voilà! Le grand marquis était redevenu lui-même et il le tutoyait à nouveau, comme un jeune frère. Charles-Henri, il le savait, n'était pas un aristocrate hautain de tempérament, sauf avec les gens de sa caste. L'orgueil nobiliaire de classe, s'il en avait été affecté, s'était manifesté uniquement, et très provisoirement, lorsqu'il avait eu droit au titre de marquis de la Groye, en 1694, après la mort, à bref intervalle, de son père et de son frère aîné, Louis-Gabriel. Bastien s'en rappelait bien, lui qui était débarqué à Québec l'année précédente.

Mais la vie sociale très particulière et, par certains côtés, relativement égalitaire de la colonie l'avait, lui aussi, façonné. Puis son mariage, en 1703, avec Geneviève, devenue grande bourgeoise mais imprégnée depuis son plus jeune âge par le principe de la valeur intrinsèque de l'individu, tel que vécu au quotidien en Nouvelle-France, avait achevé l'ouvrage. Comment, par ailleurs, ne pas dresser le parallèle entre lui et Philippe de Rigaud de Vaudreuil, le gouverneur depuis 1703: marquis, militaires, capitaines de compagnies, promus à tour de rôle commandant des troupes, croix de Saint-Louis et ayant tous les deux, fait rarissime, épousé des Canadiennes aux humbles origines mais éduquées chez les Ursulines. Qui prend femme prendrait pays et les plis du pays?

— Assez d'apitoiements! dit soudain Charles-Henri en se dressant et en tapant son bureau de ses paumes. Nous avons rendez-vous ce matin avec notre nouvel intendant, monsieur Michel Bégon de la Picardière. Homme très compétent, me rapporte-t-on, issu d'une longue lignée d'hommes de loi et de serviteurs de l'État. J'ai rencontré son père il y a quatre ans à Rochefort, peu de temps avant sa mort; il était intendant du port depuis plusieurs années. Un homme agréable et efficace, un cousin de feu monsieur Colbert, d'ailleurs! Alors, récapitulons: le gouverneur m'a fait prévenir que lui et sa garde quitteraient le château à dix heures; nous avons tous rendez-vous au débarcadère de la place de la basse ville. Est-ce que le peloton d'accueil est formé?

— Monsieur de Sanzelles est en charge et le sergent Chandonné le secondera: aucune crainte, tout sera prêt. Quant aux soldats de recrue, comme d'habitude, vous les passerez en revue sur la place, après leur débarquement. Voici d'ailleurs les billets de logement que je leur distribuerai. On en attend une trentaine aujourd'hui. Avec les neufs premiers, arrivés en août sur *La Louise*, et les six autres, le mois dernier, à bord de *L'Heureux Retour*, nous aurons reçu une recrue de 45 hommes, environ.

Le roulement du tambour, qui accompagnait la sortie du marquis de Vaudreuil du château Saint-Louis, retentit alors de l'autre côté de la place d'Armes. Les deux hommes quittèrent le bureau et gagnèrent le vestibule où Marie Racette leur remit leur chapeau, avec la cape du commandant.

Une animation exceptionnelle régnait place Royale. Les activités populaires du marché s'étaient interrompues, si ce n'est le cri du pâtissier Julien Boissy, dit La Grillade, qui, profitant de l'achalandage particulier de ce jour festif, poursuivait la vente de ses oublies[57]: «Mesdames! Pour vous spécialement, voilà le plaisir!»

Puis, enfin, le grand mât du navire du roi était apparu au-dessus de la pointe de Lévis, gréé seulement de ses basses voiles pour résister au nordet qui refusait de se démentir. Sous les cris et les vivats de la foule, *Le Héros*, gros navire de guerre français, se présenta devant Québec et la salua de quinze coups de canon. La coutume voulait que les canonniers de la place lui retournent ce

---

57  L'oublie, ou plaisir, était une pâtisserie légère, mince et cassante, du type gaufre, à laquelle on donnait la forme d'un cylindre, ou cornet. Les vendeurs d'oublies par les rues étaient aussi appelés *oublieurs* ou *oublieuses*.

salut deux coups en moins. Cependant, à cause de la présence à bord du nouvel intendant du roi, il fut ordonné de lui rendre coup pour coup, depuis la batterie du château.

La population, massée le long des remparts de la ville haute, sur le bord de la grève, et accrochée en grappe aux balcons des maisons, était, comme toujours, transportée de joie à l'arrivée d'un navire, et particulièrement lorsqu'il s'agissait d'un vaisseau royal. En ce jour d'octobre, si tard en saison, la frénésie était à son comble car on n'attendait plus vraiment le grand voilier. De nombreux miliciens s'étaient regroupés sur les batteries Royale et Dauphine, en bordure du fleuve, pour tirer des salves de bienvenue. Ne voulant pas être en reste, d'autres tireurs, du côté de Lévis, leur répondaient allègrement. En ce temps de guerre et de privations, quel soulagement partagé et manifesté de voir arriver les secours et les approvisionnements!

Trente minutes plus tard, la grande chaloupe du vaisseau s'avançait vers la plage, avec à son bord l'intendant Bégon, Jeanne-Élisabeth de Beauharnois, sa femme enceinte, et le frère de celle-ci, Claude de Beauharnois de Beaumont, le capitaine du *Héros*. Aussi assis dans l'embarcation se trouvait un jeune officier des troupes de la Marine, Gaspard Adhémar de Lantagnac, petit-neveu du gouverneur Vaudreuil, qui venait chercher fortune au pays. Ils étaient à 400 pieds du rivage lorsque des cris nourris se firent entendre à nouveau: «Là-bas, regardez! Voilà l'autre, le marchand!» Effectivement, *La Bonne Aventure* avait, à son tour, doublé la pointe de Lévis et s'approchait de la Saint-Charles. La frégate de charge, avant même de s'immobiliser un peu à l'écart, à la hauteur de la rivière, fit son compliment d'une salve de onze coups de canon, à laquelle répondit une décharge de neuf coups successifs, toujours en provenance du château haut perché.

Un débarcadère de circonstance, contre lequel la chaloupe à six rameurs pouvait venir se ranger, avait été installé dans le fleuve et se prolongeait sur la terre ferme. Une douzaine de personnes, en contrebas de la place Royale, sur un petit plateau rocailleux, accueillirent les arrivants. Outre le gouverneur, la foule reconnut Clairambault d'Aigremont, l'intendant intérimaire, Joseph de la

Colombière, le vicaire général, en l'absence de l'évêque, et d'autres dignitaires dont le procureur du roi, les membres du Conseil supérieur, le lieutenant de la Prévôté et le prévôt de la maréchaussée. Quelques militaires, aussi : le commandant des troupes, d'Aloigny de la Groye, et Jacques de Noré Dumesnil, le major de la ville. Une traversée rapide et, somme toute, sans incident avait fort réjoui les voyageurs, qui affichaient une mine épanouie.

Après les salutations d'usage et les présentations protocolaires, Michel Bégon sentit que ce comité d'accueil était suspendu à ses lèvres, impatient qu'il était d'être informé des derniers développements sur la scène militaire et diplomatique : « J'apporte avec moi un courrier volumineux en provenance de Versailles qui répondra, sans doute, à vos interrogations qui, je le sens, sont multiples. Mais je puis déjà vous livrer quelques informations. »

La petite assemblée fit cercle autour du nouvel intendant, dont la femme tenait le bras, et le silence s'imposa.

— Vous savez déjà, probablement, que des négociations de paix ont lieu en Hollande, à Utrecht, depuis janvier dernier. En juillet, la France et l'Angleterre ont convenu d'une suspension d'armes pour les armées de terre. Et quelques jours plus tard, le maréchal de Villars a culbuté les Austro-Hollandais, commandés par le Prince Eugène, à Denain, sur l'Escaut. C'est une victoire, providentielle, qui sauve véritablement notre royaume. Avouons-le, celui-ci était à genoux. Cela nous vaudra certainement un *Te Deum* !

À ces mots, les coloniaux laissèrent éclater leur joie. Des « Vive le Roi ! Vive Villars ! Vive la France ! » retentirent spontanément et la foule, massée plus loin, comprit qu'une très bonne nouvelle, enfin, venait d'être apportée.

— Dorénavant, poursuivit l'intendant, le roi sera en bien meilleure position pour négocier. Dernière information : au moment de quitter la France, au mois d'août, un armistice de quatre mois était sur le point d'être signé, selon des sources fiables. Messieurs, le roi veut la paix, l'Angleterre veut la paix, et tout indique que la paix ne saurait tarder, en dépit des réticences des Hollandais et des impériaux d'Allemagne.

D'Aloigny se rapprocha du major Dumesnil et lui souffla à l'oreille : « Si Londres oblige les Anglais des colonies à faire la paix, plusieurs, comme disait un ancien sergent, vont mâcher à vide du côté de Boston et d'Albany, je vous le garantis ! Ces bougres ne veulent rien d'autre que nous écarbouiller, une bonne fois pour toutes ! »

C'est en cortège, deux par deux, que le groupe des dignitaires et des voyageurs grimpa la petite rue menant à la place Royale où la halle, entre-temps, avait été débarrassée de ses étals et de ses détritus. Au milieu d'une foule dense, curieuse mais disciplinée, une haie d'honneur d'une vingtaine de soldats, sur deux rangs, commandés par le lieutenant de Sanzelles, les attendait pour tirer une nouvelle salve d'honneur. Après quoi, s'infiltrant entre les deux files d'uniformes, on prit la direction de la petite église Notre-Dame-des-Victoires qui se dressait sur la gauche. Il pressait aux arrivants de remercier la Providence pour l'heureuse traversée.

Pendant que Dieulefit, en compagnie du sieur Duplessis[58], receveur de l'Amirauté, et de deux de ses gardes, prenait place dans une barque de déchargement et se rendait à bord du *Héros,* où l'attendaient quelques dizaines de recrues des troupes, deux hommes, départagés par la taille, un léger sourire aux commissures des lèvres, observaient la scène depuis le coin de la rue Saint-Pierre et de la ruelle montant de la grève à la place. Là précisément, un emplacement non construit rappelait que, vingt ans auparavant, le grand incendie avait ravagé la maison familiale du défunt notaire Gilles Rageot. Les deux badauds échangèrent un regard, quelques mots, et, d'un pas lent et indifférent, gagnèrent à leur tour la place Royale.

Sanzelles et le sergent Chandonné avaient réaligné la garde militaire en face de l'église afin de présenter les armes à l'intendant dès sa sortie. Mêlés à une foule encore dense et en attente, les deux spectateurs, dont l'un portait un bandeau noir en travers l'œil gauche, dépassèrent les deux rangs de troupiers et se dirigèrent vers

---

58    Georges Regnard, sieur Duplessis (env. 1659-1714), receveur de l'Amirauté et trésorier de la Marine.

la rue Sous-le-fort. Ils s'arrêtèrent rue Notre-Dame, à l'ombre de l'église, chez la veuve Lefebvre qui tenait l'auberge *Aux Trois Pignons* dans une petite maison de colombage pierroté[59]. Le plus grand des deux, dans la jeune quarantaine, familier de toute évidence avec l'endroit, frappa à la porte et entra sans attendre que l'on vînt ouvrir. Il tomba face à face avec un petit bout de femme d'une quarantaine d'années, le visage étroit surmonté d'une coiffe, les yeux rieurs, qui s'essuyait les mains sur son long tablier. Autour d'elle flottait le délicat et prometteur fumet d'un civet de lièvre qui mitonnait dans une marmite pendue à la crémaillère.

— Ah! C'est vous monsieur Languedoc! Que puis-je pour vous? dit-elle, tout en jetant un œil sur l'homme au bandeau, un peu en retrait.

— Madame Maufay, car la dame s'appelait Agnès Maufay, c'est fini *Languedoc,* je ne suis plus soldat. Appelez-moi Chapelle, Clément Chapelle, c'est mon nom. Mon ami, ici présent, vient d'arriver dans notre ville et il cherche à se loger pour quelques jours, une semaine ou deux peut-être. Il vous reste une chambre?

— Malheureusement, mes deux chambres sont occupées. Des Montréalistes en voyage d'affaires, je crois. Comme c'est dommage, j'aurais aimé vous satisfaire, vous savez. Avec la fin de la navigation, bientôt, notre bonne ville grouille de marchands et commerçants de tous genres qui viennent de partout sur le fleuve. Les notaires, particulièrement, comme monsieur Chambalon, mon voisin, ne dérougissent pas. Il me disait ce matin, justement...

— Et vous connaissez un aubergiste qui ne serait pas complet, interrompit le grand Languedoc, sans vergogne, en passant les mains dans ses cheveux noirs pour en resserrer l'attache?

— Ici, en bas, je ne vois pas, et en haut, je ne sais pas. Attendez, je réfléchis... Il y aurait peut-être les Fauconnier, rue Saint-Pierre, à côté des sœurs de la Congrégation. Je devrais dire la veuve Fauconnier : elle a enterré son mari pas plus tard qu'hier, imaginez... Elle et son défunt se préparaient justement à ouvrir

---

59    Grosses pièces de bois dans l'espacement desquelles on a fait un remplissage de pierre.

leur auberge ici, dans la basse ville ; ils en avaient une autre auparavant, à Montréal. Vous pourriez aller sonder le terrain de ce côté.

Après avoir remercié la dame Maufay, Clément Chapelle et son ami retraversèrent la place où l'on attendait toujours la sortie d'église de l'intendant Bégon. À main gauche dans la rue Saint-Pierre, il fallut moins d'une minute pour atteindre l'auberge de la veuve Fauconnier, dont l'emplacement, à l'arrière, rejoignait la grève. À l'origine, c'est-à-dire au lendemain du grand feu de 1682, la maison était unifamiliale et sa façade mesurait 35 pieds. Peu après, une veuve chargée de famille en avait fait deux logements contigus, séparés à l'intérieur par un simple couloir commun. Le rez-de-chaussée du bâtiment était élevé en maçonnerie tandis que les deux étages supérieurs montraient du colombage pierroté.

Lorsque Languedoc et son acolyte approchèrent de l'auberge, une dame très jolie, à peine dans la trentaine, donnait des instructions à un jeune homme pour l'installation d'une enseigne au-dessus de la porte d'entrée.

Le borgne, à qui, semble-t-il, la beauté du monde n'échappait pas, murmura entre ses dents : « Mieux vaut amour à pleines mains... »[60]. Debout sur le dernier degré d'un escabeau, le garçon tenait dans ses mains le panneau de bois peint tandis que la jeune femme, un bras tendu, lui indiquait quelques dernières précisions en rapport avec l'ancrage du panonceau.

Voyant les deux hommes s'arrêter à sa hauteur, l'air intrigué, la belle dame leur demanda aimablement : « Je puis vous être utile, messieurs, vous semblez perplexes ? »

— En fait, madame, répondit Languedoc, nous cherchons une auberge... qui est peut-être fermée, nous a-t-on dit... car la mortalité l'aurait frappée récemment...

En prononçant ces mots, les yeux du gaillard se posaient alternativement sur son compagnon et sur la femme.

— Je crois comprendre votre trouble, sourit la veuve Fauconnier, et je vous réponds ceci : vous avez raison, mais vous avez tort. Oui,

---

60    Ancien dicton français qui se termine ainsi : « ... que des richesses plein le four. ».

je suis veuve depuis hier : Pierre Fauconnier, mon mari, est décédé et enterré. Mais moi, Charlotte Campion, je vis et l'auberge aussi, mon auberge maintenant ! Regardez d'ailleurs l'enseigne. C'est le peintre Berger[61] de Montréal qui l'avait faite, il y a quelques années de cela, pour un de ses amis qui n'a jamais trouvé les sous pour lancer son établissement. Celui-ci me l'a gracieusement offerte : magnifique, pas vrai ? Bien sûr, j'aurais préféré Saint-Pierre, à cause de la rue, mais Saint-Luc me convient bien : c'est donc *Le Grand Saint-Luc* !

Berger, en utilisant une palette de couleurs vives, avait représenté le saint patron des artistes-peintres avec, dans sa main gauche, un pinceau, et dans la droite, la plume de l'évangéliste. Et pour symboliser l'auberge, l'artiste avait montré le saint assis sur un châlit à quenouilles recouvert d'une courtepointe moelleuse.

— Non, mes défunts ne m'entraîneront pas dans leur sillage, conclut la veuve Campion. J'ai mis quatre enfants au monde, il ne m'en reste aucun. Finalement, je n'avais pas de talent pour le mariage et la famille... Mais passons aux affaires. Ce serait donc pour une chambre, messieurs ?

— Pour mon ami, seulement, répondit Chapelle.

Se tournant vers l'homme au bandeau, elle lui demanda avec le plus aimable sourire : « Et ce sera pour combien de temps, monsieur... monsieur ? »

Pris de court, le barbu blond hésita l'espace d'un seconde puis se reprit rapidement : « Marquet, ma bonne dame, Vincent Marquet, marchand de vin. J'arrive de Montréal et des Trois-Rivières et je serai à bord de *La Bonne Aventure* lorsqu'elle lèvera l'ancre, dans trois semaines, environ. »

— J'ai trois chambres à vous proposer, ajouta l'aubergiste : deux à l'étage au-dessus, l'une qui donne sur la rue, l'autre à l'arrière, avec galerie accessible de l'extérieur qui offre le fleuve et

---

61   Jean Berger (ca.1681-après 1709), soldat des troupes et artiste peintre. Marié à Québec en 1706 à Rachel Storer, jeune captive anglaise du Maine, il semble s'être retiré avec sa femme du côté de Boston une fois la paix rétablie, vers 1712-1713.

le grand air ; et la dernière au troisième étage, derrière la salle de billard.

— Allons-y pour celle du deuxième côté galerie.

L'on s'entendit sur le prix de la chambre puis les deux hommes se retirèrent, Marquet faisant savoir qu'il devait passer chez Languedoc pour récupérer ses effets. Au même moment sonnait l'angélus de midi, suivi par une salve de fusils : l'intendant Bégon et sa suite sortaient de la petite église.

# VI

## Persona non grata

En prenant congé de la veuve Fauconnier, Marquet et Languedoc rebroussèrent chemin et, pour rejoindre le Cul-de-Sac où ce dernier demeurait, ils regagnèrent la place du marché, la plaque tournante du quartier. Au moment où ils y débouchaient, trois carrosses se mettaient en route pour la haute ville, menés par celui du gouverneur qui recevait les dignitaires à dîner au château Saint-Louis. Ils étaient suivis par Sanzelles et le sergent Chandonné qui escortaient la garde d'honneur.

Dieulefit, revenu sur la place Royale, faisait à son tour aligner devant l'église les trente soldats de recrue qui venaient de débarquer du *Héros*. Le marquis de la Groye interviendrait bientôt pour vérifier le rôle d'embarquement que le capitaine du navire lui avait remis. Chaque soldat apprendrait enfin son affectation, c'est-à-dire la compagnie dans laquelle il serait versé, et le lieu de cantonnement de celle-ci. Plusieurs, à la première occasion, rejoindraient Montréal en barque, d'autres, moins nombreux, Trois-Rivières.

Certains emporteraient leurs pénates au fort Chambly de la rivière Richelieu. Enfin, dans sept ou huit mois, quelques-uns partiraient pour les postes de l'Ouest.

Le secrétaire-sergent était à remettre à chacun son billet de logement dans la ville lorsque, du coin de l'œil, il aperçut entre deux têtes l'homme au bandeau et à la barbe blonde qui marchait avec un compère en direction de la rue Notre-Dame. Il en fut stupéfait. Son premier réflexe aurait été de se ruer sur l'individu mais, dans les circonstances, c'était impossible. Vivement, il chercha autour de lui quelqu'un à qui il aurait pu commander une filature, mais en vain. Puis, il remarqua la présence du notaire Chambalon qui prenait le frais devant sa porte : les deux amis venaient de le croiser. Sous les yeux d'un marquis médusé, il se précipita vers le tabellion.

— Notaire, excusez-moi, les deux hommes qui viennent de passer, là-bas, vous les connaissez?

— Mais enfin, sergent, que se passe-t-il? Vous avez vu un revenant?

— Oui, oui, enfin... c'est presque cela.

— Le blond ne me dit rien, jamais vu, dit le notaire, un petit homme ventripotent d'environ cinquante ans, le dessus du crâne assez dégarni. L'autre, le grand échalas, c'est le cordonnier Languedoc, Chapelle de son vrai nom, je crois : il habite au Cul-de-Sac et il est venu de Montréal il y a peut-être un an.

Pendant que Bastien retournait *illico* à ses troupiers, Languedoc entraînait Marquet vers son logement du Cul-de-Sac. Les bâtiments érigés au nord appartenaient, en fait, à la rue Sous-le-fort, sur laquelle ils avaient façade. La déclivité du terrain, en direction du bord de l'eau, donnait à ces quelques maisons un niveau d'occupation additionnel à l'arrière, dans le Cul-de-Sac. Languedoc, locataire de l'armurier Pierre Gauvreau, habitait donc la cave de ce dernier, ce qui convenait très bien à son commerce de cordonnerie, d'autant qu'il était célibataire. Il jouissait de trois ouvertures sur la ruelle qu'était alors le Cul-de-Sac : une porte avec guichet, une fenêtre à carreaux et, au milieu, un abattant de bois, ou volet de boutique, mesurant environ trois pieds sur deux, et sur lequel l'artisan offrait sa marchandise aux passants[62].

Vincent Marquet rassembla quelques vêtements, les fourra dans une sorte de besace en cuir brun et décida de tenter sur-le-champ la récupération de son petit coffre de voyage à bord de *La Bonne Aventure*. Clément Chapelle, *alias* Languedoc, accepta de poursuivre son travail de guide.

— Il faut nous rendre au palais car la frégate mouille au large de la Saint-Charles. Et pour s'y rendre, je vais t'indiquer comment éviter en partie la grande côte. D'ailleurs, j'ai quelque chose à te montrer en chemin.

Compte tenu de l'impossibilité de communiquer à pied, par la basse ville, de la place Royale au quartier du Palais, il était nécessaire d'emprunter les rues de la haute ville. Cela voulait dire grimper jusqu'à la cathédrale puis redescendre la rue de l'Hôtel-Dieu[63], la rue des Pauvres et la côte du Palais. Heureusement, les ingénieurs avaient eu le projet de fortifier le sommet des falaises de la ville ; une palissade de pieux, courant de la côte de la Montagne jusqu'à la porte du Palais, avait été érigée et, pour ce faire, l'on avait débroussaillé et dégagé un corridor d'environ vingt-cinq pieds de largeur qui constituait avant tout une terrasse militaire.

En un rien de temps, la population en avait fait l'un de ses sentiers préférés. Il était, certes, un peu plus long en distance que celui de la ville haute, mais combien plus facile et agréable pour, notamment, y faire la promenade du soir, seul ou en douce compagnie. Des batteries de canons et de mortiers perçaient la muraille à certains endroits, au bout des terrains du Séminaire et de l'Hôtel-Dieu, par exemple.

Tel était le trajet évoqué par Languedoc. Il prenait en face de l'escalier Casse-cou, à mi-hauteur de la côte de la Montagne, et rejoignait, derrière l'évêché et le Séminaire, la côte de la Canoterie, aussi appelée « le chemin des prêtres ». À cet endroit, à main

---

62   Au Moyen Âge, ce volet, ou tablette, était particulièrement utilisé pour trier les graines devant les chalands, d'où l'expression « trier sur le volet ». Artisans et marchands y exposaient et vendaient leurs produits.

63   Aujourd'hui la côte de la Fabrique.

gauche, aboutissait la rue Sainte-Famille qui descendait de la cathédrale. C'était la première rue du fief du Sault-au-Matelot que les prêtres du Séminaire avaient lotie et, depuis, une demi-douzaine de demeures y avaient été construites, toutes du côté ouest. Quelques autres étaient éparpillées çà et là dans des rues avoisinantes à peines tracées : Saint-Joseph, Saint-Flavien, Saint-Joachim, Saint-François.

Au bas de la rue Sainte-Famille, à l'intersection du sentier et de la côte de la Canoterie, une maison de pierre à deux étages, avec combles, attirait vite l'attention. D'une part, elle était beaucoup plus vaste que celles du secteur et, d'autre part, elle occupait un emplacement plus étendu que ses voisines. Enfin, contrairement à toutes ces maisons qui bordaient la rue, elle avait été érigée en retrait de quelque vingt pieds. Si la résidence présentait des aspects de manoir, c'est qu'elle appartenait justement au seigneur Olivier Morel, sieur de La Durantaye[64], propriétaire de la seigneurie du même nom, sur la rive sud de Québec.

Olivier Morel, un ancien officier de Carignan-Salières, avait acquis son fief dès 1672 et il l'avait développé de manière exemplaire. Il avait repris du service en tant que capitaine des troupes de la Marine vers la fin des années 1680 et, au moment de sa retraite en 1703, le roi l'avait nommé membre du Conseil Souverain de Québec. Logeant rue Saint-Joseph, à deux pas de là, le conseiller, pourtant âgé, avait décidé de se faire construire, au pied de la rue Sainte-Famille, la vaste demeure qui matérialiserait son haut statut. Mais, au plan financier, la bouchée avait dû s'avérer trop substantielle car le sieur de La Durantaye avait cédé à bail la riche propriété au gouvernement colonial.

Lorsque Chapelle et Marquet parvinrent à la maison relativement isolée, ils remarquèrent la présence de deux soldats qui semblaient en assurer la surveillance. Le chapeau bas sur les yeux, ils étaient impassibles sous l'attaque endiablée de nuées de feuilles mortes portées par le vent. Le premier était en faction devant l'entrée principale, rue Sainte-Famille, et le second faisait les cent

---

64    Olivier Morel de La Durantaye, 1640-1716.

---

pas sur le chemin des remparts. Tout était désert et tranquille dans le secteur, si ce n'est le maçon Belleville, le premier voisin de Morel, qui remontait la rue Sainte-Famille, en route sans doute vers un chantier. Détail insolite : comme en pleine nuit, les larges volets obstruaient les belles croisées en pierre de taille de la maison.

Marquet, à la vue des gardiens, poussa du coude son compagnon. Celui-ci, un sourire au coin des lèvres, lui dit simplement : « T'inquiète... ils sont des nôtres. » Puis il se dirigea directement vers le planton posté en façade qui s'effaça devant lui, ouvrit la porte et, sans un mot, laissa passer les deux arrivants. L'intérieur de la maison rappelait beaucoup celle des d'Aloigny : vestibule d'entrée, sans tambour toutefois, escalier central, immense cuisine sur la gauche débouchant, vers l'arrière, sur la salle à manger et, à droite du hall, un vaste salon-bureau séparé d'une chambre sur jardin par une porte à deux battants. Le mobilier, cependant, n'était pas à la hauteur de l'éclat de la demeure, il s'en fallait de beaucoup. Un ramas d'antiquailles : une table à tréteaux, une autre à battant, une dizaine de chaises empaillées et bancales, quelques tabourets et des couchettes alignées, couvertes de paillasses, qui transformaient le bureau et la chambre en dortoir. Assiettes, plats et ustensiles divers, en bois ou en étain, étaient rangés dans une armoire encastrée dans un mur de la cuisine.

En pénétrant dans le vestibule, n'eût été du soleil indiscret, Marquet et Languedoc n'auraient rien distingué de tout cela. Quelques chandelles seulement procuraient un éclairage blafard à ce décor désolant, si l'on excepte un ou deux rayons de lumière provenant de l'arrière de la maison.

— Bonjour, monsieur le pasteur, soyez le bienvenu parmi les vôtres.

Le jeune homme qui avait prononcé ces mots avait un fort accent anglais. Il était âgé d'environ vingt-sept ans et se nommait Daniel Parsons. De taille moyenne, mince, les cheveux foncés, courts et rebelles, il s'était avancé la main tendue vers Languedoc. D'autres s'étaient approchés et, perçant l'écran de la noirceur ambiante, avaient, à tour de rôle, serré la main du visiteur. Ils devaient être une douzaine, tous des hommes, la plupart dans la jeune trentaine, et Marquet ne fut pas surpris par le respect que tous manifestaient à l'endroit de son compagnon. Les Protestants, huguenots ou autres, se montraient très soumis envers leurs ministres auxquels ils étaient très attachés, particulièrement en pays de Désert[65].

— Merci, Daniel, pour ces quelques mots en français. Je vois que l'apprentissage de notre langue progresse et c'est tant mieux car nos échanges n'en sont que plus faciles. Pour le moment, je ne fais que passer car je désirais vous présenter un ami nouvellement arrivé de France et qui parle couramment votre langue. Il se nomme Vincent Marquet et se joindra souvent à nous pour la prière, le service divin ou, simplement, pour vous apporter des nouvelles de votre pays et des vôtres, si possible. Je reviendrai ce soir, et nous causerons plus longtemps. Et n'oubliez pas, surtout si des frères d'ici viennent vous visiter pour chanter et prier : *mezza voce*! Nos gardes à l'extérieur se chargent de vérifier les laissez-passer.

Marquet salua l'assemblée puis les deux hommes reprirent le chemin des remparts. Il leur fallut environ quinze minutes pour rejoindre le palais et la rue Saint-Nicolas. En chemin, Marquet interrogea le pasteur.

— Il y a longtemps que les prisonniers sont logés dans cette maison ? Il y en a quand même d'autres ailleurs, dans la ville ?

— En tout, ils sont peut-être trente ou trente-cinq, je ne sais plus trop bien car, à la fin de l'été dernier, il y eut un échange de captifs à Montréal. Quelques Français retenus à Boston sont rentrés, menés par un petit nombre d'Anglais ayant à leur tête Samuel Williams, le fils du pasteur John Williams. Père et fils, tu le sais peut-être, avaient déjà été capturés en 1704, à Deerfield, puis ils avaient eux-mêmes fait partie d'un tel échange deux ans plus tard. Cette fois-ci, le jeune Williams avait mission de son père de racheter Eunice Williams, la fille du pasteur, sa sœur donc, elle aussi enlevée par les Sauvages lors du raid sur Deerfield.

---

65    Pour les Protestants, le pays de Désert, c'est celui où leur religion et sa pratique sont interdites et où ils doivent se réunir clandestinement pour le prêche et la Cène.

On dit qu'elle aurait refusé de quitter les Iroquois du Sault-Saint-Louis[66] et même, qu'elle en aurait épousé un. En tout cas, elle n'était pas parmi la dizaine d'Anglais qui sont retournés récemment chez eux.

— Et cette maison où nous nous sommes arrêtés ? Pourquoi ces pensionnaires gardés ?

— Oh ! Tu sais, ils l'ont un peu cherché. La guerre a été longue, le nombre des prisonniers ramenés par les Sauvages et rachetés par les autorités a augmenté très vite et, à Québec comme à Montréal, hommes, femmes et enfants ont été placés dans des familles où plusieurs travaillent et trouvent à se rendre utiles. Tu ne le sais peut-être pas, mais la main-d'œuvre dans la colonie est très rare et, partant, trop chère souvent pour les habitants et les artisans. Moi-même, en tant que cordonnier, j'aimerais bien me dénicher un tailleur de cuir, mais si j'ai la chance d'en trouver un, il est hors de prix !

— Mais, enfin, que s'est-il passé ?

— Les Anglais, qui, en général, s'entendent fort bien avec la population, ont dû apprendre l'année dernière par différents canaux, dont les émissaires de Boston venus échanger des captifs, qu'une expédition se préparait contre la colonie menée par mer et par terre. En tout état de cause, certains, surtout ceux qui veulent rentrer chez eux et qui pissent sur les papistes, ont un peu trop fêté à l'avance et le bal a duré des semaines : rassemblements nocturnes dans les rues et dans les maisons, cris, tapage, batailles parfois, et le vin qui arrosait le tout copieusement. Des torches ont même été allumées et des marches organisées. C'était bon enfant, pas bien méchant, mais l'intendant, Raudot à ce moment, a pris peur, à cause du feu particulièrement, tu comprends. Et puis, il faut le dire, les plaintes se sont multipliées et avec raison car moi, dans le Cul-de-Sac, je restais éveillé durant des heures. Alors, il a défendu ces attroupements, à l'intérieur des maisons comme à l'extérieur ; un couvre-feu a été décrété et il fut interdit à ces gens de fumer dans les rues.

---

66    Mission jésuite du Sault-Saint-Louis, *alias* Caughnawaga ou Kahnawake.

— Et la maison des remparts, dans tout ça?

— Raudot avait menacé de les emprisonner en cas de récidive. Or certains n'ont pas pris l'avertissement au sérieux, semble-t-il et il fut décidé de les mettre à l'écart. La demeure retirée, et construite depuis peu, était vacante et l'intendant l'a louée de monsieur de La Durantaye, du Conseil supérieur, à qui elle appartient. On y retrouve donc les têtes les plus fortes, celles qui, n'en doutons pas, refuseront jusqu'au bout d'embrasser l'hérésie et de refaire leur vie dans ce pays.

— Ils sont nombreux à abjurer?

— Depuis l'édit de Fontainebleau[67], tu sais, il y a toujours eu quelques Français chaque année qui ont choisi le camp des papistes, par intérêt matériel toujours: promotion militaire, permission de s'établir au pays et de commercer, accession à un poste administratif quelconque ou, tout simplement, autorisation de se marier. Quant aux captifs anglais, pour des raisons difficiles à comprendre, l'attrait de la licence et des mœurs dissolues, probablement, ils sont des dizaines à avoir demandé et obtenu la naturalisation française moyennant, bien sûr, l'abjuration préalable. Toi et moi savons parfaitement que cette infamie n'est que comédie et tromperie, les curés aussi, d'ailleurs; en fait, ils se disent: «Les enfants au moins seront catholiques si les pères font semblant.» Mais c'est un rempart que notre Dieu et, je te le dis, la ruine de Babylone est proche!

Pendant que Chapelle et Marquet déambulaient le long des remparts, Dieulefit, toujours accompagné du sieur Duplessis et des deux soldats, avait pris la direction du palais par la haute ville. Le petit groupe devait, à présent, se rendre à bord de *La Bonne Aventure* où le sergent, pour sa part, vérifierait avec le capitaine du navire la liste des fournitures militaires qui se trouvaient à bord.

Depuis la porte Saint-Nicolas, leurs pas les menèrent jusqu'à la rue du même nom où ils tournèrent à main gauche pour pénétrer dans le complexe bipolaire du palais. D'abord, perpendiculairement aux magasins, aux cours de justice et aux prisons,

---

67    Édit de 1685 par lequel Louis XIV révoquait l'édit de Nantes de 1598, interdisant le culte protestant en France et bannissant les pasteurs.

---

s'élevaient les habitations du côté ouest de la rue Saint-Nicolas, avec les cours arrière, les hangars et les petits potagers familiaux. Une clôture en pieux de huit pieds séparait ces terrains du domaine de l'intendant et s'arrêtait au large chemin de façade du palais. À ce point parvenus, les quatre hommes pénétraient dans ce domaine ; à gauche et à l'ouest du long bâtiment de l'intendance, se trouvaient les appartements de Bégon et, plus loin, ses jardins privés. À droite jusqu'à la rivière, s'étendait l'immense cour-atelier.

Ce vaste espace, longtemps terrain vague, servait à de nombreux usages. En fait, on l'appelait couramment le « parc des magasins du Roi ». Outre le principal marché du bois de chauffage qui s'y tenait, à cause bien sûr de l'accostage facile des habitants-ravitailleurs en bord de rivière, ce parc était devenu l'une des plus importantes composantes du port de Québec. Chargement, déchargement, transbordement et rangement de marchandises diverses, à vocation civile ou militaire : tout le ravitaillement de la colonie, de ses forts et de ses postes de traite aboutissait ici, comme aussi les ballots de fourrure, les barils de poix et de goudron, les planches, madriers et mâts que l'on destinait à la mère patrie.

Toute la batellerie du fleuve, au service du cabotage côtier, se donnait rendez-vous en ce lieu d'intense activité durant toute la saison de navigation : barques, chalands, « charoys » et chaloupes de tous tonnages côtoyaient la panoplie complète des petites embarcations à voile et des cageux. De ses appartements, l'intendant avait très certainement sous les yeux le plus gros chantier ouvrier permanent du pays.

Plus encore, depuis 1687, à la veille des deux guerres inter-coloniales[68], les intendants avaient fait construire par les charpentiers navals de Québec des dizaines, voire quelques centaines au total, de « bateaux plats » destinés au transport des vivres et des troupes vers Montréal et le lac Ontario[69]. Appelés « bateaux du Roi », ces

---

68  Guerre de la ligue d'Augsbourg (1689-1697) et guerre de la Succession d'Espagne (1701-1713).
69  Leurs dimensions étaient les suivantes : de 25 à 37 pieds de longueur et de 4 à 12 pieds de largeur. Les plus grands étaient parfois dotés d'une chambrette et de mâts.

embarcations, qui pouvaient aussi, parfois, servir au déchargement des vaisseaux, avaient leur port d'attache dans le parc de l'intendance. On avait même caressé le projet d'aménager à cet endroit un vaste bassin rectangulaire capable de recevoir 300 bateaux de la flottille. On aurait même fait fi des marées en aboutant à ce bassin un canal qui aurait rejoint l'estuaire de la rivière.

Versailles n'approuva pas la dépense de 4 800 livres qu'aurait exigée, à lui seul, l'aménagement de ce bassin. Le rêve de décharger chaloupes et bateaux dans la cour du palais, à la porte même des magasins du roi, se brisa. Quoique... pas tout à fait. Depuis toujours, à marée haute, l'eau envahissait la partie basse du parc. En conséquence, diverses embarcations avaient pris l'habitude de venir s'y échouer au jusant. Avec le temps, une souille de plus en plus vaste et profonde se constitua dans la vase brune, de même qu'un étroit canal pour y accéder. Un abri naturel avait vu le jour et, durant la saison morte, il hébergea et protégea des glaces les meilleurs éléments de la flottille de l'intendant.

Bastien et ses compagnons, au fur et à mesure qu'ils progressaient le long du chemin de façade de l'intendance, flairaient en succession une gamme très éclatée d'odeurs qui, parfois, au gré du vent, s'amalgamaient. Ainsi, la poule au pot que la geôlière, Marie-Anne de Laporte, avait servie à ses hôtes au dîner continuait d'exhaler un fumet délicat où l'oignon, le navet et les carottes rivalisaient avec le thym et le clou de girofle. À quelques pas de là, ces parfums suaves se mêlaient dans la plus parfaite complémentarité aux effluves du pain de fine fleur qui s'échappaient de la boulangerie du roi. Puis, au moment de s'engager dans le parc des magasins, le jardin de l'intendant s'annonçait à nos visiteurs par l'inégal combat que les pommes et les prunes de Damas livraient pour l'honneur au fumier que le jardinier venait d'épandre sur les plates-bandes dégarnies de leurs fleurs.

Du côté des entrepôts et de la souille, une gamme d'odeurs bien différentes s'imposait. L'univers des fragrances, dont le fumier avait marqué la frontière, était chose du passé. Ici régnaient les odeurs fortes et pénétrantes : l'étoupe et le goudron pour le calfatage de la flottille, la vase et les eaux limoneuses de la souille, le crottin des chevaux des nombreux charretiers, la pourriture des tas de vieux bois – bordages, varangues, vergues et quilles – sans oublier l'omniprésente sueur des travailleurs manuels, nombreux sur ce terrain.

À peine entré dans le parc, Dieulefit rechercha du regard, parmi la foule des ouvriers, la charpente ramassée et musculeuse d'Alexis Granger. Il s'engagea avec Duplessis et les soldats dans une large allée menant à la rivière. À leur gauche s'étendait le bassin naturel des bateaux, d'une longueur d'environ 275 pieds, où des barques s'ensouillaient paresseusement, et, bien en face, à leur droite, adossés à la clôture arrière des habitants de la rue Saint-Nicolas, se dressaient quatre ateliers et magasins contigus mesurant quelque 230 pieds.

— Sergent! Tu m'cherches?

Granger, vis-à-vis la porte ouverte de l'entrepôt des bateaux, était à ranger les rames et la petite voile d'une biscayenne[70].

— Te voilà, le pilote. Monsieur Duplessis et moi désirons monter à bord de *La Bonne Aventure*. Il fournit la chaloupe de l'Amirauté mais il nous faut des matelots: tu as le temps de nous y amener?

— Pour sûr, Sainte-Guenipe! Ne suis-je pas là pour ça? Julien doit être à empiler du vieux bois de l'aut' bord de la souille: j'vais l'chercher et nous arrivons.

Et c'est ainsi que les six hommes gagnèrent l'estuaire de la rivière, au large duquel mouillait la frégate du capitaine Abel Morineau.

*La Bonne Aventure* avouait, au premier coup d'œil, qu'elle avait connu des jours meilleurs. Certes, malgré ses deux ponts et ses 350 tonneaux, elle avait conservé la ligne fine et basse sur l'eau qui lui conférait, aujourd'hui encore, élégance et rapidité. À l'origine, au début des années 1670, la race des frégates avait été dessinée plus légère, avec un seul pont, 200 tonneaux, environ, et 85 pieds de longueur. Ce gabarit était adapté au rôle qui leur était

---

70    Chaloupe de 22 ou 23 pieds de quille et de six pieds de large, environ. C'est un modèle venant d'Espagne, de la province de Biscaye (Vizcaya, en espagnol).

alors dévolu, soit celui de garde-côtes rapides et mobiles. Plus tard, avec *La Bonne Aventure* et ses sœurs, l'Amirauté française avait fait mettre en chantier des vaisseaux de guerre océaniques alliant rapidité, jauge supérieure et puissance de feu. Avec plus de 115 pieds de long et 30 canons, ces navires polyvalents venaient encadrer et protéger la flotte française.

*Sic transit gloria mundi*, lui avait enseigné son regretté mentor, le chanoine Chasteigner. Et Bastien, en levant les yeux vers la masse noire et impressionnante du vaisseau de vingt ans d'âge, tirait leçon de cette vision : jadis racé, fier et contemplé, ce monument de bois nobles, qui avait fait la fierté de ses artisans-constructeurs, achevait sa carrière utile dans la peau d'un vulgaire navire de charge. Grâce et disgrâce.

«Ohé du navire!», cria Alexis Granger en approchant.

Aussitôt, un quartier-maître apparut à la coupée[71]. Dieulefit et Duplessis s'identifièrent et, pendant que les rameurs les attendaient dans le canot, ils montèrent à bord avec les deux troupiers en empruntant l'échelle fixe en bois qui épousait le galbe de la coque. Ils mirent pied sur l'étroit passavant qui reliait les gaillards avant et arrière et, descendant six marches, ils foulèrent le pont supérieur.

Sur une frégate de ce type, c'est à ce niveau que l'on trouvait la cuisine, à l'avant, et, vers l'arrière, la chambre du capitaine, les cabines des officiers et la timonerie ; au centre, un vaste espace ouvert sur le ciel recevait, l'une dans l'autre, les embarcations du navire : la chaloupe, le grand canot du commandant et un petit canot.

Le marin guida les visiteurs vers les quartiers du commandant. En raison des sabords fermés et étanchés, comme aussi de sa faible hauteur, la section arrière du pont était sombre et il eut été difficile d'y circuler sans le petit fanal de pont qui était suspendu à gauche de la porte du maître de céans. D'autant que diverses caisses de marchandises, recouvertes de toile imperméable, étaient arrimées avec câbles et chaînes dans cet espace récemment encore réservé à l'artillerie.

---

71    Ouverture faite dans la muraille d'un navire, au-dessus du pont supérieur, par où les personnes montent à bord.

— Oui, qu'est-ce que c'est? demanda une voix neutre et pas très forte après que le quartier-maître eût frappé à la porte.

— Messieurs Duplessis, de l'Amirauté, et Dieulefit, des Troupes de Marine.

Les trois personnes se connaissaient bien car *La Bonne Aventure* était une habituée de la rade de Québec. Le capitaine Morineau, au début de la cinquantaine, était originaire de La Tremblade, près de l'île d'Oléron, une pépinière de marins. En dépit de sa nature réservée, son expérience, sa bonhomie et sa franche collaboration étaient reconnues et appréciées des autorités et des marchands du pays. Fervent calviniste, cependant, et en raison même de sa foi, il n'avait gravi les échelons de la hiérarchie maritime que lentement. De fait, et comme bien d'autres en pays de Charente, ce n'est qu'au lendemain de son abjuration, en 1686, que sa carrière avait véritablement pris son envol.

Les deux soldats attendant à l'extérieur, Morineau accueillit ses visiteurs avec le sourire mais sans plus d'effusion. Dans la grande chambre, la lumière contrastait violemment avec la pénombre du corridor d'accès. Cinq fenêtres de poupe à douze carreaux, juxtaposées, laissaient pénétrer à volonté un brillant soleil d'automne qui, aurait-on dit, redonnait vie à la sombre caverne flottante. Un bureau, un fauteuil, trois chaises, une armoire en pin, un placard à moitié encastré et un lit-cabane composaient le mobilier de la pièce.

Après avoir feuilleté les états de chargement du navire, les trois hommes, accompagnés des deux militaires, se rendirent sur les ponts et dans les cales pour examiner de plus près la condition de certaines marchandises particulièrement fragiles. Comparativement, Bastien n'avait que peu choses à vérifier, surtout après avoir appris que l'habillement des soldats n'était pas plus à bord de la frégate qu'il ne s'était trouvé dans les cales du *Héros*. Il laissa donc Morineau et Duplessis poursuivre la visite et, avec l'accord du capitaine, regagna la grande chambre avec les soldats qui reprirent leur poste à l'extérieur.

Assis sur sa chaise, il promena son regard tout autour de la pièce. Rien de commun avec la marine royale; tout y était spartiate, sévère et sans confort. Il se leva, contourna le bureau et regarda la baie de Québec à travers les fenêtres. L'idée lui vint de jeter un œil dans l'armoire mais un cadenas fermé s'y opposait. Le placard se montra plus accueillant. Il en ouvrit les deux battants, inspecta les tablettes et y trouva différents dossiers, des livres de bord et de navigation, un petit coffre de chirurgien, un autre de médicaments, quelques boîtes de pansements et de rubans. Aussi une bible imprimée en français à Rotterdam et trois paquets de petits livrets de prières, attachés avec de la cordelette rouge. Un exemplaire reposait sur le dessus de la pile. Bastien l'ouvrit au hasard et lut la première phrase qu'il rencontra : «... car les Enfants de Dieu triompheront s'ils renoncent à l'idolâtrie.» Enfin, dans une petite pochette de toile, collée en troisième de couverture du livret, un jeton d'étain montrant, sur une face, un berger flanqué de ses brebis et, sur l'autre, une référence biblique à Saint-Luc.

L'armoire soigneusement refermée, Dieulefit, les bras croisés, inspecta à nouveau le décor. Et, n'eût été des longs et brillants rayons de soleil qui inondaient le plancher de la chambre, il n'aurait jamais remarqué un petit coffre de voyage fait de bois foncé, avec son couvercle bombé recouvert de cuir vert. Long de 30 pouces, large de 14, sa hauteur et son galbe étaient tels qu'il avait pu être glissé tout juste dans l'une des arcatures qui ornaient l'empattement latéral du lit-cabane. Le sergent se précipita et, à genoux, tira vers lui la valise. «Jarnicoton! Encore un foutu cadenas!» pensa-t-il. Il inspecta néanmoins le coffre sous tous les angles et de tous les côtés et il fut attiré par des marques de ciseaux à bois sur le devant, au-dessous de la serrure.

D'évidence, on avait voulu effacer une quelconque marque d'identité. Un nom gravé? Difficile à dire. Il s'empara du coffre et le transporta jusqu'aux fenêtres. Ce surcroît de clarté montra que le travail d'oblitération avait été mené rondement et qu'il était imparfait : on pouvait encore distinguer un bout de bande oblique bleue, sur un fond probablement doré, le tout très pâle, avec, au milieu de la bande, une forme animale quelconque, un drôle d'oiseau peut-être. Dieulefit tenta de fixer ces détails flous dans sa mémoire puis se hâta de replacer le coffre sous le lit. Il se releva, retourna vers les fenêtres, et songeur, laissa errer son regard à la surface des eaux grisâtres du fleuve. Ce qu'il venait de trouver, lui semblait-il, frappait à la porte de sa mémoire. Mais, pour l'instant, le sésame n'était pas au rendez-vous.

Au retour du capitaine et de Duplessis, le travail administratif se poursuivit dans la chambre et l'on s'entendit sur les modalités du déchargement. Sur le point de prendre congé, le secrétaire de d'Aloigny fit mine d'avoir oublié un dernier détail à régler avec le capitaine. Le receveur de l'Amirauté fixa rendez-vous à Dieulefit sur le pont supérieur et se retira.

— Vous vouliez vérifier autre chose pour le marquis? demanda Morineau.

— Oui, capitaine, j'aurais aimé consulter le rôle d'équipage et la liste des passagers. C'est possible?

— Enfin... oui, bien sûr! Mais ce sera uniquement celui de mes hommes car je n'avais aucun passager à ce voyage, vous savez.

Le Charentais, c'était visible, avait connu un moment d'embarras. Un homme franc ne revêt pas facilement l'habit du mensonge. Il se leva et, dans le placard mural, prit un dossier.

— Tout l'équipage se retrouve sur ces feuilles. Très peu de recrues, d'ailleurs, dit-il simplement en tendant une liasse de papiers attachés à Dieulefit.

Celui-ci fit semblant de lire la liste de noms, sachant pertinemment qu'elle ne lui serait d'aucun secours. Il s'y attarda, malgré tout, afin de préparer sa riposte.

— Mais... il doit vous manquer un matelot, en ce cas... Lequel?

— Que voulez-vous dire, sergent? demanda le commandant, dont le visage s'empourprait d'impatience et de trouble.

— Capitaine Morineau, écoutez-moi, dit calmement Sébastien. Il y a deux jours, en bas de Québec, *La Bonne Aventure*, à la nuit tombée, a mouillé l'ancre dans le sillage de l'île aux Oies et non, comme c'est l'habitude sécuritaire, dans le chenal en amont de l'île aux Coudres. Mais ce n'est pas tout! Plus tard, votre canot, avec cinq personnes à bord, a pris la direction de la Côte-du-Sud, plus précisément de Vincelotte ou du cap Saint-Ignace. À son retour au navire, à une ou deux heures de la nuit, ils n'étaient plus que quatre rameurs dans l'embarcation. Ma question est la suivante : qui n'a pas réintégré le bord ? Je ne crois pas qu'il se soit agi de quelqu'un de l'équipage...

— Oh ! Pour ça, rien de bien mystérieux. Gilles Le Bourhis, mon pilote, m'avait assuré que le navire serait en eaux calmes si nous affourchions dans le sillage de l'île, mais à bonne distance en aval. Par ailleurs, c'était avantageux pour aller quérir l'ancien chirurgien devenu colon qui demeure non loin du sieur de Vincelotte[72]. Un de mes matelots était aux prises avec une fluxion de poitrine étouffante depuis notre entrée dans le golfe et je ne voulais pas le perdre. Alors voilà ! L'homme absent n'était autre que le chirurgien de retour chez lui.

Sébastien écoutait sans émotion le récit de son interlocuteur. Il aurait pu demander le nom du malade, celui du médecin également. Mais il savait fort bien que ce tissu de mensonges ne nécessitait pas une telle enquête. Ces faussetés, en revanche, mettaient directement en cause le capitaine dans l'affaire. Son implication était avérée.

Toujours impassible, le sergent tenta l'approche de la provocation et de la déstabilisation.

— Voyez-vous, dit-il, en fixant le regard du capitaine, nous avions plutôt l'impression, en haut de la ville, qu'une entrée clandestine venait de se produire chez nous, ce qui n'aurait pas été une primeur, bien sûr, mais un événement très grave, néanmoins.

— Par hasard, réagit vivement Morineau, se levant de son fauteuil et toisant son vis-à-vis, seriez-vous en train d'insinuer que je me livre au commerce des illégaux dans la colonie ? Ce serait une très grave accusation, Dieulefit, qu'il vous faudrait prouver sans tarder.

---

72  Charles-Joseph Amiot, seigneur de Vincelotte, 1665-1735.

L'homme s'échauffait toujours davantage et il s'était mis à arpenter la pièce de long en large, les mains dans le dos. Un coup d'œil aux fenêtres, un autre sur le militaire imperturbable assis devant lui, enfin un long moment à regarder le plancher. Puis, revenant se planter derrière son bureau, il le martela de ses poings et cria : « Des clandestins ! Moi dissimuler et introduire des clandestins au pays ! Tout à fait ridicule ! Et je suppose que j'aurais fait ce trafic pour de l'argent ? Des clandestins, vous êtes fou ? Des clandestins ! Je me plaindrai à monsieur de Vaudreuil ! Ça n'en restera pas là ! »

Il hurlait, à présent, tellement fort que des pas se firent entendre à sa porte. Certains devaient se questionner sur le pourquoi de la saute d'humeur. Dieulefit s'interrogea, également. Pourquoi le calme et flegmatique Morineau s'enflammait-il de la sorte ? Une réaction aussi véhémente, tonitruante, ne cadrait pas avec le personnage.

— Capitaine, se contenta d'ajouter Dieulefit, en guise de péroraison, je devrai en référer à mes supérieurs qui, eux, décideront ou non d'en saisir la justice royale. Mais attendez-vous à ce que, dès demain, des huissiers et autres officiers viennent regarder de plus près *La Bonne Aventure*. Ils voudront probablement faire ce que je n'ai pas l'autorité de faire, c'est-à-dire inspecter le navire des cales aux gaillards et confronter l'équipage au rôle d'embarquement. Je suis vraiment navré, capitaine Morineau, d'en arriver là mais l'affaire est plus que suspecte. Je laisserai l'un de mes soldats à votre bord jusqu'à demain.

Et c'est devant un homme ayant déjà retrouvé la maîtrise de soi, comme par magie, que Dieulefit prit congé et se retira. En regagnant le pont supérieur et la coupée, il affronta le regard oblique que lui lançaient les matelots qu'il croisait. Perplexité, irritation, inquiétude ?

Le retour au palais en canot s'effectua dans un silence relatif. Au sieur Duplessis il n'avait fourni qu'un minimum d'information, sans incriminer le capitaine en dépit de ses vociférations. L'après-midi tirait à sa fin et le soleil ne serait pas long à disparaître à l'horizon. Il tardait au sergent d'informer le marquis des derniers développements de la nébuleuse affaire. La veille, celui-ci avait été mis au fait de la situation et il avait consenti à ce que son secrétaire menât l'enquête.

Mais avant de quitter l'intendance, Bastien avait tiré ses deux rameurs à l'écart, près de la souille.

— Les garçons, est-ce que vous pourriez vous mettre à ma disposition, ce soir, et peut-être la nuit prochaine? J'aurais bien besoin de votre aide.

— C'é que..., hésita Alexis, j'avais, comme qui dirait, un rendez-vous de cœur autour de huit heures...

— Si c'est en rapport avec ma nuit à l'île aux Oies, ça m'intéresse, dit Julien. D'un autre côté, si la nuit blanche m'empêche de travailler dans la cour de l'intendant, demain, j'vas être perdant, c'est sûr!

— T'occupe, j'arrangerai cela avec Desnoyers. Est-ce que tu peux rejoindre Basile?

— Sans problème. Y'a pas de greluche dans les pattes... lui!

— Parlant greluche, Papou, j'lui dis au sergent ou j'lui dis pas? nargua Alexis.

— Holà! Intervint Bastien en levant les bras, dame Fanchon ne saura rien de ce que vous m'aurez tu. Alors!

Et s'adressant à Julien, il lui annonça le programme de la soirée.

— J'ai certaines raisons de croire qu'une – peut-être deux – personne à bord de *La Bonne Aventure*, possiblement amie de notre borgne, cherchera à filer à l'anglaise, ce soir ou la nuit prochaine. À minuit, la mer sera pleine et notre homme aura le choix: ou il voudra mettre pied à terre ici même dans le parc du palais, endroit tranquille mais plus éloigné et surveillé, ou il mettra le cap sur la place Royale, ce qui me surprendrait. En effet, il lui faudrait alors compter avec la patrouille du Bureau des castors, la maréchaussée et le guet sur les batteries Royale et Dauphine. Entre ces deux points, il y a aussi l'anse de la Canoterie qui pourrait se montrer accueillante. Si notre clandestin est bien informé, je l'attendrais plutôt de ce côté. Voici donc ce que je propose. Avec un soldat, je serai en faction à la Canoterie. Au palais, sur la grève, deux autres troupiers attendront. Quant à la place Royale, les gars des batteries et des patrouilles seront informés de la venue possible d'un visiteur inattendu.

— Et Basile et moi, là-dedans, on court tout partout? J'vois pas ben..., dit Julien.

— Je voudrais qu'à bord d'un canot de navire, ou mieux, dans un canot sauvage, vous alliez vous poster sur le fleuve, à quatre ou cinq cents pieds de la frégate, à un endroit où vous serez en mesure de surveiller et *La Bonne Aventure* et la ville. Sans bruit, sans parler. Si vous voyez quelqu'un s'échapper, vous le suivez à distance, en silence et toujours dans le noir. S'il prend la direction d'un des trois secteurs dont j'ai parlé, vous n'intervenez pas, ce ne sera pas nécessaire. Par contre, si le clandestin semble se diriger vers un autre lieu d'accostage, vous vous rapprocherez juste assez pour ne pas le perdre de vue et vous le suivrez. C'est d'accord? Ah oui! Autre chose. Si personne ne tente de quitter le navire, vous vous avancerez vers la poupe et, s'il y a de la lumière dans la chambre du capitaine, vous tenterez de voir ce qu'il s'y passe.

Lorsque Chapelle et Marquet étaient, à leur tour, parvenus à la souille, au bord de la rivière, avant même de chercher une embarcation pour gagner la frégate, ils avaient aperçu, à quelque trois cents pieds, la chaloupe de l'Amirauté qui descendait la rivière, cap sur le navire marchand. Le soleil déclinant à l'ouest, quoique bas déjà, éclairait plus que nécessaire le plan d'eau et Chapelle avait bien reconnu le canot de Duplessis. Mieux valait attendre sagement et discrètement le retour des gens de l'Amirauté. L'homme au bandeau sortit une lunette de longue vue d'une poche intérieure de son manteau et il observa le navire.

— Tu vois des signaux nouveaux? demanda le cordonnier.

— Non, rien du tout, répondit Marquet. Un seul canon sur la dunette: on aura de la visite cette nuit.

Plus tard, lorsque le canot du sieur Duplessis eût pris le chemin du retour, Marquet, l'œil toujours rivé à l'oculaire, sursauta.

— Attention! Il se passe quelque chose! On hisse la vergue du petit perroquet[73]! C'est le signal de danger que Morineau nous envoie. Mon coffre va devoir attendre, j'en ai bien peur... Néanmoins, il n'y a toujours qu'un seul canon de pointé sur la dunette: on viendra tout de même.

❦

Petite pluie abat grand vent, prétend le dicton populaire. On aurait pu croire, cependant, que la bruine fine et tenace qui avait investi la ville, et qui avait nimbé le fleuve d'une brume légère et diaphane, était née de la capitulation du méchant nordet qui avait sévi toute la journée. Ce brouillard de mer faisait du surplace à deux ou trois pieds de hauteur. Quelques minutes après la minuit, dans ce décor immatériel, la frégate, au loin, rappelait l'un de ces drakkars vikings remontant un fjord profondément encaissé et tout droit sorti de la saga scandinave de Harald l'Impitoyable ou de Magnus le Bon.

Accompagné d'un autre *pays* poitevin de la compagnie d'Aloigny, le soldat Étienne Billy, dit Léveillé, Dieulefit, appuyé contre la remise à barques des prêtres du séminaire, surveillait attentivement *La Bonne Aventure*, à environ un mille et demi de là. Même vu à travers l'objectif d'une lunette d'approche, le navire revêtait une allure fantastique. Seules quelques lumières éparses dessinaient sa silhouette: le grand fanal de poupe et les fanaux de mâts et de ponts. À cette distance, ces feux anémiques ne réussissaient qu'avec peine à percer les ténèbres et à révéler la présence de la frégate dans la baie.

— Alors, sergent, ça s'active là-bas, vous distinguez quelque chose? demanda Billy, avec un peu d'impatience dans la voix.

Le troupier d'environ 25 ans, très mince et de taille moyenne, n'appréciait guère plus l'humidité extrême que son fusil. Et son

---

73 Vergue: longue pièce de bois placée à l'horizontale d'un mât et portant la voile qui y est fixée. Petit perroquet: voile la plus haute du mât de misaine.

justaucorps, depuis une heure qu'ils étaient là, se défendait aussi mal contre la bruine insidieuse qui le pénétrait.

— Rien du tout, Léveillé ; aucune activité autour du navire et je suis aussi transi que toi, je te l'assure.

Au même moment, au beau milieu du fleuve, à moins d'une encablure de la frégate, Julien et Basile Richard, paradoxalement, s'accommodaient plutôt bien du temps maussade. Vêtus chaudement, avec tapabord, bottes, gants et cape de toile imperméable, ils souffraient davantage de raideurs et d'engourdissement et ils appelaient de tous leurs vœux un dénouement hâtif de leur mission de surveillance.

Les deux marins, conformément aux instructions du sergent, maintenaient leur canot dans une position telle qu'ils gardaient un œil sur la poupe et le tribord du navire et l'autre sur le rivage, qu'ils devinaient grâce à quelques rares fenêtres éclairées. Ce mauvais temps présentait, tout de même, deux avantages ; la petite embarcation était stable et presque stationnaire sur l'eau et la brume basse les dissimulait aux regards au point qu'ils purent s'approcher à quelque trois cents pieds de *La Bonne Aventure*. De là, sur la dunette bien visible et éclairée par le fanal principal, Julien et Basile apercevaient parfois la silhouette de deux hommes qui causaient tout bas, sans doute le matelot de quart et le soldat laissé à bord.

Et, immédiatement au-dessous, les fenêtres de la grande chambre étaient également à portée de vue. Deux petits fanaux, pas plus, y diffusaient une lumière chétive et blafarde mais suffisante à éclairer la pièce. Dans celle-ci, depuis peu, trois personnes conversaient, debout, la plus grande paraissant, avec force gestes, donner des instructions aux deux autres. Les hommes se retirèrent du champ de vision des veilleurs et les fenêtres à carreaux perdirent leur animation. Dans l'esquif, où le silence était absolu et l'immobilité complète, ils échangèrent un regard latéral dont la signification était évidente : attention !

Cinq, peut-être dix minutes plus tard, alors qu'on ne voyait personne sur la dunette, des rires en cascade éclatèrent quelque part sur le pont supérieur de la frégate. Était-ce Morineau qui cherchait à détourner l'attention du troupier? C'était vraisemblable car, presque au même instant, des bruits sourds contre la coque se firent entendre. Des coups de poing étouffés, sinon de maillet de bois, qui statufièrent les guetteurs. Au bout de quelques secondes, un craquement au niveau de la ligne de flottaison perça le silence. Puis, grâce à deux petits câbles, le mantelet[74] d'un des deux sabords d'arcasse[75], en l'occurrence celui de tribord, se souleva lentement et montra sa face rougeâtre. Incapables de comprendre ce qui se passait, Julien et Basile s'étaient maintenant approchés à 150 pieds, environ.

Une tête apparut et, à l'affût, s'encadra un moment dans le sabord, dont le seuil n'était qu'à huit pouces, environ, au-dessus de l'eau, cela en raison du lourd chargement du navire. L'homme, coiffé d'un bonnet rouge de marin, agrippa le câblot[76] qui était fixé près du sabord et, en douceur, remorqua la petite chaloupe qui, à dix pieds de distance, y était attachée. Et là, comme une couleuvre, il se glissa dans l'embarcation. Puis, tout en maintenant d'une main la chaloupe contre le navire, il tendit l'autre à un compagnon coiffé d'un tapabord et l'aida à embarquer. Des voix se faisaient toujours entendre sur le pont supérieur, du côté de la coupée, et les inconnus entreprirent de décrire un arc de cercle qui, dans un premier temps, les mettrait hors de vue de la frégate.

Dans leur canot, les guetteurs avaient tout vu. L'aviron à la main, ils se retirèrent vers le large et attendirent le passage de la chaloupe. Dans le silence absolu de la nuit, une embarcation à rames se fait entendre, quelles que soient les précautions que l'on prenne, et le canot n'eut aucune peine à suivre le léger clapotis de

---

74    Mantelet: volet ou panneau fixé sur pentures qui vient fermer un sabord.

75    Arcasse: charpente de la poupe d'un navire. Sur un voilier, ces deux sabords d'arrière servent à surveiller le gouvernail, l'un des éléments les plus importants du navire. Deux chaînes, prises sous le tableau d'arcasse, sont d'ailleurs fixées de part et d'autre du gouvernail afin de le retenir s'il cédait sous les coups de la mer. D'autre part, de tels sabords, agrandis, permettaient à des navires marchands, des flûtes par exemple, de charger à leur bord de longues pièces de bois propres à devenir des mâts de navire. Sur les navires ou vaisseaux à plusieurs ponts, ces sabords d'arcasse donnaient dans la sainte-barbe, sous la grande chambre. Sur les navires plus légers, ils étaient plutôt situés dans la chambre même du capitaine.

76    Câblot: câble de grosseur moyenne servant d'amarre aux embarcations.

l'onde. Il apparut bientôt que les Français prenaient la direction de la Saint-Charles, tout à fait accessible par mer pleine. Ils doublèrent la pointe du Sault-au-Matelot et, progressivement, se rapprochèrent du rivage, passant devant les premières demeures construites récemment de ce côté du Sault.

Si près du rivage, Julien perdit ses derniers doutes : « La Canoterie ! Oui, ben sûr ! » La chaloupe accosta et, comme convenu, le canot s'immobilisa dans la rivière, à 150 pieds environ de la plage, et attendit. À partir de ce moment, les évènements se déroulèrent très rapidement. L'un des hommes mit pied à terre tandis que l'autre, le marin au bonnet rouge, repoussait d'un bout de rame la chaloupe dans la rivière et reprenait aussitôt la direction du vaisseau. À terre, au même moment, deux hommes se détachèrent de la cabane aux barques et allèrent à la rencontre du nouveau venu. Puis, sans plus attendre, ils l'entraînèrent vers la côte de la Canoterie qu'ils gravirent d'un pas rapide et sans mot dire.

Il avait fallu quelques secondes aux garçons du canot pour comprendre que le plan avait du plomb dans l'aile. Après avoir échangé un regard perplexe, ils foncèrent vers le rivage, débarquèrent et se précipitèrent vers le hangar tout en appelant : « Sergent ! Sergent ! Vous êtes là ? » C'est Basile, en trébuchant, qui découvrit les deux corps inanimés, à six pieds l'un de l'autre. Ils avaient été surpris et assommés mais ils respiraient. Un petit tombereau, muni de ses ridelles, était relevé et appuyé contre un mur du hangar. On eut tôt fait d'y étendre les corps inanimés et de les transporter chez d'Aloigny.

☙

*Samedi, 8 octobre 1712*

Au matin, la rue de Buade avait grise mine. Le vent qui, d'ordinaire, accablait ce secteur de la haute ville, n'avait pas jugé bon se lever et la brume basse de la nuit précédente s'était développée au point d'envahir toute la cité, y compris ses hauteurs. Et, très curieusement, ce que Québec avait perdu en vision, elle l'avait gagné en sonorité. Le cheval au pas lent du charretier Moussion, dit Lamouche, qui s'avançait sur les pavés de la Place d'Armes, paraissait circuler devant la résidence du marquis d'Aloigny. Celui-ci d'ailleurs, s'il avait été sur le pas de sa porte, aurait très bien entendu la discussion qui opposait le bedeau Brassard et le marguiller Guyon-Dufresnay, devant la cathédrale, à propos de la réparation du clocher.

Quelques minutes plus tard, le bedeau lançait la cloche qui annonçait la grand-messe de neuf heures. Les jeunes élèves du séminaire, déjà habillés de leur long capot bleu à la canadienne, de leur ceinture de laine chamarrée et de leur bonnet, se pointaient à la porte de la cathédrale pendant qu'à l'autre extrémité de la rue de Buade, les séminaristes quittaient le collège des Jésuites et leur classe de théologie pour les rejoindre. Six jours par semaine, ce rituel était immuable.

Au même moment, Charles-Henri d'Aloigny et Geneviève Macard étaient au chevet de Bastien Dieulefit qui, après quelques heures d'un sommeil agité, venait de s'éveiller. Au milieu de la nuit, le marquis avait fait mander Michel Sarrazin, l'illustre médecin de la place Royale, pour soigner le crâne amoché des deux infortunés guetteurs de la Canoterie. Étienne Billy, le soldat, avait été raccompagné chez son logeur, rue Sous-le-fort, par le cocher Valentin, pendant que le sergent était escorté à sa chambre.

Basile Richard et Julien Genest, avec une faconde intarissable et des gestes emportés, avaient raconté l'expédition nocturne du groupe du début à la fin, en ne faisant l'économie d'aucun détail. Suite à quoi, tous furent d'avis qu'il avait dû y avoir plus d'un assaillant. Quant aux blessures, le sieur Sarrazin avait diagnostiqué des contusions causées par un objet contondant, en d'autres mots, meurtrissures sans coupures.

Lorsque Dieulefit et d'Aloigny se retrouvèrent seuls dans la chambre, le premier explosa : « Quel bêta, quel benêt, quel sot j'ai été ! Bien sûr qu'il n'allait pas laisser débarquer son comparse sans se pointer, jarnicoton ! Je pensais bien avoir percé leur petit secret quant au lieu d'accostage, mais j'ai sous-estimé leur organisation. Lui, il est borgne, mais moi, je suis aveugle ! Et au royaume des aveugles... Mais je possède maintenant suffisamment d'informations pour contre-attaquer. Pour commencer...

Le marquis leva la main et l'interrompit soudain.

— Pour le moment, Bastien, c'est terminé. L'enquête sera confiée au lieutenant général de la Prévôté, le sieur Dupuy, qui l'orientera à sa guise, avec ses gens. D'ailleurs...

À son tour, Dieulefit coupa la parole au marquis et, appuyé sur un coude, haussa le ton.

— Mais c'est impossible! Morineau lèvera l'ancre dès qu'il aura déchargé et rechargé. Il disparaîtra dans la nature! Mais pourquoi s'arrêter?

— D'ailleurs, avais-je commencé à dire, j'ai besoin de toi pour mon travail. Il est urgent d'accompagner les recrues aux Trois-Rivières, à Montréal et au fort Chambly et je ne veux pas confier la tâche à d'autre. En outre, par ta bouche, je désire, de façon officieuse, non écrite, obtenir des informations de certains capitaines et commandants, dont celui de Chambly, Desjordy de Cabanac. J'ai aussi des messages verbaux à leur communiquer. Non, il faut tout lâcher et partir, le plus vite possible : je compte sur toi.

Charles-Henri n'avait pas élevé la voix. Rarement le faisait-il, d'ailleurs. Mais son autorité et sa volonté ne faisaient aucun doute. *Alea jacta est!*

# VII

## UN SI BEAU *TE DEUM*...

*Dimanche, 23 octobre 1712*

Ce n'était probablement pas encore ce que les Français appelaient *l'été de la Saint-Martin*, ni ce que les Canadiens nommeraient, un jour, *l'été des Indiens*. D'une part, en dépit d'un temps assez froid, il n'avait pas encore gelé. En outre, il avait beaucoup plu ces derniers jours et le soleil avait pris peur. Enfin, peu de gens croyaient que la douce journée se prolongerait. Et, on le savait bien : «Été de Saint-Martin dure trois jours et un brin.» Qu'à cela ne tienne : le temps superbe mettait les cœurs en joie et, par le fait même, les esprits au repos. Un ultime rappel, peut-être, de la douceur de vivre avant le long encabanement.

La franche lumière de cette rare journée d'automne avait cédé la place à une nuit incomparable, parée d'un clair de lune magique et d'un ciel endiamanté. Dans l'auberge du *Dauphin d'Acadie*, rue Saint-Nicolas, le rire et la bonne humeur faisaient loi. Un souper de fête s'éternisait dans la plus parfaite anarchie, comme les ancêtres en avaient heureusement transmis l'habitude. Sur une table ronde à tréteaux, les plats et les assiettes mazarines[77] avaient, depuis plus d'une heure, dansé une ronde endiablée que seule la cavalcade des pots et des pichets était parvenue, un temps, à interrompre. Après deux semaines d'absence, Bastien Dieulefit était de retour chez lui, c'est-à-dire chez Fanchon, enfin… parmi les siens.

À cause d'un temps exécrable, il avait préféré redescendre le fleuve en barque depuis Montréal plutôt qu'en canot, *La Saint-Jean* du capitaine Jacques Bernier jouissant d'un pont et d'une chambre fermée. Si cela lui avait coûté une journée, au moins, n'avait-il pas attrapé la crève. Débarqué en fin d'après-midi au Cul-de-Sac de la place Royale, il avait raté le *Te Deum* chanté à la cathédrale, environ deux heures auparavant, en action de grâces pour le naufrage de la flotte de l'amiral Walker dans le bas du fleuve, l'année précédente. Ce jour tant attendu de réjouissances, reporté pour diverses raisons, apparaissait, aux yeux de la population, non seulement comme la commémoration d'une victoire providentielle mais aussi, grâce aux bonnes nouvelles rapportées de France par l'intendant, comme une préfiguration de la paix générale. Et l'on avait choisi de célébrer l'événement le jour même de la solennité de Notre-Dame-des-Victoires.

C'est l'architecte François de la Joüe, rencontré au pied de l'escalier Casse-cou, qui avait narré la fête à Dieulefit, à peine débarqué de *La Saint-Jean* :

— J'ai vécu le *Te Deum* de 1690, suite au siège des Anglais, et, depuis, j'en ai vu de nombreux autres. C'est toujours grandiose et la foi du peuple s'y manifeste de façon particulière, sa piété aussi. Cependant aujourd'hui, la foule à la cathédrale et sur la place m'a semblé davantage encore recueillie. J'ai réalisé à quel point, cette fois-ci, la population avait craint l'invasion. D'ailleurs, après les vêpres et avant le *Te Deum* même, la procession, menée par le Grand vicaire et tous les dignitaires, y compris ceux du Conseil supérieur, fit la tournée des communautés religieuses de la haute ville, ce qui n'est pas commun.

---

77  Assiettes creuses.

« Quant à la cérémonie dans l'église, elle fut magnifique et donna lieu à beaucoup d'apparat. La musique fut sublime, dirigée par le grand chantre, l'abbé Hazeur-Delorme, qui arrivait de France à bord du *Héros* : versets en plain-chant[78] alternaient avec l'orgue, celui-ci accompagné de flûte allemande, de violon et de viole. Avec la belle journée, les portes de la cathédrale étaient demeurées ouvertes et, je vous prie de me croire, toute la place devant l'église vibrait d'émotion et de reconnaissance.

« Et, imaginez, pendant le psaume *Exaudiat*, tous les canons du château et des batteries du séminaire et de l'Hôtel-Dieu firent une décharge qui électrisa la foule. Enfin, à la sortie de l'église, des centaines de soldats et de miliciens firent le coup de feu. Extraordinaire ! Et ce n'est pas terminé ! Ce soir, il y aura grand souper et bal au château dont toutes les croisées seront éclairées. C'est de là, d'ailleurs, que monsieur de Vaudreuil donnera le signal d'allumer les feux de joie hors de la ville et celui de tirer le feu d'artifice, de l'autre côté du fleuve. Ce sera mémorable, sergent, croyez-m'en ! »

Dieulefit avait gagné l'auberge en compagnie de deux hommes qu'il avait rencontrés à bord de *La Saint-Jean*. Louis Prat, d'abord, un ami que le seigneur Dupuy lui avait fait connaître. Sûrement l'un des hommes les plus débrouillards, ambitieux et intelligents de la cité. D'abord aubergiste, puis boulanger et marchand, il s'était investi avec des associés dans la guerre de course contre les Anglais et il avait même fait construire, à ses frais, une frégate corsaire. Celle-ci s'était illustrée si bien, et avait tant rapporté, qu'il avait multiplié les mises en chantier et attiré ainsi l'attention du ministre Pontchartrain lui-même, qui l'avait nommé capitaine du port de Québec. Ce qui n'avait pas empêché notre entrepreneur d'aller de l'avant avec ses initiatives marchandes. L'humble rejeton de Nîmes, en Languedoc, âgé de cinquante ans, résidait du côté du port, rue Saint-Pierre, contre la batterie Royale.

Que Dieulefit ait invité à sa table son jovial ami ne surprit guère. C'était un familier de la maison. En revanche, personne ne

---

78  Musique vocale rituelle, monodique, de la liturgie catholique romaine. Grégorien.

connaissait Martin Kellogg, un jeune homme d'environ vingt-cinq ans, plutôt trapu, les cheveux châtains noués à la nuque, à qui une moustache et une barbiche bien taillées conféraient une certaine distinction. Le regard franc, bien qu'un peu distant, il se débrouillait assez bien en français et parlait d'une voix lente, un peu sourde, et marquée d'une pointe de tristesse. Tout dans son allure témoignait d'une maturité précoce acquise douloureusement.

— Alors, monsieur Kellogg! intervint joyeusement Bastien en pointant son gobelet de vin dans sa direction, je crois que tous, ici, souhaitent mieux vous connaître. Ça ne vous gêne pas de vous raconter un peu?

— Oh! Vous savez, mon histoire est peut-être extraordinaire, mais c'est celle de tellement de mes compatriotes qu'elle est banale, finalement. J'avais dix-sept ans et les Abénaquis ont capturé mon père, mon frère, mes deux sœurs et moi à Deerfield. C'était 1704, je crois. Je me suis évadé de Saint-Francis[79], je suis retourné chez moi, à Hadley, pas loin de Deerfield. Deux ou trois ans plus tard, j'étais *scout* pour un parti de guerre, comment vous dites... éclaireur je pense, et j'ai été repris, par les Iroquois cette fois. Ils m'ont amené à Kahnawake, chez eux, près de Montréal, et... le chemin a été... *very rough*... très dur. Ils avaient appris, je crois, que j'avais échappé déjà[80]. En dessous de ma moustache et ma barbe, j'ai un coup de tomahawk que j'ai reçu dans le visage. C'était pas beau. J'ai été libre, cette année, mais je suis resté ici pour retrouver ma famille. Mon père, je sais, est retourné à Hadley mais j'ai perdu mon frère Joseph. Il a vingt ans. À Montréal, on dit qu'il est Français, maintenant, mais moi pas trouvé.[81] Mes deux sœurs, elles ont à peu près seize et dix-huit années, maintenant, elles ont choisi de rester chez les *savages*... elles sont mariées. Je les ai vues mais elles n'ont pas accepté revenir avec moi. Je crois que ma mère va mourir de peine.

---

79  Mission et village abénaquis de Saint-François, à l'embouchure de la rivière du même nom, sur le lac Saint-Pierre.
80  C'est-à-dire: que je m'étais déjà évadé.
81  Joseph Kellogg était parmi les très nombreux prisonniers anglais qui demandèrent et obtinrent de Versailles, en 1710, des lettres de naturalisation française.

Le destin tragique du jeune Anglais et de sa famille enveloppa l'assemblée dans un profond silence. Ces réalités brutales et inhumaines de temps de guerre étaient connues de tous, voire déplorées. Cependant, le conflit ne trouvait pas son origine ici, au château Saint-Louis; d'autre part, les Canadiens, dont plusieurs avaient goûté à la même médecine, étaient tout à fait conscients que, contrairement aux colonies anglaises, la survie même de leur pays était en jeu. Les coups de boutoir des Bostonnais, comme celui qui avait échoué l'année précédente grâce à une chance providentielle, risquaient véritablement d'emporter toute la colonie française du Saint-Laurent. À un contre vingt, les colons d'ici prenaient bien la mesure du danger et, le couteau entre les dents, il y a belle lurette qu'ils en avaient tiré les leçons et les obligations. *Vae Victis!* Malheur aux vaincus! La guerre devait être sans merci car sans lendemain.

Dieulefit, et Prat aussi probablement, aurait souhaité faire comprendre la situation à Kellogg, d'autant que le pays avait perdu le compte des enlevés, des torturés, des morts, des estropiés, des veuves, des orphelins. À quoi bon. Le silence a sa propre éloquence.

— Et que venez-vous faire à Québec, monsieur Kellogg? demanda Louis Prat.

— Monsieur de Vaudreuil, le gouverneur, est bon avec les prisonniers anglais. Je veux lui demander s'il peut trouver Joseph avec moi. Il sait peut-être des choses? Je veux aussi savoir si d'autres anciens prisonniers vont quitter bientôt pour la vallée du Connecticut. Je pourrais être leur guide, je connais bien le chemin, maintenant.

— Fanchon, jarnicoton! Tu auras bien une chambre à offrir à notre ami? Il cherchait à se loger lorsque je l'ai rencontré. Ce serait bien car, dès demain matin, en montant chez le marquis, j'irais moi-même le présenter au gouverneur.

— Pour sûr, répondit l'aubergiste. Et vu que c'est un ami à toi, mon beau sergent, je lui ferai la chambre au prix du cabinet!

— Merci à vous, madame Fanchon, je suis très apprécieux, euh... appréciative... je veux dire: j'apprécie bien. Une chose, monsieur Dieulefait: j'ai profité de mon passage pas voulu ici pour apprendre un petit peu le français, et aussi l'abénaquis et l'iroquois. J'aime les langues. Et vous avez appelé madame Fanchon, *jarnicoton*. Pourquoi elle est *jarnicoton* ? Ou bien c'est un surnom ?

Un éclat de rire monumental déferla d'un coup sur la salle. Alexis et Julien tombèrent dans les bras l'un de l'autre pendant que Louis Prat, étouffé, lançait une claque sonore dans le dos de Bastien. En même temps, celui-ci aplatissait son poing sur la table, créant une onde de choc terrible qui propulsa les gobelets dans toutes les directions. Seule l'aubergiste, des gouttelettes de vin rouge perlant à se chevelure blonde, ne goûta pas le désopilant quiproquo. Elle demeura interdite et incrédule jusqu'à ce que ses yeux rencontrent ceux, interdits et confus, du jeune Anglais. Et alors, les mains sur la bouche, elle se laissa entraîner par le comique de l'épisode.

— Nos sincères excuses, monsieur Kellogg, intervint Bastien en essuyant une larme sur sa joue, mais, sans le vouloir, vous nous avez bien amusés. D'abord, *jarnicoton,* c'est un juron qui cache une histoire tout ce qu'il y a de plus vrai. Écoutez bien. Au début du siècle dernier, en France, le bon roi Henri le quatrième avait adopté le juron blasphématoire *jarnidieu*, qui signifiait : je renie Dieu. Le confesseur du roi, le père Coton, désireux de voir son roi abandonner son affreux jurement, lui fit valoir toute l'indécence d'un tel mot. Mais, répondit Henri, *Dieu,* c'est le nom qui m'est le plus familier, si j'excepte le vôtre, celui de Coton ! Alors, Sire, pourquoi ne pas dire : je renie Coton ? Ainsi est né le terrible juron *jarnicoton*. Et ce n'est pas tout ! Jeune encore, chez moi, en Poitou, j'avais entendu et adopté le *jarnidieu*. Ça faisait très soldat, que je trouvais. Mais mon précepteur, le chanoine Chasteigner, pour me corriger, me raconta l'histoire du père Coton et du roi Henri et c'est à partir de ce moment que je fis mien le *jarnicoton*. Et ça n'a rien à voir avec ma Fanchon, comme vous le voyez.

Et les agapes amicales se poursuivirent dans une conversation à saveur nostalgique, chacun, entre deux gorgées de vin ou d'eau-de-vie, une bouchée de gruyère frais débarqué et une poignée de noix, se remémorant la terre natale. Les cerises sauvages de la vallée de la Connecticut appelaient les gadelles du bord de la Saint-Charles qui, elles, renvoyaient aux baies de genévrier du bassin des Mines[82]. Et, le vieux pays refusant d'être en reste, Bastien, la bouche en cœur, se souvenait de la poire tapée et de la tantouillade[83], pendant que Prat, le Nîmois, salivait de façon incontrôlable en évoquant les grosses figues sèches du temps du carême et les noix confites au miel.

Il était peut-être neuf heures lorsque les gens du faubourg Saint-Nicolas et de la rue des Pauvres défilèrent devant *Le Dauphin d'Acadie* pour se rendre à la petite rivière[84] afin d'assister au feu d'artifice sur la côte de Lévis. Comme de coutume, les riverains de Notre-Dame-des-Anges[85] et de la Canardière allumeraient des feux de joie sur la grève. Il y en aurait même un de ce côté-ci de la rivière, non loin de la redoute Saint-Roch. Le cadenas sur la porte, les gens de l'auberge emboîtèrent le pas aux fêtards, Alexis et Julien s'étant même mis dans la tête d'entraîner l'Anglais vers la rive gauche du cours d'eau en le traversant à gué, comme plusieurs habitants n'hésitaient d'ailleurs pas à le faire, chaussures en mains.

— Un petite brise tiède et humide du sud-est, ce soir, apprécia Françoise, en humant l'air du soir. Quel temps magnifique... Je voudrais donc vivre dans un pays qui m'en offrirait davantage! À ce point de vue, ma belle Acadie se montrait plus généreuse que le Canada, pour sûr.

— Écoutez-moi ça, sergent, sourit Louis Prat, et souvenez-vous de ce que l'on dit par chez nous : « Le vent du sud-est met le désir au cœur des femmes. »

L'aubergiste le foudroya du regard, jouant l'insultée : « Que n'êtes-vous pas auprès d'Angélique[86], alors, monsieur le capitaine de port ? Elle apprécierait, j'en suis sûr, votre compagnie. »

---

82    À l'est de Port-Royal, en Acadie ancienne, aujourd'hui Minas, en Nouvelle-Écosse.
83    Marmelade poitevine.
84    La rivière Saint-Charles était communément appelée ainsi.
85    Aujourd'hui, *grosso modo*, le quartier Limoilou de la ville de Québec.
86    Jeanne-Angélique Gobeil, 49 ans en 1712, a épousé Louis Prat à Québec en 1691. Lors du recensement du pays, en 1681, elle était, avec sa jeune sœur, domestique à Montréal chez le marchand Jacques Le Ber.

— Bof! Je lui ai fait trois belles filles et le bon Dieu nous en a repris deux, il y a dix ans, au moment de la petite vérole. Depuis, c'est la misère de ce côté. Enfin! Il y a des consolations. Par exemple, ma Marie-Josèphe, fraîche sortie des Ursulines, a fait la rencontre d'un beau parti, le fils aîné du Grand prévôt, Charles-Paul Denis de Saint-Simon : vingt-quatre ans, éduqué, joli garçon, du bien, tout quoi!

— Bravo, capitaine! dit Bastien, en s'inclinant de manière affectée. Mais en plus, j'ai ouï-dire que vos affaires se portent très bien. Que dis-je, on prétend même que vous avez l'oreille du ministre, jarnicoton!

Si le commerçant n'avait pas eu le visage dans l'ombre du hangar du roi, derrière lequel on se trouvait alors, tous auraient certes noté la vive émotion qui, soudainement, avait rougi son front, tel un coquelicot. À défaut de voir, toutefois, il était très possible d'entendre la voix, à la fois troublée et fière, de l'homme combatif.

— Attendez, dit-il doucement, on exagère beaucoup, vous savez. Depuis quelques années, j'ai effectivement soumis à monsieur de Pontchartrain certaines idées, certains projets même, et cela eut l'heur de lui plaire, je crois bien. Ainsi pour le déblaiement et l'aménagement du port de la ville. Même chose avec la construction navale : le ministre, je le vois, aime les gens qui lui arrivent avec des idées claires et productives. Il apprécie également les personnes qui mouillent leur chemise, qui prennent des initiatives, qui s'impliquent personnellement et qui ne se contentent pas de quémander, comme bien des gens d'ici ne cessent de faire.

— Je vous taquinais, capitaine, car je connais votre sérieux et votre ardeur au travail. En passant, vous avez lancé un gros chantier à l'Anse-des-Mères[87]? Il faudrait que je trouve le temps d'aller me balader là-bas.

---

87  En référence aux Ursulines qui possédaient un fief sur les hauteurs dominant cet endroit. Fait aujourd'hui partie du quartier du Cap-blanc, à Québec. Sous les Plaines d'Abraham, à environ 600 mètres à l'est de la gare maritime Champlain.

— Je vous invite. Vous verrez un vaisseau dont la construction va bon train. Quille, étrave, étambot, membrures, varangues, bordages, tableau : le gros œuvre est presque achevé. Il sera mâté et gréé dès qu'il aura été mis à l'eau. Ce sera une frégate de 300 tonneaux et de 30 canons, rien de moins.

— Et vous le lancerez à quel moment ?

— Au printemps prochain, à l'été au plus tard, car il doit faire route pour la France à l'automne. J'ai une entente avec les frères Bonfils[88], de La Rochelle, qui me le retourneront au printemps de 1714.

— Dites, mon cher ami, c'est une très grosse aventure que cette frégate ; ne craignez-vous pas que...

— Vous avez raison, Bastien, et, je vous l'avoue, les nuits blanches m'assaillent par les temps qui courent. Les risques sont partagés, vous savez. Dans la galère, dont parlait déjà Poquelin, je ne participe que pour un tiers. Je suis, en effet, associé à Regnard-Duplessis et à Fornel[89], deux personnes en qui j'ai confiance.

— Certes, le gros œuvre, le bois, je peux comprendre... mais tout le reste, les canons, les voiles, les câbles, les ancres, où les dénicherez-vous ?

— Ah ! Disons... gratification généreuse de la reine Anne d'Angleterre ! Non, non ! Ne vous étouffez pas mais écoutez plutôt. Regnard-Duplessis, responsable des droits de l'Amirauté et trésorier de la Marine, a dû, l'automne dernier, de concert avec monsieur de Monseignat, agent de la ferme du Roi, veiller à la récupération des débris de la flotte anglaise, à l'île aux Œufs. Ce naufrage, pour lequel nous venons, aujourd'hui même, de remercier Dieu, et auquel nous sommes redevables, ce soir, pour tous ces feux de joie, a fait non seulement près de 2 000 victimes, mais il a laissé dans son sillage sept gros vaisseaux, des transports de troupe surtout, échoués sur les plages des alentours. Quarante hommes d'ici se rendirent hiverner sur les lieux du drame et, au printemps dernier, ils revinrent à Québec avec cinq bâtiments chargés de divers objets,

---

88  Pierre, Élie et Jean Bonfils, fils de Pierre. Grande famille huguenote de commerçants rochelais.
89  Jean Fornel, aussi Fournel, marchand de Québec, originaire de Gascogne (env. 1651-1723).

y compris la panoplie complète de gréement. *Le Saint-Jérôme,* car tel sera son nom[90], aura recours à cette manne providentielle pour s'équiper. Voilà! Ce n'est pas sorcier.

Parvenus au bas de la rue Saint-Nicolas, et après avoir franchi la palissade de pieux qui ceinturait ce qu'on appelait alors «le réduit de l'intendant», Dieulefit, Prat et Françoise s'étaient séparés des garçons; ces derniers étaient prêts à traverser à gué la rivière, droit devant eux. Bastien avait pris un moment pour souffler à l'oreille de Julien: «Ne rentre pas trop tard, Papou, j'ai à te parler et je t'attendrai.» Et l'autre avait simplement répondu: «Oui, sergent!»

En remontant le cours d'eau, l'idée des gens du coin était de se rendre au-delà du réduit et des redoutes Saint-Nicolas et Saint-Roch, des ouvrages édifiés pour contrer une éventuelle descente ennemie du côté de la Saint-Charles et pour sécuriser le gué. Là, sur la grève, un amoncellement de bois sec avait dessiné une pyramide, grâce, en particulier, au charretier Adrien Legris qui avait transporté depuis le parc de l'intendant une quantité de bois coti provenant des carcasses de diverses embarcations.

À peu près au même moment, en de nombreux endroits bordant le fleuve et la petite rivière, des bûchers semblables avaient été allumés et, pendant qu'à la Pointe de Lévis des fusées lumineuses striaient et déchiraient le ciel de lune, à la manière d'une sorcière à balai, un violon, une flûte et un tambourin lançaient une ronde endiablée non loin de la redoute Saint-Roch. Les danseurs, sur le champ, reconnurent l'air joué et, en joyeuse complicité, entonnèrent l'une des chansons populaires qui, l'automne dernier, avaient fleuri de toutes parts à l'annonce du désastre inespéré:

*Ouacre, Vêche et Negleson[91],*
*Par une matinée,*
*Prirent résolution*
*De lever deux armées.*
*L'une partit de Boston,*

---

90   En l'honneur du ministre-protecteur, Jérôme Phélypeaux, comte de Pontchartrain.
91   Interprétation sonore de «Walker, Vetch et Nicholson».

*Sur cent vaisseaux portée ;*
*Les plus beaux ont fait le plongeon*
*Dedans la mer salée.*

L'auteur des paroles, un apprenti poète à l'instruction exceptionnelle, n'était autre que Paul-Augustin Juchereau, sieur de
Maure et seigneur de Saint-Augustin, qui avait alors connu son
heure de gloire.[92]

Les festivités et les réjouissances défièrent les heures tardives
de la nuit et les obligations du lendemain. Prat, Dieulefit et
Françoise ne s'attardèrent pourtant pas. Le premier devait rentrer
chez lui, place Royale, à l'autre extrémité de la ville, tandis que
Bastien avait rendez-vous à la première heure chez d'Aloigny. Et
puis, surtout, il brûlait d'entendre le rapport de Julien qu'il avait
chargé d'épier, à temps perdu, le cordonnier Chapelle *alias*
Languedoc, durant sa longue absence. Il devait faire de même s'il
croisait le blondin au bandeau.

Il était bien minuit lorsque Julien, Alexis et Martin Kellogg
réintégrèrent *Le Dauphin d'Acadie*. Le sergent, écroulé dans son
fauteuil à bras rembourrés, face à la cheminée où agonisait une
petite attisée, leva à peine les yeux vers les trois compères. «Enfin!
dit-il. Je vous donnais jusqu'à la dernière flammèche, pas davantage.
Je me lève, moi, demain!» Fanchon, perplexe devant la mine par
trop ébaudie du Papou, s'approcha de son fils, huma et recula d'un
pas : «Sainte-Anne d'Acadie! C'est pas l'eau de la Saint-Charles
qui sent ça, mon gars! Vous vous êtes arrêtés en chemin?» Elle
s'approcha un peu plus, ses fines narines contre la chemise du
garçon: «Mon sergent, ça sent la pucelle à plein nez, aussi vrai que
je ne le suis plus mais que j'en garde le souvenir attendri!»

— Ben oui, Fanchon, ton Papou aime les filles... Ça te sur-
prend?

Sans répondre, elle se redressa, sa poitrine tenant en respect les
trois garçons et, les mains sur les hanches, dit simplement, d'une

---

92  Juchereau était, entre autres, le frère de Jeanne-Françoise Juchereau de La Ferté, dite de Saint-
    Ignace (1650-1723), la célèbre supérieure (à quatre reprises, pour un total de près de trente
    ans) et annaliste de l'Hôtel-Dieu de Québec.

voix sèche mais calme : « Julien, j'ai senti deux parfums bien différents. Est-ce qu'y viennent du même endroit ? Allez, déballe ! »

— Ben... y'avait fête chez monsieur Normand, à la Canardière ; toute la famille était là, tous les voisins itou. Et, ben entendu, tout le monde avait apporté sa cruche autour du bûcher, alors... j'pouvais pas refuser, ç'aurait été effronté. Le père Normand était tellement heureux qu'y pleurait. Il avait fait installer, sur un tréteau, une demi-barrique de clairet. D'autres fournissaient des cruches d'eau-de-vie. Cré-moi, ça trinquait fort !

— Et ce mélange pâmant de foin coupé et de violette qui court tout partout sur ta chemise, et même là, dans ta tignasse bouclée, c'tait dans l'air de la soirée, sans doute ?

— Vous savez bien... on dansait, on faisait la ronde autour du feu, et la fille de monsieur Normand, Marie-Madeleine, était juste à côté de moi... Ça doit être ça.

— Ah ! On approche, dit la mère, d'un air sourcilleux. Va alors pour la violette, mais... le foin coupé ? Vous vous êtes enfargés et vous avez roulé l'un sur l'autre, c'est ça ?

Julien, la boule dans la gorge, le regard intimidé, ne savait que dire de plus. Pardi, sa mère n'avait-elle jamais eu quinze ans ? Ce que son père lui manquait, parfois … Ce serait tellement plus aisé. Autour de lui, il chercha un bon samaritain, un sauveur, et il trouva Dieulefit qui, maintenant bien éveillé, lui indiqua la route à suivre, en clignant doucement des yeux mais en serrant les poings « Allez, fonce ! », lui disait-il.

— Mère, j'ai quinze ans, Marie-Madeleine à peu près la même chose, et on aime ben être ensemble. On s'é rencontré au marché et c'est tout. Elle est jolie, elle me plaît et on fait rien de mal.

— Voilà, intervint gaiement Bastien, fier de son poulain. C'est franc, c'est simple, et c'est bien. Selon moi, bien sûr.

— Toi, la hallebarde[93], motus ! Je connais ces gens-là. Marie Choret est une femme honnête et respectable, mais le Joseph Normand, il a beau faire le jars depuis qu'il a hérité et qu'il est

---

93    Arme dont le fer tranchant, en forme de pointe et de croissant, est monté sur une longue hampe. Les sergents portaient la hallebarde.

devenu tanneur et marchand, on répète partout qu'il n'a de respect pour rien ni personne. Même qu'un temps, il a été tellement insolent, méprisable, violent et félon avec ses vieux parents qu'ils l'ont exérédité.

— Ma colombe, je crois que tu veux dire exhéréder... déshériter...

— Comme si tu ne m'avais pas compris! Ils l'ont répudié comme fils, quoi!

— Fanchon, Marie-Madeleine est l'aînée de la famille Normand, donc une fille sérieuse et bien éduquée. Elle sent la violette et n'est pas insensible, semble-t-il, aux honorables attentions de Papou. Qu'y a-t-il de mal, je te le demande? La beauté attire la beauté, la bonté de même.

L'aubergiste, l'œil humide, embrassa tendrement son Papou, le serra contre elle, et, apercevant l'innocent témoin de la scène, l'interpella: «Par ici, monsieur Martin, j'vous conduis à vot' chambre. Vous verrez, vous serez tranquille et confortable.»

Alexis Granger s'étant, lui aussi, retiré dans sa chambre, Dieulefit s'étira paresseusement, attrapa un rondin du bout des doigts et le lança sur les braises incandescentes. Puis, du pied, il tira vers lui un tabouret en bois.

— Par ici, garçon, et raconte-moi les deux dernières semaines.

— Écoute, sergent, commença Julien, moi j'habite pas la même ville que tes gens; pas facile de les rencontrer, pas vrai? Prends le capitaine Morineau. Je l'ai ben vu entrer à deux ou trois reprises chez monsieur Bégon, au palais, mais y loge maintenant chez le marchand Riverin, coin Notre-Dame et Sous-le-fort, et ses matelots l'amènent directement à la place Royale. Alexis a appris en levant son verre que Riverin vient d'affréter *La Bonne Aventure* pour son retour en France. En passant, Morineau devrait lever l'ancre dans une semaine, environ.

«Quand même, un matin, en sortant de l'auberge, le type au bandeau est passé juste devant moi en marchant vers la rivière et la palissade. De loin, j'l'ai suivi. Il a semblé observer avec grand intérêt tout l'rivage, depuis la rue, ici, jusqu'au moulin fortifié des Jésuites et la batterie Raudot, en passant devant les redoutes

Saint-Nicolas et Saint-Roch. Y portait une sacoche en bandoulière. Y s'é assis sur les remblais des fossés et y'a mangé.

« Et par les soirs, après l'souper, j'suis allé traîner du côté d'la place et j'ai vu certaines choses. Par exemple, Chapelle a rendu visite à Morineau chez Riverin. Une aut' fois y'é entré aussi à l'auberge de la veuve Fauconnier, rue Saint-Pierre, *Le Grand Saint-Luc* que ça s'appelle maintenant ; y'était alors en compagnie d'un inconnu, un homme plutôt p'tit et étroit d'épaules, coiffé d'un tapabord rabaissé. C'qui va t'intéresser, c'est qu'après une dizaine de minutes, Chapelle est réapparu, sans le gars au tapabord, mais avec l'homme au bandeau. Ces deux-là sont allés boire et manger au *Signe de la Croix*, chez Normandin[94], au fond du Cul-de-Sac, mais après s'être arrêtés chez le sieur Riverin, je devrais dire chez Morineau, l'espace de dix minutes.

— Et c'est tout ? demanda Bastien.

— Pas tout à fait. Un matin, m'en allant au marché voir... enfin, j'ai croisé à nouveau le cordonnier et le borgne sur le sentier des remparts. Du coin de l'œil, j'les ai vus entrer, comme si de rien n'était, dans la maison des Anglais, tu sais chez La Durantaye, en bas de la rue Sainte-Famille.

— Mais n'y avait-il pas des soldats qui gardaient les lieux ?

— Si fait, mais y'ont pas dit un seul mot. Ça m'a paru étrange... J'étais attendu, alors j'sé pas combien de temps y sont restés dans la maison. Ah oui ! Une dernière observation : un soir, avec Alexis, en passant devant l'auberge de la veuve Fauconnier, nous avons vu un homme qui y pénétrait. C'tait une nuit noire et brumeuse et la personne, de bonne carrure et emmitouflée jusqu'aux yeux, pouvait pas être identifiée. J'sé pas, sa démarche était vaguement familière, son pas probablement, assez éjarré. Mais j'peux pas en dire plus, sinon qu'y semblait cacher volontairement son visage. Voilà.

Avachi dans son fauteuil, les pieds plus haut que la tête et les yeux rivés sur les braises agonisantes, le sergent était hanté par le récit de Papou. Dans son esprit tournoyait un moulin à images dans lequel l'imagination et la réalité s'excitaient mutuellement.

---

94    Laurent Normandin, dit Sauvage, aubergiste et tailleur d'habits.

Qui étaient ces personnages qui, sauf Morineau, gravitaient autour de lui dans le plus parfait anonymat? Il devait être deux heures du matin lorsque, frissonnant et courbaturé. Dieulefit se réfugia enfin dans la chaleur de sa couche.

# VIII

## ... UN SI TRISTE *REQUIEM*

*Lundi, 24 octobre 1712*

É tait-ce question de prolonger les festivités de la veille?
Certains en furent persuadés. Toujours est-il que ce matin-
là, en dépit d'une fraîche sensible, un *repetatur* du temps des
dernières vingt-quatre heures était à prévoir. Tellement que
Dieulefit laissa de côté sa cape de saison et gagna la haute ville le
tricorne à la main. Sur le chemin de la cathédrale, il fit halte chez
les Dupuy, au mitan de la côte et vis-à-vis les Jésuites.

— Bien le bonjour Marie, dit-il à la servante, Marie-Anne
Adam, qui vint ouvrir. Pourriez-vous prévenir monsieur Dupuy
que j'aimerais lui parler vers la fin de la journée, avant le souper.
Je repasserai alors.

— Bien sûr, sergent Dieulefit. Il soupera en compagnie de ses
fils, messieurs Simon et Jean-Paul.

Sébastien poursuivit alors sa montée vers la grande place. Il
salua le groupe des séminaristes qui marchaient en direction du
monumental collège de Québec pour y suivre leur leçon de

théologie. Il devait être sept heures vingt-cinq minutes car ces jeunes hommes, à cheveux courts, tonsurés et portant soutane et rabat, partageaient un régime strict à tous points de vue, où la ponctualité était érigée au rang de vertu cardinale.

Lorsqu'il pénétra dans la cour intérieure des d'Aloigny, Valentin Barrault se mit au garde-à-vous et, le plus sérieusement du monde, lui présenta... sa fourche, au bout de laquelle brillait une superbe gerbe d'avoine !

— Repos ! Poitevin, dit simplement le sergent, d'un ton on ne peut plus officiel.

Trente minutes après, environ, le marquis avait réuni autour de lui son conseil exécutif réduit, soit le major Jacques de Noré-Dumesnil, le lieutenant Jacques de Sanzelles et le sergent Dieulefit. Aussi présent autour d'une table montée sur tréteaux dans la salle de la maison, un jeune homme assez grand, bien fait, les yeux bleus, portant perruque, mais affligé d'un visage ingrat et couperosé, particulièrement au niveau des pommettes et du nez.

Jacques Raudot, chevalier de Chalus, était simple garde-marine à Rochefort, en 1705. Il avait alors vingt ans. Sa fortune fut celle de sa famille. Cette année-là, en effet, son père Jacques Raudot fut choisi à titre d'intendant de la Nouvelle-France. En septembre, lorsque celui-ci débarqua à Québec pour prendre ses fonctions, ses deux fils l'accompagnaient : Antoine-Denis, à titre d'intendant adjoint, et Jacques, comme officier des troupes de la Marine. Quelques mois plus tard, ce dernier recevait une lieutenance. Le népotisme n'était pas un vain mot ; c'était au contraire une pratique très répandue, voire universelle.

— Messieurs, dit d'Aloigny, je commencerai par souligner la présence à notre table du chevalier de Chalus, que vous connaissez tous, je crois bien, et que le roi vient tout juste d'honorer de sa confiance en l'élevant au grade de capitaine des troupes et d'enseigne de vaisseau de la marine. Son jeune âge prouve sa valeur et lui trace le plus prometteur des avenirs.

Des applaudissements à la fois corrects et polis, accompagnés de saluts de la tête, accueillirent la surprenante nouvelle. Sébastien jeta un regard vers Sanzelles dont le sourire amical parvenait très mal à dissimuler la rancœur. Onze ans, lui, qu'il était lieutenant. Son père, tout baron de Nailhac fût-il, n'avait pas ses entrées dans les officines du pouvoir versaillais, dont les arcanes lui échappaient en dépit de sa conversion. Maudits soient les papelards et leur tyrannie.

Et le marquis de poursuivre :

— Les vaisseaux, qui vont bientôt rentrer en France, nous ont apporté des nouvelles parfois bonnes, parfois malheureuses. Ainsi, monsieur de Vaudreuil a reçu une bien triste lettre écrite de la main du roi en février dernier. J'en lis quelques lignes.

*Je viens de perdre en moins de six jours mon petit-fils le dauphin et ma petite-fille la dauphine, un coup accablant et imprévu qui me cause beaucoup d'affliction. Une perte si irréparable est générale pour tout mon peuple. Je vous écris cette lettre pour vous dire qu'aussitôt que vous l'aurez reçue, vous fassiez faire des prières publiques dans l'étendue de votre gouvernement. En même temps, je veux que vous assistiez à celles qui se feront dans l'église cathédrale de Québec afin d'exciter par votre exemple le zèle et la piété de mes sujets.*

— Ainsi donc, ajouta d'Aloigny, un service solennel aura lieu dès demain en la cathédrale, en présence de tous les officiers civils et militaires. Monsieur l'intendant et le Conseil viennent, à l'instant, de publier une ordonnance à cet effet qui contient les détails utiles. Aujourd'hui, et pour notre part, adressons un *Pater Noster* à Dieu et ayons une pensée particulière pour le plus grand roi du monde, qui est probablement aussi le plus solitaire et le plus inconsolable[95].

C'est avec une tristesse sincère et un profond recueillement que l'assemblée récita la prière, mais Dieulefit, une fois encore,

---

95  Alors en fin de règne, Louis XIV, âgé de 74 ans, survivait à ses fils, y compris le Grand Dauphin, à ses petits-fils, sauf Philippe V, roi d'Espagne, et à ses arrière-petits-fils, hormis le futur Louis XV. Sa lignée dynastique avait frôlé l'extinction.

remarqua l'exception. En fait, il l'attendait. La tête inclinée, Sanzelles fit de l'oraison chrétienne une patenôtre vide de tout sentiment. Bien sûr, le sergent connaissait depuis fort longtemps les véritables racines religieuses de la famille du baron de Nailhac, comme d'Aloigny d'ailleurs, mais le Poitou avait été, dans l'ensemble, terre de tolérance depuis de nombreuses décennies, à la différence de plusieurs autres contrées de France. Quoi qu'il en soit, entre *pays,* le sujet de la religion était éludé, surtout en Nouvelle-France.

Mais, déjà, le commandant enchaînait.

— Monsieur Bégon, le nouvel intendant, nous apprend que des pourparlers de paix sont en cours en Hollande et que, dans ce contexte, une suspension d'armes est intervenue entre la France et l'Angleterre en ce qui touche les armées de terre. Les choses semblent évoluer vite en Europe; cependant, monsieur le gouverneur me le répétait hier encore, en l'absence de renseignements plus actuels, il ne faut surtout pas baisser sa garde. Certes Boston doit obéir à Londres, mais les colonies anglaises n'auront de repos que lorsque la Nouvelle-France aura été rayée de la carte. Souvenons-nous de ce pasteur bostonnais qui, déjà, lors de la guerre précédente, répétait sur toutes les tribunes: «Il faut détruire le Canada», reprenant le *Delenda est Carthago* de notre ami Caton. Or, un tel esprit de croisade perdure à nos frontières, n'en doutons pas.

«Selon monsieur Bégon, les informations qui transpirent de la table de négociation hollandaise indiqueraient que le roi, afin de sauver le Canada, serait prêt à sacrifier, parmi d'autres territoires, l'Acadie. Si ces rumeurs se concrétisent, c'est notre verrou atlantique qui sautera, emportant du même coup nos alliés Abénaquis et Micmacs. Vous vous rendez compte? La porte sera grande ouverte sur Québec par la mer. Certes, il appert qu'une paix sera conclue mais, à ce prix, ce ne sera qu'une question de temps avant qu'Albion et ses coloniaux ne réapparaissent sur le Saint-Laurent. Dites-vous bien une chose: si paix il y a, et si le Canada demeure français, les Bostonnais seront outrés et n'attendront que la première occasion pour remettre sur la table leurs plans d'invasion.

« Si, par conséquent, la paix est bientôt signée, ce sera une paix armée. Je suis d'accord avec le gouverneur : nous aurons la chance de poursuivre et de terminer nos travaux de défense, à Québec et partout. Cela devra être fait. Entre-temps, nous sommes inquiets de tous ces prisonniers anglais qui vivent parmi nous et qui, sauf le soir, peuvent à leur guise prendre note de tous les ouvrages défensifs que nous réalisons depuis des années. Imaginez des espions qui, demain peut-être, rentreront chez eux et reporteront sur une carte tous les dispositifs qu'ils auront observés. Vous croyez que j'exagère ? Regardez, plutôt. »

De façon ostentatoire, le marquis prit, entre le pouce et l'index de sa main droite, un dossier constitué de six feuillets, maintenus ensemble par un délicat ruban bleu dans le coin supérieur gauche. Puis, les exhibant à la hauteur des yeux, il les agita doucement en regardant l'assemblée à la ronde.

« Parmi le courrier apporté par *Le Héros*, il y avait ceci... De Londres, via Paris, grâce aux bons offices d'un affidé du ministre, nous avons mis la main sur ce mémoire bien particulier. Et à la lecture du texte, je vous le dis, messieurs : nous l'avons échappé belle, et je ne suis pas certain qu'un seul *Te Deum* ait été suffisant pour remercier le Ciel du naufrage des Anglais. Ils avaient en poche le détail complet de nos forces armées, troupes, milices, alliés sauvages. En outre, la composition et la localisation de notre artillerie, sans oublier l'état complet de notre dispositif défensif : batteries, redoutes, murs et portes de fortification, retranchements et fossés, sur le fleuve comme sur la Saint-Charles. Et aussi, des informations semblables pour Montréal, les Trois-Rivières et Chambly. »

Les personnes dans la pièce étaient abasourdies, voire incrédules. Noré-Dumesnil, pour sa part, suait à grosses gouttes et s'épongeait le visage, totalement anéanti car conscient du péril extrême qu'avait couru le pays.

— Et qui est l'auteur de ce papier ? demanda Chalus, sur le bout de sa chaise.

— Vous le connaissez probablement tous pour l'avoir croisé dans nos rues, à Montréal ou à Québec, ou même au château, ici, à côté...

— Mais c'est du délire ! Vous voulez dire qu'il avait ses entrées chez le gouverneur ? s'insurgea Sanzelles.

— Messieurs, entendez-moi. Le major John Livingston, de la Nouvelle-York, car c'est de lui dont nous parlons, participa il y a deux ans à l'expédition anglaise qui s'empara de Port-Royal. Il fut envoyé à Québec par le général Nicholson afin d'informer monsieur de Vaudreuil de la prise. Il arriva ici en décembre 1710 et, en qualité d'émissaire officiel, il fut reçu partout fort courtoisement, y compris dans certaines communautés religieuses. Pendant un mois, il profita des bonnes choses de la vie, semble-t-il, participant à des bals, soupers et réceptions diverses. Moi-même, je l'ai croisé souvent ; une personne assez arrogante, ma foi. Sa vraie mission, pourtant, était de relever précisément l'état de nos forces et de nos défenses, ce qu'il réalisa assez facilement, sans doute.

« Il nous quitta le 10 janvier 1711 et retourna chez lui en passant par Trois-Rivières, Montréal et Chambly. Nous savons par des gens à nous que, dès le mois de mars, il s'embarqua pour l'Angleterre où il se hâta de transmettre le rapport que vous voyez ici à l'amiral Hovenden Walker qui préparait son expédition. Du beau travail, messieurs, si je puis dire. Et sous notre nez, encore ! Aujourd'hui, ce que je souhaite, avec monsieur de Vaudreuil, c'est que nous tirions leçon de ce laisser-aller, de cette négligence, et que des mesures strictes et multiples soient prises afin d'éviter une répétition de cette sordide affaire. Nous avons mis les prisonniers les plus turbulents et fanatiques sous surveillance, dans la maison du sieur de La Durantaye, mais c'est insuffisant. Nous sommes, de concert avec l'intendant et le Grand prévôt, à identifier les mesures qui devront être prises pour assurer le secret de nos installations défensives, en tout cas les plus récentes et celles à venir.

« Pour terminer, je dirai qu'il faudrait être d'une naïveté d'enfant pour prétendre qu'il n'y a pas d'agents bostonnais dans la colonie au moment où je parle. Ils veulent leur revanche et ils savent que nos ingénieurs se sont fortement activés depuis deux ans. Par conséquent, ils doivent être à pied d'œuvre pour actualiser leurs connaissances. Ils peuvent se trouver parmi les prisonniers, mais aussi parmi la pléthore de négociateurs que Dudley, le gouverneur de Boston, ne cesse d'envoyer chez nous depuis deux ou trois ans afin de rapatrier ses gens.

« Un mot, enfin, dans le cadre de ces mesures de sécurité, pour vous demander d'apporter dorénavant votre correspondance officielle avec Versailles chez le gouverneur afin qu'elle soit codée. Le ministre insiste pour que le courrier important, y compris les signatures, soit soumis au nouveau chiffre qu'il vient de nous expédier. »

La rencontre se poursuivit avec, à l'agenda, des questions strictement d'intendance militaire comme, par exemple, l'habillement des troupiers et autres fournitures, les exercices, les promotions, les pensions, les permissions de mariage ou d'apprentissage de métiers, les recrues et autres choses du même ordre.

À midi, la réunion terminée, tous se séparèrent. Dieulefit vit approcher Sanzelles qui lui dit : « Bastien, tu m'accompagnes chez le P'tit-père ? C'est moi qui invite. Certaines nouvelles me donnent soif et me creusent l'appétit. » Le sergent accepta bien volontiers : il n'avait avalé qu'une pomme, très tôt le matin, et celle-ci lui avait gratté l'estomac toute la matinée.

Dominique Aussion, que l'on avait affublé du surnom de *Petit-père* dès son entrée dans les troupes, pour une raison demeurée mystérieuse, tenait cabaret, depuis sa sortie des rangs, au coin de la place d'Armes et de la rue du Trésor. Avec la Jeanne, sa femme, il opérait ce cabaret fort fréquenté, particulièrement par les soldats, car le poste de garde du château n'était qu'à deux pas. Aussion et Jeanne Soulard, dans la trentaine, n'avaient pas d'enfants et cherchaient fortune du côté de la table. Avec des moustaches gasconnes dignes du gentilhomme compatriote Charles de Batz, il était d'une faconde chaleureuse et engageante.

La chambre basse, à gauche en entrant, accueillait le cabaret où six tables carrées se partageaient l'espace. Deux d'entre elles, seulement, étaient disponibles, dont l'une était appuyée au mur de la cuisine. Les deux militaires, apostrophés dès leur entrée par un sonore « Ho ! Les gars du Poitou ! », accrochèrent leur tricorne à un portemanteau mural et prirent place. Le P'tit-père, qui n'avait rien de menu d'ailleurs et dont les longs cheveux alezan, attachés à la nuque, attiraient l'attention, se planta devant eux et leur demanda d'entrée : « Messieurs, boire, manger ou les deux ? »

— Vains dieux, patron ! À l'heure qu'il est, qu'en penses-tu ? s'impatienta le lieutenant.

— Alors, fricassée, omelette au lard ou, sinon, une poêlée d'anguille sautée au beurre. C'est le fils Boissel qui vient de m'en monter.

Les deux dîneurs optèrent pour la fricassée de la Jeanne, une valeur sûre.

— Mais, Ptit-père, insista Sanzelles, dépêche avec le bordeaux, et du bon ! Ça va m'aider à avaler certaines choses que j'ai de travers dans la gorge !

Dieulefit regardait l'officier qui, effectivement, rongeait son frein. Plus encore : il en était pâle de rage. Il n'avait pas décoléré depuis l'annonce de la promotion du chevalier de Chalus.

— Vains dieux de vains dieux ! Bastien, c'est un comble ! En dépit des recommandations de Charles-Henri, rien ne débloque. À 42 ans, mon tour est plus qu'arrivé sans compter que j'ai fait mes preuves, dans les postes d'en haut, lors de raids chez les Anglais et ici même à Québec. Chalus, à 27 ans, n'a rien cassé, à ce que je sache, bon sang ! Notre d'Aloigny en avait 26 lorsque le roi lui donna sa compagnie ; mieux encore, Noré-Dumesnil a eu la sienne alors qu'il avait à peine 25 ans ! Tu vois bien que j'ai raison !

— Tu sais, répondit Dieulefit, ce sont souvent les circonstances qui dictent ces choix. D'Aloigny et Dumesny sont arrivés ici à une époque où l'avancement était rapide, les troupes venaient de prendre pied au pays et les opportunités étaient nombreuses. Et puis plusieurs capitaines sont décédés au cours des premières années. Présentement, les compagnies sont dégarnies, les postes supérieurs se font rares. Quant à Chalus, cependant, je partage ton idée : il est bien chanceux de s'appeler Raudot !

— Et moi, j'en suis maintenant certain, ma déveine, c'est ma famille. Après que le roi eût fait des Protestants des hors-la-loi, il y a plus de vingt-cinq ans, le baron, mon père, a abjuré : il ne pouvait se résoudre à perdre ses terres, ses titres. J'avais alors dix-sept ans et je me préparais à rejoindre le régiment du Bourbonnais comme cadet. J'ai, bien sûr, suivi l'exemple de mon père afin de ne pas sacrifier ma carrière. J'ai même abandonné mon prénom de Jacob pour adopter celui de Jacques. À ce moment, tu le sais, ma mère, incapable de trahir sa foi, nous a quittés en emmenant mon frère Gédéon. C'était en 1687 et il était alors âgé de douze ans. Ils ont gagné la Hollande, l'Allemagne puis l'Angleterre. Et à Paris comme à Versailles, en dépit de nos conversions, et à cause certainement de la décision de ma mère, une énorme tache noire apparaît sûrement dans le dossier de notre famille.

— Je me rappelle très bien le jour où tes parents sont venus au château de la Groye pour les adieux de ta mère et de Gédéon. J'avais bien neuf ans, alors, et je ne parvenais pas à réaliser, encore moins à comprendre, que je ne reverrais jamais ton frère. Il était bien un peu plus âgé, de trois ans, je crois, mais il suivait avec moi, et d'autres enfants du coin, les leçons de français, d'arithmétique, d'histoire et même de sciences que le chanoine Chasteigner donnait. Je crois ne t'avoir jamais demandé si tu les avais revus?

— Peu de temps avant que toi et moi venions rejoindre ici Charles-Henri, au printemps de 1693, mon père avait réussi à organiser une brève rencontre d'une nuit à la frontière française, près de Tournai, sur l'Escaut. Ma mère et mon frère habitaient encore la Hollande. Je me rappelle. Cette nuit, je crois, avait été plus déchirante que la journée de leur fuite. Gédéon ne m'avait à peu près pas adressé la parole. Il m'était apparu très irrité contre moi et mon père. Depuis, ce dernier n'a reçu qu'une seule lettre de ma mère, c'était, je crois, à la fin de la dernière guerre[96]. Elle annonçait la mort de Gédéon : un bête accident de cheval.

— En ce qui concerne ta promotion, tu vas en glisser un mot au marquis et au gouverneur?

— Que crois-tu? Il y a longtemps qu'ils connaissent ma situation et mes justes ambitions. D'ailleurs, j'ai appris de bonne source qu'ils sont intervenus en ma faveur auprès du

---

96    Rappelons que la guerre de la Ligue d'Augsbourg prit fin en 1697 avec la signature du traité de Ryswick.

ministre Pontchartrain. Non, je n'ai plus vraiment d'espoir, depuis surtout que j'ai compris la raison profonde et véritable de l'impasse. Il me reste une seule chose à décider : vais-je quitter les troupes, m'installer ici et commercer, comme d'autres l'ont fait avec succès, ou rentrer en France et retrouver mon père et ma terre ? Celui-ci a maintenant plus de soixante-dix ans et sa santé décline rapidement.

Jacques de Sanzelles, tout en faisant cul sec de son verre de vin, fouilla dans la poche intérieure de sa veste et en sortit un pli de papier parchemin ; sur la face intérieure, une écriture menue et ramassée, d'évidence celle d'une personne âgée. L'officier prit la lettre et la parcourut rapidement des yeux.

— Tu vois, le baron m'a écrit ; je viens de recevoir ce pli. Je lui avais demandé, il y a deux ans, s'il pouvait encore compter sur certaines amitiés à la cour prêtes à intervenir en ma faveur. Sa réponse : « Je n'y connais plus personne ou plutôt, plus personne ne m'y connaît. Seule, je crois, la mort du roi, qui ne saurait tarder, parviendra à nous sortir de l'enfer où la haine nous a plongés. Toutefois, les esprits ont beaucoup évolué ici et la guerre n'y est pas étrangère. L'ostracisme dont nous sommes victimes ne saurait durer encore longtemps. Mon seul regret : je crains de ne pas assister à notre libération. »

Sanzelles replia la lettre et la déposa sur la table. Absorbé par ce qu'il venait de lire, son regard balaya lentement l'intérieur du cabaret. De toute évidence, il ne remarqua pas la surabondance d'objets hétéroclites que Dominique Aussion avait accrochés aux murs de la pièce blanchie. Des souvenirs rappelant ses années sous l'uniforme, aux quatre coins du pays. Son fusil, bien sûr, avec la poire à poudre, la gibecière, l'épée et le ceinturon, une paire de raquettes, mais aussi deux panaches à plumes rapportés des contrées sauvages, l'un du pays des Illinois, l'autre du détroit du lac Érié, une hache de guerre troquée aux Abénaquis de Saint-François, un casse-tête, présent des Hurons de Lorette, une superbe peau de caribou obtenue des Attikamègues, et ainsi de suite. La panoplie de

l'aventurier des grands espaces qui, cela se sentait, tirait beaucoup de fierté de ces années passées à tutoyer la vie et la mort.

Le lieutenant se leva et, enfin, remarqua la pièce de résistance de la collection : une peau d'orignal, tannée, sur le cuir
de laquelle un jésuite anonyme avait magnifiquement dessiné,
en couleur, la carte géographique des villages indiens autour
du fort de Michillimakinac, c'est-à-dire la contrée où se
rejoignent les lacs Supérieur, Michigan et Huron. Sanzelles
connaissait ce bijou rare ; pour la première fois, cependant, il
semblait s'y intéresser.

Dieulefit, pendant ce temps, repoussa son assiette et, bien
calé, vida d'un trait son dernier verre de vin. Puis ses yeux se
posèrent sur la lettre laissée sur la table. Distraitement, il la fit
glisser vers lui et laissa ses doigts caresser le papier. Il sentit
sous son index le cachet de cire rouge, brisé, et le regarda de
plus près. Il en juxtaposa les deux parties, considéra l'ensemble
et, tout-à-coup, il resta hébété de stupeur. Il ne s'était jamais
passé autant de choses dans sa tête en un si bref instant. La
mécanique de son cerveau en grinçait d'emportement. Ses
yeux, figés, étaient privés d'expression, tant ses méninges
torturées accaparaient ses énergies vitales. Tandis qu'il reprenait un peu ses esprits, ses lèvres bougèrent, cherchèrent à
dire quelque chose et accouchèrent, enfin, d'un prévisible
« Jarnicoton ! ».

Sur fond d'écu, un large chevron à deux bandes parallèles
à l'intérieur duquel s'insérait un oiseau aux ailes à moitié
rognées. Un oiseau privé de ses ailes ! Sans ailes...

— Terminé, sergent ? On y va ?

Le lieutenant, sans doute perdu dans ses pensées, n'avait
pas remarqué le profond trouble de Sébastien. Il ramassa le
pli, le glissa dans sa poche et alla régler le P'tit père. Le sergent
l'attendait sur la place, le visage pointé vers le soleil, les yeux
mi-clos, l'air jouissif, en apparence.

— Tu rentres chez le marquis ? demanda l'aîné.

— Non, je dois passer au palais. J'ai quelques papiers à
remettre à l'intendant et je dois aussi visiter la geôle. Nous

avons un fier-à-bras, là-bas, d'ailleurs nommé Frappedabord, de la compagnie d'Amariton, qui, sans doute désireux de se montrer à la hauteur de sa réputation, s'est attaqué à sa cellule. Bien, crois-le ou pas, cette espèce de grand singe a réussi à arracher les barreaux de son cachot. Il est en sang mais bien content de lui, à ce qu'il paraît.

— Moi, dit le lieutenant, je dois faire la tournée d'inspection des redoutes. J'ai rendez-vous avec l'ingénieur Beaucours[97] à Saint-Roch. Nous commençons par là. Je ferai donc route avec toi.

Après avoir descendu la rue du Trésor, ils tournèrent à gauche sur de Buade puis enfilèrent devant la cathédrale.

— As-tu enfin emménagé chez le sieur Duplessis? s'enquit Dieulefit. C'était pour bientôt, non?

— Voilà! C'est fait depuis la semaine dernière. Ce n'était plus possible chez monsieur de Lotbinière[98], rue Saint-Louis. Lui et sa jeune femme, la demoiselle des Méloises, viennent d'avoir un enfant et la maison n'était plus assez grande, considérant surtout que le couple héberge, outre les serviteurs, les trois frères et sœurs de la dame. Ils avaient besoin de ma chambre, c'était évident.

«Regnard-Duplessis, en fait, est propriétaire de deux maisons contiguës sur le même emplacement. Regarde. Il habite la plus importante, en pierre, au coin de la rue Sainte-Famille, celle qui est plus en retrait de la rue de l'Hôtel-Dieu; il m'a loué la voisine, en bois avec mansarde. Elle est parfaite pour moi, même dans l'éventualité où je déciderais de rendre mon épée et de me lancer dans le négoce. Et ce n'est pas tout. On m'a présenté un gentille vieille dame des Trois-Rivières, la veuve Deshayes, qui habite à l'étage et me sert de cuisinière et de femme de ménage. Tu as deux minutes sûrement: viens que je te fasse visiter les lieux.»

— Volontiers, mais dites d'abord, lieutenant, entre nous, un vieil oncle s'est souvenu de vous?

— Un vieux père, plutôt, sergent. En avancement d'hoirie.

---

97  Josué Dubois Berthelot, sieur de Beaucours, ingénieur en chef du Canada (env. 1662-1750).
98  Eustache Chartier de Lotbinière (1688-1749), époux de Marie-Françoise Renaud d'Avesnes des Méloises (1693-1723).

En dépit du statut d'officier de l'un et de celui de sous-officier de l'autre, de la noblesse du premier et de la roture du second, les deux hommes, sans prétendre à des liens d'amitié étroits, se côtoyaient depuis suffisamment longtemps et, surtout, se référaient à tellement d'expériences et de connaissances communes, dans leur contrée d'origine comme ici, dans la colonie, qu'ils en étaient arrivés à une complicité quasi fraternelle. Lorsqu'ils étaient seuls, le vouvoiement et le tutoiement pimentaient leurs conversations de façon tout à fait anarchique. Avec Dieulefit, Sanzelles acceptait de fendre l'armure un peu. Il faut avouer que l'héritage calviniste de l'officier, surtout tel que transmis par ses parents, avait contribué, dans une certaine mesure, à adoucir les rapports sociaux interclasses. D'ailleurs, l'une des revendications des Huguenots de France n'était-elle pas, justement, de pouvoir à leur aise « tutoyer l'Éternel » ?

— Les quelques meubles dont je disposais chez monsieur de Lotbinière se trouvent bien perdus dans cet espace au moins deux fois plus vaste. Mais d'ici peu, je compte bien rendre ces pièces plus confortables. D'abord un bon lit garni puis une table ronde et des chaises à bras pour enfin convier mes amis à manger ou à jouer un trictrac ou une partie de pharaon.

Au rez-de-chaussée, la maison ne se distinguait guère des autres demeures de la haute-ville : sur la rue, une vaste pièce servant de salon et de salle à manger avec un coin lecture près d'une fenêtre et quelques rayons de livres accrochés au mur. Près du sol, reposant sur un support feutré, une viole de gambe italienne, sur laquelle le chevalier jouait autant les ritournelles et rondes poitevines que des fugues ou madrigaux. Les Sanzelles étaient peut-être des parpaillots de la campagne mais, à l'instar des calvinistes, ils vénéraient les livres et la musique, qui faisaient partie intégrante de leur vie quotidienne.

À l'arrière, la cuisine et la chambre ouvraient sur une cour clôturée, bornée par la rue Saint-Joseph.

Sanzelles et Dieulefit sortaient de la chambre, où une bible noire, bien en évidence sur une table de chevet, attirait effrontément les regards, lorsqu'une voix calme et posée, douce également, demanda : « Est-ce que monsieur le chevalier et son invité aimeraient que je leur serve un alcool de poire de leur pays ? »

— Ah! Madame Deshayes. Oui, ce serait bien agréable, n'est-ce pas Sébastien? Mais permets que je te présente madame Henriette Deshayes, des Trois-Rivières, récemment débarquée chez nous et qui accepte de tenir maison pour moi. N'est-ce pas formidable?

Une véritable perle que cette ménagère. La jeune soixantaine, mince et assez grande, bien mise et impeccablement propre, portant coiffe empesée et lunettes. Un beau visage ovale et des cheveux gris parfaitement tirés et partagés faisaient oublier un regard un peu froid et fermé, tel celui d'un majordome probablement.

Assis à une table carrée, à proximité d'une des deux croisées de la pièce de séjour, les deux soldats sirotaient paisiblement leur liqueur digestive tout en observant au travers des rideaux blancs le paisible achalandage de la rue de l'Hôtel-Dieu, entre l'église et les Jésuites. Ici, pas de cris, de tumulte, ni d'échanges incivils ou grossiers, comme cela semblait la règle au bas des côtes. La ville haute, pourrait-on dire, bien qu'hébergeant elle aussi plusieurs artisans et ouvriers, imposait d'office à tous ses résidants un comportement placé sous le signe de la retenue et des bonnes manières. Cela était indispensable, ne serait-ce qu'en raison de la présence dans ce secteur des écoliers du séminaire et des élèves des Jésuites. Tout scandale était proscrit au sein de ce quartier à vocation religieuse, éducative et administrative.

Bastien baissa les yeux vers les mains du chevalier. Celui-ci faisait distraitement pivoter sa chevalière armoriée autour de son doigt tout en parlant d'une éventuelle carrière de marchand si le métier des armes continuait de se montrer rebelle.

— Mon cher Jacques, je regarde votre superbe chevalière ornée des armoiries des Sanzelles et cela me rappelle un événement bizarre.

Et Bastien de narrer l'épisode du coffre en bois trouvé dans la chambre du capitaine à bord de *La Bonne Aventure*, sans préciser que l'objet était quasi dissimulé sous le lit du patron.

L'hôte se leva, pointa un index en direction du sergent, et gagna sa chambre d'où il revint dans la seconde porteur du coffre bombé recouvert de cuir. «Celui-ci, sans doute.»

— Oui, absolument. Et regarde les armoiries à peu près effacées dont je parlais. Pourquoi cette tentative d'oblitération selon toi?

— Aucune idée, mon cher. Je n'avais même pas remarqué. Il faudrait questionner mon père qui m'a fait parvenir la valise remplie d'effets personnels et de souvenirs. Tu sais, depuis vingt-cinq ans, il vit dans la crainte et la dissimulation, terré dans son coin de pays, redoutant qu'on lui demande des comptes et qu'on ressuscite des fantômes. Tout ce que je sais, c'est que dernièrement, un matelot de *La Bonne Aventure* est venu ici me la porter.

Quelques minutes plus tard, Sanzelles et Dieulefit quittaient la maison et gagnaient la basse ville.

🌿

Il devait être cinq heures, environ, lorsque Bastien se présenta rue de l'Hôtel-Dieu, à la résidence du lieutenant général de la Prévôté, Paul Dupuy. Anne, la servante, emprunta le long corridor central qui faisait face à l'entrée et le guida vers une pièce à l'arrière, d'où l'on avait vue sur un potager et un jardin de fleurs.

À son entrée, trois personnes se levèrent pour l'accueillir. Le vieux fonctionnaire en perruque, à son bureau de noyer tendre, et, en face, deux gaillards assez dissemblables d'apparence. Bastien connaissait très bien les deux fils Dupuy. L'aîné, 35 ans, plutôt longiligne, s'appelait Simon et il portait l'uniforme d'enseigne[99] des troupes depuis plusieurs années. L'avancement était lent pour les fils du pays, mais monsieur de Vaudreuil, lui, les appréciait beaucoup. De fait, il était l'un des courriers préférés du gouverneur en direction de la Nouvelle-Angleterre.

Jean-Paul, le cadet, avait vite abandonné l'idée d'une carrière militaire, sans doute plus impatient que son frère. À 23 ans, son père tentait d'obtenir pour lui la survivance éventuelle de sa charge

---

99    Officier qui assiste le lieutenant. Un sous-lieutenant, en quelque sorte, qui, anciennement, portait le drapeau.

à la Prévôté, offre que Simon avait déclinée quelques années plus tôt pour se consacrer au service sous les drapeaux. Dans l'intervalle, il désirait tâter du commerce.

— Alors, Sébastien! Bon voyage avec tes recrues? Les Montréalaises sont toujours aussi peu farouches et jolies? s'exclama le vieux seigneur.

— Oh, monsieur Dupuy, quel libertinage! À votre âge et devant vos fils!

— Mon garçon, on m'a enseigné que les femmes étaient, elles aussi, des créatures de Dieu. Et celui-ci les apprécie tellement qu'il m'en a pris trois et les a mises dans ses couvents. Aujourd'hui, deux survivent, ici, à côté; il les protège mais, en même temps, il les garde pour lui. C'est ainsi qu'il ne me reste que ces gredins.

Dupuy avait prononcé ces mots dans une envolée rieuse; néanmoins, du coup, ses yeux s'étaient embués. L'âge, les déconvenues et les deuils surtout avaient transformé une force de la nature en un être remué profondément par les chagrins, les désillusions et les doutes.

Jean-Paul vint rapidement à la rescousse: «Tu connais la nouvelle, Bastien? Simon et moi nous nous lançons en affaires, rien de moins! Nous sommes propriétaires d'une barque, la *Marie*, de trente tonneaux, et le printemps prochain, elle voguera vers Plaisance. Nous avons un capitaine en vue et nous serons prêts. Elle est présentement en carénage au Cul-de-Sac.»

— Je dois me faire vieux, ricana l'aîné. Moi, me laisser entraîner dans une galère! Enfin! Il m'assure que nous serons riches... Des fois, je crois qu'il est non seulement plus large d'épaules mais également plus futé que moi!

— Bah! rétorqua le cadet, j'ai la carrure Dupuy mais l'esprit Couillard. Toi, tu es idéaliste comme...

— Ça va, mes enfants, interrompit le père. Je n'apprécie pas beaucoup que l'on me dépèce de la sorte devant l'étranger poitevin. D'ailleurs, j'ai plus intéressant à dire à ce sergent débauché[100].

---

100  Dans le sens de détourné de son travail, de ses engagements.

« Mes fils et moi partons demain pour Montréal à bord de la barque de Guyon[101]. Simon retourne à son détachement et, avec Jean-Paul et moi, à Montréal, il assistera, dans quelques jours, au prononcé des vœux d'Adélaïde, chez les Hospitalières de Saint-Joseph. Tu connais cette jeune fille extraordinaire, n'est-ce-pas Sébastien ? Nous t'avons raconté sa tragique histoire. »

Adélaïde, de son vrai nom Mary Silver, avait quatorze ans lorsque son village de Haverhill, sur la rivière Merrimac, à environ 12 lieues au nord de Boston, fut attaqué par un parti de Français et d'Abénaquis commandés par Hertel de Rouville et Deschaillons de Saint-Ours. C'était en 1708. De nombreux prisonniers furent, comme à l'accoutumée, ramenés au Canada. Et la jeune Mary, incapable de suivre le rythme de marche des ravisseurs, aurait succombé n'eût été la compassion de Jean-Paul Dupuy, alors âgé de 19 ans, qui la porta sur ses épaules jusqu'à Montréal. On raconte qu'à leur arrivée, la population de la ville lui fit une ovation. Mary fut confiée aux sœurs de la Congrégation de Notre-Dame et baptisée deux ans plus tard, avec monsieur de Vaudreuil pour parrain. Toutefois, c'est chez les Hospitalières qu'elle choisit finalement d'entrer en communauté[102].

— Bien sûr que je connais, dit Dieulefit, et c'est curieux comme l'histoire bégaie. Songez qu'une nommée Esther Wheelwright, capturée en 1703 à l'âge de sept ans non loin de là, à Wells, sur le bord de la mer, fut amenée captive chez les Abénaquis de Saint-François puis à Québec cinq ans plus tard, grâce à l'intervention de monsieur de Vaudreuil. Elle fut baptisée, elle aussi, étudia chez les Ursulines et devint postulante chez ces religieuses il y a moins d'un mois. Elle se prépare actuellement à prendre le voile. Incroyable, pas vrai ?

— Mais, sergent, vous êtes un mécréant ! Que vous a donc appris votre chanoine, à Ingrandes ? Il faut mourir à quelque chose pour vivre : c'est ce que font ces deux enfants. C'est d'ailleurs

---

101   Jacques Guyon dit Dufresnay, marchand bourgeois et navigateur.
102   Les deux frères Dupuy participèrent à ce raid. Adélaïde mourut à Montréal en 1740.

l'essentiel du mystère chrétien et de notre credo. Vous êtes bien d'accord?

Bastien jugea inutile de préciser sa pensée. Les vieux catholiques contre-réformistes, sans être véritablement des jansénistes, partageaient avec ces derniers une rigueur morale et religieuse extrême. Tout cela était dans l'esprit d'un siècle qui se mourait. Il préféra donc aborder un autre sujet, celui pour lequel il était venu rendre visite à Paul Dupuy.

— Monsieur le lieutenant général, vous vous doutez, je crois bien, de la raison immédiate de ma présence chez vous.

— Le marquis, en effet, m'a informé des suites de votre enquête, qui a commencé, je m'en souviens bien, sur mes terres de l'île aux Oies: passagers débarqués, visite à bord de *La Bonne Aventure*, comportement *a priori* coupable du capitaine Morineau, enfin, votre mésaventure nocturne à la Canoterie.

— Tous ces épisodes, ainsi qu'une quantité d'informations supplémentaires, provenant essentiellement de filatures, montrent à l'évidence que nous sommes confrontés à un complot visant à faire entrer illégalement au pays des Protestants. Une telle organisation, à ce qu'il paraît, serait de mèche, pour le moment du moins, avec les prisonniers anglais gardés dans la maison du sieur de La Durantaye. Enfin, Morineau, avec son navire, serait le maître d'œuvre de la machination, ou à tout le moins son agent de communication.

— Je vous entends bien, sergent, mais, pour le moment, à ce que je sache, vous n'êtes pas en mesure de prouver son implication dans l'affaire, exact? Des témoins peuvent parler? Vous avez découvert à bord du vaisseau des indices probants, sinon des preuves?

— Morineau est Huguenot, sans doute aussi une bonne part de son équipage. Rien de plus. Si ce n'est que des témoins ont assisté sur le fleuve à la scène de la fuite en chaloupe grâce au sabord de poupe.

— Si le passager était véritablement clandestin, pourtant, cela mettrait le capitaine hors de cause. Même chose pour l'épisode du médecin de l'île aux Oies. Écoutez. Il y a plusieurs jours, vous étiez à Montréal à ce moment, je me suis entretenu officieusement de l'affaire avec le capitaine. Il assure que si évasion de son bord il y a eue, elle s'est faite à son insu, que son équipage est complet et qu'il ne sait qui a pu assister le fuyard dans son délit.

— N'y a-t-il, cependant, rien que nous puissions faire ? Morineau va lever l'ancre dans quelques jours, vous le réalisez ?

— Des preuves, Sébastien, des témoins ! La justice du roi est formelle.

# IX

## DÉSAMOUR ROYAL

*Mardi, 25 octobre 1712*

Qui, le premier, avait aperçu la *chose*? Difficile à dire, et, par la suite, plusieurs revendiqueraient la «distinction». Un cri s'était fait entendre du côté de Notre-Dame-des-Victoires et, dans les secondes qui avaient suivi, un attroupement s'était formé. Une clameur avait été entendue, presque au même moment, devant la cathédrale, là où trois personnes avaient vu la *chose* simultanément. Des émois similaires s'étaient produits à la même heure devant le château, comme aussi près du palais, au bas de la ville.

À ces endroits, les citadins s'étaient approchés, avaient regardé attentivement, puis, incrédules, déconcertés, ils avaient fait marche arrière pour se regrouper et partager leur incompréhension. Personne, cependant, n'avait osé toucher la *chose*. Au château, on avait attendu l'arrivée du capitaine des gardes du gouverneur, au palais, celle de l'intendant lui-même. À la place Royale, le marchand Jean-François Hazeur, membre du Conseil supérieur, était accouru et avait rétabli le calme tandis que le curé Thiboult[103], avait fait de même sur la place de la cathédrale.

Le curé, dans la jeune trentaine, était un colosse normand arrivé de France depuis à peine deux ans. Avec son visage bon enfant et une allure juvénile, les habitants avaient sourcillé lorsqu'il avait été placé à la tête de la paroisse. Mais, grâce à une main de fer gantée de velours, il avait vite fait l'unanimité et son autorité s'était imposée. Ainsi donc, Thomas Thiboult s'était approché du mur de façade de l'église et, entouré d'une dizaine de personnes, il avait entrepris de lire à voix basse le texte d'une affiche écrit à l'encre bien noire et de bonne qualité, les lettres bien détachées et calligraphiées.

*Notre père qui êtes à Versailles,*
*Votre nom n'est plus glorifié,*
*Votre royaume n'est plus si grand,*
*Votre volonté n'est plus faite*
*Ni sur la terre ni sur l'onde.*
*Donnez-nous notre pain*
*Qui nous manque de tous côtés ;*
*Pardonnez à nos ennemis*
*Qui nous ont battus*
*Et non à vos généraux*
*Qui les ont laissé faire.*
*Ne succombez pas à toutes les tentations de la Maintenon[104],*
*Mais délivrez-nous de Chamillart[105].*
*Amen.*[106]

À la lecture de ce pamphlet vitrioleur, le curé demeura d'abord pantois. Puis, pivotant vivement, il regarda autour de

---

103  Thomas Thiboult, prêtre (env.1681-1724).

104  Françoise d'Aubigné, marquise de Maintenon (1635-1719), épouse morganatique de Louis XIV depuis 1684.

105  Michel de Chamillart (1652-1721). Protégé de madame de Maintenon, contrôleur des Finances et ministre de la Guerre sous Louis XIV.

106  Fameuse parodie connue sous le nom de *Pater de Louis XIV* et qui courait les salons de Paris depuis 1709.

lui et sur la place, comme si l'auteur de l'infâme brûlot devait se trouver parmi les gens maintenant rassemblés.

— Quelqu'un parmi vous a vu quelque chose, sait quelque chose à propos de ce placard?

Des murmures s'élevèrent de la foule mais personne ne se manifesta. Thiboult reporta donc son attention sur l'affiche dont le papier, particulièrement épais et d'un blanc crème, se décolla assez facilement. Il la plia en deux et, résolu, dit simplement : « Chez le gouverneur! Il doit voir ça sur l'heure! » À grandes enjambées, accompagné du bedeau Brassard qui venait d'arriver sur les lieux, il s'élança dans la rue de Buade.

L'émotion était déjà vive aux grilles du château. Le capitaine des gardes, François d'Esgly, sa propre affiche en main, demeura figé sur place lorsqu'il vit le curé gravir le coteau depuis la rue du Fort et venir vers lui. Il hésitait à comprendre, puis comprit. Après avoir échangé un minimum de mots, les deux hommes entrèrent au château. C'est le secrétaire particulier du gouverneur, François Dumontier, qui les introduisit à monsieur de Vaudreuil. Dans sa vaste chambre à coucher, assis dans une chaise en bois haute sur pattes et placée contre une fenêtre, l'homme de soixante-dix ans, environ, sans perruque, buvait d'une main un café au lait pendant que, de l'autre, il tenait contre son cou un bassinet à barbe en faïence. Son valet de chambre était à le raser. Il leva les yeux vers les visiteurs mais ne dit mot.

— Monseigneur, dit Dumontier, ces messieurs jugent nécessaire de vous montrer certaines choses sans plus attendre.

Le secrétaire se retira sur le côté de la scène mais demeura sur place. Le curé et le capitaine s'avancèrent, silencieux, en tenant ostensiblement par-devers eux les écrits diffamants. Pendant qu'il en prenait connaissance, la joue droite et la commissure des lèvres du vieil homme étaient attaqués de spasmes nerveux incontrôlables qui, seuls, témoignaient de son agitation intérieure.

— Mais c'est criminel! Comment est-ce possible? Qui a osé...? Vaudreuil avait à peine prononcé ces mots que trois autres personnages envahirent la chambre : monsieur Bégon, venu dans sa calèche à deux roues, empourpré de colère, le conseiller Hazeur, dont la pâleur extrême semblait causée à la fois par le message dont il était porteur et par l'effort qu'il avait déployé pour monter à la course l'impitoyable côte de la Montagne, et, finalement, le marquis d'Aloigny, qui avait rendez-vous avec le gouverneur et qui, en quittant son domicile, avait croisé la voiture de l'intendant.

Décrire le visage et la contenance de Rigaud de Vaudreuil au moment où on lui présenta les deux copies supplémentaires du placard maudit n'est pas chose facile. L'âme humaine, lorsqu'elle est soumise à des émotions extrêmes, livre souvent son enveloppe charnelle à des expressions tout à fait grotesques. Les yeux exorbités exprimaient à la fois la terreur et la rage. La bouche, entrouverte et muette, marquait définitivement l'effondrement et l'absence de raison. Quant aux mains, rivées fortement aux bras de la chaise, et dont les veines gonflées palpitaient sous la peau parcheminée, elles rendaient compte moins de la vigueur de la personne que de sa quasi-défaillance.

— Messieurs, expliquez-moi! Que se passe-t-il? trouva-t-il enfin la présence d'esprit de dire.

Les quatre témoins et porteurs racontèrent donc leur histoire à tour de rôle, essentiellement la même. Aucun témoin, aucun bruit suspect pendant la nuit, aucune trace de prime abord. Le curé Thiboult révéla, néanmoins, avoir entendu parler de ce *Pater* lorsqu'il était à Paris, deux ans passés, mais sans l'avoir lu. L'intendant appuya l'information : il était à Paris et à Versailles, au début de l'été, et ce pamphlet, ainsi que d'autres, mettait alors la police sur les dents. Il avait lui-même arraché une copie de ce *Pater,* un matin, sur le pont au Change.

D'Aloigny n'avait pas soufflé mot. Mais il avait quand même bien réfléchi. Il demanda à voir l'une de ces affiches puis, l'approchant d'une fenêtre, l'examina attentivement.

— Messieurs, je noircis beaucoup de papier, comme vous tous. Je suis un client assidu des notaires et les écrivasseries de justice ne me sont pas inconnues, non plus. Or, je ne me souviens pas avoir vu, ici au pays, ce type de papier, à la fois épais, assez rigide, très opaque et, surtout, d'un blanc aussi éclatant. Même chose, je dirais, pour l'encre si noire et consistante semble-t-il. Je doute qu'il s'en trouve dans la colonie.

— Vous voudriez dire… intervint Bégon.

— Oui, monsieur l'intendant. On peut penser que ces libelles proviennent de France ou d'un pays ennemi et qu'ils ont été transportées ici, probablement enroulées comme des plans. On pourra vérifier auprès de connaisseurs, messieurs les ingénieurs, par exemple. Mais je suis assez certain de ce que j'avance.

— Alors, marquis, dit le gouverneur, piqué au vif, vous êtes en train de dire, si je poursuis votre raisonnement, que ces torchons sont venus à bord des vaisseaux de l'année, et plus probablement ceux qui se trouvent encore dans notre rade?

— C'est ce que je crois, en effet, monseigneur.

Il fut convenu entre toutes les personnes présentes que l'on n'ébruiterait pas davantage l'affaire pour le moment, surtout en un jour officiel de deuil et de *Requiem*. Il ne convenait pas de détourner l'attention et la piété des fidèles plus qu'elles ne le seraient déjà. La maréchaussée serait tout de même mise en alerte avec mission d'ouvrir l'œil et de multiplier les rondes. Dès demain ou après-demain, cependant, une réunion aurait lieu au palais, en présence des conseillers, afin d'élaborer une stratégie visant à cerner les traîtres et leurs complices.

Tous quittèrent alors le château, sauf d'Aloigny. Il prétexta un renseignement à demander au secrétaire Dumontier pour demeurer en tête-à-tête avec Vaudreuil. Le commandant, dans les circonstances actuelles, tenait à informer le gouverneur des événements qui s'étaient produits depuis le jour même de l'arrivée en face de Québec des deux navires français. Il croyait, maintenant, que tous ces soubresauts pouvaient être reliés. Il lui révéla, en outre, que son secrétaire, Dieulefit, impliqué dès le départ dans l'énigme, poursuivait son enquête. Vaudreuil, à l'écoute de ce récit, demeura songeur puis il donna son aval à l'investigation du sergent.

Vers trois heures, ce jour-là, deux jours après les mémorables réjouissances du *Te Deum*, la même foule se massait sur la même place pour prier d'une même voix. En toute tristesse, afin de partager le deuil du roi-aïeul. Si l'aspect dynastique du drame pouvait échapper à certains, en revanche tous saisissaient ce que représentait pour le vieux monarque la perte de tant de membres de sa famille en si peu d'années : des fils, des filles, des petits-fils, des petites-filles, des dauphins et des dauphines et combien d'autres.

Quant aux mots, aux phrases et aux idées couchés sur l'épais papier des affiches du jour, ceux qui en avaient pris connaissance étaient à cent lieues de les comprendre. Bien sûr, le pain quotidien manquait parfois ici, également, bien sûr les prix des denrées et produits divers s'envolaient, bien sûr le roi avait perdu des batailles, des villes, des provinces ; on disait aussi que certains des serviteurs royaux n'étaient pas à la hauteur de la situation alarmante, ici même au pays, d'ailleurs. Mais rendre le bon roi responsable de tous ces malheurs, c'était commettre un sacrilège, rien de moins. Jamais ils n'auraient accepté que l'on interpelle ainsi le roi :

*Vos peuples, passionnés pour vous, meurent de faim. La culture des terres est presque abandonnée, les villes et les campagnes se dépeuplent. Tout commerce est anéanti. Vous avez détruit la moitié de votre État pour défendre de vaines conquêtes au dehors. Le peuple, qui vous a tant aimé, commence à perdre l'amitié, la confiance et même le respect. Il est plein d'aigreur et de désespoir. La sédition s'allume de toutes parts. Vous vivez comme ayant un bandeau sur les yeux.*[107]

Et la nuit venue, aux côtés de Fanchon qui s'était endormie les doigts d'une main noués à l'une des longues frisures de sa tignasse, Bastien jonglait à tout cela. Bientôt vingt ans qu'il était débarqué. Il n'avait alors que quinze ans mais il se rappelait à quel point, déjà, les naturels de ce pays lui étaient apparus si peu Français à bien des égards. Sans doute immergés dans ce nouveau monde qui était le leur et, en même temps, ignorants de celui que parents, ou grands-parents, avaient quitté, de nombreuses

---

107  Ces mots sont généralement attribués à François de Fénelon (1651-1715).

références étaient d'elles-mêmes tombées, faute de contact et de connaissance directe. Le roi, la cour, les impôts, la guerre même et les clivages sociaux, toutes des réalités qu'ils ne percevaient pas du tout de la même façon que leurs cousins français parce que vécues très différemment. Libres, candides, indépendants et insouciants, orgueilleux mais joyeux, courageux mais vaniteux, pauvres mais civilisés, voilà des traits qui, pour plusieurs, appartenaient au pays et à son isolement, à sa sauvagerie également.

Dieulefit pouvait en témoigner : les Canadiens aimaient leur roi et sa gloire et ne rechignaient jamais à prendre les armes pour sa cause. Ce monarque était de droit divin, les prêtres le leur avait bien fait comprendre, et il aurait été aussi impensable en ce pays de critiquer, voire de juger, le roi Louis que le Christ lui-même. La mère patrie et sa colonie, décidément, évoluaient dans des directions opposées. Et le sergent de se demander : « Et moi ? Quelle est ma route, quel destin suivrai-je, qui sont les miens ? »

❦

*Jeudi, 27 octobre 1712*

La place de la basse ville, si elle ne brillait pas par des *Te Deum* vibrants ou par de pompeux *Requiem*, n'en était pas moins le lieu par excellence des rassemblements populaires de la ville. À elles seules, en saison, les activités maritimes engendraient un tohu-bohu bien supérieur même à celui des jours de marché. Toute la panoplie des voitures, tombereaux et charrettes, à bras ou attelés, circulaient en tous sens à travers la place. Artisans, marchands ou livreurs réclamaient à hauts cris la priorité de passage. Et, tout autour du buste du roi Louis, l'on retrouvait deux types de résidants : ceux qui prenaient plaisir à écouter et à regarder la pagaille et ceux, au contraire, à l'instar des notaires et des commis-comptables, qui vouaient aux gémonies la sale engeance de ces barbares tonitruants.

Ce matin-là, alors que l'automne avait repris tous ses droits – entendons par là un ciel chargé de nuages gris menaçants poussés par de forts vents froids du nord-ouest – une estrade de trois pieds de hauteur avait été montée sur tréteaux devant l'église. Derrière une table et assis sur des chaises empaillées, cinq personnes se préparaient à lancer la vente par criée d'un brigantin[108] anglais de 130 tonneaux, avec son chargement, ses agrès et apparaux. C'est Florent de La Cetière, notaire royal mais agissant aujourd'hui à titre de huissier du Conseil supérieur, qui procéderait à l'opération en remettant chacun des articles offerts «au plus offrant et dernier enchérisseur, à la manière accoutumée».

*La Catherine*, qui avait son port d'attache à la Nouvelle-York, avait été capturée environ un mois auparavant à plus de 60 lieues de l'endroit, au retour de l'île portugaise de Madère. C'est *Le Postillon*, corsaire canadien appartenant à l'armateur-marchand de Québec, La Gorgendière[109], qui, après une poursuite d'une pleine journée et une canonnade plus intimidante que meurtrière, avait eu raison du navire marchand. Dans sa cale, une seule marchandise : 66 pièces[110] de vin de Madère, équivalant à 100 barriques pleines.

Depuis l'aube, Paul Dupuy de Lisloye, Jean-Baptiste Couillard de Lespinay et Pierre Rivet[111], respectivement lieutenant général, procureur du Roy et greffier à la Prévôté de Québec, étaient à bord de *La Catherine*, ancrée un peu au large du Cul-de-Sac. Ils avaient procédé à la levée des scellés sur le navire et à la confection de l'inventaire de la cargaison et des agrès. Puis, grâce à des soldats réquisitionnés, les pièces de vin avaient été transbordées dans la barque du bonhomme Dabonville[112]. En trois voyages jusqu'à la grève, celui-ci avait entièrement soulagé le brigantin de sa charge. Enfin, les charretiers Ferret et Rainville avaient transporté les précieux tonneaux sur la place.

---

108  Navire marchand ne portant que deux mâts.
109  Joseph Fleury, sieur de La Gorgendière (1676-1755).
110  Mesure de capacité. La barrique de Bordeaux contenant 225 litres, on déduit que la *pièce* devait renfermer environ 128 litres.
111  Pierre Rivet dit Cavelier (1684-1721).
112  Mathurin Palin dit Dabonville, maître de barque (env. 1664-1756).

En demi-cercles devant l'estrade, une centaine de personnes, au moins, attendaient la criée. Des marchands, bien évidemment, y compris de Montréal, tels les sieurs Bouat et Charly, mais aussi des aubergistes, des cabaretiers, des bourgeois et même des représentants des Hospitalières et des Récollets. Assis autour du crieur La Cetière, on trouvait les Dupuy, Lespinay et Rivet, revenus de *La Catherine,* ainsi que l'armateur du corsaire, Fleury de la Gorgendière, dans les poches duquel aboutiraient les profits de la vente aux enchères, moins les droits du Roi et les frais judiciaires de l'opération, soit environ 85 pour cent des sommes recueillies.

La Cetière n'avait pas sitôt expliqué la procédure et les règles de l'exercice que Louis Prat, debout dans la troisième rangée, intervint :

— Monsieur le notaire, pardon, je voulais dire : monsieur l'huissier[113], j'ai fait le tour, tout à l'heure, des futailles et plusieurs me sont apparues réduites, diminuées en contenu. Que prévoit la loi à ce sujet ?

— Monsieur le capitaine du port, vous avez bien observé. Toutefois, il vous a échappé, semble-t-il, que, depuis, nous avons sacrifié neuf pièces de madère pour ouiller[114] les 57 qui sont, dès à présent, mises en vente. Par conséquent, la seule chose qui puisse, dorénavant, faire varier un tant soit peu les prix de chacune des pièces, c'est l'état et la qualité de la futaille elle-même, nous sommes bien d'accord ?

— Monsieur, vous êtes d'une limpidité de... madère !

Afin, peut-être, de montrer sa bonne volonté et son sérieux, Prat remporta assez facilement la première pièce mise en vente : il déboursa 325 livres. Puis les autres futailles s'envolèrent tranquillement à raison d'une toutes les quinze minutes, environ. Le prix moyen ? Trois cents livres la pièce.

〰️

---

113   La Cetière, depuis août 1702, avait aussi une commission de notaire royal.
114   Remplir un tonneau.

Pendant ce temps, non loin de là, rue Saint-Pierre, quatre hommes à l'allure décidée marchaient au pas. Le chef du peloton n'était autre que monsieur de Saint-Simon, le prévôt de la maréchaussée. Les badauds et les passants ne s'y trompaient pas : le quatuor était en service commandé. Le prévôt offrait aux regards les attributs de sa fonction : une bandoulière de velours brodé bleu et un bâton de commandement, de même couleur, tous deux ornés de fleurs de lys dorées et d'ancres. Ses trois subalternes, dont l'exempt François Foucault, portaient également la bandoulière.

Si l'on fait exception des cérémonies officielles, autant religieuses que civiles, ce n'est pas tous les jours que la population assistait au défilé dans les rues du prévôt à la tête de ses archers. Seules des circonstances graves pouvaient expliquer la présence simultanée à un endroit de tous les échelons de la maréchaussée. Et, n'en doutons pas, la situation était sérieuse, très sérieuse. Le scandale des placards constituait à la fois une attaque personnelle envers le roi, une atteinte à son pouvoir et un défi lancé à l'État. Rien de moins, somme toute, qu'un crime de lèse-majesté, mais de la pire espèce, encore, celle de la sédition et de la rébellion. Décidément, une odeur de fagot flottait dans l'air[115].

Vaudreuil et Bégon avaient réagi très vivement. Dans l'heure qui avait suivi la découverte des affiches, Dieulefit avait été mandé au château afin de transmettre au gouverneur, à l'intendant et au prévôt toutes ses connaissances dans le dossier des clandestins entrés au pays récemment.

— Nous voulons des noms, sergent, des adresses aussi, enfin tout !

Bastien avait donc rapporté ses aventures avec le capitaine Morineau et il avait livré du même coup le nom du cordonnier Languedoc, qu'il connaissait grâce au notaire Chambalon. Mais l'homme au bandeau lui était inconnu et il n'avait été en mesure d'en donner qu'une description physique.

---

115  Fagot, *i.e.* bûcher. Les coupables de certains crimes étaient brûlés au Moyen Âge.

— Il est à Québec, c'est certain, conclut le sergent. Il se cache quelque part. Mais des habitants de la ville l'ont certainement croisé et une enquête de la maréchaussée devrait permettre de le localiser et de lui mettre la main au collet.

Et effectivement, dès le lendemain, mercredi, c'est Agnès Maufay, la propriétaire des *Trois Pignons*, qui orienta les recherches de l'exempt vers l'auberge du *Grand Saint-Luc*.

— Bellerose, ordonna le prévôt, à voix basse, en s'adressant à Pierre Jourdain, couvre l'arrière de l'auberge et la grève en descendant par la ruelle. Toi Arbour, tu restes ici et tu empêches quiconque de sortir. Foucault et moi nous entrons voir la Fauconnier.

Paul Denis de Saint-Simon, était un atrabilaire âgé d'environ 63 ans et son abord n'était pas facile. Plutôt petit de taille et dénué de toute prestance, il cherchait à en imposer à travers une attitude hautaine et superbe. À dix-neuf ans, il avait endossé l'orgueilleuse démarche lorsque son père, Simon Denis de la Trinité, membre du Conseil souverain, avait été anobli par le roi. Comme plusieurs officiers de justice – et c'est ici qu'un Paul Dupuy tranchait vérita-blement – il prenait au sérieux non seulement ses fonctions mais surtout sa propre personne.

Saint-Simon frappa vigoureusement et ostensiblement à la porte de l'auberge. Quelques secondes après, Charlotte Campion vint ouvrir, l'air perplexe :

— Qu'est-ce qui se passe, monsieur le prévôt, pourquoi vous acharner ainsi sur ma porte ?

— Nous avons mandat, madame Fauconnier, d'appréhender au corps une personne dont nous ignorons le nom mais qui, nous a-t-on dit, réside chez vous. Il s'agit d'un homme de taille moyenne, dans la trentaine avancée, les cheveux frisés blonds, une barbe de la même couleur et un bandeau sur l'œil gauche. Ça vous dit quelque chose ?

— C'est effectivement tout le portrait d'un de mes pen-sionnaires, monsieur Vincent Marquet, négociant en vin. Un homme très bien, propre, calme, poli. Il est chez moi depuis... trois semaines maintenant, je crois bien. Qu'est-ce qu'il a donc fait, monsieur le prévôt?

Sans répondre à l'aubergiste, Saint-Simon s'était tourné vers son exempt: «Note bien le nom, Foucault!» Puis, s'adressant de nouveau à la logeuse: «Il est ici, en ce moment? Où est sa chambre?»

Impatiente, celle-ci répondit: «Mais je ne sais pas, moi! Allez voir par vous-même, c'est au deuxième, la chambre arrière!»

Les deux officiers pénétrèrent dans la maison qui, en fait, depuis quelques années à peine, abritait deux logis. À l'intérieur, face à une entrée commune, un corridor tout aussi partagé séparait l'auberge de la dame Campion du logement du notaire François Rageot. Au fond de ce couloir prenait l'escalier qui menait aux étages. Assez extraordinairement, pour une maison aussi populaire, ce dernier se dédoublait et ses deux volées desservaient de la sorte l'une et l'autre habitation.

Foucault précédait le prévôt lorsqu'ils atteignirent l'étage. Il frappa à l'unique porte donnant sur l'arrière de la maison mais l'appel resta sans réponse.

— Ouvrez! Par ordre de la maréchaussée! dit l'exempt, d'une voix péremptoire. Silence complet. Il tenta d'ouvrir la porte, elle ne résista pas.

Quel ne fut pas l'étonnement des deux hommes, une fois dans la pièce, de découvrir celle-ci totalement vide, hormis les rares meubles appartenant à la logeuse. Aucun vêtement, aucun effet personnel, aucune trace d'occupation. Saint-Simon, apercevant à la fenêtre la galerie extérieure, s'y précipita en ouvrant la porte d'accès. Un escalier descendait à la grève mais rien ne permettait de croire à une fuite précipitée.

Charlotte Campion, dans l'intervalle, avait rejoint les deux enquêteurs et, muette, la main devant la bouche, elle constatait le départ de Marquet mais sans parvenir à comprendre: «Mais... il me doit une pleine semaine, le bougre!»

Lorsque le prévôt et sa troupe débouchèrent sur la place Royale, la demie de dix heures était passée et le marchand Jean de Lestage venait de mettre la main sur la cinquième pièce de madère grâce à une enchère de 290 livres. Fendant la foule en braquant droit devant lui le précieux bâton bleu qui lui servait de sésame, Saint-Simon entraînait sa garde en criant : « Place, faites place à la maréchaussée du Roi ! » Il aurait été, certainement, plus simple et rapide de contourner la foule de la criée en passant par la batterie Royale. Mais l'entrée en scène aurait manqué d'éclat.

Le prévôt croisa les officiers de justice assis sur la tribune sans les gratifier du moindre regard ; en revanche, il était parfaitement conscient d'attirer sur sa personne l'attention silencieuse de la foule. Presque parvenu à l'angle des rues Sous-le-fort et Notre-Dame, il pivota sur lui-même et, dans une attitude théâtrale, face à ses gens, il leva bien haut son bâton et le pointa vers la maison de maçonne du marchand Joseph Riverin. Il allait frapper à la porte de la rue Notre-Dame lorsqu'une voix caverneuse dans l'assistance l'interpella, à quelques dizaines de pieds : « Holà ! Monsieur le prévôt ! Je puis vous être de quelque service ? »

Un homme grand et costaud, dans la cinquantaine, portant perruque brune, survint en courant, le souffle court.

— Ah ! Vous voilà monsieur Riverin. J'ai un mandat d'amener à transmettre au capitaine Abel Morineau qui, nous a-t-on dit, réside chez vous. Il est là, actuellement ?

— Je n'en suis pas certain. Entrez, nous allons bien voir.

Comme s'il s'était attendu à la visite de la maréchaussée, Morineau se tenait déjà dans le vestibule d'entrée, face à l'escalier, la cape sur les épaules et le tricorne enfoncé sur la tête : « Messieurs, livrez-moi vite la raison de votre visite car je suis pressé ce matin. On est à charger mon navire, vous comprenez. »

— Je suis navré, monsieur, de bouleverser ainsi votre horaire. Le mandat que voici vous oblige à nous suivre au palais de l'intendant. Monsieur Bégon vous attend.

Le capitaine, imperturbable et détaché, prit à peine le temps de lire le papier qu'on lui présentait : « Dans ce cas, j'obtempère et vous accompagne. »

Une fois dans la rue et contre toute attente, les cinq hommes ne cherchèrent pas à rejoindre l'escalier Casse-cou de la rue Champlain mais dépassèrent la rue Sous-le-fort et se dirigèrent vers le Cul-de-Sac. S'arrêtant devant la boutique du cordonnier Chapelle, Saint-Simon frappa à la porte tout en criant: « Par ordre du Roi, c'est la maréchaussée! »

Le guichet de la porte s'ouvrit aussitôt, suivi de la porte elle-même. Deux mandats furent remis au cordonnier. Un premier autorisait la fouille de la maison, le second obligeait l'homme à accompagner *illico* le prévôt et ses hommes au palais. Pendant que Saint-Simon et Foucault attendaient dans la ruelle en compagnie de Morineau et de Chapelle, Arbour et Jourdain passaient le logement au peigne fin. Vingt minutes plus tard, environ, le groupe de six personnes mettait le cap sur l'intendance.

Comme à chaque année à pareille date, les administrateurs, fonctionnaires et officiers de la colonie consacraient beaucoup de temps, voire des journées entières à rédiger, pour le ministre Pontchartrain, de longs mémoires et rapports sur leurs activités de l'année et leurs besoins à court et moyen terme. À ce moment, les secrétaires de chacun ne comptaient plus les heures et, à l'intérieur de réduits mal éclairés leur servant de bureaux, ils confondaient souvent le jour et la nuit. Toute cette paperasse, à l'intérieur de laquelle les plans d'ingénieurs et les traités amérindiens côtoyaient les ragots les plus fumants et les viles calomnies, devait coûte que coûte se trouver à bord du navire du roi lorsque celui-ci hisserait les voiles.

Michel Bégon, quoique fraîchement débarqué, avait, lui aussi, une correspondance volumineuse à acheminer en France. Travailleur acharné, il avait, au cours des dernières semaines, pris connaissance de tous les dossiers se rapportant à ses fonctions, c'est à dire l'administration de la justice, des finances et du commerce, et il tenait absolument à faire rapport dès maintenant au ministre. En outre, homme de cour et de famille, il avait un courrier personnel important à confier dans les prochains jours au capitaine du *Héros*.

Grand seigneur, l'intendant n'hésitait pas à laisser pâtir son monde en antichambre, si bien que Saint-Simon et son groupe furent soumis à un véritable calvaire. Ce n'est qu'à deux heures de relevée[116], après avoir dicté ses lettres et rapports à son secrétaire, Charles Seurat, que Bégon accorda son attention à ses visiteurs. Le capitaine de *La Bonne Aventure* fut d'abord introduit dans son bureau par le prévôt qui, après avoir soufflé quelques mots à l'oreille de l'intendant, sortit de la pièce.

— Capitaine Morineau, de graves soupçons pèsent sur votre personne, vous le savez. Vous auriez, dans la nuit du 5 au 6 octobre dernier, à l'île aux Oies, puis dans celle du 7 au 8, à la côte de la Canoterie, organisé le débarquement illégal de deux personnes du bord de votre navire. Des témoins fiables sont disposés à prêter serment dans l'affaire. Je vous précise que votre comparution devant moi seul est tout à fait irrégulière et que vous devez l'attribuer uniquement aux bons rapports que tous m'ont fait parvenir sur vos mérites et votre bonne conduite jusqu'à maintenant. Mais sachez que si vos réponses ne sont pas convaincantes, je n'hésiterai pas à vous confier aux autorités judiciaires ordinaires, à commencer par le geôlier. Alors, qu'avez-vous à répondre à ces accusations?

Calme, posé, maître de lui, Morineau débita lentement le récit de ces deux journées. Il répéta presque mot pour mot la narration qu'il avait faite à Dieulefit des événements de la nuit à la pointe d'en bas de l'île aux Oies : l'idée de son pilote de jeter l'ancre à cet endroit, la maladie du matelot, et le chirurgien que la chaloupe était allé quérir à Vincelotte, sur la rive sud. Quant à l'épisode de la Canoterie, il y avait bien eu débarquement, mais à son insu. Jusqu'à maintenant, il n'était pas parvenu à identifier le complice du passager clandestin.

Bégon parut ébranlé par l'aplomb du capitaine. Les mains jointes sous son menton, le doute venait de l'envahir. Il se tourna

---

116  Synonyme de «après-midi». Fait référence au temps où l'on se relevait de la sieste pour aller au travail.

et étira le bras en direction d'une table en pin. Il s'empara d'une des affiches diffamatoires et la tendit à Morineau.

— Et ce torchon, vous ne l'avez jamais vu?

L'interrogé prit le temps de lire le placard et les traits de son visage s'imprégnèrent de terreur. Pâle, choqué, il reprit ses sens : «Non, je n'ai jamais jeté les yeux sur cet infâme déchet; j'avoue, cependant, en avoir entendu parler sur le bateau. Des gars de mon équipage l'avaient vu exposé sur le mur de l'église de la basse ville. Est-ce que, par hasard, vous chercheriez à me relier à ce texte criminel?»

Tout à coup, le capitaine avait perdu pied. Sa confiance avait cédé la place à un trouble violent s'exprimant dans un regard chargé d'incompréhension et de fureur. Avant que l'intendant ait pu répondre, il ajouta : «Je suis Protestant, il est vrai, et tous le savent bien, ici; cela n'empêche, ma fidélité au roi est totale. Jamais je ne pourrais fréquenter le sale individu qui a écrit ces mots outrageants!»

Bégon avait été en poste du côté de Rochefort et de la Charente durant près de dix ans et il connaissait bien Morineau. Par ailleurs, les RPR de ce coin, il les avait assez fréquentés pour le savoir, étaient gens de principes et de parole, les marins particulièrement. Non, le capitaine n'avait pas trempé dans l'affaire du pamphlet injurieux, il le sentait, il le savait. Et, soudain, le fier intendant sentit le besoin de s'excuser. Il ne réussit qu'à dire : «Je vous crois, capitaine. Je ne vous retiens pas.»

L'interrogatoire du cordonnier Chapelle fut marqué au coin de l'agressivité et de l'impatience croissante de l'intendant. Pour l'occasion, la maréchaussée fut invitée à la confrontation.

— Clément Chapelle, votre présence ici, devant moi, n'a pour but que d'accélérer mon enquête et non de la soustraire aux compétences du procureur du roi et du lieutenant général de la prévôté. Considérez cela comme une pré-enquête, au terme de laquelle, toutefois, vous serez remis entre les mains de la justice formelle du roi si je le juge à propos. Est-ce que le nom de Vincent Marquet vous est familier?

La faible lumière automnale d'un ciel bas et couvert n'éclairait que faiblement le visage de Languedoc. Ce manque de clarté agaçait Bégon qui, avant que son vis-à-vis n'ait pu répondre, ordonna au secrétaire Seurat, qui prenait des notes sur un pupitre près de la fenêtre, d'allumer les deux candélabres à quatre branches qui se trouvaient sur le manteau de la cheminée.

— Alors, reprit l'intendant, vous connaissez Vincent Marquet? Répondez!

— Bien sûr que je le connais, depuis deux ou trois semaines, je dirais.

Le cordonnier avait prononcé ces mots avec désinvolture, ses yeux bruns balayant la pièce sombre pendant que, de ses deux mains, il rattachait dans son cou la couette de ses cheveux longs. Il n'avait jamais mis les pieds dans le palais et, de toute évidence, il n'était guère impressionné par ce qu'il observait. Non seulement ces lieux manquaient de majesté mais, en outre, les meubles, surtout ceux de prix, s'y faisaient rares. Chapelle ignorait, sans doute, que le mobilier et les effets personnels de l'intendant n'étaient pas encore arrivés au pays.

— Et comment l'avez-vous rencontré?

— En débarquant, au cabaret chez Hallé[117], il avait appris que je cherchais un associé pour mon commerce. Il est venu me voir et je l'ai gardé à coucher pour un soir ou deux. On a discuté affaires.

— On vous a vus ensemble, un peu partout à travers la ville. Vous parliez toujours d'affaires?

— Oui et non, j'en profitais pour lui faire connaître les alentours, c'est tout.

— Et si je vous disais que Marquet est un clandestin?

— Je vous répondrais que je n'en savais rien et que ça ne me regarde pas.

L'intendant ne voyant pas d'issue à cette approche tenta la surprise.

— Marquet appartient-il, comme vous, à la RPR?

Chapelle sursauta mais des yeux seulement.

---

117  Jean-Baptiste Hallé (ou Halay) (1683-1744), maître de barque, marié à Marie-Anne Rancin (1689-1717), cabaretière, demeurant rue de Meulles.

— J'étais Protestant, précisa le cordonnier en insistant sur le passé de cette conviction religieuse. J'ai fait abjuration à Montréal alors que je servais dans les troupes. C'était il y a dix ans : je venais d'arriver ou presque. Quant à Marquet, je ne sais rien de ses croyances.

Bégon ouvrit un tiroir à la gauche du bureau et en tira un paquet emballé dans un chiffon bleu très propre. Tout en fixant Languedoc dans les yeux, il développa le colis de ses doigts et exhiba, l'œil en coin, un tout petit livre. « Ne me dites pas que ce n'est pas à vous, nos gens l'ont trouvé parmi vos affaires, bien à l'écart, dirons-nous... »

Imperturbable, Chapelle acquiesça : « C'est bien à moi. Ce n'est pourtant qu'un souvenir, le seul qui me reste de ma mère, une pauvre femme qui est morte dans un cul-de-basse-fosse, à Uzès, il y a quelques années. C'est monsieur de Basville[118], un collègue à vous dans le Languedoc, qui l'y avait fait jeter, justement parce que l'on avait trouvé dans son chignon la dangereuse petite bible. L'intendant l'avait alors qualifiée de « perturbatrice du repos public ». Une redoutable agitatrice de quatre-vingts ans !

À son bureau, le grand justicier afficha brièvement un méchant rictus qui dissimulait mal un accès de colère. Ce chenapan osait lui faire la leçon et s'en prendre à la justice du Roi !

— Ah ! Je vois, monsieur Languedoc, car tel est bien votre nom de guerre, n'est-ce-pas ? Oui... Languedoc... Je crois que je viens de comprendre. J'ai devant moi, si je ne m'abuse, un rare spécimen de Camisard, du moins sur ce continent. Les révoltés des Cévennes, les enragés de Dieu, les croisés de la RPR, les assassins de curés. Rien de moins ![119] Et vous dites que vous êtes au pays depuis dix ans... arrivé comme soldat ?

---

118 Nicolas Lamoignon, marquis de Basville (1648-1724), intendant de la province du Languedoc de 1685 à 1718, persécuteur zélé et cruel des Réformés.

119 La révocation de l'édit de Nantes (1685), et la chasse aux Réformés qui suivit, enclencha dans le Languedoc, entre Florac et Nîmes particulièrement (départements actuels de la Lozère et du Gard), une révolte populaire bien spéciale, celle des « Enfants de Dieu », exclusivement des paysans cévenols et des artisans ruraux. Ils prirent les armes pour punir les persécuteurs les plus acharnés et obtenir le rétablissement du culte réformé. Ils s'en prirent aux curés qui dénonçaient à l'intendant les familles qui n'assistaient pas à la messe. Cette révolte dégénéra en conflit armé ; entre 1702 et 1706, 2 000 Camisards tinrent tête dans les montagnes à 25 000 soldats de Louis XIV avant de s'avouer vaincus. Nombreux furent les Camisards qui moururent sur les galères ou dans des cachots.

Tout en pérorant, Michel Bégon s'était levé et il arpentait maintenant l'arrière de sa table de travail, les mains dans le dos. Il fixait les larges planches à ses pieds et, très clairement, il ordonnait en discourant les idées dans sa tête.

— On sait tous que les recruteurs de troupiers ne se montrent guère exigeants à Rochefort, en Charente et dans la province. À quoi sert de poser trop de questions, pas vrai, si les bras et les jambes sont bonnes ? Quelle belle occasion pour se faufiler hors du pays, pour aller se faire oublier dans une lointaine colonie où l'on n'enquête pas véritablement sur les antécédents des arrivants, voire où on les accueille comme des sauveurs et des bons travailleurs ! Dites monsieur Chapelle dit Languedoc, je suis sur la bonne piste, n'est-ce pas ?

— Je vous le répète, rétorqua le cordonnier en montant le ton, pourtant : j'ai abjuré, je suis catholique, je vais à la messe, le curé Thiboult peut en témoigner. J'ai un bon métier et j'ai bien servi sous les drapeaux. Demandez à mon capitaine, monsieur Dumesnil. Vous n'avez rien à me reprocher, monsieur l'intendant.

— Vous croyez cela, rétorqua l'homme à perruque, empruntant un ton débonnaire.

Puis, s'adressant au prévôt qui, avec ses archers, assistait à l'interrogatoire du fond de la pièce : « Monsieur de Saint-Simon, auriez-vous l'obligeance de montrer les belles trouvailles que vous et vos hommes avez faites au logis de notre camisard, si l'on peut dire ? »

Le prévôt, non sans fierté, s'exécuta diligemment. Face à l'intendant, sur la table, il déposa quatre objets : un papier ou carton enroulé, une petite boîte en bois sombre, une autre, un peu plus grande, et, enfin, une pochette noire de tissu munie d'une fermeture à cordon. Toujours debout, un sourire narquois sur les lèvres, Bégon se livra ensuite à un numéro silencieux de magicien. S'emparant d'abord du sac, il le montra à la ronde, et ceux de la maréchaussée s'approchèrent. Il inséra une main à l'intérieur et, tout doucement, en sortit un léger chapeau, aussi d'étoffe noire. Du bout des doigts, il le montra à l'assemblée et dit, d'une voix neutre : « Une toque de pasteur. »

Chapelle ne tressaillit pas mais baissa les yeux. Son aventure approchait de la fin, il le savait. L'intendant avait déjà pris connaissance des objets retrouvés dans sa boutique, c'était certain, et, dans un spectacle tout à sa gloire, il assénait le coup de grâce avec jouissance.

Dans un deuxième temps, ses doigts fins et bagués ouvrirent la plus grande des boîtes. Apparurent trois morceaux de bois de formes différentes. Tel un illusionniste vibrant à l'avance du bon tour qu'il s'apprête à jouer, il assembla les trois pièces en un tournemain et, triomphant, il exposa une coupe de communion démontable, utilisée par les Protestants dans les assemblées clandestines. Puis, s'emparant de la petite boîte dans un geste ample et lent, il l'agita près de son oreille et sourit à belles dents en entendant le bruit qui s'en dégageait. Il l'ouvrit, l'éleva, la retourna et regarda, émerveillé, un lot de pièces rondes, en bois, s'éparpiller sur son bureau. Une trentaine environ. « Je vous présente des méreaux de réunion. Bienvenue au peuple choisi ! »

En guise de finale, le rouleau de papier, bien en vue, fut détaché et largement étalé. L'intendant le tourna vers les spectateurs et dit : « Et voici le gros lot ! Celui qui désarçonnera définitivement notre grand garçon, ici présent, et qui fera d'une pierre deux coups. En effet, nous avons ici une affiche que même les plus ingénus parmi nous ne manqueront pas de relier à celles qui ont orné nos murs dernièrement. Elle renferme le texte de la première strophe du psaume numéro 68, l'arme secrète des Camisards, leur chant de guerre, d'invincibilité et de terreur ! »

*Que Dieu se lève, et ses ennemis se dispersent,*
*Et ses adversaires fuient devant sa face ;*
*Comme se dissipe la fumée, ils se dissipent ;*
*Comme fond la cire en face du feu,*
*Ils périssent, les impies, en face de Dieu.*[120]

---

120  Cet hymne d'action de grâces est aussi appelé le *chant du roi David*. Il est aujourd'hui le chant de guerre de l'armée israélienne.

Calme et résigné, Chapelle soutint le regard de l'intendant et dit simplement : « Je ne renierai jamais ce texte saint, mais sachez une chose : il n'est pas à moi. »

Se drapant à nouveau dans sa mine sévère et honorable, Bégon conclut son interrogatoire par ces mots : « Clément Chapelle, dit Languedoc, les informations préliminaires que j'ai obtenues et que j'ai présentement en mains, ainsi que la procédure ordinaire de justice, m'incitent à déférer votre dossier au procureur du roi ainsi qu'au lieutenant général civil et criminel de la Prévôté de Québec. En attendant que l'on statue sur votre sort, j'ordonne que vous soyez écroué sur le registre de la geôle pour demeurer dans les prisons de la conciergerie du palais de la ville. Le voisinage des rats et de la paille moisie auront peut-être raison de votre superbe. Monsieur le Grand prévôt, veuillez emmener le prisonnier et attendre dans l'antichambre que je vous transmette mon ordonnance par écrit. »

La besogne complétée, grâce à la plume de son secrétaire, l'intendant se leva et, soucieux, se dirigea vers l'une des deux fenêtres de la pièce. Debout, les mains jointes derrière le dos, il regardait le large paysage mordoré qui s'étalait par-delà les chantiers de l'intendance. La douce vallée de la Saint-Charles, les montagnes arrondies, au loin, qui paraissaient transmettre leurs courbes aux épais nuages, les chevrons d'oies blanches, d'outardes et de canards qui, de temps à autre, venaient percer le tableau et animer une nature s'apprêtant à entrer en léthargie.

— Mon cher Seurat, je ne sais si c'est l'âge, le poids des responsabilités, mon arrivée dans ce pays d'une beauté étrange ou, simplement, une meilleure connaissance du genre humain, mais le temps présent m'inquiète. Je puis le dire devant vous, un fidèle, c'est l'avenir de la France qui me rend songeur. Tant de divisions intérieures, de chicanes stériles, d'oppositions de tous genres et de désillusions à tous les niveaux.

« L'Angleterre et d'autres nations se développent, s'enrichissent sur mer et sur terre, pendant que notre pays, depuis plus de vingt-cinq ans, consacre du temps, des énergies et des sommes énormes pour rétablir la paix intérieure. Sans parler de l'exode des nôtres vers l'étranger, et parmi les plus riches et productifs encore! Depuis que je suis ici, j'ai pris connaissance, avec effarement, de la multitude de Huguenots qui peuplent maintenant la Nouvelle-Angleterre qui ne désire rien de moins que l'écrasement de cette colonie et notre départ d'Amérique. Je suis fidèle au roi, Seurat, mais, parfois, je vous l'avoue, sa politique me déconcerte et me trouble. Tout peuple divisé sur lui-même … »

# X

## LA PETITE MAISON DE LA GRANDE DAME

*Vendredi, 28 octobre 1712*

Temps de chien sur Québec. Toute la nuit, une pluie fine mais exécrable en raison d'un noroît furieux et obstiné, s'était abattue sur la ville et sa région. Au matin, un froid humide et mordant avait succédé à ce détestable crachin mais non à la mauvaise humeur d'Éole. Les pierres des maisons, à peu près toutes tirées des carrières de Beauport, avaient pris une teinte fuligineuse et suintaient encore. Comme pour s'harmoniser à la pauvre palette, des centaines de cheminées crachaient d'abondantes fumées teintées écru, cendré ou anthracite.

Il était bien sept heures lorsque Bastien déboucha sur la côte de la Montagne après avoir emprunté le chemin des remparts depuis l'Hôtel-Dieu. En dépit du temps maussade, le sergent, bien enveloppé dans une épaisse cape, adorait arpenter la ville tôt le matin, prendre le pouls de son activité à son réveil, humer les effluves de la soupe trempée, du café ou du chocolat, de la fournée des boulangers et, vu la saison, de la jonchée des feuilles roussies.

Il aimait également le bonjour matinal des gens rencontrés, les quelques mots échangés, souvent agrémentés d'humour, le rire clair et spontané des enfants.

La dame d'Aloigny, la veille, avait demandé à Dieulefit la faveur d'un détour par la côte de la basse ville afin de se charger d'un document chez le notaire Barbel[121] qui habitait dans le tournant de la descente. Il s'agissait, en l'occurrence, d'une copie du bail de la maison qui hébergeait le Bureau des castors, rue Saint-Pierre, entente qui était intervenue quelques jours auparavant avec la propriétaire.

De là-haut, à mi-pente, par-dessus les toits ardoisés des maisons de la place, il entrevoyait, et surtout entendait, le brouhaha du marché qui s'élevait vers lui, comme emporté par les entrelacs des fumées.

— Je voudrais bien vous sauver des pas, sergent, dit le notaire, mais, à mon grand regret, vous devrez descendre rue Saint-Pierre pour quérir ce bail. J'ai confié la copie de la marquise d'Aloigny au commis du Bureau des castors, monsieur Juchereau de Maure. Il vous la remettra certainement.

Le bureau et l'entrepôt des castors occupaient un vaste immeuble à deux étages au coin sud-ouest de la rue Saint-Pierre et de la côte de la Montagne. La bâtisse faisait face à l'école et au couvent des sœurs de la Congrégation de Notre-Dame. Dieulefit frappa à la porte qui ouvrait sur un escalier menant à l'étage, là où le commis-receveur du Bureau avait ses appartements.

— Entrez, sergent, dit Paul-Augustin Juchereau, qui avait descendu les marches de l'escalier pour ouvrir sa porte. Je crois deviner ce qui vous amène... Montez!

Dans un coin de l'étage donnant sur la rue, perdus sur un long plancher dégagé et uniquement obstrué par une double colonnade de poutres de bois, les quartiers du seigneur de Maure étaient modestes quoique assez vastes. Un bureau suffisamment grand pour recevoir marchands, traiteurs et capitaines de navires jouxtait

121 Jacques Barbel, juge seigneurial et notaire royal (env.1670-1740). Aussi secrétaire de l'intendant de 1714 à 1716.

une chambre-vivoir assez spacieuse et dotée d'un large foyer. Les deux pièces communicantes formaient un bloc séparé de l'entrepôt par des cloisons de bois épaisses et bien calfeutrées, question de s'isoler le mieux possible du froid qui enveloppait l'étage.

L'ensemble du mobilier était vieux et pourtant relativement confortable : une table, un bureau, un buffet, deux coffres, un lit-cabane, plusieurs chaises tournées, deux tapis, un miroir encadré, une armoire et, dans le bureau, un poêle en tôle à tuyaux. Quelques étagères murales agrémentaient ce décor simple. Deux d'entre elles servaient de bibliothèque pour une trentaine de volumes au contenu tout à fait éclectique : ouvrages de théologie, de philosophie, de théâtre, de mathématiques, de navigation et de questions militaires. C'est que Juchereau était, au pays, l'archétype de *l'honnête homme !*

Dieulefit, en dépit de ses origines modestes, avait acquis auprès de son mentor, mais aussi de la famille d'Aloigny, le goût des livres. Tout jeune, il aimait toucher les volumes, les caresser, les sentir aussi. Les caractères d'imprimerie le fascinaient ; il y voyait de la magie, propre à créer des images. Une lampe d'Aladin, en quelque sorte. Depuis que le chanoine lui avait appris à écrire et à lire, il avait consacré des heures, parfois des journées, à copier des pages, voire des chapitres, de certains livres de contes. Former des lettres, des mots, des phrases, et laisser éclore dans sa tête les représentations qui en jaillissaient, le comblait de bonheur. C'est d'ailleurs ainsi que le garçon avait vite développé une très belle écriture, personnelle et stylisée. Ce fait ne fut pas étranger à l'emploi que lui réserva, par la suite, le nouveau marquis.

Paul-Augustin achevait de nouer sa cravate lorsqu'il aperçut Bastien feuilletant un traité de navigation.

— Ah ! Ça vous intéresse, vous aussi ! J'ai eu l'occasion de naviguer à quelques reprises et cela m'a donné la piqûre pour la mer. À dire vrai, c'est Homère qui a tout enclenché ; *l'Odyssée* d'Ulysse m'a mis sous voile avant même de fouler le pont d'un vrai navire. Ce que vous regardez, en ce moment, c'est le traité d'hydrographie du jésuite Fournier. Excellent, encore aujourd'hui, en dépit de ses 65 ans !

Le sergent se déplaça dans la chambre et un assez gros volume relié, couvert de cuir bourgogne, attira son attention. Il était déposé sur un guéridon.

— Et celui-ci, demanda le visiteur, il vous emmène où ?

— Oh, pas très loin, j'en ai peur ! À peine cinq lieues. Chez moi, à Saint-Augustin. La seigneurie de Maure, si vous préférez. C'est le livre-terrier de la seigneurie, avec tous mes gens. La superficie de terre qui est la leur, les arpents en culture, la production, les redevances en cens et rentes, en lods et ventes. Dans la deuxième partie, je retrouve ce qui a été investi au fil des ans sur ce territoire de plus de 26 400 arpents. Car il y a maintenant des ponts, des chemins et des moulins dans cette vaste nature.

« Je passe une bonne partie de la semaine ici, à Québec, alors j'en profite, par les soirs, pour administrer à distance ce bel héritage. Le vendredi, j'enfourche Agénor, mon cheval, et je rentre dans mes terres. Encore heureux qu'elles soient rapprochées de la ville puisque je suis incapable d'abandonner la vie grouillante qui m'entoure et que j'aime plus que tout. Et regardez, l'entrepôt est vide, tous les ballots ont été embarqués, ils partiront sous peu. Pour moi va commencer une période de vacances, en quelque sorte. Mais pas à Saint-Augustin !

« Bientôt, à la Saint-Martin[122], tous les colons se présenteront à ma porte pour régler leurs cens et rentes de l'année, certains en argent, d'autres en nature. Il faudra les recevoir, les faire boire et manger, écouter ce qu'ils ont à raconter, de bon et de moins bon, faire des arrangements avec ceux qui sont incapables d'honorer leurs obligations. C'est une période agréable et fort occupée. Sans compter qu'avant l'hiver, je dois leur rendre la politesse, les visiter à tour de rôle, partager leur repas, regarder tout ce qu'ils ont de neuf, y compris les nouveau-nés. C'est long ! D'un autre côté, la tournée est nécessaire car il me faut, de toute façon, arpenter tous les coins de la seigneurie afin de voir de mes yeux si l'hiver peut

---

122  Le 11 novembre.

arriver sans crainte. Enfin, je réunis mes miliciens[123] pour m'assurer que les consignes de surveillance et de sécurité sont bien comprises.

Sébastien mit le pli cacheté du notaire dans la poche intérieure de sa cape et se disposa à prendre congé de Juchereau. Au haut de l'escalier, celui-ci passa sa main dans sa chevelure sel et poivre et demanda soudain : « Dites, sergent, j'allais oublier... On me dit que l'affaire des affiches serait sur le point de s'éclaircir. Une arrestation aurait même eu lieu. Vous en savez davantage ? »

— Quelque peu. En confidence, je vous dirai qu'il s'agit d'un ancien soldat des troupes, Chapelle, dit Languedoc, un cordonnier du Cul-de-Sac. Des raisons religieuses, entendons RPR, pourraient expliquer ces événements rares. Si cela est exact, ça rejoindrait assez bien les fruits de ma propre enquête. Enfin, nous verrons bien ! Le procureur, monsieur de Lespinay, lancera son enquête bientôt. Attendons.

En mettant le pied dans la rue, Dieulefit entendit la cloche de la petite église. Le vicaire Calvarin[124] appelait les fidèles à la messe quotidienne de la basse ville, à huit heures. Des femmes et des enfants, surtout, s'y rendaient. Il leur emboîta le pas, préférant regagner la haute ville en empruntant l'escalier Casse-cou. Il avait à peine fait quelques pas lorsqu'il aperçut, de l'autre côté de la rue, la veuve Cadet, maintenant l'épouse du notaire Rageot, et la veuve Fauconnier, l'aubergiste, qui conversaient devant leur entrée commune. Le sergent pivota légèrement sur lui-même, les salua galamment en levant son tricorne, et, machinalement, toisa la maison. Quelque chose attira son attention au deuxième étage de l'auberge. Il avait à peine posé les yeux sur la fenêtre qu'un visage se retira vivement derrière un rideau qui, un temps, continua de s'agiter. Il en était certain : quelqu'un continuait de l'observer au travers d'une mince cotonnade sur tringle.

---

123 Les seigneurs aimaient à parler de «leurs» miliciens. En réalité ces derniers, surtout le capitaine, étaient des créatures du gouverneur et de l'intendant, auxquels ils rendaient des comptes. Ils étaient élus, il est vrai, par les habitants de la seigneurie.
124 Goulven Calvarin, prêtre du séminaire (? -1729).

Perdu dans ses pensées, il relançait tout juste son pas vers la place de la basse ville lorsqu'il heurta violemment une dame qui sortait de chez elle, en face de l'auberge. La pauvre sexagénaire était mince et assez légère si bien que Bastien n'éprouva pas trop de mal à s'en saisir en plein vol. Dans les bras l'un de l'autre, ils se regardèrent, étonnés.

L'homme avait déjà la bouche entrouverte pour exprimer ses excuses les plus senties que, déjà, sa victime l'apostrophait : « Oh ! Sergent Dieulefit, quel plaisir ! Lorsque je vous ai rencontré chez mon amie Geneviève, je devrais dire la marquise d'Aloigny, l'année dernière, je crois bien, je ne vous aurais pas cru aussi, comment dire... entreprenant avec les dames. Vous paraissiez un peu réservé, pas timide, non, réservé, oui c'est cela, réservé. Ce jour-là, je me rappelle, vous portiez la tenue de sergent et vous aviez une allure folle, oui c'est cela, folle ! »

— Madame de Lotbinière, je suis vraiment confus, j'avais sans doute la tête dans les nuages, je ne vous ai pas remarquée. Vous n'êtes pas blessée, j'espère ?

— Monsieur Dieulefit, vos bonnes manières vous ont précédé, comme votre réputation, mais, de grâce, ne vous en faites pas pour moi, je suis solide ! Maintenant, prenez mon bras et marchez avec moi jusqu'à l'église ; ce sera votre pénitence.

Bastien avait retrouvé ses esprits en même temps que son humour : « Mais tout le plaisir sera pour moi, madame. Et d'ailleurs, eussiez-vous, tenez, deux ans de moins, que je vous y mènerais par la taille ! »

— Et grand bien cela me ferait, sergent, je vous assure. Je suis veuve pour la troisième fois depuis deux ans, vous le savez, je crois, et l'homme me manque beaucoup. Car il n'y a plus guère que le vent qui soulève mes jupes et ça ne me gêne pas du tout de vous le confier. Ce que vous ignorez, probablement, c'est mon passé plus lointain.

Et, bien accrochée au bras de l'homme, elle raconta son histoire. Françoise Zachée, une *Fille du Roi* originaire de Paris, était débarquée à 21 ans à Québec en 1670. D'abord mariée, le printemps suivant, au coutelier Claude de Xaintes, elle avait par la suite épousé le receveur-commis du Bureau des castors, Antoine Gourdeau de Beaulieu, puis le premier conseiller au Conseil supérieur, René-Louis Chartier de Lotbinière. Elle n'avait eu que deux filles, toutes deux de sa première union. Ces trois hymens avaient fait d'elle l'une des femmes les plus connues et estimées de Québec; sa parentèle était nombreuse et influente. Par exemple, elle était alliée aux Macard, dont Geneviève, marquise d'Aloigny, à travers la famille Gourdeau de Beaulieu.

Lorsque Bastien lui baisa la main, sur le perron de Notre-Dame-des-Victoires, Françoise Zachée gloussa de plaisir et de reconnaissance et, avant de franchir le portail de l'église, elle lui fit un signe de la main et lui adressa son plus beau sourire.

Geneviève Macard pleurait. Des larmes sillonnaient les pommettes de ses joues, déjà rouges d'excitation. Pourtant c'est de rire qu'elle pleurait et elle se tenait les côtes tant celles-ci la faisaient souffrir. Dieulefit avait même dû interrompre son récit afin de la laisser reprendre souffle. Des petits cris, rythmés par des spasmes, s'échappaient encore de sa bouche lorsque d'Aloigny s'encadra dans la porte de la cuisine.

Les éclats de rire avaient facilement rejoint son bureau. Déconcerté, une lettre à la main et une plume dans l'autre, d'Aloigny attendait une explication et ses yeux interrogateurs allaient de l'un à l'autre des complices. Bastien, appuyé sur ses coudes, sourire en coin, faisait un sort à une large tartine de confiture aux prunes au milieu des volutes d'un bol de café que Marie Racette venait de lui servir. Quant à la marquise, ravissante dans son déshabillé de mousseline vert pomme, la mine hébétée de son mari ne la rendait que plus hilare. La jeune Madeleine, qui ne la lâchait pas d'une semelle dans la maison, la regardait, interloquée.

— Charles-Henri, c'est à se rouler par terre. Si je ne la connaissais pas depuis aussi longtemps, la Zachée, je parierais qu'elle est possédée. Elle a le diable au corps, cette fille: «Amenez-lui le taureau», comme disait ma mère Marguerite!

— Je vous en prie, Geneviève... la petite...

— Vous savez, monsieur Charles – c'est ainsi que l'enfant appelait le marquis – je sais très bien ce que ça veut dire ! Je n'ai jamais amené le taureau, chez mon père, mais j'ai souvent amené la vache au taureau, ça oui !

Les rires fusèrent de plus belle, si bien que Valentin, qui fumait son brûle-gueule à l'extérieur, jeta un œil perplexe dans la pièce par la fenêtre.

Le sergent, pendant que Geneviève épongeait ses yeux et se tirait une chaise, n'eut d'autre choix que de reprendre, dans le détail, le récit de sa rencontre matinale : «... sans mentir, ceux qui m'ont vu, devant l'église, lui baiser la main et lui adresser mon sourire le plus ravageur ont certainement cru que j'entreprenais de courtiser la Françoise. J'en aurai certainement des échos. Pensez : les veuves Cadet et Fauconnier ont croqué la scène où nous étions enlacés, les yeux dans les yeux ! Ma réputation est à jamais ternie. C'est Fanchon qui va rigoler, vous pouvez le croire ! »

— Mais, que faisais-tu la tête en l'air, rue Saint-Pierre ? demanda le marquis.

Le secrétaire raconta le détour au Bureau des castors et le bref épisode du rideau, à la fenêtre de l'auberge.

— Et pourquoi accordez-vous de l'importance à cette fenêtre ? interrogea Geneviève.

— La maréchaussée s'est rendue sur place, hier, pour appréhender le nommé François Marquet, l'homme au bandeau. Et c'est l'exempt Foucault qui me l'a dit, l'oiseau n'était pas au nid. Pire, il s'était évanoui, corps et biens. Ce matin, après l'incident du rideau, je me suis dit que le prévôt et ses hommes n'avaient probablement pas dû visiter les autres chambres de l'auberge. Je crois que je devrais questionner la veuve Fauconnier. À défaut de me planter au coin de la ruelle des heures de temps à surveiller l'endroit...

Charles-Henri, maintenant assis à la table, sirotait à son tour un café brûlant en enveloppant le bol de ses longs doigts. Le rituel voulait que ce soit Madeleine qui apporte la boisson chaude au maître de la maison. C'est ce qu'elle faisait à la maison pour son père, mais avec du bouillon. Geneviève, tout en observant son mari, eut une idée.

— Bastien, j'y pense. Vous savez d'où vous pourriez le mieux surveiller à votre aise l'auberge de la dame Fauconnier?

Dieulefit fronça les sourcils et réfléchit.

— De chez monsieur Juchereau, au Bureau des castors?

— Mieux que cela! De la fenêtre de nulle autre que la dame Zachée, voyons!

— Vous voulez dire la maison du porche? Évidemment, elle est juste en face, ou presque, mais...

— Non! Pas de «mais» Bastien, vous allez comprendre. Vous ne connaissez pas la maison, alors je vous explique.

Et la marquise de raconter comment le deuxième mari de Françoise Zachée, Antoine Gourdeau de Beaulieu, alors commis-receveur au Bureau des castors de Québec, avait fait construire une maison bien particulière tout à côté du Bureau, rue Saint-Pierre. La demeure mesurait à peine treize pieds en largeur sur 25 de profondeur; néanmoins, voisine du Bureau, le receveur en faisait son bonheur. Une ruelle, entre la rue Notre-Dame et la rue Saint-Pierre, séparait les deux bâtiments. Gourdeau eut l'idée d'élargir l'espace habitable en aménageant un porche sur la ruelle et en prolongeant l'étage supérieur de sa maison au-dessus de celui-ci, soit un gain de douze pieds en largeur sur les vingt-cinq de profondeur. Le Grand voyer de la colonie lui permit la construction de ce porche, haut de dix pieds, et, à compter de ce jour, la ruelle perdit son nom de *ruelle des Jésuites* au profit de celui de *ruelle du Porche*.

Plus intéressant, encore, était l'usage que la veuve Gourdeau, puis de Lotbinière, faisait maintenant de la maison. Durant la belle saison, à l'étage, elle occupait une chambre couvrant la surface totale du fameux porche, soit 300 pieds carrés. Deux fenêtres et un foyer procuraient chauffage et éclairage à la pièce. À l'automne, lorsque la froidure s'installait, Françoise Zachée transportait ses pénates au rez-de-chaussée où une autre chambre avec foyer, sur la rue, mieux protégée des vents, lui offrait un confort supérieur. Pour les journées glaciales, la maîtresse de maison jouissait même d'un cabinet[125] en coin de cheminée. En façade, au rez-de-chaussée, le bâtiment était percé d'une porte, maintenant condamnée, et d'une croisée ; l'entrée usuelle était située dans la ruelle latérale et elle était surmontée d'un oculus.

— Voilà donc la beauté de la chose, poursuivit Geneviève. Il ne fait pas de doute qu'en ce moment même, notre Françoise a déjà gagné ses quartiers d'hiver et que, par conséquent, la chambre coiffant le porche est libre. J'en suis certaine. Maintenant, si l'idée vous séduit, à vous de jouer, mon cher Bastien. Entre nous, à la lumière de votre aventure, la difficulté ne devrait pas être insurmontable... Vous la prendrez par la taille et le tour sera joué !

La description que Geneviève Macard avait faite de la maison du porche avait retenu l'attention du sergent. Et, la journée durant, alors qu'il déployait ses talents de scribe, et parfois même de conseiller, l'idée de la chambre surplombant la ruelle lui apparaissait incomparable. Il devait être quatre heures de relevée lorsqu'il put enfin s'éclipser de la maison de la rue de Buade. À mi-hauteur de la côte de la Montagne, là où aboutit l'escalier Casse-cou, des éclats de voix frappèrent ses oreilles. Ah oui ! *La Catherine* encore !

Au lendemain de la criée des barriques de madère, le temps était venu d'offrir aux enchères le bâtiment lui-même, avec ses «agrès et apparaux». En ce jour de marché, mais aussi de session à la Prévôté du palais, ce deuxième jour de vente à l'encan avait été chamboulé. D'une part, la place Royale n'était pas disponible, d'autre part, les officiers de justice ne seraient libérés qu'une fois les comparutions achevées. Ce n'est, en fin de compte, qu'à trois heures trente, environ, que les enchères furent ouvertes sur la

---

125  Petite pièce de logement à l'intérieur d'une plus grande et pouvant servir de bureau, de lieu de rangement ou de chambrette.

grève du Cul-de-Sac, au bas de la ruelle prolongeant la rue Notre-Dame.

Avec son idée en tête, Bastien descendit l'escalier vers la rue de Meulles, tourna à gauche dans la rue Sous-le-fort, salua aimablement Jourdain Lajus, le chirurgien grincheux qui sortait de chez lui, puis, enfin, enfila à droite sur la rue Notre-Dame. L'estrade de la veille avait repris du service, le dos contre la cour murée de l'aubergiste Tourangeau[126] ; les mêmes cinq personnes y prenaient place. En plus de quelques curieux, assis sur la muraille de pierre, on remarquait une dizaine d'acheteurs potentiels.

Le jeune marchand Louis d'Ailleboust d'Argenteuil, en quête d'un premier bateau, avait offert 7 000 livres. Le conseiller Guillaume Gaillard, aussi marchand, avait renchéri à 8 000 mais, peu après, un autre négociant, Philippe Peiré, faisait grimper les enchères à 9 000 livres. Des murmures s'élevèrent et l'huissier La Cetière appela une brève pause, histoire de permettre aux intéressés de peaufiner leur stratégie. Dieulefit profita de l'occasion pour s'approcher de la table et du sieur Dupuy.

— J'aimerais emprunter votre lunette d'approche. Je pourrai passer vous voir, ce soir ?

— Avec plaisir, sergent. Mais venez tôt car la journée fut longue et éreintante : je serai au lit peu après le soleil.

Les enchères reprirent et le hasard, dont l'existence est questionnée par plusieurs, voulut qu'au moment même où le sergent remontait la ruelle et laissait à droite la maison du marchand-boucher Pierre Duroy, l'huissier-crieur proclamât : « 10 000 livres par monsieur Duroy ! »

En moins de cinq minutes, fonçant tête baissée dans le couloir à vent que formait la rue Saint-Pierre, Dieulefit retrouva la maison du porche. Il la contourna et frappa à la porte de la ruelle. La veuve de Lotbinière, surprise, le fit entrer.

— Sergent, si je m'attendais ! Mais entrez et fermez la porte, j'ai les pieds gelés !

---

126  Jean-Baptiste La Coudraye, dit Tourangeau (env. 1671- 1731).

Et, en adoptant le ton racoleur et l'allure d'une mère ma-
querelle, elle ajouta, avec un sourire égrillard : « Venez, monsieur,
j'ai des belles filles à vous présenter. »

La chambre d'hiver de Françoise Zachée, en façade de la
maisonnette, occupait la moitié du rez-de-chaussée. À l'arrière, se
trouvaient la cuisine et une chambrette, desservies par un double
foyer.

Dans la cuisine, près de l'âtre ronflant, deux demoiselles se préparaient à sortir et s'encapuchonnaient gaiement. Elles n'étaient pas
vraiment jolies ; pourtant, à l'instar des Chartier de Lotbinière, elles
avaient de la prestance, des manières et l'étincelle de l'esprit aux
yeux. Après avoir présenté le sergent aux jeunes filles, la veuve
poursuivit :

« La plus grande, c'est Angélique et elle a dix-neuf ans. C'est
la cadette du premier lit de mon défunt mari. Imaginez : elle se
marie dans six jours ! Bien oui ! Avec le fils de monsieur Martin de
Lino, Jean-François[127]. Ils vont habiter de l'autre côté de la rue,
dans la maison dont monsieur de Lino père leur fait cadeau, tout
à côté du notaire Rageot, à deux portes d'ici. Le contrat de
mariage sera signé dimanche, dans deux jours, chez le notaire La
Cetière. D'ailleurs, le marquis d'Aloigny et sa femme, Geneviève,
seront présents. Ces demoiselles se rendent justement chez le
notaire afin de lui remettre un document.

« Quant à ce beau brin d'fille, c'est Marie-Renée, ma petite-
fille, mon bâton de vieillesse. Douze ans et déjà les cavaliers
viennent rôder autour de la maison. Non ! Je ne devrai pas
travailler bien fort pour la placer, cette belle plante ! Entre-temps,
elle reste avec moi car j'ai encore des choses à lui apprendre, et
dans toutes sortes de domaines. »

Bastien se souvint que, le matin même, après la partie de
rigolade, la marquise avait abordé le sujet de Marie-Renée. Il
avait alors appris, en confidence, qu'elle était l'enfant naturelle
du jeune officier René-Louis Chartier de Lotbinière, beau-fils de

---

127  Jean-François Martin, sieur de Lino (1686-1721), marchand, fils aîné de François-Mathieu
    Martin, sieur de Lino (1655-1731), marchand, membre du Conseil supérieur.

Françoise, qui était devenu père à l'âge de 19 ans, en 1700. L'année suivante, il aurait confié l'enfant à son père et à sa nouvelle épouse, Françoise Zachée, et aurait décampé vers les Pays d'en Haut.

La jeune adolescente, le rouge au front, fit mine de gronder sa grand-mère et lui tourna le dos. Puis, après les salutations d'usage, les deux filles gagnèrent le dehors en étouffant un fou rire.

— Venez dans ma chambre d'hiver, sergent, dit la veuve. Il y fait plus chaud et nous serons à l'aise pour causer. Mais, pour l'amour, de quoi pouvez-vous donc vouloir me parler?

Dieulefit ne se souvenait pas être entré dans une chambre rassemblant autant de meubles et d'objets divers. Encombrée? Ce serait trop dire, chargée, ça oui! Aussi longue que large, la pièce comptait sur un foyer mais aussi sur un poêle de fer français à six plaques dont l'une, latérale, était décorée de la scène biblique des noces de Cana. Un article encore réservé à l'élite car il coûtait, au bas mot, 175 livres.

À l'instar des manoirs et châteaux, où les pièces sont souvent identifiées par leur couleur dominante, la chambre basse de la veuve Zachée aurait pu s'appeler la chambre verte. Chaises, fauteuils, tour, ciel et pavillon de lit mettaient en vedette la serge de Caen verte. Même les tentures de tapisserie au point de Hongrie et un oreiller de fauteuil affichaient la couleur vedette. Une armoire à deux corps, un bureau, un bahut, un guéridon et une table à tiroirs complétaient ce décor de prix et de confort. Un tableau de la Vierge, mais surtout, dominant l'âtre, un miroir à cadre doré, d'une valeur de près de 500 livres, ajoutaient à la pièce l'élément final de distinction.

Sébastien n'ignorait pas l'appartenance sociale de Françoise Zachée, surtout depuis son entrée, en 1701, dans la très respectable famille des Chartier de Lotbinière. Le grand-père de son époux, René-Pierre, n'avait-il pas été le médecin ordinaire du roi Louis XIII? Pourtant, se disait-il, la maison du porche paraissait bien humble en regard du luxe qu'elle recelait. En fait, durant son troisième ménage, Françoise avait, comme de raison, habité la maison familiale de son mari, rue Saint-Louis, parmi les robins. Au décès de celui-ci, il y avait maintenant trois ans, elle avait choisi de se retirer dans sa maisonnette de la rue Saint-Pierre que son deuxième époux avait fait construire. D'une part, elle n'avait pas donné d'enfant à son mari et, d'autre part, Eustache Chartier, son beau-fils, allait bientôt se marier et fonder famille rue Saint-Louis. La veuve Chartier avait vécu les trente premières années de sa vie canadienne sur la rue Saint-Pierre et elle se considérait essentiellement comme une basse-villienne.

Bastien avait pris place dans un fauteuil, face à la fenêtre, et Françoise avait attrapé le flacon de Madère et deux verres sur le bahut. Elle servit son hôte et s'assit sur une chaise droite.

— Vous le savez sans doute, l'heure est au madère, avec la vente de *La Catherine*. Mon amie Jeanne, la femme du notaire La Cetière, en a acheté une barrique, hier, pour son mari, vu qu'il présidait les enchères, et elle m'en a refilé une cruche, que je lui ai payée, évidemment. Elle était un peu contrariée car, arrivée sur le tard à la criée, elle a dû débourser 355 livres pour sa barrique, ce qui représente bien cinquante livres de plus que le prix des premières pièces envolées. Mais, trêve de bavardage, sergent : allez-vous enfin me dire ce qui vous amène ?

Sans divulguer le détail de son enquête, et en la réduisant plutôt à une question de dévergondage de soldats en goguette, Dieulefit raconta à la veuve Chartier ce que la marquise d'Aloigny lui avait appris à propos de la maison du porche, en particulier de la chambre haute d'où la vue sur l'auberge de la dame Fauconnier était si avantageuse.

— En conséquence, vous l'aurez deviné, j'aurais aimé utiliser votre haut-côté, l'espace de deux ou trois soirées, histoire d'avoir un œil sur la rue, la ruelle et l'auberge.

Françoise Zachée n'avait pas répondu tout de suite. Elle avait avalé une rasade de madère puis, s'étant levée et approchée de l'âtre, elle avait déposé une nouvelle bûche parmi les braises encore rouges.

— Écoutez, sergent, dit-elle enfin en reprenant sa place, ce que vous demandez est délicat. Dans un milieu aussi serré que celui de la basse ville, il est certain que les gens se regardent vivre. On ne peut ignorer ce qui se passe même chez le troisième voisin. C'est à la fois l'intérêt de ce petit monde qui se connaît et le désagrément d'une telle promiscuité. L'entraide y est très forte et, en quelque sorte, nous acceptons tous de partager un peu de notre intimité. En revanche, ne serait-ce que pour la forme, il est entendu de façon implicite que personne ne cherchera à profiter d'une telle situation. Ce que l'on entend et ce que l'on voit, comme ce que l'on fait, doit pouvoir résister au commérage, si l'on tient à sa réputation et aux bonnes relations de voisinage. Il y a deux types de personnes, en fin de compte, à la place Royale : celles pour qui cet entendement est important, et les autres. J'appartiens à la première catégorie.

— Évidemment, commenta Dieulefit, après quelques secondes de réflexion, je n'avais pas envisagé les choses de cette manière et, je l'avoue, ce que vous dites est tout à fait pertinent.

— Attendez, sergent. Est-ce vraiment important pour vous cette vigie. Car, en dernière analyse, tout est là, pas vrai ?

— Pour parler franchement, madame, oui. J'ai évoqué, tout à l'heure, une surveillance de troupiers malfaisants mais, en réalité, la chose est plus sérieuse. Sachant pouvoir compter sur votre discrétion, je vous dirai que cela regarde les affiches infamantes qui ont fait tant de bruit ces derniers jours en ville. Je dirige une partie de l'enquête et je recherche, ainsi que la maréchaussée, un suspect qui peut être dangereux. Il se nomme Marquet et se dit marchand ; il est de taille moyenne, bien mis, ses cheveux et sa barbe sont blonds roux. Sans doute borgne, il porte un bandeau sur l'œil gauche et il est assez joli garçon. Ce portrait ne vous dit rien ?

— Non mais n'en dites pas plus ; je constate que la cause est plus que juste. Nous dirons donc que le jeu en vaut la chandelle et je vous ferai confiance afin que tout se déroule le plus discrètement possible. Suivez-moi, je vais vous montrer les lieux.

À droite de l'étroit corridor, en entrant, prenait l'escalier raide qui allait à l'étage. Une fois monté, Bastien fut frappé à la fois par les proportions de la pièce, deux fois plus longue que large, et sa luminosité ; de part et d'autre, deux lucarnes, en croupe sur la ruelle, conféraient à la chambre d'été un air gai et confortable. Le caractère de la demeure résidait, à coup sûr, dans son extension sur porche. Même si la propriétaire avait transporté dans sa chambre d'hiver certains meubles et ustensiles d'utilité, celle du haut était fort bien pourvue avec un âtre aussi vaste qui promettait des soirées et des nuits bien à l'abri du froid.

— Vous pourrez monter du bois de la cave et vous chauffer à votre aise. Votre veille terminée, vous dormirez ici. Le lit est confortable et je vous fournirai des couvertures. Pour me garder au chaud une bonne partie de la nuit, j'ai un truc : j'enfouis complètement une bûche sous les bonnes braises de la soirée et je m'endors sans souci, mon chapelet à la main.

Dieulefit s'approcha de la croisée avant et, sans écarter le voilage de lin, apprécia la vue sur l'auberge du *Grand Saint-Luc* et la percée vers le fleuve, dans l'alignement de la ruelle qui passait sous ses pieds. Il se retourna et traversa la chambre ; une croisée, dans l'axe de la première, regardait l'autre segment de l'étroit chemin, ouvert jusqu'à la rue Notre-Dame et l'auberge de la veuve Landron.[128] Geneviève Macard avait raison : exceptionnelle, la chambre ferait merveille.

Le sergent remercia Françoise Zachée et l'assura qu'il serait de retour le soir même. Il prit congé aux alentours de six heures et rentra au *Dauphin d'Acadie*.

---

128  Élisabeth de Chavigny (1648-1748), veuve Étienne Landron (env. 1642-1702), aubergiste.

— Je te l'ai dit, ma belle, mon intention était de rentrer en France sur *La Bonne Aventure* dès que Morineau aurait fini de charger, ce qui d'ailleurs ne saurait tarder. Mais, maintenant, les choses se compliquent. Je dois à Chapelle de m'occuper de lui ; c'est un frère et je ne l'abandonnerai pas au fond de son cachot. Au pis-aller, si je rate mon départ, je passerai l'hiver dans ce foutu pays ou bien je gagnerai Boston.

La chambre à l'arrière de l'auberge, au rez-de-chaussée, était plongée dans l'obscurité presque totale. Pas le moindre rayon de lune qui aurait permis de distinguer, sous les couvertures de laine, la présence des deux corps enlacés. Charlotte, fixant des yeux un plafond qu'elle ne voyait pas, pressait la main de Marquet sur son sexe comme pour prolonger en elle la sensation magique de sa présence.

— Mais je ne désire pas te chasser, Vincent. J'ai peur, bien sûr, je ne le cache pas, car nous l'avons échappé belle, hier. Imagine si tu n'avais pas emménagé ici, avec moi ! Et heureusement, aussi, que ce faraud de prévôt n'a pas eu le génie de frapper à la porte d'en face. Ta recrue aurait probablement pris peur. Non, te cacher, toi, j'accepte volontiers. Mais l'autre, en haut, me fait courir trop de risques, tu comprends ?

L'homme à la barbe blonde interrompit sa logeuse en l'embrassant avec passion et en caressant ses seins lentement. Qu'elle était belle et désirable cette inconnue d'il y a quelques semaines ! Dès qu'il l'avait aperçue ce jour-là, dans la rue, avec sa tête brune magnifique, son regard pénétrant et rieur, sa poitrine provocante et ses jambes, qu'il avait devinées longues et souples, il avait voulu la posséder. Marquet aimait les femmes et, sans être irrésistible de taille ni d'allure, sa blonde tête, ainsi que sa barbe bien taillée et frisée, attiraient l'attention et plaisaient aux filles. Il ne lui restait qu'un œil, certes, mais, bleu, profond et malicieux, il faisait à lui seul des conquêtes.

— Je comprends et sois rassurée, la nuit prochaine, je vide la chambre haute. Ma *recrue*, comme tu dis, elle s'en va ! J'ai une autre adresse pour ce personnage encombrant. Mais, avant de quitter ta couche, dis-moi, belle Charlotte : pourquoi m'as-tu aidé depuis ces quelques semaines ?

— D'abord, tu me parus sympathique et, en plus, tu me regardais en me déshabillant des yeux. À croire, même, que j'étais nue devant toi et que tu connaissais les replis les plus intimes de mon corps. C'était provoquant, certainement déplacé, mais tellement agréable et excitant. Et puis, à peine veuve, j'avais le goût étrange et fort de partager mon lit avec le premier homme qui me plairait.

« Mais il y a plus. Quand je vous ai vus, Languedoc et toi, j'ai compris que vous aviez un secret. Tous les deux, vous regardiez souvent par-dessus votre épaule et il m'a semblé que vous craigniez quelque chose, ou quelqu'un. Lorsque, le surlendemain, après avoir fait l'amour pour la première fois, tu m'as avoué être protestant et clandestin, j'ai sympathisé sincèrement. C'est que je viens de Normandie, vois-tu, la première province du royaume où les troupes furent envoyées pour convertir les RPR, suite à la révocation de l'édit de Nantes. J'avais environ huit ou neuf ans et mes parents, qui demeuraient à Vibeuf, entre Rouen et Dieppe, m'avaient placée chez un gentilhomme campagnard voisin qui s'appelait Isaac Dumont. Dumont de Bostaquet, en fait.

« Ce Protestant, à la tête d'une famille nombreuse, était la bonté même et il employait plusieurs Catholiques dans sa maison comme sur ses domaines. Il abjura sa religion vers 1687 afin de conserver ses terres et ses titres ; il ne pouvait se résigner à l'exil. Peu après, cependant, il regretta ce geste et, pris de remords, il renoua avec sa foi. Pour éviter les galères, auxquelles l'on condamnait les relaps, il gagna les Pays-Bas puis l'Angleterre et l'Irlande où, m'a-t-on appris dans une lettre, il est décédé[129]. Je suis catholique mais je ne peux endosser les conversions forcées, surtout à coups de dragonnades et de galères. Voilà ! »

---

129  L'aventure d'Isaac Dumont de Bostaquet (1632-1709) est historique.

Marquet, appuyé sur son coude, caressait du bout du doigt l'oreille de Charlotte. Il avait écouté son histoire sans mot dire. Il en connaissait tellement d'autres semblables qu'elle lui paraissait presque banale. Mais, il le savait très bien, pour ceux qui les subissent, ces mésaventures sont tout sauf ordinaires : vies brisées, rêves détruits, familles éteintes, tourments incessants. Jusques à quand, enfin, le règne du « Crois ou meurs ! ».

Dieulefit ne quittait pas l'auberge des yeux. La chambre haute qui lui servait de mirador baignait dans une noirceur complice. Pour éviter que les flammes du foyer ne se réfléchissent sur le mur de la pièce, le sergent avait installé un paravent. Il faisait, certes, un peu moins chaud près de la fenêtre mais c'était le prix à payer. Les rideaux, entrouverts d'un pouce à peine, procuraient au guetteur une quiétude rassurante. Sur une chaise basse, à deux pieds de distance des carreaux, sa lunette de longue vue à la main, Bastien veillait.

Après le souper, vers les sept heures, un homme courtaud sortit de l'auberge, alluma sa pipe puis marcha lentement vers la place Royale ; sans doute un marchand de Montréal ou des Trois-Rivières venu régler des affaires avant le départ des vaisseaux. Devant la maison du notaire Rageot, il croisa la première patrouille du guet et leva son chapeau pour saluer l'officier. Quelques minutes plus tard, deux soldats des troupes frappèrent chez la veuve Fauconnier. Sans doute les fit-on monter au dernier étage car, peu après, deux chandeliers furent allumés dans la pièce de façade. Une partie de billard ? De fait dans sa lunette, le sergent ne tarda pas à apercevoir les deux troupiers, chacun une crosse en mains[130].

---

130  Ce que l'on nomme de nos jours la queue, au billard, portait alors le nom de crosse ou billard. Le gros bout de la queue s'appelait masse.

Il devait être près de minuit lorsque Bastien, assoupi, se redressa en sursaut. Un bruit à l'extérieur, une sonorité de fer-blanc sur le pavé. Par l'ouverture des rideaux, il fixa l'auberge, sa porte, ses croisées, enfin la rue. Pas âme qui vive. Il n'aurait rien remarqué de plus s'il eût gardé son œil droit vissé à l'oculaire de la lunette. Heureusement, il déposait l'instrument sur ses genoux lorsqu'il distingua deux ombres qui traversaient la rue Saint-Pierre dans l'axe de la ruelle du Porche et qui, dans la seconde, allaient s'engager sous ses pieds. L'une des deux, semble-t-il, avait buté contre un objet métallique.

— Par l'arrière de l'auberge, bien sûr! murmura-t-il.

Se levant d'un bond, il ne perdit pas les personnes de vue. La plus grande portait un chapeau à larges bords et, la tête inclinée, son visage était dissimulé; l'autre, moins large d'épaules, était coiffée d'un tapabord rabaissé sur le front, les oreilles et la nuque. Dès qu'elles eurent disparu sous le porche, le veilleur se précipita vers la fenêtre arrière. Dieu ce qu'il faisait noir! Afin de percer ces ténèbres, il écarquillait les yeux. Ses pupilles, dilatées au maximum, provoquaient dans ses orbites une sensation de brûlure.

Sans échanger un seul mot, ni même un regard, les deux noctambules remontèrent la ruelle. Ils seraient parvenus à la rue Notre-Dame sans coup férir n'eût été du guet qui, débouchant du Sault-au-Matelot, se dirigeait vers l'église. Au bruit des pas, les marcheurs se tapirent sous le portillon du jardin de Nicolas Pinaut. Ce faisant, apparut dans la lunette de Dieulefit le profil qu'il cherchait à voir, celui de Marquet, l'homme au bandeau noir.

«Le voilà! se dit-il. Je n'ai pas sacrifié mon sommeil en vain!»

Le sergent, tout en gardant un œil sur sa proie, enfila son manteau, sa cape et son caudebec. Lorsque les hommes tournèrent à main droite, rue Notre-Dame, il se précipita dehors et avala la ruelle à longues enjambées feutrées. Parvenu à la jonction des deux voies, il se tapit contre la maison Pinaut, à l'affût.

Des pas sur le gravier de la côte de la Montagne, derrière la maison de l'armurier Soulard, mirent le poursuivant sur la piste des deux complices. À bonne distance, pas moins de deux cents pieds, il entreprit sa filature. Une noirceur d'encre masquait le chemin pentu et le noroît, qui n'avait pas fléchi de la journée, charriait sa froidure entre les toitures des maisons.

Soudain Marquet et son compagnon traversèrent la chaussée.

Dieulefit sourit: «Bon, d'accord! pensa-t-il, prenons le sentier des remparts. C'est vous qui décidez et je vous suis.»

Seul le vacarme du vent dans les hêtres parvenait aux oreilles des marcheurs et il couvrait sans peine le craquement des brindilles sous leurs pas. À certains moments, tout de même, des sons inattendus ponctuèrent le trajet. Près de l'évêché, une chouette surprise hulula lugubrement tandis qu'à la batterie des prêtres, une perdrix, branchée pour la nuit, prit son envol, effrayée.

Ils arrivèrent bientôt au pied de la rue Sainte-Famille. À l'approche de ce carrefour, Bastien s'était rapproché des hommes de tête afin, le cas échéant, d'être témoin d'un possible changement de direction. Dissimulé sous un pommier, il cherchait à les apercevoir, étirant la tête, puis les épaules, enfin le corps en appui sur une branche basse. Subitement, celle-ci céda sous son poids et cassa dans un craquement aussi sonore que sinistre. Les événements qui suivirent se déroulèrent à une vitesse folle.

Alors que son poursuivant s'écrasait au sol, Vincent Marquet s'était vivement retourné et, même en n'y voyant rien, il avait tout saisi. Entraînant avec lui son camarade, il se rua vers le haut de la rue; croisant les deux vigiles de la maison des Anglais, il leur dit quelques mots sans même ralentir sa course.

Trempé et couvert de feuilles mortes, Dieulefit s'élança à leur poursuite. Plus tard, il se demanderait bien pourquoi il avait ainsi réagi: le jeu n'était-il pas terminé dès le moment où il devenait clair que la destination des deux fuyards lui échapperait certainement? Quoi qu'il en soit, le réflexe l'emporta et le sergent, le chapeau à la main, fonça vers le haut de la rue.

Ses proies avaient pris le large et il plissait les yeux dans l'espoir de les repérer. C'est à ce moment qu'il frappa le mur.

À genoux, la culotte déchirée, une rotule en sang et enfoui sous sa cape, Bastien cherchait à émerger d'une confusion extrême : « Par la mère de tous les dieux, par tous ses jarnicoton d'enfants, qu'est-ce que c'est... qu'est-ce qui se passe, enfin, qui est là ? » Un début de réponse se présenta sous forme sonore : « Hé ! Dis-moi, Baptiste, pourquoi ce coquin de diable a voulu t'enfoncer ? D'où y sort, d'abord, ce vaurien de gredin ? Tu le connais, toi, ce larron de nuit ? »

Celui à qui ces questions étaient adressées se disait soldat, un énorme soldat, de poil noir et hirsute, laid et sale en plus : Baptiste Ragueneau, dit Brindamour, dont l'uniforme, bien qu'agrandi, aurait mieux convenu à un ours de foire. Il tenait dans ses pattes épaisses une cruche de vin à laquelle il buvait goulûment.

— Je ne connais pas ce puceron, répondit Brindamour, après s'être essuyé la bouche du revers de la main. Mais si tu prends soin de ma vigne, Élie, j'vas tenter de savoir c'est qui ce niquenouille[131].

Élie Genevoix, dit Saint-Élie, également troupier, ne payait pas de mine, lui non plus. D'aspect moins bestial que son compère, il n'en avait pas moins une allure bizarre, avec des épaules nettement en porte-à-faux et une jambe raide. Vingt-cinq années au service du roi dans sa colonie américaine avaient certainement laissé des marques, au nombre desquelles une bouche entièrement édentée.

Ragueneau refila son trésor à Genevoix et souleva de terre le sergent abasourdi. Il le replanta sur ses jambes, rétablit d'une main son équilibre, puis le débarrassa de sa cape maudite : « Alors, mon bonhomme, t'es qui, toi ? Un maudit querelleux, sans doute ? Tu parles ou je cogne ? »

Hors de lui et fou de rage, le sang tambourinant à ses tempes, les poings fermés et prêt à en découdre avec les

---

131 Aussi niquedouille : niais, nigaud.

démons de l'enfer, Dieulefit s'écria : « Halte, scélérats ! Je suis le sergent Dieulefit, secrétaire du marquis d'Aloigny ! Vous allez me connaître, pourritures ! Je poursuivais deux hommes et, grâce à vous, ils m'échappent ! Ôtez-vous de mon chemin, saligauds ! »

Les deux militaires, dont les fusils étaient appuyés contre le mur de façade de la maison des Anglais, se redressèrent et firent trois pas en arrière avant de se figer dans ce que d'aucuns auraient pris pour un garde-à-vous. Clairement, ils tentaient de remplir leur personnage.

— Vos noms et compagnie, vite ! ordonna le sergent, furieux.

— Baptiste Ragueneau, dit Brindamour, à monsieur de Marigny.

— Caporal Élie Genevoix, dit Saint-Élie, à monsieur de la Pipardière.

Dieulefit les fixa du regard durant une seconde, histoire sans doute de bien retenir l'identité et les traits de ces pauvres hères. Puis il reprit sa course dans la rue Sainte-Famille. Il s'immobilisa trois cents pieds plus loin. Inutile : elle était noire, vide et silencieuse. Seuls les cris sans larme d'un nourrisson déchiraient la nuit. C'était raté, la chasse terminée.

La mine grise, massant de sa main son genou blessé, Bastien tourna les talons et redescendit la rue. Au coin des remparts, il croisa à nouveau les deux gardiens qui, en guise de salut, lui présentèrent les armes. Il les toisa avec hauteur puis, retrouvant le sentier, se dirigea vers *Le Dauphin d'Acadie.* Comme tout chien de chasse meurtri, c'est là qu'il avait l'habitude de lécher ses plaies.

Et regardant le sergent suivre son chemin en claudiquant vers la cour arrière de l'Hôtel-Dieu, les deux gardes de la maison des Anglais, ayant comme par magie retrouvé leurs esprits, échangèrent un regard en advienne que pourra. Pas de triomphalisme ni d'autocongratulation. Les deux hommes, spontanément, sans se consulter, sortirent de leur chemise une croix suspendue à une chaînette. À l'extrémité, une colombe de paix était attachée, ailes déployées, la tête en bas. Sans ostentation, dans un geste de routine, ils posèrent leurs lèvres sur l'oiseau sacré. Puis, en se retournant, Brindamour prononça seulement ces mots, comme pour lui-même : « Au diable, Dieulefit, puisque Dieu le veut. »

# XI

## MIQUEMAQUE À LA GEÔLE

*Dimanche, 30 octobre 1712*

« Maudit vent ! Je n'ai vraiment plus l'âge pour l'affronter, ni la force, ni la volonté. Il me passe au travers le corps et me gèle les os. J'envie ma sœur Anne dans sa maison du Sault-au-Matelot, elle est mieux abritée que nous. Vous savez, Charles-Henri, si c'était à refaire nous vendrions la maison, perchée et exposée comme un nid de corneille, et nous nous installerions rue Saint-Pierre dans le logis des castors. Pas folle, la Zachée, elle a compris, elle ! Elle est redescendue sur terre après la mort de René-Louis. Et vous m'avez décrit vous-même, Sébastien, le confort de sa maison, pas vrai ? »

La marquise, son mari ainsi que Dieulefit arrivaient tout juste d'entendre la messe à la cathédrale et ils frissonnaient encore dans le hall d'entrée de la maison du commandant. En dépit de la faible distance séparant l'église de la résidence, les trois présentaient une figure vermillonnée par la bise.

Bastien, avant de répondre, fouilla le regard neutre de son chef et sourit : « Confortable, certes, madame Geneviève ! Cependant, l'espace lui fait tellement défaut qu'elle devrait y réfléchir à deux fois avant de prendre un chat pour pensionnaire. Sauf, peut-être, l'été lorsqu'elle regagne sa chambre sur la ruelle. »

« De toute façon, ma chère amie, intervint Charles-Henri, vous me voyez avec mes rhumatismes braver cette diable de côte à tous les matins pour me rendre au château ou à la place d'Armes ? Je ne crois pas que je pourrais. J'ai cinquante ans mais j'ai l'impression que ma carcasse en a le double. Et les ordres que monsieur de Vaudreuil m'a transmis hier soir, lors du bal, risquent d'achever ma décrépitude. »

Comme à l'habitude au cours de la saison froide, Marie, la servante, déposa sur la table de la cuisine des écuelles d'étain contenant un bouillon de poule fumant auquel tous goûtèrent les yeux fermés dans un silence marmotté.

Ainsi réconfortée, la marquise rétorqua d'une voix sereine : « Là, monsieur mon mari, vous en avez trop dit ou pas assez... À vous de voir. »

— Oui... enfin... voilà, commença d'Aloigny, après la sortie de la servante. Le gouverneur m'a donc prié de le suivre dans son bureau. En résumé, il m'a dit ceci. La paix ne tardera pas à être signée et il est presque certain, maintenant, que la France devra sacrifier Terre-Neuve, la baie d'Hudson et même l'Acadie. Oui, l'Acadie, rien de moins ! Vous imaginez la situation ? Les Bostonnais, assurément, seront irrités au plus haut point que le conflit prenne fin avant d'avoir pu s'emparer de Québec ; en même temps, en mettant la main sur Plaisance et la côte acadienne, leurs pions seront placés on ne peut plus avantageusement sur l'échiquier pour parvenir à leurs fins lors du prochain conflit armé, affrontement qui ne saurait tarder, entre vous et moi.

« Je suis d'accord avec monsieur de Vaudreuil : la paix qui vient sera une paix armée. Nous devrons profiter des mois et des quelques années qui viennent pour renforcer les défenses de la vallée du Saint-Laurent, compléter nos fortifications dans les villes, multiplier le nombre de nos défenseurs et préparer adéquatement nos milices. Et c'est là que j'interviens. »

— Vous commandez les troupes, pas les miliciens, à ce que je sache ! protesta Dieulefit.

— Versailles souhaite que les habitants soient, plus que jamais, militarisés et disciplinés. Tous devront être armés et capables d'appuyer efficacement les troupes de la Marine. Noré Dumesnil et moi devrons, par conséquent, à compter de l'été prochain et deux fois dans l'année, faire la revue des compagnies de milice de la colonie. Ils devront marcher en rang au premier signal et leurs armes seront contrôlées afin d'être en bon état. Le gouverneur nous demande de passer à l'action entre semences et récoltes afin d'indisposer le moins possible nos gens. Belle aventure en perspective, mon cher Bastien !

— Enfin, s'insurgea Geneviève, monsieur de Vaudreuil doit bien connaître vos indispositions ! Ne peut-il confier cette tâche à des capitaines plus jeunes ?

— L'ordre vient du ministère, très chère, et celui-ci s'attend, semble-t-il, à ce que la mission soit confiée à des officiers supérieurs. Par ailleurs, le gouverneur, s'il connaît mes problèmes, n'en soupçonne pas l'ampleur et, pour des raisons évidentes, je ne tiens pas à ce qu'elle soit portée à sa connaissance, pour le moment, en tout cas. Hier, face à lui, il m'a donc fallu faire bonne mine à méchant jeu. Quoi qu'il en soit, je dispose de la morte saison pour organiser l'opération.

Le marquis se leva de table et fit signe de la tête à son secrétaire : « Venez, Sébastien, apportez votre bouillon, j'ai aussi des projets pour vous. »

Tous deux s'engagèrent dans le corridor menant au vaste salon du commandant. Pendant que celui-ci prenait place à son bureau, Dieulefit tirait à lui une table pliante de cabaret sur laquelle il déposa son écuelle.

— Sergent, commença Charles-Henri, ce que je viens à l'instant de raconter vous concerne, bien évidemment. Inutile de dire que vous serez de la tournée à travers les côtes de ce pays. En compagnie d'un ou deux de vos collègues, vous serez chargé des divers exercices militaires, y compris le tir groupé. Nous aurons à nos côtés deux armuriers qui examineront les fusils des habitants et effectueront sur place certaines réparations nécessaires.

« Les hommes qui n'auront pas de fusils devront en acheter, sauf les plus pauvres à qui nous en donnerons. Si besoin est, nous fournirons aussi certaines pièces d'habillement, comme capot, brayet, chemise, mitasse et mocassin. Il faudra également procéder à des élections afin que tous les échelons de commandement des compagnies soient occupés puis noter les noms de tous ces cadres.

« L'organisation d'une telle équipée sera complexe. Plusieurs barques seront nécessaires, dont un certain nombre devront être pontées afin de soustraire armes, vêtements, bagages et victuailles aux intempéries. Nous aurons l'occasion, bientôt, de reparler de la corvée milicienne. Pour le moment, j'ai besoin de toi pour autre chose, Bastien. »

Dieulefit se prit à rire dans sa barbe. Comme d'habitude lorsqu'ils étaient seuls, la conversation était passée du supérieur au camarade. Le sergent avait récupéré son prénom et le « vous » avait été immolé sur l'autel de l'amitié.

— Vous n'oubliez pas mon genou amoché en service commandé, n'est-ce pas ? Moi aussi j'ai mes infirmités, voyez-vous... Vous en avez sûrement tenu compte...

Bastien avait prononcé ces mots en riant, franchement cette fois.

— Parlons-en de « service commandé » ! Se faire rouler dans la farine en pleine nuit, et par un filou qui n'y voit que d'un œil ! Malin, très malin ! Je crois que je vais refiler ton enquête à notre vaillante maréchaussée et à son non moins vaillant prévôt, monsieur de Saint-Simon !

— Il est certain, rétorqua le sergent, que l'enquête serait menée tambour battant. Votre « filou », comme vous dites, l'entendrait venir de très loin. C'est une opération qui ferait grand bruit, ça j'en conviens !

Le marquis se leva et marcha vers l'une des fenêtres donnant sur le jardin. C'était, chez lui, le signal d'aborder un autre sujet.

— Laissons monsieur Denis ainsi, d'ailleurs, que ta quête malheureuse de l'homme au bandeau. J'ai plus important et pressant. Tu partiras dans trois ou quatre jours ravitailler en fusils de chasse et en poudre nos alliés sauvages. *Le Héros* a apporté dans ses cales des caisses et des barriques qui doivent être distribuées avant l'hiver. Les Hurons de Lorette seront ici dans quelques jours pour prendre ce qui leur revient. Mais les Abénaquis de Bécancour et de Saint-François sont aux abois, comme aussi les Iroquois du Sault-Saint-Louis.

«Dans cette mission, qui devrait durer moins d'un mois, je présume, tu seconderas monsieur de Lantagnac, le petit-neveu de monsieur de Vaudreuil. Il vient d'arriver au pays et il est sans affectation, pour le moment. Il verra du pays, connaîtra Montréal et, bien sûr, les Sauvages. Le gouverneur désire le mettre à l'épreuve le plus vite possible[132].

«Vous prendrez avec vous un armurier qui rafistolera les vieux fusils indiens et ajustera ceux que nous leur fournirons. C'est le fils cadet du défunt notaire Genaple, Joseph, qui s'en chargera. On le dit tout à fait compétent.

«En passant, Bastien, tu as déjà participé, je crois, à ce type de distribution. Il s'agit d'une cérémonie, où chaque fusil est remis en main propre à un guerrier, avec appel de nom fait par le chef et ponctué d'un bref battement de tambour. Du décorum, quoi ! Les Sauvages, tu le sais, sont étrangers mais sensibles au protocole et aux honneurs individuels. *Mano a mano*, comme disait un ami catalan : de la main à la main. Cela crée des attachements et des fidélités non seulement de groupe mais personnels. Tu instruiras

---

132  Le chevalier Gaspard Adhémar de Lantagnac était originaire de Monaco et il était alors âgé de 31 ans.

Lantagnac quant à la procédure. Les chefs, pour leur part, recevront leurs armes à Montréal, à l'été, des mains de monsieur de Vaudreuil. Il s'agira de fusils de chasse bien polis et bien limés dont les garnitures sont décorées de flèches, d'arcs, de carquois, etc. »

On gratta doucement à la porte de la salle qui s'entrouvrit lentement. C'était Madeleine qui déclara d'une voix quelque peu cérémonieuse : «Monsieur Charles, madame Geneviève désire vous rappeler que vous avez une sortie après midi et que le dîner sera servi dès l'angélus. »

— C'est bien noté, mademoiselle Gilbert. Je vous remercie, répondit le marquis sur le même ton. Mais venez un peu par ici, mon enfant ?

Madeleine, surprise, s'avança vers le bureau, un peu guindée dans sa robe neuve.

— Allez, approchez encore que je vous regarde. Ma parole... c'est du satin, du satin bleu comme la mer ! Elle est très jolie votre robe neuve ! Et vous, vous êtes encore plus jolie que la robe, pas vrai Sébastien ?

— Tout à fait, monsieur. Et avec une robe d'une telle longueur, on peut admirer deux belles jambes. Oui, très joli !

La fillette rougit subitement jusqu'à la racine de ses cheveux. Bouche bée, ses yeux mobiles se portaient d'un homme à l'autre, cherchant à interpréter le sourire qui marquait le coin de leurs lèvres. Son esprit était si vif, toutefois, qu'elle ne restait pas longtemps ébranlée.

— Madame Geneviève dit qu'à mon âge, et avec ma taille, c'é convenable de porter cette longueur. Que même chez les Ursulines, les jeunes filles le font. Et elles ont beau apprendre toutes sortes de choses, celles-là, elles n'en sont pas plus belles pour autant.

Encore une fois, un éclat de rire traversa la maison. Il gagna même le visage intelligent de la jeune servante qui, en définitive, paraissait assez fière d'elle.

— Je trouvais, mademoiselle, qu'il vous fallait bien du temps pour transmettre un si bref message !

C'était la marquise qui venait d'entrer dans la pièce avec les poings sur les hanches, l'air faussement grondeur.

— Mais, madame Geneviève, monsieur Charles et monsieur Bastien admiraient ma robe et mes... je veux dire mes...

— Oui, oui, je comprends. Cependant, sachez ceci mam'zelle : il faut se méfier des hommes et de leurs compliments. Ils aiment bien embobiner les filles. Maintenant, allez! Suivez-moi à la cuisine!

❦

La signature d'un contrat de mariage était toujours une occasion de fête et de rassemblement dans la cité. Essentiellement, l'on se mariait à l'intérieur d'une même catégorie sociale. Pourtant, en ce siècle où le roi lui-même accordait ses lettres de noblesse à la grande bourgeoisie, au sens propre et figuré, les cas d'ascension sociale se multipliaient, dans les villes particulièrement, où résidaient les riches marchands. Les nobles étaient peu nombreux dans la colonie; en conséquence, le recours aux commerçants fortunés pour établir les enfants n'en était que plus fréquent.

En ce dimanche tristounet, entre liqueur et vêpres[133], Jean-François Martin, sieur de Lino, fils et petit-fils de marchand, et futur procureur du roi à la Prévôté, avait rendez-vous chez le notaire La Cetière, angle Notre-Dame et côte de la Montagne, avec sa promise, Angélique Chartier, issue par son père et grand-père de la noblesse de robe canadienne. Belle union de deux jeunes gens que la foule de la basse ville avait bien vite reconnus et qu'elle attendait, d'ailleurs, depuis l'annonce à l'église de la publication des bans.

Les deux familles et les amis convoqués, au nombre desquels le marquis d'Aloigny et sa femme, composaient un groupe d'environ 85 personnes, le gratin de la ville. Geneviève, qui en avait vu bien d'autres, ne put s'empêcher de souffler à

---

133   *i.e.* entre 13 et 15 heures.

l'oreille de son mari : « Il y a quatre ans, chez Chambalon, lors du contrat de mariage de la sœur de Jean-François, Catherine, avec le fils Hazeur, j'avais compté plus de 125 assistants. C'était lors de votre bref voyage en France. La place, devant la maison du notaire, était noire de monde ! »

Évidemment, Bastien n'avait pas accompagné les d'Aloigny à la place Royale. Il avait plutôt orienté ses pas vers le quartier du palais. Tout en marchant, il remarquait le regard des gens qui, souvent, tout en reniflant l'air, cherchaient dans la grisaille les premiers brins de neige. « Il est vrai que ça sent la neige. Elle n'est sûrement plus loin. », se dit-il.

Puis il songea à Angélique Chartier, la souriante fiancée qu'il avait rencontrée chez la veuve Zachée, il y avait à peine deux jours. Quel bonheur encore juvénile il avait tout de suite remarqué sur ses traits de jeune femme. En dépit de ses trop nombreux crocs-en-jambe, pensa-t-il, la vie réserve aux pauvres mortels des moments d'intense félicité. Avait-il déjà goûté de tels instants de béatitude dans sa propre vie ? Autre chose que des joies et des contentements ?

Sa traversée de l'océan et son entrée dans les troupes aux côtés de Charles-Henri, qui n'était encore que chevalier de la Groye, lui avait procuré un immense sentiment de fierté et de liberté. Il en gardait un souvenir clair et impérissable. Il avait aussi fait ses délices de la découverte du pays sauvage, de ses saisons et de ses habitants si particuliers. Était-ce là le bonheur ?

Et la camaraderie, les amitiés, les bons moments partagés, en y incluant même les conquêtes féminines d'un soir et les attachements des saisons mortes, avaient-ils apporté à son âme ce sentiment de plénitude et d'exaltation qu'il aimait tant ressentir du temps de sa jeunesse ? Dieulefit, jusqu'à maintenant, ne s'était jamais questionné à ce propos. À l'exemple de ses contemporains, l'absence de grands malheurs avait suffi à le rendre heureux.

L'un de ces funestes coups du sort lui avait ravi, un jour, la femme qu'il souhaitait avoir pour compagne de vie, la seule pour qui il aurait renoncé à retourner, un jour, dans son pays.

Jeanne Dupuy, la sœur de Louise-Madeleine, avait été emportée par la petite vérole à Québec, en 1702. Elle était âgée de 21 ans et Bastien venait de demander sa main au sieur de Lisloye. Ce deuil brutal aurait ramené le soldat dans son Poitou natal n'eût été de l'offre du nouveau commandant des troupes de le seconder en tant que secrétaire. Ainsi va la vie.

Et le sergent de se questionner : était-ce la raison profonde pour laquelle il avait mis fin à ses efforts de colonisation sur son lot de l'île aux Oies ? La terre, devait-il admettre finalement, avait toujours été associée à ses projets communs avec Jeanne. Jeune caporal de vingt ans, il l'avait acquise en manière de geste concret d'engagement et d'avenir envers la fille de dix-sept ans qui ne lui demandait rien des lèvres, tout des yeux et de la main. En cette année terrible, que Paul Dupuy n'était-il pas demeuré bien à l'abri avec les siens sur son île, loin de la ville-mouroir ?

Perdu dans ses noires pensées, Dieulefit, au tournant de la rue des Pauvres, percuta François Foucault, l'exempt de la maréchaussée.

— Par mon saint patron et ses reliques, sergent, que vous paraissez étranger au monde qui vous entoure, aujourd'hui ! Votre enquête en est, sans doute, la cause. Du nouveau de ce côté ?

— Mes plus sincères excuses, monsieur l'exempt, je suis, en effet, assez perplexe face à l'affaire des placards.

— Vous savez, probablement, que notre prisonnier sera interrogé demain par monsieur le procureur. Ce Chapelle ne paraît pas du genre à passer aux aveux. Je ne serais pas surpris qu'il faille le passer à la question[134].

— Nous verrons bien, n'est-ce pas ? se contenta de répondre Bastien qui salua Foucault et poursuivit sa route.

Oui, Chapelle, demain bien sûr... Il l'avait presque oublié, celui-là. Que ne va-t-il pas avouer sous la torture, tout et n'importe quoi ? Il avait déjà abordé ce sujet avec monsieur

---

134  Torture infligée aux prisonniers pour en obtenir des aveux.

Dupuy, le lieutenant général de la Prévôté : « Sergent, lui avait déclaré celui-ci, ces procédés sont archaïques et nuisent à nos enquêtes. Ils embrouillent tout et, je n'hésite pas à le dire, ils sont indignes des Chrétiens que nous sommes. »

Rue Saint-Nicolas, à l'entrée de la conciergerie du palais, Dieulefit s'arrêta un court instant pour réfléchir puis se dirigea vers les prisons. Ne pourrait-il pas tenter de raisonner le prisonnier avant qu'il ne soit gâté par l'enquête officielle ? En principe, c'est défendu bien sûr... Peut-être entre les guichets ?

Du côté est du palais, le quartier de la justice présentait trois sections en enfilade. D'abord, contre la rue Saint-Nicolas, le logement du geôlier Hubert, de sa femme et de leur servante. Attenant à ces appartements, le secteur carcéral : quatre cachots sous voûtes au sous-sol et, au rez-de-chaussée, deux autres à l'arrière et une prison civile donnant en façade. Si les cellules de la cave possédaient leur propre accès sur la devanture de l'édifice, on parvenant à celles du dessus en empruntant la porte du logis des gardiens. La troisième section du quartier était celle de la salle d'audience, qui côtoyait le local du greffe, celui des interrogatoires et la chambre de la maréchaussée.

La majeure partie du palais était isolée du chemin public menant à l'Hôpital Général par l'habituelle clôture de pieux. Si on lui ajoute la barrière séparant le geôlier de la rue Saint-Nicolas et, en face, un long appentis érigé perpendiculairement au palais, nous avons sous les yeux une cour fermée devant la maison du gardien. Souvent, dans cet enclos, un pensionnaire de la prison civile, c'est-à-dire sur lequel ne pesait pas d'accusation criminelle, était admis à exercer certaines activités, scier du bois, par exemple.

Le sergent pénétra dans la cour et gagna l'escalier qui menait chez le geôlier. Il grimpa les huit marches et, sur le palier, frappa à la porte. Un homme de taille moyenne, plutôt mince, une chevelure blanche aux épaules, vint lui ouvrir.

— Sergent Dieulefit, dit simplement le geôlier Hubert d'une voix privée d'aménité. Sans même inviter le visiteur à entrer, il compléta ce qu'il avait entrepris de faire, soit ajuster sa cravate devant un minuscule miroir pendu au mur. « J'ai peu de temps, je monte aux vêpres avec un arrêt chez monsieur le prévôt. Donc... »

— Oui, oui, répondit Bastien, je serai bref.

Notre Poitevin n'avait jamais apprécié ce Parisien infatué et suffisant, ancien greffier et fils de greffier, qui, aux dires de certains, avait poussé l'outrecuidance jusqu'à se faire concéder une seigneurie dans la Baie-des-Chaleurs. Mais François Genaple, à qui il avait succédé en qualité de geôlier en épousant sa veuve, n'avait-il pas, lui aussi, accédé au statut de seigneur grâce à une telle concession en Acadie?

— Voilà, continua le sergent. Vous savez peut-être que j'enquête officieusement sur l'affaire des placards. Messieurs le gouverneur et l'intendant sont d'ailleurs au courant. Ainsi donc, j'aurais aimé m'entretenir avec le détenu Chapelle, dit Languedoc, ne serait-ce qu'entre les guichets[135].

— Voyons, sergent, c'est tout à fait impossible, vous devez bien le savoir, se hâta de répliquer le pointilleux fonctionnaire d'un ton patelin. L'article 16ᵉ du titre 13 de l'Ordonnance royale de 1670 défend expressément toute communication, même par lettre ou billet, de quelque personne que ce soit avec les prisonniers détenus pour crime avant leur interrogatoire. Cela vaut aussi pour l'après-interrogatoire si le juge ne l'autorise. Et l'interdiction s'applique même aux religieux!

Bastien connaissait ce point de loi mais il savait également que les autorités se montraient très souvent tolérantes à ce chapitre. Combien de soldats, par exemple, accusés de crimes divers, recevaient dans leur cellule, après le souper, la visite de camarades avec qui ils jouaient aux cartes ou fumaient une pipe? Certes, depuis quelques années, à cause particulièrement d'évasions de prévenus, les règles avaient été resserrées mais

---

135 Une antichambre séparait, au rez-de-chaussée, la prison civile des deux cachots arrière. La personne qui accédait à ce vestibule exigu se retrouvait donc entre deux guichets.

tous admettaient que les détenus avaient droit à certains adoucissements dans leur traitement quotidien.

Dieulefit n'insista pas. C'eût été inutile. Le triste sire était en position d'autorité. Il quitta donc le palais et, au moment de descendre la rue du *Dauphin d'Acadie*, il croisa Paul Dupuy qui s'amenait au tribunal afin de prendre connaissance des actes d'accusation et des divers procès-verbaux auxquels, en tant que juge, il serait confronté le lendemain matin.

— Je comprends votre frustration, Sébastien, lui dit le magistrat. D'un autre côté, René Hubert applique la loi à la lettre et nous n'y pouvons rien. D'ailleurs, entre vous et moi, le nouvel intendant admire sa rigueur ; il en est lui-même partisan et le geôlier a toute sa confiance. Le temps du bon Genaple est révolu. Pendant que nous y sommes, y a-t-il quelque chose dans votre enquête que j'aurais intérêt à connaître, avant la comparution de demain ? Le procureur, monsieur de l'Espinay, a porté des accusations graves, rien de moins que lèse-majesté. Vous connaissez la peine encourue par votre «ami» s'il est trouvé coupable, n'est-ce pas ?

— Je vous ai tenu informé des principaux développements de l'affaire, vous le savez. Toutefois, il y a une analyse que j'ai faite et que j'ai été en mesure de conforter avec le temps. Si l'on excepte le capitaine Morineau, que monsieur Bégon ne semble pas prêt à considérer comme complice, deux hommes sont à l'avant-plan dans cette histoire. Chapelle, le cordonnier protestant, et notre homme de l'île aux Oies, qui se nommerait, si l'on en croit monsieur de Saint-Simon, Vincent Marquet.

«Or, si le premier m'apparaît agir strictement par conviction religieuse – les objets trouvés chez lui le désigneraient, d'ailleurs, comme un pasteur – j'ai raison de croire que le second, bien que religionnaire également, cache des motifs plus prosaïques mais, surtout, beaucoup plus menaçants. Pour parler clairement, l'homme semble à la recherche de secrets de défense et de tout renseignement susceptible d'aider nos ennemis dans l'éventualité d'une nouvelle guerre. Si j'ai raison, il s'agit d'un individu beaucoup plus dangereux que notre ancien soldat. C'est la raison pour laquelle je désirais lui parler tout à l'heure. Je ne suis pas certain qu'il soit informé des réels motifs de son camarade et qu'il trempe dans cette traîtrise.

— Mais, contesta le juge, n'est-ce pas dans sa boutique que le placard du fameux psaume fut trouvé?

— Sans doute, mais je le crois assez volontiers lorsqu'il dit que l'affiche n'est pas à lui. N'oubliez pas que le soi-disant Marquet a fréquenté la maison du Cul-de-Sac pendant quelques jours. D'autre part, le marquis d'Aloigny est formel: ces affiches n'ont pas été réalisées en ce pays; l'encre et le papier viennent soit de France, soit de l'étranger. Or Chapelle est dans la colonie depuis plus de dix ans!

— Je crois que je saisis votre point, sergent. Je garderai vos hypothèses en mémoire, demain, je vous le promets.

❦

En fin d'après-midi, le vent et le ciel bas, après leur long tour de piste, avaient cédé la place à un soleil couchant qui avait empourpré une multitude de délicats nuages. Pourtant, une telle vision bienfaisante n'avait pas fait long feu car, dès cinq heures, la nuit était tombée sur la ville. À ce moment d'ailleurs, lorsque Marie-Anne de La Porte et sa servante apportèrent leur souper aux prisonniers, les chandelles étaient de rigueur.

L'univers carcéral de Québec était relativement calme en cette fin d'octobre. Les quatre cachots de la cave étaient vacants et ils le seraient probablement durant toute la saison froide. Leur insalubrité durant ces mois était telle qu'au bout de bien des années, et après des décès causés par la maladie, il avait été décidé de n'y avoir recours qu'en cas de nécessité et pour peu de jours à la fois.

Au rez-de-chaussée, ce soir-là, la geôlière et sa suivante se dépensaient auprès de trois hôtes. Clément Chapelle occupait le plus étroit des deux cachots du fond de la prison tandis que l'autre hébergeait une pauvre fille dans la vingtaine accusée d'avoir celé sa grossesse[136]. Quant à la prison civile qui, sur la devanture, communiquait avec le logement du geôlier, on y trouvait à ce moment un jeune apprenti qui s'était enfui de chez son maître brutal et que ce dernier avait fait incarcérer pour forcer son retour.

La distribution de la nourriture avait donné lieu à une violente altercation entre la geôlière et la jeune détenue. Celle-ci accusait Marie-Anne de La Porte d'être responsable de son incarcération. Effectivement, la femme de René Hubert exerçait aussi les fonctions de sage-femme et son témoignage contre la prévenue avait pesé lourd dans la décision du procureur de la retenir derrière les barreaux.

Depuis l'arrivée de la nuit, froide mais paisible, deux soldats avaient entrepris leur ronde de garde à proximité du palais. Pendant que l'un arpentait le chemin public d'est en ouest, depuis l'entrée de la rue Saint-Nicolas jusqu'à celle des jardins, l'autre circulait parmi les ateliers et les magasins, entre la rivière et le logement de l'intendant.

Lorsque le lent rantanplan des tambours des soldats retentit par les rues de la ville afin d'ordonner *La Retraite,* c'est-à-dire le moment pour les troupiers de regagner leurs quartiers, la geôlière et sa servante comprirent que l'heure était venue de rejoindre leur couche respective, celle-ci sa paillasse sur le plancher de la cuisine, près de l'âtre, celle-là le lit de sa chambre. Hubert, qui attendait la tambourinade, reconnut qu'il était neuf heures : le temps d'effectuer l'obligatoire dernière visite des cachots et il pourrait, lui aussi, se glisser sous les couvertures. Visite abrégée, ce soir, car la cave était privée de pensionnaires.

Attrapant la lanterne suspendue au mur, il la déposa sur une table pliante juste au-dessous. Il se préparait à l'allumer à l'aide d'une brindille de balai présentée au feu de l'âtre lorsqu'il entendit frapper à la porte, dont il n'était éloigné que de trois pieds.

---

136 Accusation d'avortement volontaire.

— Qui va là ? demanda-t-il aussitôt, d'une voix impatiente.

— Arbour, de la maréchaussée. Monsieur de Saint-Simon désire que vous offriez l'hospitalité d'un de vos cachots à un sac à vin qui cause du désordre public.

Du coup, le geôlier enragea. Adieu la ronde rapide et par ici la paperasse de la mise sous écrou. Quel fichu métier !

— Vertubieu ! Ce n'est pas mon soir de chance. Une bonne âme n'aurait-elle pas pu lui passer une épée au travers le corps, ce vaurien ?

Tout en prononçant ces mots, René Hubert débarra la porte de la maison, déposa la pièce de bois près du foyer et ouvrit. Lorsque ses yeux rencontrèrent la noirceur de la nuit, ils s'agrandirent un très bref instant avant de se refermer violemment. Frappé à la tête par un gourdin, il s'écroula inanimé. L'agresseur, son bâton toujours en main, allongea les bras pour amortir la chute du geôlier. Ce faisant, son chapeau à large bords glissa au sol laissant apparaître un homme portant la barbe et un sombre bandeau sur l'œil gauche.

Pendant qu'à genoux Vincent Marquet déposait le corps sur le plancher et libérait l'entrée, un personnage de même taille se faufila dans la maison et se précipita vers la paillasse de la servante qui venait de s'éveiller subitement. Elle allait pousser un cri lorsque le nouveau venu la cloua au sol, pressa du foin dans sa bouche et la bâillonna solidement. D'une sacoche qu'il portait en bandoulière, il sortit ensuite des lanières avec lesquelles il lui attacha d'abord les mains au dos, puis les jambes.

De son côté, le faux archer de la maréchaussée était au chevet de Marie-Anne de La Porte, dans la chambre d'à côté, et lui faisait subir le même sort. Ce n'est qu'une fois ficelée que la dame prit pleinement conscience de ce qui lui arrivait.

Marquet retraita dans la cuisine, alluma la lanterne et, signalant d'un doigt à son complice de ne pas bouger, entrouvrit la porte extérieure de quelques pouces. Il inspecta les alentours, tendit l'oreille et ne trouva que silence et quiétude. Il referma et replaça la barre.

Entre l'entrée de la maison et l'âtre, se trouvait, à main droite, l'huis de la prison civile qui était fermé à clé. Le chef du petit commando fouilla le corps du geôlier et trouva ce qu'il cherchait : un trousseau d'environ six clés enfilées sur une cordelette de cuir bouilli et pendue à son cou. Après deux essais infructueux, il dénicha celle qu'il cherchait. En pénétrant dans la pièce carrée sans foyer, le faible éclairage de la lanterne fit apparaître un adolescent grassouillet à la puberté bourgeonneuse, la chevelure pas très longue, brune et bouclée. Le garçon, assis dans son lit de camp, les genoux repliés et adossé au mur, n'affichait aucune surprise.

Bien au fait, semble-t-il, de ce qui se tramait, il déclara seulement : « J'm'appelle Louis Giraudeau, de Neuville. J'tiens pas à sortir d'la chambre ni à être impliqué dans un délit d'évasion. Alors attachez-moé solide et bandez-moé les yeux et la bouche. Je promets de rien dire à votre sujet : rien vu, rien entendu. C'est d'accord ? »

Les complices se regardèrent, surpris, puis, au bout d'une seconde Marquet acquiesça : « C'est d'accord, garçon. Je te fais confiance. Et écoute-moi bien : si jamais ils décidaient tout de même de te faire parler, tu sais ce que je veux dire, essaie alors de gagner du temps : j'ai besoin de deux jours. »

Pendant que son compagnon se livrait au maquillage de la scène sur la personne de l'apprenti, le borgne, trousseau à la main, s'acharnait à ouvrir la porte de l'antichambre qui précédait les deux cachots. Une fois à l'intérieur, il promena la lanterne tout autour, à la hauteur de son visage. Le plus vaste des cachots se trouvait sur sa droite et l'autre, directement devant lui.

Les guichets des cellules étaient fermés et Marquet devinait derrière chacun le visage anxieux d'un prisonnier.

— Ami, où es-tu ?

— Ici, juste en face de toi !

Les serrures des deux cachots obéissaient à la même clé. Une fois libéré, le pasteur serra Marquet dans ses bras : « Merci, mon frère. Je savais que je pouvais compter sur toi. »

Puis, sans ouvrir le second guichet, le chef frappa à la porte de la cellule et demanda : « Vous, qui êtes-vous ? »

— J'm'appelle Isabelle Rolland. J'ai 23 ans pis on m'accuse d'avortement. Chu's pas mariée pis, s'il vous plaît, emmenez-moé avec vous, j'vous en supplie !

Les trois hommes se regardèrent, incertains, hésitants.

« Nous ne pouvons vous prendre avec nous, c'est impossible », finit par dire Marquet. Je vous propose ceci : j'ouvre votre cellule mais vous attendez quinze minutes avant de quitter le palais. »

— Mais j'ai nulle part où aller. Y vont m'trouver car j'sais pas où me cacher. Je dois partir avec vous !

L'homme au bandeau regarda ses acolytes et fit un geste de ses deux mains : « Très bien, dit-il, j'ouvre. »

La clé joua dans la serrure et la porte s'ouvrit. Mais avant d'avoir pu émettre le moindre son, ou distinguer un seul trait de son visage, la fille fut saisie par Marquet qui la fit rapidement pivoter en lui appliquant fortement la main sur la bouche. En deux temps, trois mouvements, la jeune femme fut bâillonnée et attachée sur son lit. Ses yeux rougis, étaient noyés de pleurs et d'incompréhension.

— Mademoiselle, dit Marquet, vous ne m'avez pas donné le choix. Je vous ai fait une proposition honnête, c'était à prendre ou à laisser. Bonne chance !

On ferma à clé le cachot de la femme, comme aussi la prison de l'apprenti et l'on regagna la cuisine des Hubert. Le geôlier, toujours sans connaissance devant l'âtre, fut à son tour ligoté et muselé.

— Daniel, ordonna Marquet, faufile-toi au dehors et regarde où se trouvent nos hardis légionnaires. Nous sortirons lorsqu'ils seront au plus loin.

Trente secondes plus tard, Daniel Parsons revint : « Vite, c'est *correct* ! Il faut aller ! »

Marquet jeta un œil dans la cuisine. Il se dirigea vers un cabinet assez haut et étroit dont il avait remarqué la serrure. La plus courte des clés du trousseau eut raison de celle-ci. « *C'est bien ce que je pensais.* » Il s'empara de deux pistolets, de poires à poudre et d'un sac de balles. Il enfonça le tout dans une musette en toile puis les trois hommes gagnèrent silencieusement l'extérieur en prenant soin de fermer la porte. Au bas de l'escalier, et une fois la cour intérieure franchie, ils longèrent sur leur droite la clôture de pieux de l'intendance et atteignirent rapidement la rue Saint-Nicolas, hors de la vue des sentinelles. C'est là qu'ils se séparèrent dans une accolade, l'Anglais rentrant chez lui à la ville haute tandis que ses compagnons se dirigeaient vers la rivière. Pas un bruit, pas un souffle d'air. Un maigre quartier de lune donnait une lueur juste suffisante pour apercevoir quelques étoiles au travers des gros nuages.

L'idée initiale du cordonnier Chapelle avait été d'utiliser le grand gué pour rejoindre la Canardière, de l'autre côté de la Saint-Charles. Ce passage, long d'environ un demi-mille, commençait immédiatement au pied de la rue Saint-Nicolas. Mieux valait, au dire du pasteur, traverser en aval qu'en amont afin d'éviter les redoutes plus haut sur le cours d'eau.

Rapidement, cependant, le plan s'avéra irréaliste. D'une part, Chapelle avait mal calculé l'heure de la basse mer et celle-ci n'avait pas encore évacué suffisamment l'estuaire de la rivière. D'autre part, les pluies d'automnes avaient été abondantes et la Saint-Charles parvenait mal à contrer les sautes d'humeur de ses affluents. Un courant beaucoup plus vif qu'à l'ordinaire ajoutait, en outre, un fort élément de risque aux difficultés de la traverse.

Une demi-heure plus tard, il devait être dix heures environ, Chapelle et Marquet regagnèrent la grève épuisés, rageurs, les jambes crottées de boue. Écrasés sur le rivage, haletants, ils résolurent, sans échanger une parole, de remonter la rivière.

Bien sûr, ils auraient pu recourir aux services du passeur des Jésuites, le fils Glinel[137], le *passager de la rivière*, comme il était appelé. Celui-ci, en effet, à la suite de son défunt père, opérait un canot de traverse pour les Pères et la population entre Notre-Dame-des-Anges et la Vacherie, les métairies jésuites situées de part et d'autre de la rivière. Ces Glinel n'avaient, cependant, jamais eu la langue dans leur poche et ils avaient la réputation d'être de fieffés placoteux. Autant les éviter si l'on désirait vraiment conserver l'*incognito*.

Selon les saisons, les habitants désirant franchir la rivière pouvaient compter sur un second gué, entre le premier et le service de canot, près du moulin à vent de monsieur de la Chesnaye[138], le richissime marchand décédé dix ans auparavant. À cet endroit, le passage était, certes, deux fois plus étroit mais encore fallait-il, pour y parvenir, longer la rive depuis le palais sur plus d'un quart de mille et raser les redoutes Saint-Nicolas et Saint-Roch où des sentinelles étaient postées.

Languedoc en tête, les deux compagnons parvinrent sans incident au moulin. Les patrouilles appréhendées, comme d'ailleurs les sentinelles au sommet des redoutes, ne s'étaient pas manifestées et ils avaient pu se concentrer sur le silence de leurs pas. Le temps d'inspecter le plus possible les alentours et, surtout, d'identifier au sol l'entrée du gué, ils avaient entrepris leur traversée. Une brise de l'ouest s'était levée et elle descendait le corridor de la vallée en sifflant doucement dans les feuilles des chênes du coteau, toujours les plus opiniâtres dans leur résistance automnale. Elle agitait aussi la toile d'une aile du moulin dont la fixation le long de la vergue s'était défaite.

Sable cailouteux d'abord, puis boue, glaise et, enfin, l'eau froide et son courant vigoureux. L'équipée, en pleine noirceur, ou presque, n'était pas sans risque et, tels des automates cheminant dans l'onde à pas saccadés et hésitants, les deux

---

137  Pierre Glinel (1679-1751), fils de Jacques Glinel (env.1641-1708).
138  Charles Aubert, sieur de La Chesnaye (1632-1702).

hommes ne progressaient plus que lentement, les bras dressés comme des épouvantails.

Dans trois pieds d'eau, ils claquaient des dents et leurs jambes s'engourdissaient dangereusement. Subitement, Chapelle perdit pied et, dans un cri étouffé, disparut sous l'eau écumante. Marquet, heureusement, qui le suivait de très près, le prit par le capuchon du capot d'un geste rapide et désespéré. Dès qu'il refit surface, Chapelle, affolé, battit des bras à tous azimuts. Ce faisant, il attrapa la cordelette de cuir que Marquet portait au cou et qui retenait le trousseau de clés du geôlier. Celle-ci se brisa sec, projetant dans la Saint-Charles les indispensables sésames du sieur Hubert.

Prenant appui l'un sur l'autre afin de reprendre leur souffle, les compères, leurs sens retrouvés, reprirent leur marche chancelante en se tenant fermement par la main. Progressivement, la profondeur de la rivière s'amoindrit et, au bout d'une minute, ils pataugèrent sur une grève herbacée. Ils avaient réussi. Fiers et soulagés, mais fourbus, ils se laissèrent choir sur le sable. D'ailleurs, leurs jambes ne pouvaient plus les porter.

Dix minutes s'étaient écoulées lorsqu'ils se remirent sur pied.

— Maintenant un canot, une embarcation! Ne tardons pas.

Marquet avait prononcé ces mots d'une voix calme mais ferme, avec un rien d'impatience.

Ils savaient pouvoir trouver un canot quelconque hissé sur la grève, là où les habitants avaient coutume de les renverser et de les abandonner. Sur la rive de la Canardière, non loin de l'endroit où, vingt ans auparavant, le général Phipps avait fait descendre ses troupes à bord de 200 chaloupes, les maisons des habitants étaient fort retirées dans les terres, à huit cents pieds, peut-être. Le risque d'être vu ou intercepté était faible, par conséquent.

Il ne leur fallut pas attendre bien longtemps pour mettre la main sur l'objet recherché. À quelques centaines de pieds, il gisait parmi les roseaux avec son aviron dans les entrailles.

La noirceur enveloppante ne put dissimuler le sourire de satisfaction que les deux hommes échangèrent. Sans tarder, dans un silence exemplaire, ils transportèrent le canot dans l'eau et prirent la direction de l'estuaire de la rivière.

Chapelle, à genoux à l'arrière, avironnait gauchement et le canot tenait mal son cap. Petit à petit, toutefois, une certaine technique s'imposa, ainsi qu'un rythme plus constant, et l'embarcation gagna assez rapidement l'embouchure. La brise qui s'était manifestée dans la vallée supérieure prit des allures de vent léger avec rafales et le canot dut affronter des creux de vagues d'au moins un pied, au grand dam des fugitifs.

Bien entendu, Chapelle et Marquet cherchaient à rejoindre *La Bonne Aventure*. Le navire, dont le chargement avait pris fin la veille, n'attendait plus que le passeport du gouverneur pour hisser les voiles. Comme à l'habitude, quelque connaissement de marchandises à retranscrire ou, alors, un avenant contractuel de dernière minute à présenter au notaire, retardait le départ. Quoi qu'il en soit, les deux hommes se félicitaient de ce délai.

Grâce au sens de l'orientation assez remarquable de Languedoc, le canot déboucha sur le bateau sans trop de difficulté. En fait, il faut avouer que, dans les derniers deux cents pieds, l'avironneur avait navigué à l'oreille. En effet, soumis à une houle négligeable, les mâts, les membrures et le bordé même du voilier faisaient entendre de légers craquements, imités par tous les câbles qui, sous tension, geignaient doucement.

«Ohé du navire!», appela Chapelle d'une voix retenue, lorsque l'embarcation se fut rangée contre la coque du vaisseau, à la hauteur de la coupée.

Peu de temps après, les deux apprentis marins pénétraient dans la chambre du capitaine Morineau, souriants mais débraillés et frissonnant de tous leurs membres. Jamais ils n'auraient cru qu'un trajet aussi court leur réserverait autant de difficultés et de périls. Les trois religionnaires se retrouvèrent enlacés au milieu de la pièce, émus, sans voix.

— Alléluia, mes frères! dit simplement le capitaine.

— Oui, alléluia! répéta Vincent Marquet. Il était temps que ça se termine.

— Plus que vous ne pensez, mon ami. Mon navire est sur le point de saluer la bonne ville de Québec. Cela devrait se faire vers la mi-journée, demain, au jusant.

Mais Chapelle, l'euphorie de l'évasion quelque peu retombée, n'écoutait pas. À travers les fenêtres alignées de la grande chambre, il fixait sans le voir un horizon d'ailleurs invisible mais qui lui renvoyait l'image sinon d'un échec, du moins d'une mission inachevée. « *Dieu m'avait envoyé vers ce petit troupeau isolé, caché, abandonné. C'était pour le réconforter et l'aider à préserver sa foi. J'étais seul et il y avait beaucoup à faire. Et là, je m'enfuis par souci de ma propre sécurité. Je sais qu'un jour, je devrai rendre des comptes.* »

🔥

*Lundi, 31 octobre 1712*

Martin Gareau se souviendrait de la journée, ça oui! L'écrivain-commis des magasins du roi ne déplaçait pas beaucoup d'air dans la vie. Plutôt chétif et de taille moyenne, il brillait uniquement par de beaux yeux bleus qu'il devait, malheureusement, dissimuler sous d'épaisses bésicles. Seule marque de recherche dans sa mise, il portait le catogan à sa nuque pour retenir ses cheveux blonds. Dédié à son travail auprès du garde-magasins Desnoyers, il logeait à l'étage de la partie centrale du palais, juste au-dessus des appartements de son maître.

Au point du jour, vers six heures, sous un soleil qui semblait bien timide à l'idée d'affronter la bise mordante, les tambours du château avaient, comme à l'accoutumée, battu *La Diane* afin d'éveiller la garnison de la ville et, en fait, tous ses habitants. Quelques instants plus tard, Gareau déboulait l'escalier des magasins et sortait de chez lui pour se rendre chez Marie-Anne de La Porte où il prenait son déjeuner.

Les prochaines heures seraient rudes, il le savait. Les préparatifs d'appareillage de *La Bonne Aventure* mettraient l'intendance sur le pied de guerre. Dernières paperasses administratives, bien sûr, mais aussi embarquement ultime de produits frais tels que pain, biscuits de mer, poisson et eau.

Et comme si cela n'allait pas suffire, il devrait affronter la famille Lereau, de Charlesbourg, les frères et sœurs de la jeune Madeleine qui venait d'accoucher d'un joli garçon auquel il ne manquait, officiellement... qu'un père déclaré et responsable. Cent livres qu'il avait déjà versées à la demoiselle en guise de dédommagement, mais l'on voulait davantage. D'où le terrible dilemme qui était le sien : épouser ou ne pas épouser la jeune fille de dix-huit ans, dont il avait goûté les charmes une première fois pendant les vêpres d'un après-midi glacial de janvier dernier, au palais ?

Lorsque le jeune commis poussa la porte de la geôlière, il déclencha un branle-bas qui se répercuta aussitôt dans tout le quartier. Bien sûr, des prisonniers avaient déjà forcé les barreaux de la conciergerie et pris la clé des champs. Certains avaient même percé le plafond de leur réduit avant de s'évader par les locaux de la chambre de justice, à l'étage. Personne n'avait vécu une affaire aussi sensationnelle.

Martin Gareau, choqué d'avoir découvert trois victimes dans le logement du geôlier, recula en titubant et sortit en hurlant : « Alerte ! Alerte ! À l'évasion ! » Il se réfugia chez son mentor et patron, le sieur Desnoyers, à qui il mima plus qu'il ne raconta son incroyable découverte. Il était tôt. Néanmoins, dans la ruche qu'était l'intendance, tous étaient éveillés, y compris monsieur Bégon et son secrétaire. En moins d'une minute, une dizaine de personnes s'étaient agglutinées à l'entrée de la geôle.

Desnoyers et son assistant, dans la cuisine des Hubert, furent très vite rejoints par l'intendant en mules, robe de chambre et bonnet de nuit. Le flegme, voire la morgue, du haut fonctionnaire, furent mis à rude épreuve et tous ceux qui assistaient à la scène purent en témoigner.

— Mais qu'attendez-vous ? Un médecin, vite ! cria-t-il en se penchant sur le concierge ensanglanté.

Desnoyers et Gareau libérèrent la dame La Porte et sa servante qui, en apercevant le geôlier inanimé puis l'intendant dans la cuisine, laissèrent en même temps libre cours à leur parole retrouvée. Et le peu que les deux femmes avaient vu de la scène de la veille donna lieu au récit le plus anarchique, cacophonique et échevelé que monsieur Bégon eût jamais entendu. Il ne saisissait rien mais regardait avec une horreur non dissimulée les deux harpies déchaînées dont les gestes brutaux, à la hauteur de son visage, le forçaient à reculer.

Qui donc s'était évadé ? Comment l'apprendre sans pénétrer dans le quartier même des cellules ? Car le coupable avait pris soin de les refermer à clé si bien que le mystère perdura jusqu'à ce qu'à ce que le forgeron Chauvin, aussi serrurier, soit mandé. C'est alors, seulement, que Louis Giraudeau, imperturbable, et Isabelle Rolland, les yeux bouffis mais résignée, furent libérés de leurs liens et l'évadé formellement identifié.

« Chapelle s'est échappé ! » Comme une traînée de poudre, la nouvelle se répandit dans le quartier Saint-Nicolas d'abord puis dans la ville entière. Le sieur de Saint-Simon et ses archers de la maréchaussée furent aussitôt à pied d'œuvre ainsi qu'une poignée de soldats qui leur furent détachés.

Au *Dauphin d'Acadie*, ce matin-là et pour un temps, Bastien avait pris le parti de remiser sa tenue de sergent et de ne pas obéir aux ordres de *La Diane*. Il entendait bien faire un pied de nez à la routine matinale et prendre le temps, dans le plus creux du lit, de bichonner la Fanchon. Faute d'hôtes à l'auberge, la patronne ne rechignerait sans doute pas à répondre à ses avances.

Les plans de Dieulefit se réalisèrent et, dans le calme et la béatitude du petit matin, l'ivresse des corps au repos se mêla à la clarté naissante pour imprégner la chambre des amants d'une atmosphère intemporelle. La réalité du monde extérieur, toutefois, reprend vite ses droits et, bientôt, après avoir enfilé sa robe de chambre et des mocassins doublés de fourrure, Bastien se hâta de ranimer le feu dans l'âtre de la cuisine, puis dans celui de la salle commune de la maison. Il se relevait à peine lorsqu'il entendit tambouriner à l'une des fenêtres de l'auberge, du côté de la rue.

— Julien! Mais..., qu'est-ce que tu fais dehors? marmonna-t-il presque en lui-même, en allant retirer la barre de la porte d'entrée.

— Merci, sergent, bredouilla l'adolescent. Chu's gelé aux os, il y a trois quarts d'heure que j't'attends, à travers la fenêtre. J'ai des nouvelles pour toi.

Pendant qu'il reprenait ses couleurs, accroupi devant les flammes du foyer, il demanda, inquiet: «Ma mère n'est pas d'bout, j'espère?»

— Non, mais ça va pas tarder. Et où as-tu passé la nuit, Papou? Chez les Normand?

— Ben oui! Pis, y'en est arrivé une bonne! Après la veillée, vers la minuit, quand est venu l'temps de rentrer, y'était trop tard pour réveiller Glinel, le passager. Alors, Charles, le frère de Madeleine, a accepté de m'traverser. Arrivés sur la grève, le canot avait disparu, pis l'aviron itou. Volés! J'te dis que le Joseph, le père de Madeleine, était en beau fusil! Avec une torche, y'a inspecté la grève pis les environs. On a trouvé les pas de deux personnes jusque sur le bord de l'eau. Pas de doute, y sont partis avec! Finalement, aux aurores, ce matin, Glinel a dû traverser le Père Raffeix[139] qui s'rendait à la salle d'audience de Notre-Dame-des-Anges, et j'ai embarqué avec lui.

— Et ce sont les nouvelles que tu voulais me communiquer?

— Ben... oui et non. J'ai appris aut' chose en me faisant geler la couenne devant ta porte. Gareau, le commis des

---

139  Pierre Raffeix, jésuite (1635-1724), procureur des Jésuites de 1700 à 1715. La maison domaniale, ou seigneuriale, des Jésuites à Notre-Dame-des-Anges était située sur la terre même «du passage», celle dont Pierre Glinel était fermier et sur laquelle il exerçait ses fonctions de «passager». Une pièce de ce manoir servait de salle d'audience et de justice. Depuis 1704, le juge seigneurial était Pierre Haimard (1674-1724).

magasins, descendait la rue comme un beau diable ; y'allait quérir le père Chauvin. Y'a juste pris le temps de m'dire qu'une évasion s'était produite au palais et que tout l'monde était ligoté. Pas moyen de savoir qui a pris le large parce que les cachots sont barrés. À c't'heure, ils l'savent probablement car le serrurier a dû ouvrir les portes.

Dieulefit, les yeux exorbités de surprise et la pâleur au visage, sauta sur ses jambes, comme propulsé par un ressort. Et tout en lâchant un *Jarnicoton !* bien senti, se lança à travers la pièce tout en laissant choir la robe de chambre. Au même moment, Fanchon apparaissait à l'entrée de la salle, indolente, étirant lentement les bras au-dessus de sa tête. Elle n'eut que le temps de se jeter de côté et de s'écrier : « Oh ! » que la bête, nue et déchaînée, passa en trombe sans la voir et s'engouffra dans la cuisine.

Peu après, le sergent remontait la rue au pas de course. Dans l'enceinte de la conciergerie, il écarta ouvriers et badauds qui assiégeaient l'escalier des geôliers. À la cuisine, rien n'avait été déplacé si ce n'est le concierge transporté à l'hôpital. La dame Hubert et sa servante, qui avaient retrouvé leurs esprits, étaient attablées et, lentement, elles achevaient de boire un misérable[140] d'eau-de-vie.

Auprès d'elles, assis sur des chaises droites, Isabelle Rolland et Louis Giraudeau croquaient à belles dents dans des tartines beurrées, saupoudrées de sucre du pays. Personne ne disait mot, l'heure étant, semble-t-il, plus à la réflexion et à la récupération. De toute façon, des interrogatoires en règle seraient bientôt menés par le procureur du roi et l'intendant en personne dans la salle d'en haut.

Bastien s'approcha et se laissa choir sur un banc près des prisonniers.

— Je suis le sergent Dieulefit, dit-il sans hausser le ton. La nuit ne vous a pas apporté le repos mais je voudrais tout de

---

140 Petite mesure d'eau-de-vie équivalant au quart d'une roquille ou à la trente-deuxième partie d'un litre.

même vous questionner brièvement car je suis à la recherche de l'évadé, un ancien soldat.

Les deux jeunes gens le regardèrent un moment sans répondre.

— Languedoc s'est enfui seul ou avec des complices, vous savez?

— J'ai rien vu, rien entendu, soupira Giraudeau. Y faisait noir et y'ont pas parlé... Je veux dire que c'était le silence.

Dieulefit tressaillit mais ne releva pas le lapsus.

— On raconte que vous étiez bâillonnés et attachés. Une seule personne est responsable de ce travail? Étonnant, quand même, non? Et vous, mademoiselle, vous avez remarqué quelque chose de particulier?

— Si j'parle, monsieur le sergent, croyez-vous qu'on m'en tiendra compte?

— Je crois que oui, mademoiselle car l'évasion est très sérieuse. L'homme qui s'est enfui, ou plutôt, j'en suis certain, que l'on a fait évader, était complice d'une affaire grave que le procureur, et surtout monsieur Bégon, cherchent à débrouiller. Ils apprécieront votre témoignage, c'est assuré.

— J'ai donc rien à perdre et tout à gagner... Alors voilà.

Isabelle Rolland, fixant le sol, raconta alors les événements auxquels elle avait été mêlée, moins de douze heures auparavant.

— S'il y avait une lanterne, intervint Dieulefit, vous avez dû voir quelque chose, remarquer des visages?

— Sitôt la porte ouverte, un faible rayon de lumière a pénétré, de loin, dans mon cachot. Mais l'homme s'est précipité tellement rapidement sur moé pour me retourner face au mur que j'ai rien pu voir de son visage. Rien de ses traits, en tout cas.

— Que voulez-vous dire? Je ne suis pas certain de comprendre?

La prisonnière hésita puis leva les yeux vers l'interrogateur: «En fait, j'ai pas vu sa peau mais... quequ'chose sur sa peau, quequ'chose qui croisait son visage, un morceau de tissu peut-être, chu's pas certaine.

— Est-ce qu'il pourrait s'agir d'un bandeau qui aurait couvert un œil?

— Oui, c'est possible car c'était pas un masque.

— Et si c'était un bandeau, pourriez-vous dire quel œil il couvrait?

La jeune fille hésita, sans doute embêtée à différencier la gauche de la droite. Alors elle mima avec ses mains.

— Euh... il était devant moé; alors l'œil que j'voyais pas était de ce côté, celui-là.

Elle venait d'identifier l'œil gauche.

🌿

En quittant la cuisine des Hubert, Dieulefit était l'objet d'une poussée d'adrénaline qui le soumettait à une vive tension. Son imagination, toujours incandescente, n'avait nul besoin d'être enflammée davantage pour reconstituer la scène de l'évasion, jusqu'à la route prise par les fuyards. L'identité du troisième larron, dont l'existence n'était d'ailleurs pas avérée, demeurait la seule inconnue de l'équation.

Marquant un arrêt devant le palais, il héla le soldat Savoyard qui battait la semelle devant le long édifice.

— Tu me reconnais? Je suis le sergent Dieulefit, secrétaire du commandant. Le marquis d'Aloigny viendra ce matin au palais car il a rendez-vous avec monsieur l'intendant. Lorsqu'il s'amènera, tu lui transmettras ce message de ma part: je serai chez lui aux alentours de onze heures; je piste le bandeau. Il comprendra. Tu te souviendras?

Bastien, tenaillé par une faim de loup, aurait donné ses moustaches pour un bol de café chaud. Sans l'élixir matinal, les engrenages emballés de son cerveau s'entrechoquaient douloureusement dans sa tête. Pourtant, aiguillonné par la nouvelle piste fraîche, il bâillonna sa fringale et, d'un pas allongé, s'engagea dans le parc des magasins du roi afin de rejoindre la

Saint-Charles. Le soleil de l'aube, dont la survie avait été, dès le départ, très improbable, avait déguerpi rapidement à l'arrivée d'une large bande nuageuse grise, et Dieulefit, en route vers le passage de la rivière était la cible d'un violent vent latéral. Il regrettait amèrement de ne pas avoir revêtu sa cape. Quant à son caudebec, il devait souvent le maintenir à deux mains.

Ainsi courbé en deux, il parvint trente minutes après environ, au moulin des Jésuites puis à la traverse où des cris de femme et des vociférations mâles le firent sursauter. Sur la rive, à une trentaine de pieds en aval, deux hommes et une femme se bousculaient et se tançaient vertement. Le cadet des trois, dans la jeune trentaine, s'époumonait avec force gestes.

— J'l'ai appelée *vilaine* parce qu'elle m'avait d'abord traité de *vilain*. C'est comme ça!

« *Les chiens ne font pas des chats* », songea le sergent.

Et Pierre Glinel, le *passager*, était vraiment le fils de son père, Jacques: toujours les babines retroussées et à jouer les rodomonts.

La querelle avait commencé lorsque Glinel, qui avait embarqué les époux Bohémier de Charlesbourg, les avait déposés sur la rive droite de la Saint-Charles, un peu en bas du lieu habituel d'accostage. La berge était plus escarpée et, par conséquent, plus difficile à gravir. Ce que voyant, le couple avait exigé que le *passager* les fasse aborder à l'emplacement ordinaire. Nenni! Glinel, avec ce vent et le courant, avait fait plus que son possible. « Allez, ouste! On débarque! »

Sur le talus en surplomb, Bastien voyait la scène dégénérer. Les Bohémier cherchaient à cogner, Glinel à claquer.

— Holà, holà! Du calme en bas! Vous n'êtes pas des coquins ni des canailles, tout de même! cria-t-il de sa voix la plus autoritaire.

— Ah, sergent Dieulefit! s'exclama à son tour le maître du canot. Vous êtes témoin! Voyez comme y m'attaquent! Moi, j'ai fait de mon mieux dans les circonstances et elles ne sont pas faciles, n'importe qui de sensé s'en aperçoit, non? Et en plus, ces malotrus ne m'ont même pas payé leur passage!

Sébastien dévala le talus et s'interposa.

— Allez, bonnes gens, donnez-lui ses 40 deniers[141]. Sincèrement, par ce foutu vent et ce courant de tous les diables, il a bien navigué, je dirais. Et puis, je vous aiderai à grimper là-haut.

Une fois passée la rivière et pendant que Glinel renversait son canot contre la remise, Sébastien aborda le sujet de la disparition de l'embarcation de Joseph Normand, le voisin immédiat du *passager*.

Avait-il vu ou entendu quelque chose dans le cours de la dernière soirée?

«Bien sûr, et je l'ai raconté à Joseph ce matin. Vers les onze heures, je venais de traverser le père Larue, qui était pas mal chaudasse après sa veillée chez la veuve Brochu. J'étais donc tout seul à bord et, à part un vent qui annonçait celui d'aujourd'hui, c'était le silence plein. C'est là que dans le petit gué, en bas, j'ai entendu quequ'chose, ou quequ'un, qui tombait à l'eau. Un gros plouf. Pis après, j'ai cru entendre des voix, pas longtemps, mais j'pas certain.»

Le sergent prit alors congé du passager puis marcha le long de la rivière, la descendant sur quelques arpents jusque chez Joseph Normand. Il retrouva l'emplacement du canot, les pistes de pas et rien d'autre.

C'est au moment où une volée d'outardes décollait des eaux agitées de la Saint-Charles, que Dieulefit éprouva la pénible sensation que son cœur allait cesser de battre. Alors que les magnifiques oiseaux cacardaient en chœur en prenant de l'altitude, une canonnade, tirée aux confins de la rivière et du fleuve, fit trembler le sol sous ses pieds dans un grondement continu. Levant les yeux, il aperçut des volutes blanchâtres, émanant des sabords de *La Bonne Aventure* : le capitaine Morineau saluait la ville et ses habitants par douze

---

141  1 livre = 20 sols; 1 sol = 12 deniers. Le passage de la rivière en canot coûtait 20 deniers par personne. Un tarif annuel était consenti, soit 1 livre (ou 20 sols) par personne. Pour les traversées plus fréquentes, ou encore pour les familles, d'autres prix avantageux étaient négociés.

coups de canon et il prenait le large, emportant avec lui ses secrets et ceux qui en détenaient la clé.

Et n'eût été de la batterie du château qui, peu après, cracha à pleine gueule ses vœux de bon voyage, le sergent, planté seul sur la pointe de la Canardière, nez au vent, aurait juré entendre des éclats de rire.

«Jarnicoton!»

# XII

## « MAÎTRE CÉANS DE CE PALAIS BRANLANT... »

*Jeudi, 5 janvier 1713*

L'homme touchait au but. Il y était, ou presque. Sa mission, forgée dans le creuset de ses tourments, serait bientôt remplie. Vengeance, justice ? Les deux, sans doute, et peu lui importaient les étiquettes. C'est dans l'action que l'on contre l'action, qu'on l'exorcise, et ce Bourbon avait tellement mal agi qu'il revenait à chacun de ses sujets de se révolter et de le punir.

Il avait appris de la bouche d'otages anglais travaillant aux ateliers que leur journée à l'intendance se terminerait vers trois heures par une corvée de bois de chauffage. C'est probablement une petite forêt que les habitants brûleraient en soirée et durant la nuit dans leurs maisons-passoires, fussent-elles de colombages ou de pierre. Et s'il était une construction qui répondait bien à cette définition, c'était la vieille brasserie du sieur Talon, rafistolée vaille que vaille et convertie en résidence officielle.

Piétinant péniblement dans l'abondante neige dont la chute s'était interrompue en milieu d'après-midi, il avait pris sa place tout naturellement parmi les hommes qui, à la chaîne et anonymes sous le capuchon de leur capot médiocre, ravitaillaient en combustible les logis du geôlier, du garde-magasins et de l'intendant. Pour les soldats de garde, plantés dans le vent méchant qui s'élevait, le tricorne enfoncé sur les yeux et emmitouflés jusqu'aux oreilles dans leur cape, l'heure n'était pas au zèle.

À elle seule, la maison de Bégon, avec quatre niveaux d'occupation et ses multiples foyers, représentait un nombre considérable de bûches de quatre pieds à transporter. Depuis la cuisine, à la cave, jusqu'aux combles des serviteurs, en passant par les salles et bureaux du rez-de-chaussée et les chambres de l'étage, il fallut certainement une heure pour approvisionner la vieille bâtisse. Au sous-sol, en particulier, pas très loin de l'âtre gigantesque, une vaste remise pouvait contenir plus de trois cordes de bois.

L'intrus, un homme parmi huit, n'éprouva pas plus de difficulté à quitter le groupe qu'il n'en avait eu à le joindre. Volontaire pour corder le bois dans la remise de la cuisine, il s'était habilement ménagé une cache au milieu des cordes de bois. La corvée terminée, il s'y retira sans plus de difficulté. Après le départ des travailleurs, seul un soldat pénétra dans la cuisine, en fit le tour et ressortit par la porte de la façade en la fermant à clé.

D'une vieille gibecière de troupier, à bandoulière et rabat, l'homme sortit un quignon de pain fourré au pâté de porc et une gourde d'eau-de-vie. Il avait bien travaillé et son appétit était à la hauteur de sa satisfaction. Tout en mangeant, la tête appuyée sur une bûche, il repassa dans sa tête la suite probable et anticipée des événements.

Bientôt, vers cinq heures, la cuisinière viendrait préparer le souper de la domesticité, les seigneurs des lieux étant invités pour la journée chez monsieur de Vaudreuil. Le calme et le silence reprendraient ensuite leurs droits jusqu'au retour à la maison du couple Bégon qui n'irait certainement pas au lit avant de s'être fait servir un bouillon chaud.

Tout se déroula précisément ainsi. Au retour en carriole de l'intendant et de sa femme, l'individu, du fond de sa planque, entendit le maître de céans crier à son cocher, Jean-Baptiste Lecompte : «Avec ce vent d'enfer et ce froid, mettez deux couvertures aux chevaux et donnez-leur double ration d'avoine ! Et, de grâce, essayez de calfeutrer les portes de l'écurie avec du foin ou un bourrelet quelconque. Je ne veux pas les retrouver gelés sur pieds demain matin !»

Il était bien dix heures lorsque Bégon, sans doute inquiet à l'idée de dormir par un temps pareil dans ce vieux *brûlot*[142], visita tous les feux de la maison afin de s'assurer de leur bon état. Au rez-de-chaussée, avant de monter à sa chambre, il entra dans le cabinet de son secrétaire qui, à la lumière d'un chandelier à deux branches, écrivait comme un forcené.

— Vous êtes un brave, Seurat ! Je sais qu'il n'est pas raisonnable de travailler à une heure aussi tardive, surtout par ce froid qui assiège la maison et y pénètre à volonté. Ces documents, vous savez, sont importants et j'ai promis au gouverneur de lui remettre ses originaux dès demain matin. En avez-vous terminé avec le nouveau chiffre du ministre ?

— Oui, monsieur. Et j'y suis allé de mon écriture la plus lisible. J'ai aussi recopié le mémoire que le père Aubéry[143] envoie à monsieur de Pontchartrain sur les limites de l'Acadie. Quant à la carte qui accompagne ce texte, j'en ai fait une copie dont je suis assez content. J'ai même reproduit les diverses couleurs qu'il a utilisées pour délimiter les régions contestées entre la France et l'Angleterre.

«Voici, enfin, les copies des instructions que monsieur le gouverneur entend faire distribuer aux capitaines des navires du roi. J'ai reproduit, aussi en couleur, les signaux qu'ils

---

142  Le mot est du gouverneur Vaudreuil.

143  Joseph Aubéry, jésuite (1673-1756). Longtemps missionnaire des Abénaquis, sur le front atlantique comme en Nouvelle-France, nul ne connaissait mieux les frontières de la Nouvelle-Angleterre, de l'Acadie et du Canada.

devront échanger avec les coureurs des côtes en bas de Québec pour bien s'identifier, même par mauvais temps, lorsqu'ils pénètrent dans le golfe et remontent le fleuve. »

— Bien, très bien Seurat ! Ces papiers partiront dans les jours qui viennent via l'Acadie et quelque bateau de pêcheur. C'est urgent à ce point, surtout ce qui touche les frontières acadiennes. Imaginez : les Anglais de Boston veulent ce pays mordicus et, à Utrecht, ils prétendent qu'il s'étend du Saint-Laurent à la mer, y compris le pays abénaquis et les deux rives de la baie Française[144]. D'où l'urgence de corriger ces vues absurdes auprès des plénipotentiaires d'Utrecht !

— Lorsque j'aurai terminé, je dépose ces papiers dans des dossiers séparés, sur votre bureau ?

— Non, dans le second tiroir, celui qui ferme à clé. Et remettez celle-ci à l'endroit habituel. Bonne nuit, Seurat.

— Bonne nuit, monsieur.

Dans la remise de la cuisine, juste au-dessous, l'homme n'avait pas perdu mot de la conversation. Il n'en croyait pas ses oreilles. Sa mission était bénie de Dieu, c'était certain. Dans sa croisade, il courait peut-être deux lièvres, pourtant, il en était plus que jamais convaincu, ils ne faisaient qu'un.

Courbaturé et massant ses articulations du cou et des genoux, l'homme s'impatientait. Mais pendant combien de temps, encore, ce scribe de malheur allait-il tremper sa plume ? Quelle heure pouvait-il bien être ? Et la froidure qui avait envahi la cave et la cuisine. Immobile dans son réduit, il sentait l'onglée s'insinuer sournoisement.

Le bureau de l'intendant Bégon, le cabinet de son secrétaire et la chambrette de ce dernier étaient contigus et profitaient de portes mitoyennes. Vers onze heures trente, Seurat se leva, rapailla ses écritures et les rangea dans des cartons. Par la suite, comme convenu, chandelier en main, il alla ranger les dossiers dans le bureau de son maître. Il revint bientôt sur ses pas, pénétra dans sa chambre et se mit au lit.

---

144 Aujourd'hui la baie de Fundy.

À l'écoute et aux aguets, après avoir suivi les déplacements du secrétaire à moins de trois pieds de sa tête, l'inconnu s'extirpa enfin de sa cachette. Il étira longuement ses membres endoloris et il ressentit alors un tel bien-être qu'il en aurait gémi de plaisir, n'eût été du silence absolu qu'il lui fallait garder. Heureusement, la violente poudrerie qui sévissait à l'extérieur servait ses desseins. Les hurlements du vent accrochaient des sifflets plaintifs aux aspérités du palais et aux moindres de ses interstices muraux produisant une excellente couverture sonore faite de graves et d'aigus. D'autre part, le clair de lune, grâce aux carreaux de la porte extérieure et aux puits de lumière, introduisait dans la cuisine une clarté suffisante pour dessiner les contours des meubles et des cloisons.

Quelques minutes après minuit, convaincu du sommeil du secrétaire, l'homme se mit en marche, mais non sans avoir, auparavant, enveloppé ses bottillons de linges épais. Il craignait bien inutilement les gémissements des marches de l'escalier et du plancher à l'étage ; dans la plainte générale du bâtiment, les risques de les entendre étaient bien minces.

Au rez-de-chaussée, il soupira d'aise : sorcières en sabbat n'auraient pas fait plus de vacarme. Glissant ses pieds sur le plancher bien éclairé, il se coula devant la chambre et le cabinet de Seurat pour atteindre sans coup férir le bureau de l'intendant où il s'introduisit sans peine, refermant la porte derrière lui. La vaste pièce, donnant à l'arrière du palais, comptait trois fenêtres à carreaux et, outre la lune, la neige étincelante de blancheur qui tapissait la paroi de la falaise, à quelques dizaines de pieds de distance, éclairait la pièce d'une lumière bleutée dont l'individu se montra fort satisfait.

Les paroles de Bégon à son secrétaire, deux heures auparavant, lui revenaient clairement en mémoire :

— Mettez la clé à l'endroit habituel.

Il ouvrit sans peine le second tiroir à la droite du bureau ; bien sûr, les dossiers ne s'y trouvaient pas. À gauche, le compartiment qui refusa de s'ouvrir identifia *ipso facto* l'endroit recherché. Assis dans le fauteuil du dignitaire, le voleur appuya la tête contre le dossier recouvert de tapisserie. Bien accoudé et les mains jointes sous le menton, il inspecta la pièce calmement. Certes il avait un couteau et il s'en servirait si besoin était pour forcer la serrure, mais il s'accordait un peu de temps pour dénicher la clé.

Sur le bureau de merisier, peu de choses : un cabaret de bois laqué avec un carafon et trois verres, une écritoire rectangulaire en faïence avec sa plume, un sablier de trente minutes, deux chandeliers à quatre branches et un bougeoir.

La pièce accueillait aussi certains meubles, tels une armoirette, un bahut à deux corps, quatre chaises, un pupitre à tablette inclinée et deux tabourets. Sur les murs, une tapisserie des Flandres, un crucifix, une peinture de la Vierge et, derrière le bureau, entre deux fenêtres, le portrait du roi.

Après un dernier tour d'horizon, l'homme esquissa un sourire. Il se leva et observa avec plus d'attention la représentation royale accrochée au mur. Doucement, du bout des doigts, il inspecta la bordure du cadre ouvragé : « D'ordinaire, se dit-il en lui-même, ces fonctionnaires royaux, créatures bassement inféodées, instruments du pouvoir, ne quittent pas leur maître des yeux. Tout vient de lui, tout repose sur lui, tout retourne à lui. Alors, si ma prémisse est exacte... »

À l'extrémité gauche du cadre, perdue dans les ciselures et un peu en retrait, l'une des rosettes en bois apparut inégale au toucher. Délicatement, avec le pouce et l'index, il sonda la fioriture qui ne tarda pas à glisser vers l'extérieur. La languette ainsi dégagée montrait une cavité dont les contours découpés retenaient une clé de même forme. L'anneau de la clé entourait une fleur de lys dorée finement ciselée. Le voleur s'empara du précieux objet et ouvrit le tiroir aux secrets.

Clé en main, il en sortit aussitôt une pile de dossiers. Il ne les examina pas car il en connaissait maintenant la teneur. Il les empoigna d'une main et les enfouit dans sa gibecière dont il attacha soigneusement le rabat. Fou de joie, il se préparait, par réflexe, à replacer la clé dans son compartiment secret lorsqu'il distingua au fond du tiroir un portefeuille brun. Il s'en empara et l'ouvrit.

En plus d'un volumineux mémoire de l'ingénieur de Beaucours[145] sur ses réalisations récentes en matière de fortification à Québec, il renfermait divers plans annexés qui montraient les nouvelles redoutes Royale et Dauphine, les remparts construits entre l'Hôtel-Dieu et l'évêché, la batterie Raudot et les berges défensives de la rivière Saint-Charles et de Beauport.

Il fit main basse sur ce carton et, pressé d'évacuer les lieux, il le plia grossièrement et l'enfouit rapidement dans la large poche intérieure de son capot.

À la veille de son intrusion dans le palais, l'homme avait rêvé mettre la main sur des documents précieux. Jamais pourtant, il n'aurait cru découvrir un tel trésor. Ce qu'il avait trouvé était de nature à changer le cours d'un siège, voire d'une guerre. Le plus important, maintenant, était de mettre le feu à la méchante baraque afin d'occulter parfaitement ce fabuleux larcin. De l'une des poches extérieures du capot, il retira son batte-feu, une pierre et une pièce d'amadou[146]. Tenant le batte-feu dans sa main gauche et la pierre dans l'autre, il les frotta rapidement l'un contre l'autre ; des étincelles en jaillirent aussitôt qui mirent rapidement le feu à la substance spongieuse et inflammable qu'est l'amadou.

Quelques feuilles de papier dénichées dans le pupitre et roulées en torche furent promptement allumées. Aussitôt, la large tapisserie murale ainsi que les lourdes tentures encadrant les fenêtres de la pièce s'embrasèrent. La longue plainte du vent et ses bourrasques impétueuses couvrirent entièrement le crépitement des flammes dans le bureau et donnèrent à l'effrayant spectacle une allure proprement fantasmagorique.

L'homme jeta un ultime coup d'œil autour de lui et sortit du bureau en refermant la porte. Sans peine aucune, il retrouva

---

145  Josué Dubois Berthelot, sieur de Beaucours (env. 1662-1750), ingénieur en chef du Canada en 1712.
146  L'ensemble des trois pièces constitue le briquet.

le petit escalier menant à la cuisine. Il venait d'y poser pied lorsqu'un cri d'effroi perça les mugissements des rafales.

— Au feu! Au feu! Dieu du ciel, au feu!

Pendant que Charles Seurat, pris d'épouvante, s'élançait vers l'étage pour réveiller son maître, l'incendiaire débarrassait ses bottes de leurs guenilles et pénétrait dans le tambour de la cuisine. La noirceur y était totale et ce n'est qu'en tâtant des mains la cloison de gauche qu'il découvrit la barre horizontale qui bloquait l'ouverture de la porte étroite. Il souleva la pièce de bois sans difficulté et la balança dans les airs. Dans ce réduit, cependant, l'une des extrémités du bâton accrocha une poche du capot et l'arracha. Un boîtier métallique chuta par terre et s'ouvrit sans que le fuyard s'en avise.

Celui-ci poussa difficilement la porte obstruée par la neige. Il se glissa dans l'espace dégagé et, une fois à l'extérieur, repoussa machinalement la porte. Après avoir inspiré une bonne bouffée d'air, il serra contre lui son sac à bandoulière et, courbant l'échine, fonça dans les bancs de neige que la poudrerie semblait avoir pris plaisir à dresser en crêtes déferlantes sur son passage.

Tel un de ces percherons forts de leur assurance et confiants de mener leur tâche à bien, il traça lentement son chemin jusqu'à la côte du Palais. On aurait dit Rossinante. N'était-ce pas plutôt son maître, Don Quichotte, le «chevalier à la triste figure», le redresseur de torts, épris d'honneur et de justice?

# XIII

## Le Prince des Ténèbres

*Québec, lundi 25 juin 1714*

Monsieur le chanoine et bien cher maître,

*L'arrivée du navire du Roi L'Afriquain, il y a une semaine, a jeté la joie et le soulagement dans notre ville et dans la région. Il est même possible que la nouvelle ait déjà atteint le gouvernement de Montréal. La vaine attente de votre missive de l'année dernière, qui vient tout juste de m'être remise, illustre parfaitement, bien qu'à l'échelle personnelle, le désarroi qui s'empare du pays lorsqu'il est coupé non seulement de son ravitaillement mais aussi de ses sources de nouvelles. Plus les gens sont éloignés des leurs et plus les communications s'avèrent précieuses, je dirais même vitales.*

*Depuis la lettre que je vous ai adressée à l'automne de 1712, nous avons vécu dans un univers clos. Il y a plus de vingt ans que je suis ici, et c'est la première fois que je suis confronté à une telle expérience. Incertitudes, rumeurs, indécisions, reports, autant de situations qui, au quotidien, ont marqué la vie de tous. Imaginez: sommes-nous en guerre? Une attaque contre la colonie est-elle en préparation, en cours peut-être? La paix a-t-elle été signée? Sinon, la trêve de quatre mois a-t-elle été renouvelée? Et si la paix a été signée à Utrecht, avons-nous, ou non, cédé l'Acadie et Terre-Neuve? La baie d'Hudson? Avons-nous au moins conservé l'île Royale[147] où, déjà, nous nous préparons à édifier un poste fortifié qui sera peuplé d'Acadiens et de Canadiens? Enfin, que faire avec tous ces travaux projetés qui attendent l'autorisation du ministre? Des délégués de Boston et de la Nouvelle-York, comme aussi des navigateurs anglais, des commerçants et même des Sauvages de là-bas, n'ont cessé de nous dire que la paix était signée depuis le 11 avril de l'année dernière! Et, ici, pendant tout ce temps, nous avons continué de vivre sur un pied de guerre, ou presque. Je vous laisse apprécier la joie de la population lorsqu'elle a vu, il y a quelques jours, les affiches apposées sur les murs où étaient écrits les mots suivants:* « De par le Roy. On fait a sçavoir à tous qu'il appartiendra qu'une bonne, ferme, stable et solide paix, avec une amitié et réconciliation entière et sincère, a été faite et accordée entre Louis, Roy de France et de Navarre, et Anne, reine souveraine de la Grande Bretagne, etc. »

*Nous venons seulement d'apprendre la cause de cette situation extrêmement préjudiciable et insupportable: le navire* Le Prince, *que le Roi avait chargé, en 1713, d'apporter dans notre pays les dépêches officielles, a été forcé par des avaries majeures de rentrer en France. La saison était alors trop avancée pour armer un autre vaisseau et ce courrier tant attendu ne nous est parvenu que ces derniers jours! C'est ainsi que la Nouvelle-France, écartelée entre attaques et rumeurs d'attaque, entre victoire et défaite, a vécu probablement l'année la plus incertaine et la plus dramatique de son histoire. L'annonce du traité, vous l'imaginez bien, a été reçue dans ce pays avec le plus grand des soulagements par l'ensemble de*

---

147 Île du Cap-Breton. La ville fortifiée sera nommée Louisbourg.

*la population dont les moins de trente ans ne se souviennent même
pas du bonheur de vivre en temps de paix.*

*Cependant, entre vous et moi – et tous les administrateurs et gens
éclairés sont d'accord – ce traité est catastrophique pour la Nouvelle-
France. Monsieur le gouverneur, appuyé d'ailleurs par le marquis
d'Aloigny, votre neveu, ne décolère pas dans son particulier. Il y voit
la fin prochaine de la colonie, rien de moins. Comment ne pas être
d'accord? Un coup d'œil sur la nouvelle géographie issue d'Utrecht
montre un encerclement quasi total. Des Anglais, venus ici l'hiver
dernier pour rapatrier des prisonniers que nous avons ont affirmé à
certains d'entre eux, qui désiraient s'installer en permanence parmi
nous, que c'était folie de caresser ce projet. D'autant, affirmaient-
ils, que lorsque la guerre reprendra, dans peu de temps, le général
Nicholson relancera la conquête du pays. Non, vraiment! La paix
à ce prix, il n'y a que les esprits simples et les marchands à courtes
vues pour s'en féliciter!*

*Je vous le disais, pourtant, le peuple ne boude pas la fin d'une si
longue et coûteuse guerre. Le temps est aux réjouissances. Déjà,
l'été dernier, au moment du retour de captivité de notre évêque,
monseigneur de Saint-Vallier*[148]*, un* Te Deum *avait célébré les
dernières victoires françaises du conflit. Et hier, jour de la Saint-
Jean, un nouveau* Te Deum, *plus mémorable encore, jeta la frénésie
parmi le peuple. Messe solennelle et procession dans la haute ville
précédèrent des canonnades, des salves de fusils, des feux de joie et
des danses partout dans la ville. Le bonheur de tous est immense.
La cessation des hostilités signifie que nos prisonniers anglais vont
enfin retourner dans leur pays. Ce ne sera pas trop tôt car plusieurs
étaient des fomenteurs de trouble qu'il nous avait fallu isoler et
surveiller. D'un autre côté, des dizaines d'otages s'installeront
à demeure au pays. Ayant abjuré la RPR, ils vont épouser des*

---

148  Jean-Baptiste de La Croix de Saint-Vallier (1653-1727), deuxième évêque de Québec. En
voyage en France depuis l'année 1700, il rentrait à Québec en juillet 1704 lorsqu'il tomba
prisonnier des Anglais. Amené en Angleterre, il ne regagna finalement la colonie que le 17
août 1713.

garçons et des filles d'ici. Bon nombre parmi eux ont déjà obtenu du Roi des lettres de naturalisation française et, étant souvent des gens de métier, ils seront d'un bon secours pour la colonie en manque de bras et d'ouvriers qualifiés.

Le gouverneur Dudley, de Boston, nous a envoyé des émissaires l'hiver dernier afin de préparer un échange majeur de prisonniers. Il est dorénavant entendu qu'un navire anglais viendra à Québec le mois prochain afin de rapatrier tous les otages. Pour notre gouverneur, cette libération constitue un véritable casse-tête. En effet, il n'est pas question de renvoyer les naturalisés et tous les autres convertis qui ont manifesté leur désir de demeurer au pays. Bien évidemment, Boston ne comprend et n'accepte tout simplement pas que leurs ressortissants puissent librement faire un tel choix.

Ici, l'opération « Île Royale » est en branle et elle monopolise toutes les conversations. L'évacuation de Plaisance et de Terre-Neuve vers l'île du golfe est en cours grâce à plusieurs navires envoyés de France. Je vous dirai, cependant, que l'inquiétude et même la grogne gagnent nos habitants. Ce sont, par exemple, nos soldats et nos officiers qui partent s'installer dans ce nouveau port, plus d'une soixantaine en deux ans. Il ne nous en restait que 600, environ, pour tout le pays et les postes de l'Ouest. Le marquis d'Aloigny et le gouverneur doivent assister à une telle saignée sans mot dire si ce n'est pour quémander des remplaçants à Versailles.

Et puis, c'est nous qui devons nourrir et ravitailler l'île Royale et sa garnison. Pois et surtout farines quittent Québec au moment où les prix flambent. Que les vieilles farines de l'année dernière soient embarquées sur des navires, nos gens peuvent l'accepter. Ils surveillent cependant attentivement ce que l'on décidera de faire avec les récoltes de l'été. Plusieurs, et je l'ai entendu de mes oreilles, craignent une disette. Décidément, l'aventure de Louisbourg, la nouvelle place forte, ne démarre pas sous de favorables auspices. Les Acadiens, pour la plupart, refusent de quitter leurs terres, en dépit de la présence anglaise, et les sauvages Micmacs et Abénaquis de la rivière Saint-Jean, que l'on a aussi invités à déménager, rejettent carrément l'offre. Pensez: on dit qu'il n'y a même pas de forêts là-bas!

Bien sûr, toute l'agitation et le branle-bas profitent aux armateurs et capitaines de navires. Tous cherchent à capitaliser sur la ruée maritime. Ainsi, les deux fils Dupuy, Jean-Paul et Simon, sont entrés dans le jeu et se sont associés avec un capitaine d'ici. Mais, le saviez-vous, même le chevalier de Sanzelles s'est lancé dans la course au trésor. Il a démissionné de son poste de lieutenant des troupes l'année dernière et il a mis la main sur une goélette de 40 tonneaux grâce à laquelle il participe pleinement à l'aventure. Où a-t-il trouvé les fonds pour financer son entreprise, je ne sais trop.

Je ne peux évoquer le nom des Dupuy sans mentionner le décès, il y a six mois, de mon ami, presque mon père en ce pays, Paul Dupuy, le sieur de Lisloye. Âgé de plus de 75 ans, ce soldat et seigneur a toujours fait l'unanimité autour de sa personne: c'était un être d'une force de caractère et d'une grandeur d'âme uniques. Il a occupé les plus hautes fonctions dans la colonie, mais uniquement pour servir car, s'il avait eu le choix, il serait demeuré dans son havre de paix de l'île aux Oies, entouré de sa famille et de ses quelques censitaires. Je lui dois beaucoup depuis mon arrivée ici et je me flatte qu'il m'ait considéré comme l'un de ses fils. Il y a environ seize mois, il avait officiellement vendu sa seigneurie aux Hospitalières de l'Hôtel-Dieu.

Au chapitre des deuils, un homme dont votre neveu vous a peut-être parlé: le major des troupes à Québec et le bras droit du marquis d'Aloigny, Jacques de Noré, sieur Dumesnil, un Normand de la région de Caen, arrivé au pays comme capitaine des troupes en 1684. L'été dernier, les deux hommes avaient pour mission de parcourir les côtes du pays afin de faire la revue des milices paroissiales. Ils y ont employé une bonne partie de la belle saison et ils se sont épuisés à la tâche. Ils en ont rapporté des fièvres qui les ont hospitalisés à Montréal. Le sieur Dumesnil y est décédé *en octobre dernier. Quant au marquis, vous devez savoir que, bien que de retour parmi nous, il a perdu dans l'équipée le peu de santé qui lui restait. Son médecin, le sieur Michel Sarrazin, désire le retourner en France à l'automne afin de lui faire prendre les eaux. Vous aurez donc la chance de le revoir chez vous, au château de la Groye, l'hiver prochain.*

*Monsieur le marquis de Vaudreuil, nous venons de l'apprendre, s'embarquera aussi à l'automne pour régler des affaires personnelles. Maintenant que la paix est conclue, il lui tarde d'assurer sa main-mise sur la propriété des Vaudreuil, en Languedoc. Le marquis d'Aloigny m'a confié que c'est dans ce but uniquement qu'il avait acheté, il y a trois ans, la charge de gouverneur de Revel, la ville voisine. Les consuls de la place, depuis, ont abandonné leur projet de saisir le château de Vaudreuil pour raison d'impôts impayés.*

*Par ailleurs, ce séjour en France viendra adoucir quelque peu la déception qui fut la sienne à l'annonce que sa chère femme[149] venait d'être nommée par le Roi sous-gouvernante des enfants de Monseigneur le duc de Berry[150]. Certes l'honneur est insigne et familial, mais tous savent ici à quel point le marquis espérait le retour de son épouse auprès de lui. Il lui avait même réservé la surprise de la rénovation de ses appartements au château et il brûlait de la revoir.*

*Vous me questionnez sur mon avenir. Sera-t-il français, sera-t-il canadien? Sachez que j'ai aussi reçu une missive royale, ou du moins qui me concerne. Le roi Louis a en effet ordonné aux autorités coloniales d'interdire dorénavant les mariages des sergents à moins de quitter l'armée et de s'installer au pays. Ainsi, terminé*

---

149   Louise-Élisabeth de Joybert (1673-1740), née en Acadie, avait épousé Philippe de Rigaud de Vaudreuil à Québec en 1690. Elle lui donna 12 enfants avant de s'embarquer pour la France en 1709 afin d'y défendre ses intérêts à la cour. Elle ne revint à Québec qu'en 1721, quatre ans avant la mort de son mari.

150   Charles de France, duc de Berry (1686-1714), petit-fils de Louis XIV et troisième fils de Louis de France, *alias Monseigneur* ou le *Grand Dauphin*. Il avait épousé Marie-Christine de Bavière.

*le temps des sergents-cabaretiers qui, avouons-le, pullulent sur nos rives... et auxquels j'aurais peut-être été porté à me joindre, compte tenu d'une jeune veuve qui ne m'est pas indifférente.*

*Autre ordonnance qui me touche, celle obligeant les censitaires à tenir feu et lieu sur leur terre et à la développer, sous peine d'annulation de concession. Je ne vois pas comment je continuerais à servir le marquis tout en conservant ma qualité d'habitant d'autant que le seigneur Dupuy, mon protecteur, s'en est allé. De toute façon, l'île aux Oies est devenue pour moi une espèce de tombeau familial au-dessus duquel planent les ombres nombreuses d'êtres aimés et à jamais en allés.*

*D'autre part, la paix est maintenant faite et je réalise qu'en ce pays, depuis 1693, je n'ai connu que la guerre, ses conditions de vie, ses exigences, ses surprises, sa loi. Comment intégrer la paix à ma vie quotidienne ? Comment, en même temps, y incorporer des choix de vie adultes, c'est-à-dire indépendants et responsables ? J'avais quinze ans lorsque je suis venu rejoindre votre neveu à Québec : encore un enfant avec des rêves en tête. Je dois apprivoiser ces changements et me tracer une nouvelle vie, bien à moi.*

*Il n'est pas interdit de penser que je pourrais accompagner le marquis lors de son voyage automnal. J'aimerais bien revoir mon Poitou, la Vienne, Ingrandes, la forêt de la Groye où je piégeais le lièvre, le Battreau où je pêchais la truite en admirant la Touraine, juste de l'autre côté du cours d'eau. J'aimerais me recueillir sur la tombe de mes parents, enterrés près de la chapelle du château, et revoir quelques visages connus, dont, bien sûr, le vôtre et ceux des demoiselles Charlotte et Suzanne, les sœurs du marquis. Si je décidais d'adopter définitivement la Nouvelle-France, cela signifierait dire adieu à l'ancienne. Si seulement vous saviez à quel point l'appel de deux mondes est, pour moi, déchirant.*

*Avant de vous quitter, une nouvelle que le marquis me transmet. Le palais de l'intendant Bégon sera bientôt reconstruit. Vous vous* souvenez qu'il avait été incendié dans des circonstances troublantes en janvier 1713. Deux projets étaient envisagés. Reconstruire à l'identique, ou à peu près, sur les mêmes lieux, ou séparer la résidence et les locaux administratifs des magasins et prisons. La dernière option a été retenue, quoique plus onéreuse. Dans un premier temps, par conséquent, l'on redressera une partie de l'ancienne habitation afin d'y loger entrepôts et cachots puis, l'on érigera un palais digne de ce nom, juste en face, dos à la rivière. Tous les détails du projet ne sont pas connus mais il appert que monsieur Bégon ait fait pression afin d'obtenir une résidence à la hauteur de sa haute fonction.

Lors de l'incendie du palais, le saviez-vous, quatre personnes avaient perdu la vie. Marguerite Carrey et Marie-Madeleine David, filles de chambre de madame l'intendante, Brisset, le valet de chambre de monsieur Bégon, et Charles Seurat, son secrétaire. Ce dernier, que j'avais eu l'occasion d'interroger à l'Hôtel-Dieu au lendemain de la tragédie, est finalement décédé, deux semaines plus tard.

Voilà, mon cher maître, quelques nouvelles qu'il me tardait de vous transmettre. Je confie ma lettre à monsieur de Voutron, le capitaine de L'Afriquain, qui s'est présenté à Québec le premier, en début de saison, car il doit ravitailler Louisbourg en hommes et en vivres avant de mettre le cap sur Rochefort. J'ignore, pour le moment, si les marquis de Vaudreuil et d'Aloigny passeront en France à bord de ce vaisseau.

Je vous embrasse bien filialement et j'espère que Dieu vous conservera la santé jusqu'à ce que nous soyons à nouveau réunis.

*Sébastien*

# XIV

## APPARTENANCES

*Lundi, 16 juillet 1714*

L a journée promettait d'être écrasante. La nuit y avait transporté ce qu'elle-même avait hérité du jour précédent : une
chaleur étouffante, une humidité exécrable et une absence totale
d'air. Les navigateurs qui, dit-on, ont l'oreille d'Ouranos, de
Poséidon et de son fils Éole, juraient à qui voulaient les écouter
que la canicule insupportable ne survivrait pas à la tombée de la
nuit. Peu importait, en fin de compte. Le bon peuple avait en
tête ni les longues journées de l'été si bref, ni l'inconfort de la
suée incessante.

Lui habituellement si heureux en cette saison d'activité
fébrile, où les voiles succèdent aux voiles, où les campagnards
reviennent en ville, où la colonie entière se donne rendez-
vous sur les places et dans les cabarets, il broyait du noir. Une
déprime faite non plus de menace armée, de fusils en joue ou
de milices au pas, mais, plus sombre encore, qui se coule au
fond de l'estomac et des tripes, celle de l'hydre à deux têtes :
la famine et la misère.

L'euphorie de la paix n'a pas fait long feu. Toute guerre a un prix et les plus longues mènent directement à la ruine. Dès l'arrivée des premiers vaisseaux, les rumeurs ont couru les rues et les chemins : la mère patrie est en banqueroute, les caisses sont vides, les colonies seront mises à contribution pour les renflouer et les colons seront taxés. Où trouver l'argent, cependant, alors qu'au même moment, le roi a décidé de dévaluer de moitié la monnaie canadienne, la monnaie de carte ?[151]

Ce matin-là, il devait être huit heures et demie, un groupe d'hommes bien mis, dont plusieurs portant perruque en dépit d'un soleil déjà ardent, étaient rassemblés vers le sommet de la côte de la Montagne, sous la porte cochère donnant accès à la cour intérieure de l'évêché. Que faisaient donc en ce lieu les neuf membres du Conseil supérieur de la Nouvelle-France ? Ils se préparaient à y tenir une séance de haute justice, rien de moins.

Sitôt le palais de l'intendant consumé par les flammes, au début de janvier de l'année 1713, il était devenu urgent de trouver un lieu dans la ville où justice pourrait être rendue. En l'absence de l'évêque, retenu en France puis en Angleterre depuis une douzaine d'années, l'on installa les cours de justice dans la résidence de monseigneur de Saint-Vallier, un endroit vaste, central et confortable où monsieur Bégon résidait d'ailleurs depuis l'incendie.

---

151  En 1685, l'intendant Jacques de Meulles avait mis en place un ingénieux système afin de compenser le manque d'espèces sonnantes dans la colonie : l'usage temporaire de cartes à jouer en guise de papier-monnaie. Sur chaque carte, un montant était inscrit et le cachet de l'intendant certifiait cette valeur. Au printemps, à l'arrivée des vaisseaux du roi, de Meulles rachetait ces cartes grâce au numéraire envoyé. Très vite, cet expédient s'imposa, en dépit de la désapprobation royale, et il devint un instrument de crédit. En 1708, la monnaie métallique avait presque entièrement disparu du marché canadien et les émissions de cartes se multiplièrent. Faute d'être honorée, cette monnaie artificielle se déprécia et, en 1714, afin de débarrasser le marché de ces cartes, Versailles accepta de les racheter mais à la moitié de leur valeur nominale, ce qui représenta une perte pour les Canadiens d'un million de livres. Une véritable banqueroute, surtout dans le contexte d'une crise majeure dans le commerce du castor.

Le palais épiscopal était alors la plus importante et la plus belle construction de la ville. L'entrepreneur-architecte Claude Baillif l'avait érigé au cours des années 1690 et très peu de diocèses français auraient été en mesure de présenter plus noble bâtiment... si son plan initial avait été réalisé. Deux ailes en retour devaient encadrer la magnifique chapelle du palais ; or une seule sortit du sol. Quoi qu'il en soit, enveloppé dans une pierre de taille évoquant le marbre, l'édifice, entre côte et falaise, attirait tous les regards.

Le retour tout à fait inopiné de l'évêque à Québec, en août de l'année précédente, avait pris de court les dirigeants du pays qui, du coup, avaient cru devoir déménager à la fois les pénates de Bégon et les tribunaux. Heureusement, le prélat, vieilli et malade, plus austère que jamais, abandonna temporairement l'évêché à l'intendant et aux juges, le temps de construire un nouveau palais. Il se retira à l'Hôpital Général qu'il avait fondé sur les bords de la rivière Saint-Charles en 1692.

C'est le réfectoire de l'évêché, au rez-de-chaussée, qui hébergeait la cour de justice. Éclairé par quatre croisées, il avait vue sur le fleuve et sa rive sud. Les membres du tribunal se retiraient derrière trois tables aboutées, à l'une des extrémités de la pièce rectangulaire. D'ordinaire, les séances du Conseil étaient présidées par monsieur l'intendant, maître de la justice coloniale. Toutefois, comme toujours à l'été, monsieur Bégon, à l'instar du gouverneur de Vaudreuil, habitait Montréal afin d'accorder toute son attention aux problèmes particuliers de ce coin du pays. En son absence, l'assemblée était dirigée par le premier conseiller, en l'occurrence Claude Bermen de la Martinière, le plus expérimenté et aussi le plus âgé des neuf juges.

Après que le Conseil eût expédié quelques affaires courantes, le vieux seigneur de la Martinière, empêtré dans ses jambes, se leva lentement et, la perruque légèrement de guingois, demanda l'attention de ses collègues.

— Messieurs les Conseillers, je crois de mon devoir de profiter de votre présence ici, et malgré l'éloignement de monsieur l'Intendant, pour porter à votre attention divers entretiens que bien des habitants de la ville ont désiré avoir avec moi. Si je soulève ces conversations, c'est que j'ai de bonnes raisons de croire que vous en avez eues de semblables depuis quelque temps. Je veux parler de l'inquiétude de la population face à l'avenir, particulièrement en ce qui a trait au prix, à la qualité et à la disponibilité même du pain fourni par les boulangers. Nos gens, aux yeux de certains, ont une réputation souvent évoquée d'insubordination et il est prévisible qu'ils en feront la démonstration si nous ne trouvons pas de solution au problème.

Et Bermen de continuer en soulignant que ce sont les pauvres de la ville, les journaliers en particulier, qui souffrent de voir le minot de blé atteindre des prix de six ou sept livres. Par ailleurs, fait-il valoir, ces prix sont le fruit d'une fausse rareté : « Le blé ne devrait valoir que quatre livres car il est en abondance dans toutes les côtes ; mais on le cache, comme la farine d'ailleurs, afin de les charger sur les navires et de les expédier à Louisbourg et dans les îles. »

— Mais, intervint Eustache Chartier de Lotbinière, le plus jeune membre du Conseil à 26 ans, que pouvons-nous faire ? La décision n'est pas nôtre de ravitailler en farine ces colonies. C'est un ordre du roi ! Ces chargements de navires ont d'abord pris la direction de Plaisance et aujourd'hui, c'est la poursuite de l'opération sur Louisbourg.

— Il faut agir ! rétorqua le vieux Bermen. D'un côté, le peuple croit à une disette et, en même temps, il voit des navires chargés quitter notre rade, d'autres qui se préparent à les imiter sans parler de ceux, enfin, qui ne sont pas encore remontés jusqu'ici et qui feront de même. Nous pouvons comprendre l'épouvante qui les assaille à la pensée qu'une terrible famine nous menace et il faut pouvoir les rassurer. Bien sûr, les habitants des campagnes profitent de la situation mais celle-ci n'en demeure pas moins inéquitable et très dangereuse.

— Je suis d'accord, dit Charles Macard, le frère de Geneviève Macard. Il faut dégonfler sans tarder ces prix artificiellement soufflés. Nous avons déjà connu des périodes de cherté du blé. Rappelons-nous les années 1700 et 1701. Sauf qu'elles correspondaient véritablement à des récoltes misérables.

— Vous avez cent fois raison, messieurs, déclara alors Michel Sarrazin, en replaçant ses longs cheveux châtains de chaque côté de son visage. J'avoue, tout de même, qu'en tant que médecin, la question de la mauvaise qualité du pain m'inquiète tout autant. J'aimerais bien être mieux informé à ce chapitre.

— Qu'à cela ne tienne, cher ami, répondit Claude Bermen. Je vais à l'instant faire comparaître devant vous, et devant nous tous, un groupe de femmes de la ville qui, m'a-t-on fait savoir au début de la séance, souhaiteraient nous communiquer leurs griefs concernant la qualité du pain. Garde! Introduisez ces personnes!

La porte de la salle s'ouvrit et huit femmes, sortant d'une pièce attenante, la plupart dans la trentaine, s'infiltrèrent doucement parmi les rayons empoussiérés du soleil et vinrent s'aligner devant les conseillers, mais à bonne distance. Par les fenêtres ouvertes, seul le pépiement d'oisillons donnait à l'instant un caractère moins cérémonieux. Ces femmes étaient pauvres, très pauvres. Toutes portaient une jupe sombre à mi-mollet recouverte d'un tablier à la taille, une chemise décolletée à manches relevées et une coiffe ou un bonnet. Dans leurs pieds, des souliers de bœuf ou des sabots.

Cinq d'entre elles avaient un pain en main et, sans doute intimidées par le décor somptueux de la pièce, qui tranchait avec celui de la salle d'audience du palais incendié, elles restaient bouche bée, comme incapables de se rappeler l'objet de leur visite.

— L'une d'entre vous souhaiterait peut-être parler au nom des autres? demanda alors le sieur de la Martinière.

L'aînée du groupe, dans la cinquantaine, et aussi la moins impressionnée, prit la parole.

— J'suis Jeanne Greslon, la femme à Dasylva du Sault-au-Matelot. Avec les autres, icitte, nous avons décidé, m'sieur le juge, de venir en personne vous montrer c'qu'on nous vend comme pain, aujourd'hui. Ça p'us de bon sens, c'é pire que jamais, pis on s'é dit qu'y fallait vous montrer ça. J'ai dix enfants pis mes plus jeunes peuvent même pas en manger! Le mien, mon pain, c'est Tourangeau qui l'a fait, mais les autres, icitte, l'ont acheté ailleurs. À c't'heure, nous voudrions vous demander bien respectueusement, m'sieurs les juges, de goûter nos pains.

Imitée par celles qui avaient apporté leur propre pièce à conviction, la Greslon s'avança de trois pas et déposa son pain sur la table, devant La Martinière.

Les conseillers se levèrent et s'approchèrent de la table centrale. Puis ils regardèrent, prirent dans leurs mains et palpèrent ce qui, il faut bien l'avouer, ne ressemblait guère à du pain. Des espèces de galettes de la couleur et du poids de la terre, plates, non levées. Ils en rompirent des morceaux qu'ils portèrent à leur bouche. Un goût aigre leur tira une grimace.

François Aubert, l'un des goûteurs, s'écria aussitôt: «Mais ce n'est pas du pain, ça! C'est n'importe quoi sauf du pain!»

— Pis c'é pas toutte, m'sieur, intervint Anne Aumier, la femme de Philippe Beaudin. Ce pain-là, dans vos mains, mon mari l'a pesé: y fait que quatre livres et on m'en a demandé vingt sols! C'é du vol de grand ch'min!

Pendant que la délégation féminine prenait voix et lançait l'argumentation, ces messieurs, tout en poursuivant leur travail de bouche, soupesaient les pains gris et, de l'un à l'autre, marmonnaient leurs commentaires. Les regards qu'ils échangeaient étaient éloquents, ce qui enhardissait davantage encore les plaignantes.

Après quelques minutes d'échanges et de discussions, monsieur de la Martinière chercha à rassurer les huit femmes. Un rapport sévère serait remis à l'intendant Bégon dès son retour de Montréal et des décisions importantes seraient sans doute prises à ce moment. Somme toute assez satisfaites de leur ambassade et des résultats promis, le groupe se retira.

— Messieurs, dit alors le premier conseiller, vous voyez par vous-mêmes que ces femmes viennent confirmer mes propos initiaux. Un grave problème nous confronte, que l'on parle de pain ou de farine. Nous comprenons tous, maintenant, pourquoi le peuple grogne et s'inquiète. La situation, si elle devait perdurer, mènerait sûrement à de graves émotions populaires. Les famines, même appréhendées, ont toujours encoléré et emporté les peuples. Avec votre permission, je rédigerai un rapport sur l'affaire et je le transmettrai au procureur général. Celui-ci le présentera lors de la première séance du Conseil qui suivra le retour de monsieur l'intendant. Et pour la circonstance, je demanderai que monsieur le gouverneur et monseigneur l'évêque soient présents.

Pendant que ces paroles étaient prononcées, Michel Sarrazin se tenait à l'écart, le nez et les doigts dans quelques dizaines de morceaux de pain. Usant de tous ses sens, il semblait se livrer à des expériences savantes, les lunettes basses sur le nez, mâchonnant à tour de rôle des échantillons des cinq pains sur la table. Enfin satisfait, il demanda la parole.

— Messieurs, nous revoilà donc sur le sujet de la qualité du pain, que j'évoquais tout à l'heure. Sachez qu'un aliment d'aussi mauvaise qualité que celui que nous voyons ici, devant nous, s'il devait être consommé encore quelque temps par la population, produirait infailliblement des maladies pestilentielles. Elles infecteraient l'air et se propageraient de la sorte dans tous les environs. Et personne ne serait épargné, même les gens les plus aisés. Par conséquent, ne serait-ce qu'en envisageant l'aspect médical de la situation, j'appuie fortement l'initiative du premier conseiller. Des risques multiples planent sur le pays, à n'en pas douter. Personnellement, pour l'utilité publique, je serais même en faveur de la mise sur pied d'une police du blé, des farines, du pain et aussi de la viande. Rien de moins.

Des neuf membres du Conseil Supérieur, trois habitaient la haute ville et six en contrebas. Sauf Guillaume Gaillard, ces derniers résidaient tous rue Notre-Dame ou à proximité de la place Royale, François Aubert occupant la maison de feu son père, Charles, à l'angle de la côte de la Montagne et du Sault au Matelot. Après la séance du Conseil, ils étaient donc cinq à s'engager dans le serpentin de la côte.

Avec en tête les figures apeurées et révoltées des femmes entendues, aucun ne parlait, ce qui ne les empêchait pas de remarquer, chemin faisant, les visages sombres et fermés des habitants. Pas un seul pour saluer ou adresser un sourire, personne pour raconter le fait cocasse du jour ou pour reluquer, l'œil goguenard, les jeunes filles aux beaux mollets portant leurs poissons à la clientèle distinguée de la rue Saint-Louis. Les têtes dans les épaules et les langues liées. Quel est le bourgeois de la ville qui avait dit, déjà : « Je n'aime pas beaucoup quand les gens d'ici se taisent » ?

&#10086;

« Par chez nous on disait : *Juillet sans orage, famine au village.* Vous voyez ben, avec ce temps-là, qu'on ne mourra pas de faim ! »

Il était bien sept heures, ce soir-là. Fanchon, les bras croisés, se tenait près de la fenêtre, appuyée contre le châssis. Elle observait l'eau de pluie dévaler la rigole centrale de la rue Saint-Nicolas. « Ça fait une semaine que l'soleil joue au fou avec nous-autres. Y nous a quasiment étouffés et fait cuire. Ben bon pour lui ! Ben bon aussi pour les cultures, ça manquait d'eau. »

Entre la fenêtre et le foyer, à l'une des tables de l'auberge, une partie animée de *pharaon* réunissait Dieulefit, Jean-Paul Dupuy, Martin Kellogg et un géant roux à la voix caverneuse et au visage anguleux. Pierre Lefebvre, comme son père Thomas décédé peu de temps auparavant, était l'interprète officiel des peuples abénaquis à Québec. À Sillery, près de la mission jésuite, sa famille avait, dès la fin des années 1660, côtoyé ces tribus originaires de la côte atlantique qui étaient très vite devenues les bons alliés des Français[152].

Peu après le début de la dernière guerre, en 1703, Thomas Lefebvre s'était fait concéder une seigneurie au beau milieu de l'empire abénaquis, à Pentagouët, lieu d'un important village indien et d'une mission jésuite[153]. Par l'entremise de ses trois fils, il mit sur pied une liaison maritime entre Québec, Port-Royal et Pentagouët qui s'avéra très profitable pour tous. Pierre et ses frères, Thomas et Gabriel, venaient donc d'hériter de la seigneurie paternelle.

Lefebvre, qui avait connu la Fanchon au Port-Royal, du temps de son mariage avec le sergent Genest, était un ami de la maison, d'autant que Bastien et d'Aloigny avaient assez souvent recours à ses talents d'interprète.

— Par chez nous on disait, par chez nous on disait! intervint le colosse. Vous autres, les paysans, vous parlez avec des phrases toutes faites! Vous en avez pour appuyer tout pis son contraire! Pis y'appellent ça de la sagesse. Sagesse, oui, si on veut, parce ce que comme ça, y'z'ont jamais tort. R'garde ben, la Françoise avec ton orage. Moé, je pourrais ben te répondre: *Petite pluie de juillet emplit caves et greniers.* Ma mère, la Geneviève[154], a dit encore ça!

— Paysans, paysans! s'enflamma aussitôt l'Acadienne. T'é qui toi, mon grand fanal de Pierre Lefebvre, pour faire la leçon? Tu parles ben fort mais, à tous les matins, tu fais

---

152  La grande famille abénaquise habitait, au départ, les forêts et les bords de mer compris entre la rivière Connecticut et la rivière Saint-Jean (Nouveau-Brunswick). Les guerres d'extermination menées par les colons anglais, surtout à partir des années 1660-1670, amenèrent les Abénaquis à chercher refuge sur les rives du Saint-Laurent, là où Champlain avait déjà tissé des liens d'amitié avec certains de leurs représentants.

153  Situé de nos jours au fond de la baie de Penobscot, à Castine (Maine). Ce nom de *Castine* évoque la présence à cet endroit et à la même époque de Jean-Vincent d'Abbadie, baron de Saint-Castin (1652-1707), un officier français d'origine béarnaise qui épousa dans les années 1670 la fille de Madokawando, l'un des grands chefs abénaquis. Adopté par la tribu, il ouvrit un comptoir de traite à proximité du village mais devint un véritable chef de guerre aux côtés de son beau-père. Son fils Bernard-Anselme (1689-1720), qui sera aussi baron de Saint-Castin à la mort de son père, continuera à représenter les intérêts français dans ce secteur névralgique de l'Amérique.

154  Geneviève Pelletier (1646-1717).

comme moi pis tu prends l'bord d'la cabane au fond du jardin.

Autour de la table, perdus dans la boucane grisâtre de leurs pipes, les joueurs de cartes, surtout l'Anglais, se mordaient les joues pour ne pas succomber au fou rire qui les assaillait. Bastien n'en roulait pas moins de gros yeux, bien conscient que l'interprète n'aurait jamais le dernier mot dans la joute.

— Ma belle dame, ma très, très belle dame, rétorqua le grand escogriffe en empruntant un parler distingué et en toisant Fanchon de manière polissonne et hautaine, apprenez que mes aïeux et moi n'avons rien en commun avec les croquants. Nous avons tous pratiqué le noble métier de tonnelier et nous avons toujours eu pignon sur rue, le grand-père Thomas à Rouen, à l'ombre du Gros-Horloge, mon père et moi sur la rue de Meulles.

— La belle affaire! Et tes petites sauvagesses de Pentagouët, avec qui tu jouais l'beau cœur, étendu sur une peau d'ours, elles fleuraient bon la noblesse, je suppose? D'ailleurs, mon fend-l'vent, as-tu déjà compté tes rejetons dans ce coin d'Acadie?

Juste à voir l'aubergiste montée sur ses grands chevaux, les poings serrés contre ses hanches et les yeux méchants, Pierre Lefebvre avait les larmes aux yeux.

— Sache, belle créature, qu'il y a dans la vie des... occasions qui sont trop belles pour être échappées. D'ailleurs, Bastien t'en a peut-être avoué quelques-unes, sur l'oreiller...

Dieulefit décocha un regard noir à l'impertinent interprète.

— À part ça, poursuivit Pierre, je m'permettrai de t'faire remarquer que j'ai été marié deux fois et que j'ai quatre beaux enfants à mon crédit. Ça, c'est honorable, madame!

— Tu joues ou tu palabres, grand chef? demanda Dupuy.

— Je viens, je viens! Mais la coquine me trouble, tu comprends? Et je t'le dis à toé, Jean-Paul, si not' sergent avait pas déjà pris la place, j'cré ben que j'essaierais de m'glisser dans ses draps.

Il n'avait pas sitôt terminé sa phrase que la main de Fanchon, lancée à la volée, avec une force qu'on ne lui connaissait pas, vint s'écraser sur la joue du mauvais plaisantin. Dans le silence de la salle, où seul perçait l'écho du tonnerre déjà éloigné, la gifle avait claqué comme un coup de fouet. La correction était sévère et tous se figèrent dans leur attitude respective. Kellogg, plus qu'embarrassé, promenait des yeux incrédules sur les deux protagonistes de la scène, s'interrogeant sur la suite des événements. Jean-Paul Dupuy et Bastien échangèrent un regard puis déposèrent leur pipe sur la table.

Françoise pour sa part, les mains contre ses joues, tentait de comprendre sa violente réaction. Bien sûr, une femme n'a que sa vertu mais tout de même. Elle s'approcha donc de sa victime, dont la joue droite hérissée de barbe cuisait à chaleur vive, et lui prit la main qu'elle pressa contre elle.

— Oh! Excuse-moi, Lefebvre. Je sais bien que tu ne pensais pas à mal mais ça été plus fort que moi. Comme celles de ma race, je suis rétive, surtout quand on touche à l'intime. Tu comprends, y a des choses qu'y faut pas dire à une femme même si on les pense. En tout cas, pas à moé! Ta mère te l'a peut-être montré, mais t'as mal appris.

Le grand rouquin au nez aquilin la regarda, debout près de lui, et sourit: «Mes excuses, patronne. Je suis veuf depuis deux ans et... disons que... je ne fréquente pas toujours des filles sages et fraîches de cœur. En plus, je pense à me remarier et mon approche avec les femmes n'est pas toujours bien discrète. J'cré ben que j'ai un peu le diable dans les reins. Tu comprends?»

Puis il se tourna vers Bastien: «Et toi, le Français, écoute-moi ben. J'connais pas tes intentions au pays, maintenant surtout que la paix est faite. Mais je t'le dis en bon ami: si tu r'passes en France, moé, j'laisserai pas un trésor pareil s'abîmer!»

Soudain mal à l'aise et le rouge au front, Fanchon tourna les talons en disant: «Qu'est-ce que vous diriez d'une tournée de la patronne? Le p'tit Chauché de mon Poitevin, ça ira?»

L'orage était passé et, par la porte ouverte, on apercevait les hirondelles des granges virevolter en piaillant autour du

nid qu'elles avaient façonné sous l'étroit larmier de la maison.
Nourrir une progéniture insatiable, une obligation que ces
voisines peu farouches prenaient très au sérieux.

L'air se faisait rare et la chaleur humide avait repris ses
droits. Dans cette atmosphère épaisse et à haute résonance,
un vaisseau annonça son arrivée par une salve de onze coups
de canon en rafale.

— Venez! On va voir! cria Fanchon. La maisonnée se vida
d'un trait et, accompagnant les gens du quartier, l'on courut
à la rivière pour avoir vue sur l'embouchure. Ils y arrivèrent
au moment même où la batterie du château, avec une
décharge de neuf tirs, rendait la politesse à une belle frégate
d'environ 300 tonneaux.

— C'est *Le Saint-Jérôme,* c'est le navire de Prat! cria Bastien.
Il est à bord, d'ailleurs. Il tenait à être du voyage inaugural de
son nouveau-né. Bien content de le revoir, celui-là! Il en aura
des nouvelles à partager et des choses à raconter!

❦

Assis sur le sable, tout en jouissant de quelques frémissements
d'air, Pierre s'adressa au sergent pendant que le navire jetait
l'ancre: «Dis donc, paraît que Jean-Paul et toi rentrez tout
juste d'en bas avec un chargement de bonnes sœurs! Tu nous
racontes?»

Alors Bastien, rentré au bercail depuis quelques heures à
peine, fit le récit de leur voyage à l'île aux Oies.

Huit jours passés, lorsqu'il avait conduit le fils Dupuy et
un groupe d'Hospitalières vers la nouvelle seigneurie des
religieuses, le voyage à bord de *La Marie-Josèphe* s'était déroulé
rondement: un aller-retour dans la même journée, ou presque. Une semaine plus tard, au moment de rapatrier les
seigneuresses et leur guide, une mer d'huile avait nécessité
plus de deux jours de navigation. Toutefois, les sœurs, en
dépit des grandes chaleurs, avaient apprécié chaque moment
de l'équipée.

C'était pour elles le premier contact avec ces terres qu'elles avaient achetées du sieur de Lisloye en février de l'année précédente. Jean-Paul Dupuy les avait promenées de long en large sur l'île magnifique et elles avaient été à même de vérifier *de visu* la justesse des arguments de vente de l'ancien seigneur. Grâce à ses richesses variées, autant au plan du cheptel que du bois de construction et des cultures, la perle insulaire, perdue dans son écrin fluvial, allait assurer la survie et l'aisance de toute la communauté.

En fin d'après-midi, lorsque Dieulefit et Dupuy avaient fait débarquer les voyageuses au bas de la rue Saint-Nicolas, une scène à la fois cocasse et touchante s'était déroulée sous les yeux de la population. Dès que les religieuses, du haut de leur monastère, avaient vu *La Marie-Josèphe* contourner la pointe de Lauzon et voguer vers l'embouchure de la Saint-Charles, des dizaines d'entre elles, bien sûr avec permission spéciale, avaient dévalé la côte du Palais puis, voiles en l'air, se tenant par la main, deux par deux, étaient passées en coup de vent devant l'auberge en route vers la grève. De vraies collégiennes. Certaines riaient à pleine gorge, d'autres priaient, remerciant le Seigneur pour l'heureux retour de leurs sœurs.

On aurait dit des retrouvailles miraculeuses, tellement les unes avaient craint pour les autres. Les éclats de rire, les pleurs, les embrassades, et même quelques rondes sur le sable, avaient bien amusé la galerie et c'est sous escorte populaire que les chères mères avaient regagné leur couvent. Derniers arrivés sur place, Bastien et Jean-Paul juraient à qui voulaient bien les entendre qu'ils n'avaient jamais auparavant effectué une telle virée. Pas une seule minute sans une *Ave*, un *Pater*, un *Gloria*. Un *Te Deum* avait même été entonné à la pointe de Lévis.

À l'auberge, ce retour de voyage dans la bonne humeur avait fait contraste avec l'atmosphère triste et renfrognée qui, la journée même, avait été constatée partout dans la ville. Et sitôt Dieulefit et Dupuy attablés devant un pichet d'eau-de-vie, Fanchon et son frère Alexis les avaient mis au parfum de la séance du Conseil du matin. Il faut dire que l'audition des huit pauvres femmes devant les conseillers avait très vite alimenté les conversations tout en propulsant les dignes représentantes du peuple au rang d'héroïnes. «Du jamais vu!» pouvait-on entendre.

Lorsque Lefebvre et Kellogg, les interprètes abénaquis, s'étaient amenés peu après à l'auberge, ils avaient confirmé l'heureux effet que l'ambassade de la dame Greslon et de ses amies avait eu sur le climat social de la ville. La promesse du sieur Bermen de la Martinière de faire rapport sur la situation au gouverneur et à l'intendant dès leur retour de Montréal et de forcer un déblocage avait ranimé les espoirs des habitants.

Maintenant, le soir tombait et *Le Saint-Jérôme* avait affourché. Lentement, les spectateurs avaient regagné *Le Dauphin d'Acadie.* S'il rentrait chez lui ce soir, peut-être Louis Prat s'arrêterait-il les saluer, pensait Dieulefit. Puis sa réflexion glissa dans les ornières de son avenir incertain. Il feignait de prêter attention au compte rendu que Lefebvre faisait des pourparlers qui avaient eu lieu au début de l'été, au château, entre le gouverneur et quelques chefs abénaquis de la côte atlantique. Ceux-ci, il fallait s'y attendre, étaient venus demander des comptes à monsieur de Vaudreuil : comment le roi français, par son traité, avait-il pu accorder aux Anglais des territoires qui ne lui appartenaient pas? C'était là l'importante problématique acadienne de 1713 : qu'elle était véritablement la frontière occidentale de l'Acadie? La rivière Saint-Jean, la Pentagouët, la Kennebec?

Dieulefit, donc, jouait l'intéressé mais sa petite mine n'échappait pas à Françoise. Elle soupçonnait bien ce qui hantait les pensées de son amant. Ce voyage dans son éden de l'île aux Oies n'avait pas eu pour but unique d'y emmener les religieuses. Dès avant le départ, celles-ci avaient signifié leur intention de racheter les concessions à leurs censitaires et de les garder sur l'île uniquement en qualité de fermiers. En donnant ainsi des fermes à bail, elles prenaient exemple sur le séminaire de la ville qui avait soumis ses fiefs de Saint-Joachim et du Petit-Cap[155] à ce régime d'exploitation.

Ce que le sergent avait pressenti s'était réalisé. Adieu, veaux, vaches, cochons, car jamais en ce pays d'occasions et d'avenir, de liberté et de terres à prendre, non jamais, il ne creuserait des sillons pour les autres, fussent-elles de saintes personnes. Supporter les difficultés et les vicissitudes de ce pays, oui, il en était, mais seulement s'il pouvait, en même temps, profiter de ses promesses et de ses générosités.

Un marché avait donc été conclu avec les seigneuresses, mettant un terme au rêve longtemps caressé par le soldat de s'établir en ce refuge aimé. Au-delà des quelques arpents perdus, pourtant, la décision des religieuses venait remettre en question l'avenir même de Dieulefit en ce pays. Bastien-sans-terre, Bastien-sans-guerre, Bastien-misère.

D'ordinaire peu bavard sur sa vie privée, même en présence d'amis, le sergent, croisant les yeux inquiets de Fanchon sous ses mèches blondes, consentit à lever un coin du voile sur son amère déconvenue. Ironique, avec même un sourire narquois aux lèvres, il raconta comment il revenait de son île enrichi de deux cents livres, gracieuseté des bonnes Mères.

« À part bûcher des arbres, je n'ai vraiment pas mouillé ma chemise sur l'île, vous savez. Non, les bonnes sœurs ont été généreuses avec moi, ça oui ! Et puis, je suis un citadin, vous me connaissez. J'aime les rues grouillantes, l'odeur des boulangeries, les rires d'enfants et les cris des habitants, sans oublier les bonnes auberges et les belles aubergistes bien dessinées et accueillantes. »

Bastien avait achevé son envolée en s'emparant de la patronne par les hanches et en la forçant à s'asseoir sur ses genoux. Et, geste intime rarissime devant la compagnie, il lui avait volé un baiser dans le cou tout en caressant le sein pointant à sa chemise.

---

155  Sur la côte de Beaupré, à proximité du Cap Tourmente.

Comme la truite captive dans la main du pêcheur, Fanchon s'arracha de son emprise et, dans un élan irrésistible, bondit hors de portée de l'agresseur. Puis, elle le regarda avec des yeux mauvais et cria : « Maudits hommes ! » Enfin, elle se retira dans sa chambre.

Dupuy esquissa un léger sourire car il connaissait bien ces deux amants à l'esprit indépendant. Ces petits heurts, souvent des blessures d'amour-propre, étaient sans conséquence. Par contre, il le sentait, l'avenir immédiat du couple était incertain et fragile. Fanchon était veuve depuis cinq ans et elle n'appréciait pas qu'on puisse l'associer à certaines femmes privées d'époux qui, dans leur établissement, menaient des vies pour le moins équivoques. D'un autre côté, tous ses proches savaient qu'elle espérait un nouveau mariage, un partenaire de vie qui l'épaulerait et lui rendrait l'existence plus agréable. Quant au sergent, un changement de vie apparaissait imminent et, parmi un certain nombre d'options qui s'offraient maintenant à lui, un retour au Poitou semblait de plus en plus réaliste.

Kellogg et Lefebvre, un peu pour détendre l'atmosphère, reprirent une discussion, entamée plus tôt, à propos du sens qu'il convenait de donner aux noms de plusieurs chefs indiens. Le Canadien, plus vieux et plus expérimenté que son vis-à-vis, déconstruisait les anthroponymes afin de les faire parler.

Et pendant que la leçon de sémantique abénaquise se déroulait, le fils Dupuy se leva et entraîna Bastien vers un coin de la pièce.

— Écoute, mon ami, ton langage ironique et détaché de tout à l'heure, à propos de ta terre, n'avait rien de convaincant, ni pour moi, ni pour Françoise. Tu es comme l'un des frères Dupuy, tu le sais, et c'est ce que voulait mon père. Tu as l'île au cœur comme tous ceux de ma famille et sa vente te coupe les ailes. Pour Simon et pour moi, et pour mes sœurs également, l'abandon de la seigneurie a constitué une épreuve rude et imprévue. C'était notre patrimoine et, plus encore, tous nos souvenirs, tristes ou agréables.

« C'est en partie à cause de cela que tante Geneviève[156], la sœur de maman, veuve depuis longtemps et sans enfants, nous a fait donation, à Simon et à moi, de la seigneurie de L'Islet-Saint-Jean sur la Côte-du-Sud. Tu la connais : elle fait face à la pointe de l'île aux Oies. Pour nous, c'est un véritable cadeau et ce pourrait l'être pour toi également. Que penserais-tu, par exemple, d'un arrière-fief à cet endroit, à ton nom ?

En guise de remerciement, Dieulefit considéra son cadet d'un regard appuyé. Puis, après un long silence, il dit : « Le pire, c'est que vous êtes tous semblables, vous, les Couillard-Dupuy, je le sais. Mais je te promets d'y penser, très sérieusement même. »

❧

La nuit prit possession d'une ville engluée dans une humidité que l'on aurait pu croire éternelle. L'orage était venu mais il n'avait que porté à son paroxysme la pénible sensation d'étuve. Les fenêtres et les portes des maisons, grandes ouvertes, s'animaient de corps et de têtes. C'était l'une de ces nuits de belle sociabilité où le repos quotidien cédait volontiers le pas aux conversations de voisinage. Affirmer que les citoyens prenaient alors le frais sur le pas de la porte aurait été une contrevérité farfelue.

Au *Dauphin d'Acadie* comme ailleurs, le sommeil attendrait. Les soupentes et autres chambres ou cabinets n'étaient tout simplement pas fréquentables. C'est ainsi que l'arrivée sur les entrefaites de Louis Prat, au bas de la rue Saint-Nicolas, ne passa pas inaperçue en dépit d'une nuit sans lune. Les enfants presque nus et quelques adultes lui firent escorte et, bientôt, les questions fusèrent : d'où venait-il, qu'apportait-il, combien de tempêtes avait-il affrontées ?

---

156  Geneviève Couillard (1660-1720), épouse (1686) puis veuve de Pierre Denis, sieur Du Tartre (1660-1687). La seigneurie de L'Islet, ou L'Islet-Saint-Jean, avait été concédée à Geneviève Couillard en 1677.

— On se disait bien que vous viendriez vous rincer la dalle, lui dit Bastien en lui donnant l'accolade. Nous vous avons vu et entendu arriver. C'était un fier spectacle !

Les chandelles s'allumèrent, les tables se rapprochèrent et Julien, qui arrivait au même moment de la Canardière, descendit à la cave quérir eau-de-vie et vin blanc frais. La veillée était de la sorte relancée, tous écoutant les paroles de l'armateur qui n'avait pas moins de huit mois d'événements et d'aventures à raconter. Le baptême du *Saint-Jérôme*, l'arrivée à La Rochelle et, tel que prévu, la vente du navire aux frères Bonfils, gros commerçants de l'endroit, voilà qui avait fort réjoui notre capitaine de port, lui qui, avec ses associés, avait beaucoup investi et risqué dans l'aventure.

Et il était de retour. À peine le temps d'un bref hiver français. Il rapportait vins et eaux-de-vie, ainsi que tissus et vêtements, tuiles, fer blanc, divers outils et aussi de nombreux meubles et effets personnels appartenant à l'intendant Bégon. Enfin, un certain nombre d'engagés avaient été transportés gratuitement, comme Versailles l'exigeait dorénavant des armateurs privés. Tout s'était déroulé si rapidement que c'est à peine si Prat avait pu se sauver quelque temps pour revoir son pays natal, le Languedoc, et embrasser parents et amis nîmois.

Au bout d'un moment, le voyageur regarda Dieulefit et pointa un index sur sa tête : « J'allais oublier, sergent ! J'ai quelque chose pour vous. Des nouvelles d'Ingrandes si je ne me trompe. En tout cas, c'est quelqu'un de la place qui m'a confié une lettre quelque temps avant de mettre à la voile. »

Et, fouillant dans un pocheton, il en sortit un pli enveloppé sur lequel une main délicatement féminine avait écrit : *À Monsieur le sergent des troupes de la Marine Sébastien Dieulefit, dit La Plume, Québec.*

Gouailleur comme à son habitude, Pierre Lefebvre prit son envol : « Patronne, par ici, patronne, une dame vient de se présenter au *Dauphin d'Acadie* ! Regardez cette graphie distinguée et sentez-moi ce parfum subtil qui embaume le mot doux ! »

— Oui, mère, c'est vrai, enchérit Julien, à l'évidence un peu éméché. Il faut voir le papier, aussi : riche et fin !

Et le club des railleurs s'élargit, entourant le destinataire et lançant des quolibets à qui mieux mieux. Seuls l'Anglais, Fanchon et, bien sûr, le sergent, gardaient le silence.

Bastien prit la missive et l'approcha d'une flamme tout en tirant sa chaise. Non, l'écriture ne lui disait rien. Cependant, venant d'Ingrandes, l'expéditeur, ou plus sûrement l'expéditrice, devait être du château de la Groye. Charlotte ou Suzanne d'Aloigny, probablement. Si c'est le cas, se demanda-t-il, pourquoi cet envoi ?

Jetant un regard grave sur ses amis lurons, il commanda le calme. Était-il bête ? L'empreinte du cachet de cire rouge, à l'endos, avec les armoiries familiales, confirmait d'emblée sa déduction. Il ouvrit la lettre, en brisant le sceau, et se mit à lire.

*Château de la Groye,*
*15 avril 1714*

*Monsieur le sergent Dieulefit*
*Et bien cher Sébastien,*

*Je vous écris en même temps qu'à mon frère Charles-Henri, afin de vous informer du décès, au château de la Groye, le mois dernier, de notre oncle et protecteur, le chanoine Guillaume Chasteigner. Il a été inhumé en la chapelle familiale, devant l'autel, à la gauche de notre mère, sa sœur, en présence de membres des familles Chasteigner et d'Aloigny, de quelques amis, et de représentants de l'évêque de Poitiers.*

*Le testament du chanoine Guillaume, déposé chez le notaire Alexandre Milon, de Châtellerault, fut ouvert quelques jours plus tard. Considérant l'affection qu'il vous a toujours portée et témoignée, vous ne serez pas surpris d'apprendre, pas plus que ma sœur Suzanne et moi d'ailleurs, qu'il vous a légué une part intéressante des biens qu'il avait accumulés au jour de sa mort, soit par héritage, soit par le fait de ses économies.*

*Notre frère Charles-Henri nous a écrit l'automne dernier pour nous annoncer sa venue probable au pays à la fin de l'année courante. De graves soucis de santé semblent justifier ce voyage. Si vous étiez incapable d'effectuer vous-même un tel déplacement et de réclamer en personne votre legs, le marquis se fera, sans doute, un plaisir de faire valoir la procuration à titre de fondé de pouvoir que vous lui aurez remise.*

*Suzanne et moi espérons avoir le bonheur de vous revoir, si tel est votre désir et votre intention. Dans l'entretemps, que le Seigneur veille sur vous et les vôtres.*

*Louise-Charlotte d' Aloigny*

Bastien, ne releva pas la tête. Le regard fixe et lointain, il dit simplement : « Il ne lira jamais ma lettre, le bon Guillaume. »

— Mauvaises nouvelles, sergent, demanda l'Anglais ?

— Pour moi, oui, une très vilaine. Mon guide et second père est décédé. Vous savez, je vous ai parlé de lui, le chanoine qui m'a fait abandonner le *Jarnidieu*, Guillaume Chasteigner. Il avait, je crois bien, plus de quatre-vingt-dix ans. Il était l'oncle du marquis d'Aloigny. C'est d'ailleurs l'aînée des sœurs de ce dernier qui m'écrit la nouvelle.

Huit personnes étaient réunies autour de trois tables accolées. Dieulefit, à l'une des extrémités, non loin de l'entrée, Pierre Lefebvre, face à lui, près de l'âtre. À la droite, du côté de la rue et des fenêtres, prenaient place Jean-Paul Dupuy, Louis Prat et Martin Kellogg. En face d'eux et à gauche du sergent se trouvaient Françoise, Julien Genest et Alexis Granger.

Curieusement, l'annonce de la mort de ce prêtre français, perdu dans sa province, semblait avoir affecté tous les gens de l'auberge. Marque de sympathie envers l'ami Bastien ? Pas seulement. Pour l'autre Français véritable du groupe, ce deuil en rappelait d'autres.

— Il est difficile, dit Prat en brisant le silence, de ne pas être auprès des nôtres, au pays, lorsqu'ils nous quittent. Je vous l'ai dit, je reviens de Nîmes et j'ai retrouvé ma parenté décimée. Pour certains je savais, pour d'autres non. J'ai toujours compris, en m'éloignant de la France pour m'enraciner dans ce nouveau monde, que ce serait sans doute là la pire chose à souffrir. Le capitaine de navire quitte, lui aussi, sa patrie à chaque année ou presque. Mais il rentre chez lui régulièrement. Il y retrouve même femme et enfants. C'est le cas du capitaine de *L'Afriquain*, monsieur de Voutron, par exemple, que tous connaissent, et qui mène cette vie depuis des années. Il s'en trouve bien content, m'a-t-il dit souvent.

— Bien que né ici, au pays, intervint Dupuy, je conçois parfaitement ce déchirement provoqué par l'abandon du pays, avec tout ce que cela comporte. J'ai vu mon père connaître des périodes de mélancolie lorsque j'étais jeune et ma mère, puis les aînés, m'expliquaient que la nostalgie du pays natal le mettait dans cet état. N'eût été de ma mère, une Couillard enracinée à Québec jusqu'au cou, le père Dupuy aurait souvent été tenté de sauter à bord du dernier vaisseau d'automne.

Pierre Lefebvre s'agitait sur sa chaise tout en se servant sans plus de façon un autre verre de blanc.

— Je comprends tout ça, trancha-t-il de sa voix de stentor. Je prétends quand même qu'on peut être heureux partout. J'ai vécu en Acadie, pis chez les Sauvages, pis ensuite à Québec et là, surtout depuis que mon père Thomas est mort, je m'promène plus que jamais. Pas d'attache, pas de nostalgie, pas de regret : c'é c'que j'pense ! Le vieux venait de Normandie, pis j'l'ai jamais vu brailler là-dessus.

Bastien écoutait l'interprète et, lui qui avait bien connu le Thomas, ne pouvait s'empêcher de songer : *On reconnaît l'arbre à son fruit !*

— Oh! Tu es Canadien, toi, Pierre, intervint Dieulefit, tu ne peux pas vraiment comprendre. Ce continent est le tien, tu t'y promènes, tu t'y installes ici ou là, mais avec l'idée en tête que si besoin est, ou si le goût te prend, tu rentres à Québec en claquant des doigts. Ce n'est pas vraiment ce dont on parle, je crois. Regarde, moi, par exemple. Quinze années en France, une vingtaine en Nouvelle-France ; à trente-cinq ans, je sens de fortes racines des deux côtés de la mer. J'ai fait deux guerres ici. Lors de la première, je combattais pour la France et mon roi, lors de la dernière, peut-être davantage pour le Canada. Qui suis-je, finalement ? Et surtout, à partir de maintenant, je fais quoi pour ne plus être éjarré entre deux mondes ?

Fanchon, près du sergent, ne soufflait mot et gardait la tête basse. Julien, Jean-Paul Dupuy et d'autres avaient parfaitement compris que ces explications s'adressaient en premier lieu à la compagne. Tous savaient que la fin des hostilités avait sonné l'heure des explications et des décisions.

Une fois encore, ce fut Louis Prat qui dégagea l'atmosphère.

— Ah! Maudite guerre. Elle a traîné dans son sillon une barque pleine de misères et de problèmes. Qui n'a pas connu les siennes ? C'est pas monsieur Kellogg qui va me contredire. Mais même en l'absence de morts et de souffrances physiques, elle a créé un tas de situations inusitées et cruelles. Beaucoup, par exemple, se cherchent maintenant un pays. La paix d'Utrecht a bouleversé la carte. En France et en Europe, ça fait des siècles que nos gens vivent ces dures réalités. Cependant ici, dans notre coin d'Amérique, nous assistons pour la première fois, nous les Blancs, à des dilemmes terribles. Rester ou partir.

Tous les yeux étaient tournés vers l'armateur dont le regard s'enflammait et qui, à un certain moment, se leva de sa chaise pour mieux frapper la table de son poing.

« Regardez nos gens de Plaisance : partis pour Louisbourg, que cela leur plaise ou non. Mais en fait, ils n'avaient pas le choix. Et les Acadiens ! Eux, ils ont des alternatives : demeurer sur leurs terres en changeant de maître, de langue et de religion ou accepter l'offre du roi de chercher refuge sur l'île Royale[157], là où rien ne pousse, pas même des arbres dignes de ce nom! Ils pourraient également gagner l'île Saint-Jean[158], dont l'avenir français est très incertain, ou, enfin, venir nous rejoindre sur le Saint-Laurent, comme notre belle aubergiste et sa famille l'ont fait.

— C'est pareil dans le pays abénaquis, appuya Lefebvre. Presque quarante ans après l'invasion des colons anglais – excusez-moi Kellogg mais c'est ainsi – ils ont la possibilité de réintégrer une partie de leurs terres. Ceux de Saint-François et de Bécancour se grattent la tête et se consultent. Encore partir ou rester! Les missionnaires veulent les garder ici et monsieur de Vaudreuil aussi. Deux de leurs chefs, Atecouando et Nescambiouit, sont en pourparlers depuis quelque temps avec le gouverneur et je suis sur place, bien sûr. Les Anglais, maintenant que la paix est signée, leur promettent l'établissement de comptoirs de traite au bas de leurs rivières. Alors y's'retrouvent bien divisés: où est leur vrai pays, aujourd'hui?

Martin Kellogg écoutait et opinait du bonnet, le regard triste.

— Avec tous ceux-là, on peut mettre mes compatriotes, les prisonniers des guerres, qui ont connu le Canada et ont été bien traités. Plusieurs ont trouvé des femmes et ont décidé de rester ici ou pensent le faire. Mais imaginez leur âme à l'idée de ne plus revoir leur pays, leurs parents! En plus, pour pouvoir rester, ils ont été obligés de changer de religion. Vous pensez au combat dans leur cœur? Je sais car mon frère Joseph est du groupe et il est maintenant un citoyen de la France. Et puis moi, dans tout ça, je me pose aussi la question de monsieur Prat: rester ou partir? Je ne sais pas encore. Comme le sergent.

Après ce tour de table, où expériences et sentiments avaient renvoyé chacun à ses appartenances, Dieulefit se sentit de nouveau interpellé. Déjà il écartait les bras pour parler lorsque Françoise se fit entendre.

---

157  Île du Cap-Breton.
158  Île du Prince-Édouard.

— En tout cas, moé, j'ai longtemps pensé que j'retournerais un jour à Port-Royal. La rivière au Dauphin, son bassin, la baie Française, c'était ça mon pays. Mais depuis que j'sais que les Anglais sont là, pardon Martin, je suis bien contente que mon mari ait quitté la région. Sans compter que là, y veulent évacuer la place et transporter nos gens au cap Breton. Qu'est-ce qu'y s'imaginent, en France, qu'on va se transformer en pêcheurs, en fouilleux de coques, en soldats, peut-être? Non, moi ma vie est icitte, pas ailleurs.

L'aubergiste aurait bien pu dire: *qui m'aime me suive*, et le message aurait été le même. D'ailleurs, tous avaient compris.

Bastien cala son verre d'eau-de-vie, se leva et s'étira longuement. Puis il saisit l'un des chandeliers.

— Je suis fatigué, vous aussi sans doute. Alors je lève la séance. Allons dormir: nous verrons bien s'il est vrai que le sommeil porte conseil.

Cependant, jamais nuit ne fut plus pénible. Dieulefit rêva et s'agita comme diable qui chante la grand-messe. Il était debout sur le gaillard d'arrière d'une frégate et il regardait l'horizon. À la proue, un marin presque nu et coiffé d'une barrette de chanoine lui faisait signe de se hâter et lui indiquait la direction. À la manuelle du gouvernail[159], pourtant, Martin Kellogg lui criait: «Ne l'écoute pas! Les sauvages m'ont indiqué un chemin plus court et plus rapide!» Il faisait grand vent, mais de face, et les voiles étaient gonflées vers la poupe. Le vaisseau était immobile. Le sergent en chercha la cause et, se retournant, vit Françoise sur les remparts de la ville qui sanglotait tant et tant qu'elle en aspirait les vents. Enfin, après des adieux déchirants, l'amante disparut et la brise redevint favorable. Or, le trois-mâts refusait toujours de

---

159  Ce n'est que dans le premier tiers du XVIIIe siècle que le gouvernail des navires fut actionné par une roue. Cette innovation technologique ne fut introduite que progressivement. À l'époque dont nous parlons, et depuis fort longtemps, le gouvernail et son timon sont encore contrôlés (la plupart du temps) par une barre en bois verticale, la *manuelle*. Celle-ci perce le plancher du gaillard et s'insère dans une large fente. L'«homme de barre», ou timonier, saisit la barre à deux mains: en l'inclinant à tribord, il oriente le timon à bâbord et, par conséquent, le gouvernail à tribord.

prendre le départ. Bastien se pencha par-dessus la rambarde, chercha la mer et ne vit qu'un océan de sable. Soudain, la batterie du château se fit entendre pour saluer son départ, neuf coups de canon qui vinrent fracasser les mâts, abattre les ponts et crever la coque. Abasourdi, du sable dans la bouche, les yeux et les oreilles, il se retrouva assis sur une futaille dont le vin s'échappait, colorant la plaine minérale d'une tache de sang vermeil qui allait s'élargissant vers le large.

## XV

## Doux pays du cœur

*Mardi, 17 juillet 1714*

« Holà! Sergent, qu'avez-vous donc? C'est le temps qui vous a abattu de la sorte ou vous avez oublié de dormir? Vous avez le teint pâle et cireux, les yeux rouge sang. Prenez une chaise et approchez-la de mon fauteuil. »

Et, en effet, Dieulefit ne payait pas de mine. Une barbe noire hirsute, les cheveux attachés à la va-vite, sans chapeau et le justaucorps civil à peine boutonné, c'était à croire qu'il s'était échappé de l'auberge le feu aux fesses. Lui habituellement si fier de sa personne, c'était à n'y rien comprendre. D'ailleurs le marquis ne le quittait pas des yeux et l'inquiétude se lisait sur son visage amaigri.

Son protégé semblait si défait et abattu qu'il abandonna sur-le-champ le vouvoiement.

— Je suppose que tu n'as rien avalé ce matin. Attends! Je m'en occupe.

283

Il agita la clochette à côté de lui, sur une table de chevet et, quelques secondes après, Marie Racette entra dans le bureau du marquis d'Aloigny.

— Oui, monsieur le... Mais sergent, il vous est arrivé quelque chose, vous n'êtes pas dans votre assiette, ce matin? Oh! Excusez-moi, monsieur le marquis.

— Marie, je crois que mon jeune ami goûterait bien une grosse tasse de café et un assortiment de tartines. Vous pourriez vous occuper de cela?

Le regard soucieux, la servante recula de quelques pas et, au moment de franchir la porte, buta contre la jeune Madeleine qui, dans l'encadrement, n'avait d'yeux que pour le malheureux Sébastien.

— Mais... mademoiselle Gilbert, ce n'est pas bien d'écornifler comme ça. Allez, demi-tour!

Charles-Henri, incliné dans son fauteuil, un oreiller sous les reins et un tabouret rembourré sous les pieds, était vêtu élégamment et il portait perruque, ce qu'il faisait rarement lorsqu'il était en famille, chez lui. Son valet, Valentin Barrault, l'avait rasé soigneusement et aidé à prendre place dans le fauteuil. L'apparence de bien-être ne parvenait cependant pas à dissimuler les traces de maladie et de fatigue sur le visage du marquis.

Les fièvres de l'année précédente, celles qui avaient emporté son collègue et ami Dumesny, lui avaient presque réservé le même sort et il était véritablement passé à deux doigts du trépas. Seuls les soins assidus du docteur Sarrazin étaient parvenus à le tirer d'embarras. Mais l'homme restait faible en dépit de la disparition de la fièvre et ses traits, comme ses mains d'ailleurs, affichaient une maigreur inquiétante.

«Alors, dis-moi, qu'est-ce que cette mine à faire peur? C'est moi le malade, ici! Que t'arrive-t-il?»

D'un geste lent, les yeux baissés et les coudes appuyés sur les genoux, Bastien sortit de sa poche extérieure la lettre reçue la veille et la tendit en silence au marquis. Celui-ci l'identifia d'autant plus vite que Louis Prat lui en avait délivré une identique, le même soir, en rentrant chez lui, place Royale.

— Oui, bien sûr, je comprends. Charlotte t'a écrit à toi aussi. Alors tu as appris la mort de mon oncle Guillaume, c'est ça? Écoute, je partage ton chagrin. Tu as passé, dans ton enfance et dans ta jeunesse, plus de temps avec lui qu'avec ton père, si je me rappelle bien. Par conséquent, tu as perdu un gros morceau, c'est bien ça?

— Si on veut, oui, admit Dieulefit, levant enfin les yeux vers son interlocuteur. J'ai jonglé toute la nuit et j'ai réalisé que la lettre de votre sœur venait surtout attiser brutalement une situation et des sentiments qui m'habitent depuis un an ou deux, en fait depuis la fin de la guerre.

Bastien dût interrompre ses confidences car l'on frappa délicatement à la porte du bureau. La jeune Madeleine entra, portant un cabaret contenant une cafetière en faïence, des tartines à la confiture et deux doigts d'eau-de-vie dans un verre. Marie, qui la suivait, enleva la clochette de la table et l'apprentie servante y déposa son plateau avec une fierté non dissimulée.

— Bien fait, Madeleine, dit l'aînée à voix basse. Et là, sans dire un mot, tu m'entends, *sans dire un mot*, tu tournes les talons et tu quittes silencieusement la pièce.

— Mais... Marie, ma sœur Louise m'a dit, l'autre jour, que chez madame de Granville, avant de prendre congé, il était bien de demander: «Y aura-t-il autre chose, monsieur, ou madame?» Ça ne serait pas mieux que je fasse comme ça, moi aussi?

— Bon, d'accord, si tu veux, rétorqua Marie en levant les yeux vers le ciel.

— Y aura-t-il autre chose, monsieur Charles?

— Non merci, Madeleine, ce sera tout.

— Et pour vous, monsieur Sébastien?

— Je te remercie, ma belle fille, mais non.

En disant cela, un sourire était enfin apparu sur le visage du sergent.

À nouveau seul avec d'Aloigny, Dieulefit reprit le cours de ses explications:

— Vous voyez, depuis quelques années déjà, je me questionne sur l'avenir que me réserve ce pays. J'ai cru, un temps, me faire colon chez les Dupuy, à l'île aux Oies, mais, finalement, j'ai vendu ma terre. Demeurer sous l'uniforme? Je crois avoir fait le tour de ce qu'il avait à m'offrir, grâce à vous, d'ailleurs. Exercer un métier? Je n'en connais ni maîtrise aucun. Faire du commerce? Il me faudrait un petit capital pour investir et, peut-être même, m'associer. Quant à jouer l'aubergiste, comme plusieurs collègues le font, je ne sais pas. Bien sûr, j'ai déjà un pied dans la porte, chez Françoise, mais ça m'apparaît davantage comme une solution de retraite.

« Il y a longtemps que je suis au pays et, pour la première fois, je me sens perdu, égaré, sans but. Et, en est-ce la cause ou la conséquence, j'ai de plus en plus la nostalgie du pays. La guerre n'est plus là pour justifier mon éloignement. Le chevalier de Sanzelles, pas pour les mêmes raisons, il est vrai, a changé de vocation et d'avenir et, je l'avoue, je suis bien tenté d'imiter son geste. Sans compter que le roi défend dorénavant aux sergents de se marier sans avoir quitté l'uniforme. Non, vraiment, je suis dans le noir. »

Pendant que le sergent confessait ses états d'âme et cassait la croûte, le commandant terminait la lecture de la lettre d'Ingrandes. Il la remit à son secrétaire.

— Je comprends d'autant mieux tes hésitations, Bastien, que j'ai vécu les mêmes, comme tu le sais d'ailleurs. Évidemment, nos situations respectives ne sont pas identiques : je suis marié, tu es célibataire, nos âges diffèrent et nos responsabilités aussi. Par ailleurs, tu es en pleine forme alors que ma santé s'en est allée, définitivement semble-t-il.

« Cependant, si j'ai bien lu les mots de Charlotte, mon oncle t'aurait légué un bien non négligeable. Ne trouves-tu pas qu'il y a là matière à espérer ? Le capital dont tu parlais, il y a un moment, n'est-il pas à portée de main ? Bien sûr, il ne règle pas la question du pays. Mais ne pourrais-tu pas commencer par aller le recueillir. Ensuite... bien ensuite, tu serais plus à même de faire un choix, non ? Et puis, dans le dilemme qui est le tien, un retour au pays te permettrait probablement de mettre les choses en perspective, ne crois-tu pas ?

« Quoi qu'il en soit, et en ce qui me concerne, je m'embarquerai pour la France dès l'automne, je ne sais encore sur quel vaisseau.

Le gouverneur me permet d'aller prendre les eaux car le docteur Sarrazin le prescrit. Tu te doutes bien où j'irai, n'est-ce pas?[160] Je puis autoriser ton propre voyage et je crois que, dans les circonstances, l'éloignement de la colonie te serait salutaire. À toi la décision. Sache cependant que je dois la connaître au plus tôt.»

Comme toujours, lorsqu'il se préparait à modifier le cours de la conversation, le marquis frappa les bras du fauteuil de ses mains.

— D'ici là, sergent, j'ai une autre mission à vous confier. *L'Afriquain* nous a gratifiés de trente recrues vertes, le mois dernier, mais il a ordre de nous enlever nos trente meilleurs soldats pour les transférer bientôt à Louisbourg. Cela fait soixante-dix en deux ans, imaginez! Il nous restera des jeunes non formés et des vétérans pour la plupart hors d'état de servir. En plus, quatre très bons officiers vont aussi nous quitter, dont le capitaine de Gannes[161] qui sélectionnera lui-même les trente hommes, autant à Québec qu'à Montréal.

«C'est ici que vous intervenez. Vous accompagnerez de Gannes dans ses visites et vous l'aiderez à faire son choix. Il est certain qu'il voudra mettre la main sur des hommes d'expérience mais encore vigoureux. Vous tenterez d'orienter sa sélection vers des plus jeunes, autant que possible. Ils seront plus à même de s'adapter au cap Breton et, en même temps, je suis d'avis que les vétérans ont bien mérité les petits agréments de notre colonie.

«*L'Afriquain* devrait quitter Québec à la mi-septembre, environ. Le capitaine de Voutron recevra à son bord monsieur de Vaudreuil, qui passe en France pour régler des affaires personnelles et revoir sa femme. Il tient d'ailleurs à être du voyage à Louisbourg afin d'apprécier, sur place, le travail fait depuis deux ans, le cantonnement des troupes et les besoins les plus criants du nouveau poste. Il doit faire rapport à monsieur de Pontchartrain.

---

160 La petite ville de La Roche-Posay, aux confins du Poitou, de la Touraine et du Berry, n'est qu'à environ vingt-cinq kilomètres d'Ingrandes. Dominant la Creuse, elle est, depuis le Moyen Âge, une station thermale de grande réputation grâce à ses sources, découvertes par des soldats de Du Guesclin vers 1370. La famille des Chasteigner était originaire de La Roche-Posay.
161 François de Gannes, sieur de Falaise (1675-1746).

— Et qui remplacera le gouverneur pendant son absence? demanda Dieulefit en se levant.

— Ce sera monsieur de Ramezay[162], qui vient de rentrer de France. Si cela vous chante de rendre visite à Voutron et à de Gannes, afin de coordonner vos mouvements, le premier réside chez Chambalon, le second chez Prat. Lorsque vous serez revenu de Montréal et que ce recrutement sera terminé, vous me dresserez un rôle détaillé des trente hommes retenus.

Puis, changeant subitement de ton et de regard, le marquis ajouta: «Et n'oublie pas, Sébastien: si tu décides de t'embarquer, je dois le savoir le plus tôt possible. Les places se font rares car, au lendemain de la guerre, nombreux sont ceux qui désirent rentrer à la maison.»

Dieulefit s'apprêtait à quitter la pièce lorsque Geneviève Macard frappa puis entra. Elle apportait un médicament dans un verre et, avec une cuillère, elle en remuait le contenu lentement: «Désolée, Sébastien, mais j'ai un malade sur les bras et c'est moi l'infirmière, ordre du docteur Sarrazin! Je me dépêche car, j'ai rendez-vous au marché avec ma sœur Anne; les sœurs Gilbert seront des nôtres. Vous allez de ce côté?»

— Ma foi, oui, répondit le sergent, qui avait repris ses couleurs et ses esprits et qui, mal à l'aise, prenait tout à coup conscience de sa tenue débraillée. Permettez, toutefois, que je prenne une minute pour me rendre un peu présentable.

— Mon cher garçon, je ne vois rien, je ne dis rien, je n'entends rien, mais... un coup de peigne vous rendrait, c'est sûr, une partie de votre charme. Venez avec moi, je crois savoir, à mon âge, comment prendre soin d'un homme.

En sortant du bureau, Bastien chercha le regard de Charles-Henri qui, un léger sourire aux lèvres, se contenta de tendre un bras vers l'avant: *Suivez la dame!*

❦

---

162  Claude de Ramezay, sieur de La Gesse (1659-1724), gouverneur de Montréal depuis 1704, gouverneur intérimaire de la Nouvelle-France de 1714 à 1716.

Enfin! Quelle journée agréable! Un soleil radieux dont les doux rayons étaient tempérés par une délicieuse brise sèche qu'il faisait bon respirer. Partout, les mèches de cheveux flottaient au gré de ce petit vent d'ouest. Hier encore, la sueur détrempait les visages et tapissait le front et les joues de crinières huileuses et malodorantes. Les vêtements étaient à nouveau agréables à porter. On aurait dit, d'ailleurs, que les gens relevaient un peu la tête et prenaient à nouveau goût à la vie. Comme si l'inquiétude et la morosité s'étaient faites plus légères sur les épaules.

Il était autour de dix heures lorsque Geneviève, la pimpante Madeleine et Dieulefit s'engagèrent dans la côte de la Montagne. Comme à l'accoutumée, une importante circulation de piétons et de charrettes, parfois même de cabriolets à deux places, empêtrait dans les deux sens l'incontournable chemin pentu de la ville. Malheureusement, les chaleurs des jours derniers avaient communiqué aux ordures de la rue une odeur fétide et pestilentielle et il fallait avoir le cœur bien accroché pour résister à ces émanations quasi méphitiques.

À la hauteur de l'évêché, peut-être un peu plus bas, Sébastien eut la surprise d'identifier, parmi les passants, la silhouette de Françoise qui, venant sans doute du sentier des remparts, débouchait à ce moment dans la côte. Elle traversa la chaussée en sautillant pour éviter le crottin de cheval et se dirigea vers l'escalier Casse-cou qu'elle descendit à pas lent. Se disant qu'il retrouverait probablement la belle au marché de la place, Bastien tint compagnie à Geneviève et sa servante jusqu'à la rencontre des rues Sault-au-Matelot et Notre-Dame. La marquise était alors à deux pas de la maison d'Anne Macard, sa sœur.

Il bifurqua sur sa droite et marcha en direction de l'église où le sergent-major Cluseau, dit l'Orange, battait la caisse sur le perron. Une foule compacte se rassembla sur le parvis, parmi les étals, pour entendre ce que l'huissier Meschin se préparait à annoncer de sa voix nasillarde.

*De par le Roy, et de l'ordonnance de Monsieur le lieutenant particulier de la prévôté et amirauté de Québec.*

*Il est ordonné à tous propriétaires ou locataires des maisons de cette ville de nettoyer ou faire nettoyer les rues chacun devant leurs maisons et lieux à eux appartenant, et de faire enlever les boues, fumiers et autres vidanges des rues, et ce entre cy et samedi prochain pour tout délai sous peine de dix livres d'amende contre les contrevenants à la présente ordonnance.*

*Signé:* Rouer Dartigny

Toujours pompeux et ampoulé, l'huissier tourna théâtralement le dos à l'assistance et, porté par un nouveau roulement de tambour, fixa le texte de l'ordonnance sur la porte de l'église, tel que prescrit. Sitôt disparu vers un autre point achalandé de la ville, les badauds, clients et commerçants de la place Royale ne se firent pas prier pour commenter la mise en demeure. «Il était temps! On étouffe dans cette merde surchauffée!», disaient les uns, surtout les unes. «On travaille du soleil à la lune! Où croient-ils qu'on va trouver le temps pour décrotter cette soue!», répondaient les autres.

— Tiens! Sergent Dieulefit, quel bon vent?

— Monsieur Prat! Imaginez-vous que, de ce pas, j'allais vous rendre visite.

— C'est que, Sébastien, je me rendais chez le notaire La Cetière avec qui j'ai affaire. J'ai quand même deux minutes à vous accorder, si cela vous suffit.

— Oui, sans doute. Je voulais savoir ceci: à quel moment *Le Saint-Jérôme* remettra-t-il les voiles pour la France? Et, en deuxième lieu: comment se présente l'embarquement pour le moment, pour les passagers s'entend?

— Je serais bien en peine de vous répondre, mon cher. Ne vous ai-je pas dit que mes associés et moi avons vendu le vaisseau aux frères Bonfils, de La Rochelle? Ils l'ont jugé bien construit, bien gréé, et nous en ont offert bon prix. Pour la campagne de l'année, ils ont embauché le capitaine Durant, Jean Durant. C'est donc lui qui serait le plus à même de vous répondre. Je lui ai parlé il y a deux ou trois jours ; il a pris pension chez madame Fauconnier, rue Saint-Pierre, juste à côté : l'auberge du *Grand Saint-Luc*, que ça s'appelle. Et la place à bord, ce serait pour vous ou pour quelqu'un d'autre ? J'ai appris que monsieur d'Aloigny rentrait au pays pour un temps.

— Non, pour moi effectivement. J'aurais des affaires à régler. Et puis, au bout de vingt ans d'exil, il doit être bon de rentrer chez soi. Vous le savez bien, vous qui en arrivez !

Il était près de onze heures lorsque les deux hommes se séparèrent. La place du marché était littéralement prise d'assaut. Aucun attelage ne pouvait y circuler. Aux habitants de la ville se joignaient ceux des côtes rapprochées, de nombreux voyageurs de l'extérieur, des marchands essentiellement, des soldats et des matelots prêts à dépenser leurs maigres économies. Une foule bigarrée qui appréciait, de toute évidence, l'atmosphère divertissante et le spectacle hautement sonore du lieu.

Dieulefit, pour qui les rassemblements populaires n'avaient que peu d'attrait, fendit la presse et se réfugia de l'autre côté de la place, chez le notaire Chambalon. Il frappa à la porte et aussitôt une servante grassouillette d'environ 25 ans vint ouvrir : « Oui, monsieur ? Si c'est pour voir le notaire, il est occupé. Faudra revenir. »

— Non, mademoiselle, je désirais m'entretenir avec le capitaine de Gannes : on me dit qu'il loge ici.

— Il est sorti tôt ce matin, répondit la servante, et je ne sais pas quand il va rentrer.

— Je vous remercie. Mais... dites-moi, vous êtes nouvelle, ici ? Habituellement, c'est Marie qui me recevait ?

— Je m'appelle Louise Thibault et j'ai rejoint ma sœur Marie chez monsieur Chambalon il y a quelques mois. Ce n'est pas l'ouvrage qui manque ici surtout que monsieur le notaire, avec sa goutte, a bien besoin d'aide pour à peu près tout, vous comprenez.

Bastien prit congé et se dirigea vers l'escalier Casse-cou afin de rejoindre la ville haute. Longeant Notre-Dame-des-Victoires, une musique douce et mélodieuse, au caractère délicatement martelé, attira son oreille, comme celles d'ailleurs de quelques passants dont certains interrompaient leur marche pour mieux écouter. Les habitants du quartier, comme aussi Dieulefit, étaient des habitués des petits concerts de clavecin de Louise Allemand, jeune veuve maintenant remariée au marchand Charet. Cette musique, reconnaissable entre toutes, s'échappait en été des fenêtres ouvertes à l'étage de sa maison, coin Notre-Dame et Sous-le-fort.

Le sergent se représentait assez bien la scène car Geneviève Macard avait déjà assisté à l'une de ces séances musicales improvisées. La chambre, assez vaste, était entourée de trois tapisseries au point de Hongrie ; elle était meublée d'une table et de chaises à pieds tournés, de deux tabourets recouverts de tapisserie, d'un bahut, d'un miroir à cadre de bois, d'une horloge, d'un lit avec un ciel en serge de Caen jaune et d'un lit d'enfant, celui de sa fille de quatre ans, Marie-Louise. Et au milieu de la pièce, mais assez près des fenêtres, le clavecin.

L'une des sœurs de Charles-Henri – mais laquelle était-ce ? – jouait très bien de cet instrument de musique au château de la Groye. Sébastien se souvenait être resté assis, de longs moments, sur les marches en bois du grand escalier, la tête appuyée contre un balustre, à écouter en silence des mélodies et des rythmes de danse plus subtils et envoûtants que les bourrées et les branles villageois qu'il appréciait pourtant tellement.

Il s'attarda un peu et se prit à fredonner l'air de la cantilène que la musicienne interprétait joliment. Engagé dans la rue Sous-le-fort, et toujours chantonnant la complainte, il croisa devant chez lui le marchand-boucher Pierre Duroy, un fournisseur de l'auberge. Les deux hommes se connaissaient bien et ils engagèrent la conversation autour de la nouvelle ordonnance du Conseil concernant le nettoyage des rues.

— Tout le monde sait ben que nous sommes les premiers visés par ce texte, nous les bouchers. Avec nos carcasses et nos rigoles de sang, les bonnes gens lèvent le nez sur nous. Demandez-leur, par contre, s'ils aiment avoir un beau morceau de viande dans leur assiette au dîner ou au souper : « Ah ! Que c'est bon et appétissant ! », vous répondront-ils en chœur. Ben oui !

La maison et le commerce de Duroy jouxtaient le logement et l'atelier de l'armurier Pierre Gauvreau, un jovial costaud de quarante ans qui venait d'hériter de la boutique de son père, décédé l'année précédente. L'aimable bonhomme, avec sa tignasse et sa barbe frisées de dieu grec, se mêla d'emblée à la conversation qui se déplaça devant la porte du colosse.

— Sauf vot' respect, père Duroy, dit Gauvreau, c'é pus t'nable ! Vous avez ben vu c'que les chaleurs ont fait avec tous ces déchets. Ça puait que l'diable, même que la nuitte, avec c'te chaleur, y fallait fermer les fenêtres ! Avouez que vos restes d'animaux, dans ces circonstances, empestent plus que des bouses. D'ailleurs, y'a ben proche dix ans, l'intendant Raudot avait exigé que vous transportiez vos rebuts au fleuve, à marée basse, vous le savez ça. Pis après, vous deviez laver la rue pour enlever le sang et les immondices.

« Et pis not' ville n'est p'us un village comme y'a quarante ans ! On é ben tassés à c't'heure, surtout icitte en bas, et quand tout l'monde se met à j'ter ses ordures à la rue, ça s'entasse vite. Non, y faut que chacun nettoye son boutte de rue, c'é just' le bon sens. »

— Je me demande, intervint Bastien, pourquoi ils n'ont pas poursuivi le ramassage des ordures comme ils avaient commencé à le faire, il y a quelques années. Vous vous rappelez, c'était vers le tournant du siècle. Le Conseil avait engagé le père Blondin[163] pour nettoyer les rues de la basse ville avec sa charrette. Il devait aller jeter les déchets sur la grève, à l'arrière de la maison de monsieur de la Chesnaye, parce que le marchand avait besoin de matière de remplissage pour construire son quai.

« Au même endroit, plus récemment, il doit bien y avoir quatre ans de cela car c'était avant le départ de monsieur Raudot, on a utilisé la même méthode. On construisait alors la batterie

---

163  Hilaire Sureau dit Blondin, charretier (env. 1657-1708)

Dauphine dans le fleuve et les ingénieurs demandaient à nouveau des ordures. Tous les habitants de la ville ont alors dû voiturer, ou faire voiturer, leurs détritus et matériaux de démolition jusqu'au fleuve où d'immenses fosses attendaient d'être comblées.

« Combien en coûterait-il à chacun si le Conseil ou l'intendant embauchait un charretier qui ramasserait les déchets de la ville une fois la semaine ? Il suffirait d'identifier un endroit propre à recevoir ces matières. Vous ne pensez pas ? »

Dieulefit tournait à ce moment le dos à la maison Gauvreau. C'est ainsi qu'il ne remarqua pas deux dames qui, à l'intérieur de la demeure, s'approchaient de l'entrée dont la porte était ouverte. L'aînée des deux, grande et mince, avec des cheveux blancs ramassés en chignon sur la nuque, était sexagénaire. Son maintien paraissait sévère, ses yeux également, enfoncés dans de profondes orbites osseuses. De l'enveloppe âpre et rigide émanait, toutefois, une voix douce et rassurante, presque maternelle.

Elle s'appelait Simone Bisson[164], veuve Pierre Gauvreau et mère du fils du même nom. Mais surtout, elle était sage-femme jurée, c'est-à-dire responsable parmi ses collègues matrones de l'observation des statuts et règlements imposés à sa profession. Fait significatif, elle, et elle seule dans la colonie, avait le respect du docteur Sarrazin. Ses capacités et son expérience auraient mérité, aux dires du médecin, qu'on l'autorise à tenir école à Québec, moyennant une certaine rétribution. La proposition fut acheminée à Versailles qui refusa.

— Je vous l'répète et j'suis formelle car la visite[165] ne ment pas : vous êtes à cinq et ça nous conduit tout droit à la mi-novembre. Et souvenez-vous : pour ce qui est de la tisane, y faut la préparer à l'avance, la laisser reposer au moins deux ou trois heures et la boire tiède. Deux Huronnes m'ont confié la recette y'a longtemps et je l'ai d'abord essayée moi-même. Vous m'en donnerez des nouvelles ! Allez, portez-vous bien !

---

164  Aussi nommée Buisson (1654-1722).
165  C'est-à-dire « l'examen ».

— Vous êtes bien aimable, madame Bisson. Merci encore et au revoir.

Au son de la voix, Bastien avait brusquement fait volte-face.

— Françoise! s'écria-t-il... Mais que fais-tu ici chez l'armurier? Tu as un problème à l'auberge?

L'Acadienne sursauta si vivement, qu'elle fut prise d'un étourdissement et dût s'appuyer contre le chambranle de la porte. Aussitôt, Simone Bisson se porta vers elle pour la soutenir. Françoise était pâle comme les nuages du jour. Mais elle retrouva rapidement ses esprits et, avec le plus beau, mais aussi le plus étrange des sourires, elle dit: «Sergent Dieulefit, ce que vous m'avez fait peur! Ne m'interpellez plus jamais de la sorte, j'crois que mon cœur flancherait, ma foi! Et, vous-même, à part gaspiller le temps précieux de ces messieurs, qu'est-ce que vous faites dans les parages?»

Mais le sergent était trop fin renard pour ne pas reconnaître la stratégie de l'attaque défensive. Il se contenta de sourire à son tour et fit mine de tomber dans le panneau.

— Messieurs et madame, veuillez nous excuser. Je crois que j'ai des explications à fournir à cette belle blonde.

Puis, s'adressant à Fanchon, il ajouta: «Venez madame que je vous éclaire en vous reconduisant.» Et, bras dessus, bras dessous, ils se dirigèrent vers l'escalier Casse-cou.

Hors de vue des habitants de la rue Sous-le-fort, et tout en montant les marches, Bastien se tourna vers Françoise: «Alors... je t'ai posé une question, si je me rappelle bien...»

Le temps écoulé avait permis à l'aubergiste de préparer l'esquive. C'est donc d'une voix dégagée et insouciante qu'elle répondit: «Sachez, sergent, que la mère de l'armurier s'occupe admirablement bien des femmes et de leurs problèmes particuliers. J'doute qu'il vous intéresse d'en savoir davantage.»

— Mais... le docteur Lajus était à deux portes de la dame Bisson et il est très compétent, non?

— Pour des maux de ventre, et autres désagréments féminins, la Simone n'a pas son pareil. Lajus et les siens soignent à la française, avec des produits et des préparations de l'aut'bord, tandis qu'elle, sans le crier sur les toits, collectionne des remèdes du pays, à base de plantes d'ici, que les Sauvages lui ont fait connaître.

Ils venaient de s'engager dans le sentier des remparts pour regagner l'auberge lorsque Dieulefit s'arrêta à nouveau et regarda Françoise dans les yeux.

— Mais, écoute, les mots de la matrone me reviennent clairement en tête ; elle a parlé de « visite », de « cinq » et aussi de « mi-novembre », je n'ai pas la berlue tout de même !

Manifestement, l'interrogée ne s'attendait pas à une contre-attaque et elle en parut déstabilisée.

— Tu t'trompes, voyons... D'ailleurs, tu parlais avec Gauvreau et Duroy. Mais qu'est-ce que tu vas t'imaginer, enfin ?

Bastien ne trouva rien à répondre. Ou, plus exactement, par respect pour sa compagne, il ne tint pas à la pousser plus avant dans l'angoissant malaise qu'il distinguait dans ses yeux. Ils reprirent leur route vers la rue Saint-Nicolas, mais en silence.

🌿

Le soir même, entre chien et loup, le sergent était assis à l'une des tables accolées aux fenêtres de façade de l'auberge. Des nuages gris et bas avaient succédé aux cumulus blancs, qui avaient enjolivé toute la journée, et le petit vent d'ouest persistait, s'emportant parfois en rafales. Il annonçait des averses de pluie pour la nuit.

En compagnie du capitaine de Gannes, Dieulefit avait effectué en après-midi une tournée de la ville afin de rencontrer le plus grand nombre de soldats possible. Corps de garde, batteries, redoutes, chantiers de construction et lieux de surveillance avaient été visités. Déjà une liste de candidats potentiels avait été dressée mais tous n'étaient pas volontaires, peu s'en faut. Louisbourg n'était encore qu'un poste de pêche qu'il fallait sans tarder transformer en forteresse et les perspectives de vie à l'extrémité brumeuse du continent n'étaient pas attrayantes : ériger des baraquements, des entrepôts, des débarcadères, une église, enfin une véritable ville, fortifiée et commerçante à la fois.

Bastien était à établir les états de service de chacun des troupiers de sa liste lorsqu'il vit Julien remonter la rue, blonde crinière
au vent. Ayant aperçu le sergent, tête baissée, le jeune homme
s'approcha et, s'accoudant sur l'appui de la fenêtre, lui dit à voix
basse : « C'est peut-être pas d'mes affaires, sergent, mais m'en
revenant de chez Madeleine, j'suis tombé sur ma mère qui se
promenait à la rivière et j'ai ben vu qu'elle pleurait même si elle
cherchait à l'cacher. J'vous dis ça comme ça... »

Dieulefit leva des yeux non pas inquiets plutôt résolus. « Allons,
une fois pour toutes, tirer l'épine », dit-il simplement. « Surveille
l'auberge, Julien, tu veux bien ? »

Le soleil était couché déjà depuis un bon moment, pourtant
sa présence au-delà les montagnes, en amont de la Saint-Charles,
continuait d'éclairer délicatement la crête des vaguelettes à la
surface de l'eau. De loin, Bastien identifia aisément la silhouette
en ombre chinoise de sa belle auprès de la rivière. De son côté,
elle lui tourna le dos dès qu'elle le vit venir.

Il l'a rejoignit et glissa un bras autour de sa taille sans mot
dire. Elle tressaillit légèrement sous les doigts caressants puis ils
marchèrent ensemble en direction de la redoute Saint-Nicolas.

Deux bonnes minutes s'étaient écoulées lorsque Bastien brisa
enfin le silence.

— Ma mie, dis-moi franchement, tu es grosse, n'est-ce pas ? Je
ne suis pas nigaud, tu sais. Je connais la mère Bisson, c'est la
meilleure matrone en ville. Et puis le sens de « cinq » et « mi-
novembre », dans sa bouche, ne fait pas mystère : grosse de cinq
mois et à terme à la mi-novembre. D'ailleurs, tu crois que je n'ai
pas remarqué tes haut-le-cœur le matin, au déjeuner, et ces « mauvaises odeurs » pourtant habituelles en provenance de la cour de
l'intendance et dont tu ne t'étais jamais plainte auparavant ?

Puis, se plaçant devant elle, il continua en murmurant
lentement : « Et si je voulais être coquin et effronté, je pourrais
faire comparaître, à titre de témoins, ces seins affriolants que tu
t'évertues à éloigner de mes mains et de ma bouche et que je ne
peux plus caresser à loisir depuis des lunes. Et moi qui croyais
que tu me repoussais par désintérêt ou pire encore. »

Et profitant de la pleine noirceur, il la serra contre lui tout en introduisant sous sa chemise une main qui effleura, oh! combien délicatement, le bel attribut féminin. En guise de récompense, sans doute, un mamelon largement auréolé et proéminent s'insinua entre ses doigts. Fanchon gémit sous la caresse et ferma les yeux, s'abandonnant à l'homme qu'elle aimait. Celui-ci, comme pour clore sa plaidoirie avec l'ultime argument, releva jupe et jupons et, de l'autre main, palpa la ferme rondeur du ventre prometteur.

— Mon bel amour, ma tendre colombe, je crois sincèrement que quelqu'un s'est introduit entre nous. Nous le sentons tous les deux, n'est-ce pas? Pour ma part, jarnicoton, j'en suis ravi! Que dis-je, je suis fou de joie!

Et, joignant le geste à la parole, il enserra l'amante dans ses bras, la souleva de terre et l'entraîna dans un carrousel aérien qui lui fit demander grâce. Puis, comme l'aurait fait quelque preux chevalier, il la transporta à une dizaine de pas de la rive où, parmi les herbes hautes, il la déposa sur le sable et lui fit l'amour.

Depuis que Bastien l'avait rejointe, Françoise n'avait pas prononcé une seule parole. Pour elle, la scène s'était déroulée de façon irréelle, comme dans un rêve. Là où elle avait imaginé le drame à venir s'était produit le miracle qu'elle n'attendait plus. Elle avait été obsédée par une pensée: « *Il est Français, je suis d'ici, un monde nous sépare. Rien ne le retient ici, désormais; il retournera donc d'où il vient, où ses racines d'enfant s'enfoncent et le réclament. Ce Poitou dont il ne cesse de rappeler le souvenir à la moindre occasion. Et la lettre qu'il vient de recevoir de chez lui et qui l'a bouleversé. À n'en pas douter, voici le point de rupture : il est sur le point de me quitter.* »

Sur le sable, les genoux remontés contre leur poitrine, les amants cherchaient des yeux, mais en vain, les engoulevents qui tournoyaient là-haut, dans le ciel sans étoile, et dont les cris perçants et rythmés égayaient les beaux soirs d'été.

Enfin, Françoise passa aux aveux. Toute chaude encore, de corps et d'âme, des caresses et des attentions de son homme, il lui semblait à la fois plus facile et plus nécessaire que jamais de s'exprimer.

— Tu l'sais, Bastien, chu's indépendante, ou plutôt, je cherche à montrer que je le suis, car demain est incertain et pour une femme c'est une réalité remplie de dangers. Quand La Grandeur est mort, il y a cinq ans, j'étais encore dans la vingtaine et le Papou devait avoir douze ans. J'ai eu des propositions, certaines intéressantes, mais j'ai dit non. Les remariages juste pour mettre du pain dans la soupe et un toit sur la tête, c'était pas mon idée. Peut-être que j'ai paru fière et suffisante, distante même, mais c'était de la frime : j'voulais donner le change. Une femme, ici, ne reçoit que le respect qu'elle sait imposer et tout ça repose sur peu de choses. Regarde un peu autour de toi, dans cette ville, et tu comprendras.

« Tu es mon homme et j'suis à toi. Depuis que j'te connais, pourtant, jamais je n'ai cherché à t'attacher à moi d'une manière ou d'une autre. J'pourrais pas partager la vie de celui qui ne serait à mes côtés que de corps et dont le cœur et la tête seraient ailleurs. Tu t'imagines ronger ton frein à cœur de jour dans la même maison que moi, à chercher l'ailleurs par la fenêtre ? Tu finirais par me haïr, probablement.

« Voilà pourquoi j'tenais à te cacher mon état. Celles qui font un enfant à leur homme afin de le retenir se font des accroires. En tout cas, moi, j'voulais pas te forcer la main, ça non ! Si tu veux de cet enfant, vraiment, alors il sera à toi. Sinon, j'en ferai mon bonheur et, tu peux m'en croire, il ne manquera de rien. »

Dieulefit regarda l'Acadienne, dont le beau visage naturel, sans retouche aucune, paré seulement de sa blondeur et de ses yeux couleur de mer, à lui seul ravissait l'âme. Il en avait connu un autre semblable à Ingrandes peu de temps avant son départ. Visage de fille, pas encore de femme, qui avait fait chavirer son cœur d'adolescent et chamboulé ses nuits.

Il en riait encore, parfois, lorsqu'il se remémorait ses émois de jeunesse auprès de la Jeanne, la fille de l'aubergiste du village, qui lui avait permis d'explorer un corps féminin pour la première fois, dans un coin de la tasserie. Culpabilité et intense plaisir s'étaient livrés une lutte épique au cœur de son être. Puis, convaincu qu'une telle jouissance ne pouvait être que coupable, il avait pris le chemin du confessionnal, un matin, longtemps avant la messe des vieilles. Trop connu du curé Rouhé, il s'était assuré n'avoir affaire qu'au vicaire Turpineau, un nouveau venu frais émoulu du séminaire. Celui-ci, avec un peu de chance, aurait peut-être, dans des jours meilleurs et pas si lointains, connu les délices associées à une cuisse de nymphe.

Les *Pater* et les *Ave* n'avaient pas pour autant calmé ses ardeurs juvéniles et, plus que jamais, il se sentait habité par l'âme d'un explorateur, hanté par les mystères féminins. C'est ainsi que moins de vingt-quatre heures après avoir exprimé sa ferme résolution de ne plus pécher, il avait enfin trouvé le chemin du Graal grâce aux mains expertes de Jeanne, à l'étage de *La Corne de cerf*, au milieu d'un drap de lin blanc.

— Sébastien, tu m'écoutes pas? T'entends pas c'que j'te dis? C'est très sérieux, je t'assure! Et toi, tu fais des risettes, toujours la tête ailleurs.

Françoise venait d'ouvrir son cœur comme jamais, et lui, l'idiot, il souriait. Comment donc les hommes sont-ils faits?

— Tu ne souris pas, toi, lorsque tu es heureuse? Moi, si. Cette nouvelle, ma belle, ne pouvait tomber à meilleur moment. Depuis quelque temps, je me sentais désorienté, perdu, écartelé, sans repère quoi! J'attendais sans doute un signe du destin. Je crois qu'il est dans ma nature de me laisser porter par les événements. Ils m'ont toujours guidé et bien servi. Je n'ai jamais trop su ce que je désirais; d'ailleurs à quoi bon échafauder des grands projets quand la vie se charge de mener nos pas. La preuve, aujourd'hui. En revanche, j'ai toujours bien identifié les avenues qui me déplaisaient et dans lesquelles je refusais de m'engager.

— Et Ingrandes, le Poitou, ton pays? Tu sauras t'en passer? J'imagine que c'est plus doux et plus beau qu'ici, avec de belles églises, des châteaux comme celui du marquis, des carrosses pis des routes, des rivières pis des coches, des beaux messieurs pis des belles dames.

— Petite fille! répondit Bastien. Et je suppose que tes rêves sont tapissés de ces magnifiques images et peuplés de ces dignes personnes. Comment te dire: c'est parfois vrai et le plus souvent faux. Sache qu'ici, la vie des petites gens est moins rude que dans la mère patrie. Le climat est plus doux là-bas, certes, mais le bonheur plus difficile à apprivoiser. La compétition et la chasse aux privilèges sont féroces, les luttes permanentes, et pas seulement parmi la race des seigneurs, dans les campagnes aussi. Et puis, surtout, il y a tous ces impôts et toutes ces taxes que les gens du commun doivent satisfaire. Non, c'est un vieux pays, que les natifs gardent au fond de leur cœur mais qui est proprement invivable parce que, depuis des siècles, on y a multiplié pas seulement les guerres mais aussi les lois et les règles injustes et désuètes qui enfargent aujourd'hui ceux qui voudraient des changements. Tu vois, de plus en plus de fils voudraient faire les choses différemment de leurs pères et grands-pères. Et ce serait souvent très bien.

« Le marquis, qui connaît le Canada depuis pratiquement que tu es née, me racontait, par exemple, que le roi lorsqu'il a décidé d'administrer lui-même la colonie, il y bien cinquante ans de ça, rêvait d'en faire le centre d'un vaste empire. Il caressait les idées et les projets les plus grandioses. Bien sûr, d'abord peupler ce pays en abondance, comme les Anglais s'activaient déjà à le faire dans leurs possessions plus au sud. Cela signifiait faire traverser bien des colons français car, imagine le territoire : de Gaspé à la Louisiane et de la baie d'Hudson aux Grands Lacs. Aucun problème, dirent certains : le roi mettra à la mer tellement de navires qu'ils traverseront l'océan beaupré sur poupe[166]! L'image était saisissante, rassurante aussi, mais c'est demeuré un vœu pieux. Pourquoi? Parce que d'autres ont convaincu Louis qu'un état conservant ses gens assurait sa puissance, surtout en temps de guerre. Le dépeuplement n'était pas sain.

« C'est ainsi qu'on en est rendu, aujourd'hui, à compter sur de vieux troupiers perclus pour devenir colons et s'habituer au pays. Tu vois ce que j'essaie de dire? Et c'est ainsi, aussi, que la p'tite Acadienne ne trouvera au creux de son lit fleurant bon

---

166   À la queue leu leu.

l'amour qu'un sergent rêveur d'ancienne cuvée qui, de surcroît, ne s'améliorera pas avec l'âge. »

Françoise regarda son homme, la barbe et les cheveux noirs ébouriffés, à cent lieues du hallebardier propre et imposant, et, ses yeux dévorant ses larmes, elle le força à s'étendre sur le dos, les bras au-dessus de la tête. Puis, sur cette paillasse osseuse, sorte de pelisse dégarnie, elle vint ajuster au plus près toute la longueur de son corps palpitant.

— Qui va là! Sortez de là et identifiez-vous, plus vite que ça!

*Jarnicoton, la patrouille... Quelle heure est-il? Depuis combien de temps...?* pensa Bastien.

— La retraite, le couvre-feu, vous connaissez pas? C'é pourtant pas pour les bêtes! Allez, venez par ici sous ma lumière!

Ensommeillé, aveuglé par une lanterne, le secrétaire grimpa sur ses jambes et se frotta les yeux. Puis il tendit ses deux mains vers Fanchon qui, de toute évidence, refusait d'émerger de son rêve bleu.

— Oh! Regarde Latendresse! Je n'ai pas la berlue, je crois que nous venons d'attraper une espèce d'oiseau très rare: un couple de tourtereaux nocturnes! Oui, oui, Ça existe, la preuve!

— Tu es sûr, Bourdelais? Moi, je te l'ai dit, j'ai entendu ronfler, et très fort en plus. Depuis quand ça ronfle des tourtereaux?

— Depuis toujours, grand benêt, mais seulement ceux à longue queue!

Et les deux compères de s'esclaffer, pliés en deux.

Bastien, ce soir-là, était follement heureux, donc de bien bonne humeur.

— Excusez-moi, soldats, mais vous arrivez d'où comme ça? Enfin, vous nous avez apeurés?

— Tu entends, Latendresse, le tourtereau à longue queue a eu peur. Tu as fait trop de bruit, aussi. C'est très craintif, les oiseaux d'amour, tu sais.

— Les longues queues, moi, ça ne m'émeut pas vraiment. Je suis plus porté vers les tourterelles à poitrines roses. Et je pense que j'en ai repéré une de choix.

Et joignant le geste à la parole, il s'approcha de Françoise. Déjà il tendait la main vers un sein bien dessiné et à moitié découvert lorsqu'une masse en forme de poing vint percuter violemment le nez piriforme du militaire qui s'écrasa dans le sable, presque sans bruit.

Incrédule, Bourdelais s'élançait déjà pour intervenir mais, trop tard. Un revers de main fermée trouva la pointe de son menton et, telle une marionnette dont on aurait sectionné les fils, il battit l'air à reculons et, en tombant, s'écrasa la tête contre un moellon de plage.

Maintenant tout à fait éveillé, et comme revêtu subitement de sa casaque rouge de sergent, Dieulefit n'entendait plus à rire. S'emparant de la lanterne toujours allumée, il s'empressa de rétablir l'ordre.

— Soldats, au rapport et que ça saute! Je suis le sergent Dieulefit, secrétaire du marquis d'Aloigny. Identifiez-vous!

Latendresse, le visage ensanglanté, portait assistance à son camarade privé d'esprit. Il le remit péniblement sur ses jambes et, le soutenant sous les aisselles, fit les présentations.

— Léon Le Tendre, dit Latendresse, de la compagnie de monsieur de Chalus. Et lui, c'est Antoine Dalmas, dit Bourdelais, de la compagnie de monsieur d'Esgly. Nos excuses, sergent. Nous étions dans la redoute, là-bas, et j'ai entendu des bruits sourds dans le foin, par ici, comme des ronflements. Alors, nous sommes venus vérifier par nous-mêmes et c'est là que... c'est-à-dire-que... enfin que...

— Croyez-le ou non, soldats, mais aujourd'hui, c'est votre jour de chance car je fermerais même les yeux sur les crimes du mauvais larron, c'est dire! Cette clémence rare, vous la devez à ma femme, ici présente, qui vient de me faire le plus précieux des présents. Alors, je vous le demande, lorsque vous la croiserez dans la rue, vous lèverez votre tricorne et vous direz avec votre sourire le plus sincère: «Bien le bonjour, madame Dieulefit.»

— Ce sera ainsi, sergent, je vous le promets, et Dalmas aussi, enfin je veux dire qu'il le promettra lorsque...

— C'est bon, les gars, reprenez votre poste. Et votre lanterne!

Le sergent regardait le pauvre duo retraiter lorsqu'il sentit le corps modelé de Fanchon se blottir contre son dos. Elle pleurait silencieusement et sa poitrine était agitée par des sanglots à moitié retenus. Se retournant, il tenta de sécher ses larmes avec ses lèvres; ce fut peine perdue. Les vannes de l'émotion étaient ouvertes et rien ni personne n'aurait pu en contenir le flot.

Lentement, se tenant la main, ils prirent la direction de l'auberge. Françoise entraîna Bastien vers la rivière et, ses souliers à la main, elle parcourut une partie du chemin en pataugeant dans l'eau vaseuse de la Saint-Charles: «Madame Dieulefit! C'est-y pas possible!»

— Ben quoi, intervint Sébastien, il lui faut un nom honorable à cet enfant!

— Le tien, bien sûr, un nom d'homme!

— Tu as tout compris, ricana Bastien.

— Et je suppose que, du même coup, tu feras de moi une femme honorable? Remarque que, si j'me fie à mon confesseur, y serait plus que temps que l'honneur entre dans mon auberge. Y'avait coutume de terminer sa leçon par ces mots: «Et souviens-toi! L'honneur est le loyer de la vertu.» Ce qu'il me dit, depuis quelque temps, ce ne sont plus des sous-entendus, je t'assure.

— N'y pense plus, ma mie. Ce temps est révolu. Et maintenant, à la maison! Il importe que nous parlions avenir! J'ai d'ailleurs des choses à te dire.

# XVI

## Les blés sont mûrs

*Samedi, 4 août 1714*

« Portez le fusil sur l'é...PAULE!
Reposez sur vos fu...SILS!
Supportez vos... ARMES!
Portez vos armes sur le... BRAS!
Posez vos armes à... TERRE!
Reprenez vos... ARMES!
Passez la platine sous le bras... GAUCHE! »[167]

C hacun de ces ordres, auquel répondait un mouvement particulier, rythmait l'exercice du maniement d'armes qu'un
sergent, hallebarde en main, imposait au groupe des trente
recrues assemblées sur trois des faces de la place d'Armes. Il était

---

167 Platine: pièce des armes à feu portatives à laquelle est fixé le mécanisme destiné à enflammer
l'amorce. À ce commandement, le soldat non seulement plaçait le mécanisme de mise à
feu sous la protection de son aisselle gauche, mais encore il renversait l'arme: la platine se
retrouvait alors sous le fusil et la détente au-dessus, ceci afin de protéger la partie délicate de
l'arme contre les intempéries.

dix heures, ce matin-là, et les troupiers suaient à grosses gouttes, sous un soleil déjà très prometteur. Plusieurs fois en ordre de marche, ils avaient fait le tour de la place délimitée par les grilles du château, le couvent des Récollets et les rues Sainte-Anne et Saint-Louis. Suivraient encore l'exercice de tir et de baïonnette.

Un peu en retrait, en compagnie de d'Aloigny et de Dieulefit, quatre officiers, chargés d'encadrer et d'accompagner ces hommes à Louisbourg, observaient attentivement la scène avec une moue dédaigneuse quoique résignée : le capitaine de Gannes, les lieu-tenants du Figuier et de La Tour ainsi que l'enseigne d'Ailleboust.

— Il est clair, messieurs, que nous n'en ferons pas la garde personnelle du roi. Enfin... soyons contents que les champs de bataille de Flandres et d'Artois soient éloignés du Canada et du Cap Breton.

François de Gannes, petit homme carré de près de quarante ans, avait prononcé ces paroles sur un ton hautain et désabusé. Pourtant, il était en Amérique depuis près de vingt ans et la conjoncture du pays ne pouvait lui échapper. Français de nais-sance, cependant, comme la plupart des hauts gradés, il aimait bien, à l'instar de plusieurs parmi ces derniers, prendre des airs condescendants et légèrement dégoûtés face aux réalités coloniales qui le confrontaient.

Le commandant d'Aloigny, qui avait assisté au cours des ans à l'arrivée, dans le corps des officiers, de Canadiens de plus en plus nombreux et polyvalents, voyait d'un mauvais œil le clivage social qui, de plus en plus, divisait Français et natifs. Bien sûr, d'autres secteurs de la vie quotidienne en Nouvelle-France témoignaient de heurts et de désaccords entre représentants de ces deux groupes, pourtant, la loi du nombre favorisait maintenant les indigènes et ceux-ci toléraient très difficilement l'arrogance, les privilèges et les passe-droits de ces métropolitains, souvent de passage.

— Capitaine, rétorqua le marquis d'un ton sec, en s'appuyant sur une canne, j'aurais cru que votre expérience en Acadie et ici vous aurait appris à vous méfier des apparences. Certes, ces hommes ne sont pas formés à l'école des régiments français ; le plus souvent, ils n'ont eu aucune expérience des armes avant de traverser la mer. Je puis vous assurer, cependant, que la plupart ont développé en ce pays des aptitudes et une endurance à peu près sans égal.

« Ils sont allés à l'école des Sauvages et des Canadiens et ils sont à leur aise avec une hache ou un aviron à la main et des raquettes aux pieds. On peut les utiliser comme coureurs des bois, comme partisans dans des raids ou même en qualité de marins-corsaires. Ils manient fort bien la cognée, la charrue et la truelle. Nombreux sont leurs anciens camarades, d'ailleurs, qui sont devenus colons et miliciens, ce qui en dit long sur leur capacité à surmonter l'adversité. »

Aux côtés du marquis, son secrétaire Dieulefit, en costume civil, sentit le besoin d'ajouter : « Quoi qu'il en soit, capitaine, vous êtes témoin comme moi que nous n'avons rien ménagé pour réunir les meilleurs. Et n'ayez crainte, ils feront bonne impression en bord de mer, surtout dans ces nouveaux uniformes rutilants que l'on vient de leur distribuer. Ils sont à nouveau fiers d'être soldats. »

Une heure plus tard, la colonne, escortée de ses officiers et au rythme du tambour, défilait sur deux rangs rue Sainte-Anne et se dirigeait vers la redoute Royale, dont la construction par l'ingénieur de Beaucours avait pris fin l'année précédente[168]. Comme pour sa jumelle, la Dauphine, on hésitait encore à y caserner les troupes de la Marine ; pour la circonstance, toutefois, il avait été décidé d'y loger les hommes qui s'embarqueraient bientôt pour Louisbourg.

— Sergent, dit d'Aloigny en regardant partir les troupiers, le regard vague et lointain, accompagnez-moi à la maison, j'ai des papiers qui attendent votre signature.

Descendant la place à pas lent, ils pénétrèrent dans la maison du marquis par la cour arrière qui, dissimulée aux regards par une haute muraille de pierre, abritait un superbe potager ainsi qu'un jardin floral traversé en diagonale d'allées étroites.

---

168   La redoute (ou *tour bastionnée*) Royale s'élevait à l'angle des rues actuelles Saint-Stanislas et Sainte-Anne. De nos jours, le *Morrin College* occupe cet emplacement.

Prenant place péniblement à son bureau, le marquis de la Groye agita la clochette de service pendant que Bastien se laissait tomber dans un fauteuil à bras. Du haut de ses douze ans et avec une démarche maintenant pleinement assurée et silencieuse, Madeleine frappa et entra dans la pièce.

— Vous désirez, monsieur Charles-Henri?

— Mon médicament, d'abord, Madeleine, puis deux verres de blanc bien rafraîchis.

Tapant légèrement son bureau du plat de ses mains, le maître se métamorphosa en familier, voire en intime.

— Alors, Sébastien, voilà : un certificat de démobilisation et de liberté qui te rend à la vie civile. Celle, à toutes fins pratiques, que tu n'as jamais connue, n'est-ce pas? Tu avais quoi, quinze ans, lorsque tu m'as rejoint ici? Et moi, par conséquent, trente-et-un. Quel coup de vieux ça me donne...

« Tu te rappelles lorsque, avec la compagnie, nous étions montés au fort Catarakouy[169] pour le rétablir, environ deux ans après ton arrivée, en 1695, je crois. Une nuit, tu étais de garde près de la rivière et l'on était venu me dire que tu avais déserté ton poste. Tu étais introuvable et j'avais dû organiser une patrouille pour te retrouver. Deux heures plus tard, nous t'avions enfin débusqué dans une des cabanes de Sauvages qui campaient à proximité du fort. Tu dormais flanqué de deux jeunes beautés que tes boucles noires avaient, semble-il, excitées. *In extremis*, j'avais pu te sauver du conseil de guerre. »

— Foi de soldat et sur la tête de ma mère, trois ou quatre de ces amazones furibondes m'étaient tombées dessus. Après s'être approchées amicalement, elles m'avaient projeté par terre où elles m'avaient ligoté et bâillonné ; puis j'avais été transporté dans leur cabane où... bien où... enfin où elles avaient abusé de moi.

Dieulefit avait prononcé ces derniers mots en souriant benoîtement.

— Abusé? C'est bien la meilleure! Tu es revenu de là nu comme un ver, le corps enduit d'une huile que l'on qualifie, je l'ai

---

169  Aussi nommé fort Frontenac, aujourd'hui Kingston, en Ontario.

appris peu après, de nuptiale. Je crois bien, d'ailleurs, que c'est en se figurant la scène et en se tordant de rire, que les autres capitaines ont accepté la version du rapt. Nul n'aurait pu ni osé inventer une histoire pareille!

Les deux hommes s'enfouirent un long moment dans leurs pensées et dans un silence que seuls les aboiements d'un chien, du côté des Récollets, vinrent perturber.

— Monsieur le marquis, relança le dorénavant *ancien* sergent, puisque vous semblez prendre plaisir à évoquer le *bon temps*, et en particulier certains moments cocasses de notre vie commune sous les drapeaux, vous me permettrez de rappeler à votre souvenir l'épisode glorieux de la capture des grands chefs iroquois. Vous n'avez pu oublier: c'était la même année, je crois bien, que la mésaventure que vous venez de narrer, mais tard l'automne.

Charles-Henri se raidit un peu dans son fauteuil et fit mine de fouiller sa mémoire.

— Attends... en '95, tu es certain?

— Comme de ma première nuit d'amour, oui monsieur!

— J'ai bien peur de ne pas te suivre, mon ami... non, vraiment...

— Ah! Ça, c'est le bouquet, monsieur de la Groye! Je constate que vous avez une mémoire sélective! Alors, je me ferai un devoir de jeter un pont sur ce hiatus qui affecte la trame de vos jours.

La porte s'ouvrit et la marquise entra dans le bureau-salon porteuse du vin et de la médication.

— Je t'ai bien entendu, Sébastien? Tu parlais d'un hiatus? C'est un manque ou une interruption quelconque, n'est-ce pas? Drôle de mot...

— Tout à fait, madame Geneviève. Dans le cas qui nous occupe, il s'agirait d'un trou de mémoire, comment dire... providentiel.

— Je ne te suis pas...

— Alors, si vous le permettez, et surtout si votre mari y consent, je vais vous raconter une histoire.

Et pendant que le marquis se triturait les méninges en remontant le fil de ses aventures sauvages, ou cherchait à en donner l'impression, Bastien entreprenait le récit d'un fait vécu poussiéreux.

— Je disais donc que cela remontait à l'automne de 1695. C'était la guerre et les Iroquois s'approchaient effrontément de Montréal et rôdaient près de nos établissements, du côté du sud particulièrement. Monsieur de Frontenac, le gouverneur, et le chevalier de Callières, en charge à Ville-Marie, ordonnèrent en conséquence à un certain nombre de capitaines d'intercepter ces partis avant qu'une tragédie ne survienne.

« Votre mari et une vingtaine de soldats, dont j'étais en dépit de mon jeune âge, prirent la direction de Boucherville où le seigneur Boucher et ses gens se plaignaient d'embuscades et de vols de récoltes. Pendant quelques nuits, nous avons patrouillé à la limite des concessions, près des bois, afin de surprendre les pillards. Ce fut peine perdue. Puis un soir, au moment où nous désespérions de réussir, le marquis, dont la couronne était encore fraîche, nous fit étendre à l'orée des champs, à proximité d'un regroupement de granges et de hangars qui, pour un temps, abritaient blé, avoine, maïs et pois.

« Cette nuit-là, nous avons réussi un magnifique coup de filet : une douzaine de Sauvages s'étant approchés des bâtiments que nous avions à l'œil, ils y pénétrèrent avec de larges paniers. Ils étaient faits comme des rats : il fut aisé de les cueillir dans la place et ils n'opposèrent, d'ailleurs, pas beaucoup de résistance. Un mince croissant de lune facilita notre mission et les dangereux ennemis furent rassemblés, ligotés des mains et entraînés vers le manoir de monsieur Boucher. Celui-ci, en chemise de nuit et bonnet, nous reçut entouré des siens. Il nous dirigea vers une longue bâtisse servant de forge, de remise et d'entrepôt où son fils, Niverville, apporta quelques lanternes.

« C'est en passant nos prisonniers en revue que le marquis comprit que sa compagnie ne venait pas de se couvrir de gloire. La horde guerrière était composée de jeunes Iroquois non armés âgés de quinze à dix-sept ans et originaires de la mission jésuite du Sault-Saint-Louis. Ai-je besoin d'ajouter, madame Geneviève, que ni le valeureux capitaine ni ses vaillants guerriers n'allèrent raconter ce haut fait d'armes ? »

D'Aloigny riait maintenant de bon cœur au rappel de ce curieux épisode. Ce qu'il était fier et ambitieux, autrefois ! Et reverrait-il jamais ce bon Boucher dont les jours, à plus de quatre-vingt-dix ans, étaient certainement comptés.

— Si je comprends bien, mon ami, ce n'est pas l'exploit qui vous a mérité la croix de Saint-Louis ! conclut la marquise en se glissant derrière son mari, entourant son cou de ses bras en une caresse féline que celui-ci, elle le savait fort bien, n'appréciait qu'en toute intimité.

— Ces Canadiennes sont bien d'une race distincte, comme leurs hommes, d'ailleurs, se dit le secrétaire. Polies, certes, distinguées souvent même, mais extraverties et familières, avec l'habitude qui frôle la manie de toucher, de mettre les corps en contact ; une sensualité à fleur de peau bien éloignée des manières du Poitou.

Dès sa descente de navire, il y a bien longtemps, il avait fait, une première fois, l'expérience de ce trait. Grimpant vers la place du marché avec ses quelque 400 camarades, il avait dû fendre une foule compacte qui n'avait eu de cesse non seulement de les accueillir avec des boutades et des rires mais aussi de les agripper par les mains et les bras, de les bousculer grâce à d'amicales bourrades ou des accolades chaleureuses.

Geneviève s'étant retirée, Charles-Henri fixa Bastien dans les yeux et, d'une voix qui se voulait grave, demanda : « Alors, c'est bien décidé, tu épouses ta belle aubergiste ? Cela signifie donc, si je comprends bien, que tu as l'intention de te fixer ici ? »

— Absolument, répondit Dieulefit. Écoutez : la vie est étrange mais parfois bonne fille. Vous avez été témoin de l'abattement, voire de la torpeur, qui s'est emparée de moi à la faveur des incertitudes qui planaient sur ma tête à propos de mes choix de vie. Je n'en voyais plus clair et l'horizon m'apparaissait bouché. J'ai revu et décomposé ma vie, depuis Ingrandes jusqu'à aujourd'hui. Parents et amis ont animé les paysages qui me sont chers, des deux côtés de l'océan, et j'ai revu mes appartenances. Parmi toutes ces visions, tous ces souvenirs, toutes ces émotions, j'ai cherché ma voie d'avenir.

« Puis, presque au même moment, deux signes me sont parvenus : la mort du chanoine, que j'interprétai comme une porte
qui se fermait sur une première existence, et la grossesse de
Françoise qui traçait la voie de demain. Les événements me prenaient en mains et me guidaient, plus sûrement que le plus avisé
des prophètes n'aurait pu le faire. Ce fut extraordinaire : toutes
les pièces du casse-tête tombèrent en place comme par magie et
le fleuve m'offrit son pont d'or. »

— Eh bien ! Bravo Sébastien ! Bien content de te voir quitter
ces limbes où, depuis un bon moment, tu dérivais. Il est bien
légitime de se questionner, parfois, sur la direction à prendre ;
cependant, il est malsain de mariner trop longtemps dans des
abîmes d'irrésolution. Il faut absolument émerger et tu l'as fait.
Et ce mariage ? Il aura lieu avant notre départ ou au retour ? Car
tu traverses bien avec moi, n'est-ce pas ?

— Si madame Bisson, la sage-femme, dit vrai, l'enfant devrait
paraître vers la mi-novembre. Aurons-nous mis à la voile à ce
moment, je l'ignore. Chose certaine, lorsque le vaisseau quittera
le port, ce fils ou cette fille aura officiellement un père et la
Françoise un mari. S'il m'arrive quelque chose durant ce voyage,
elle héritera de mes biens. D'ailleurs, nous passerons chez le notaire
Chambalon avec de franchir le Rubicon. Quant à la messe, ce sera
dans le cours du mois prochain, je crois bien.

— Bien, bien... très bien ! enchaîna le marquis en frappant
assez fort son bureau de ses mains. Techniquement, tu demeures
donc sergent jusqu'au jour du contrat de mariage, voire de la
cérémonie elle-même. Je peux, par conséquent, continuer de te
commander sur deux tableaux, comme secrétaire et comme
soldat, n'est-ce pas ? Alors écoute bien.

« Tu sais que le gouverneur Dudley[170], de Boston, est en pourparlers avec monsieur de Vaudreuil et un certain nombre de
tribus pour rapatrier les captifs anglais de la dernière guerre. La
situation est complexe : bien que les Bostonnais insistent pour les

---

170  Joseph Dudley (1647-1720). Plus officiellement, il était gouverneur de la *Massachusetts Bay
Colony*.

revoir tous sans exception, plusieurs ne désirent pas rentrer chez eux. Au-delà d'une centaine sont même officiellement naturalisés Français. D'autre part, nous n'avons pas de liste complète de tous ces gens. Plusieurs sont encore aux mains des Sauvages alliés de la vallée du Saint-Laurent, de nombreux autres partagent la vie des tribus des Grands Lacs et certains ont joint les rangs des coureurs de bois! Un dernier groupe, enfin, est dispersé dans nos côtes plus éloignées où ils travaillent volontairement pour les colons. Tu imagines la difficulté?

« Or, le roi est formel : nous ne forcerons pas les colons anglais à repasser la frontière contre leur gré. Une belle bataille se prépare donc. Le gouverneur et l'intendant viennent de rentrer de leur séjour estival habituel à Montréal. Depuis le printemps, ils y ont rencontré une demi-douzaine d'émissaires de Boston venus à pied par la rivière Richelieu pour négocier le retour des Anglais. Ces envoyés désiraient rencontrer tous leurs compatriotes, y compris ceux qui sont réfractaires au retour, et les rassembler à Québec afin de les embarquer dans un navire qui serait envoyé expressément par Dudley. Or, ils ramènent une poignée à peine de volontaires au départ.

«Trêve d'explications! Le brigantin bostonnais a été signalé dans le fleuve; nous l'attendons d'ici la fin de la journée. Après avoir jeté l'ancre, son capitaine viendra certainement à terre rendre visite au gouverneur de Vaudreuil afin de mettre au point les modalités d'embarquement. Après quoi ce commandant invitera probablement à son bord les émissaires anglais pour dresser la liste des passagers et déterminer le moment du départ.

«Nous ne souhaitons pas que ces Anglais, sous un prétexte ou un autre, errent seuls dans la ville et la campagne. Pas question pour eux de se livrer à des reconnaissances des lieux et des aménagements défensifs. Tu te rappelles les mesures que nous avons prises, l'année dernière, lorsque leur envoyé, John Schuyler est venu rôder ici et à Montréal soi-disant afin de rencontrer des prisonniers? Nous ferons de même à compter d'aujourd'hui : escorte pour quiconque mettra pied à terre et défense de s'approcher de la rivière Saint-Charles et des fortifications. Tu choisiras des troupiers fiables et éveillés ; j'en veux deux accrochés aux basques de tout étranger qui foulera notre sol. Ces fils d'Albion sont aussi hypocrites et perfides que leurs frères d'Angleterre. Et pas plus dignes de confiance qu'un âne qui recule ! »

— Afin de faciliter les contrôles d'identité, serait-il possible de connaître les noms des six émissaires anglais ?

— Attends. J'ai l'information sur un document, ici... tiens, voilà ! D'abord deux commissaires : le pasteur John Williams, qui n'a toujours pas réussi à convaincre sa fille Eunice de quitter son mari iroquois et de revenir à la maison, et un nommé John Stoddard. Trois compatriotes les accompagnent : Thomas Baker, Eleazer Warner et Jonathan Smith. Ils ont aussi à leurs côtés trois ou quatre porteurs et un interprète.

Bastien allait prendre congé lorsque le maître de maison lui lança : « Si j'étais toi, sergent, je crois que je resterais à dîner. Je te sais carnivore impénitent mais, aujourd'hui samedi, notre mère l'Église a décidé de te punir. Cependant, tu ne regretteras pas le doré au fenouil que Marie est à préparer. Tu ne sens pas ce bouquet aromatique délicat ? Ciboulette, persil, câpres, fenouil... C'est divin, crois-moi ! Et pour les Poitevins, nation toujours altérée c'est bien connu, je mets sur la table une fraîche carafe de Graves ; j'en avais commandé deux barriques à Moizeau, le capitaine de *La Légère*, et il vient de me les livrer. Je veux ton avis. »

La rogne et la grogne des habitants se montraient insensibles aux cajoleries des beaux jours de l'été. La colère des habitants, loin de se résorber, s'amplifiait quotidiennement et, aiguillonnée par la peur panique, menaçait de dégénérer en affrontements violents. Les rêves issus de la guerre, faits de paix, de joie de vivre et de prospérité, se fracassaient bruyamment contre la dévaluation de moitié de la monnaie de carte, la chute du pouvoir d'achat et l'explosion du prix des denrées et services. Dans l'immédiat toutefois, c'est le pain, mèche révolutionnaire par excellence, qui hantait les esprits. À six livres le minot, le prix des farines excitait la rage des citadins et la rareté du pain les rendait frénétiques.

Il fallait voir la scène. Pendant que les surplus de blé et de farine des années précédentes quittaient le port à destination de Louisbourg ou des îles d'Amérique, ou encore à bord de la flotte de pêche, les boulangers de la ville fermaient boutique faute de matière première. Depuis quelques jours, ils avaient cessé de cuire et la population était au bord de la révolte. Dans plusieurs paroisses autour de Québec, à ce que l'on racontait, les récoltes étaient anémiques en raison du gerzeau maudit, une plante qui, selon l'expression populaire, étouffait le blé.[171]

Heureusement, les autorités, toujours à l'affût du vent mauvais charriant les agitations populaires, avaient vite réagi. L'intendant Bégon, qui disposait encore dans son enclos de réserves de blé et d'une vaste boulangerie, avait aussitôt entrepris de cuire le pain pour la population. À chaque mois, il prévoyait la sortie des fours de 900 quintaux de pain[172]. On ne peut dire, par conséquent, que les habitants avaient souffert de la disette, ou si peu ; ils avaient néanmoins vu l'œil terrible de la bête, tapie au tournant du chemin et prête à bondir.

Repu comme le lion dans sa savane, Dieulefit, en quittant la rue de Buade, avait orienté ses pas vers la place du marché. Il lui fallait rencontrer le capitaine de Voutron sans faute. Dieu ce qu'il aurait donné pour piquer un roupillon, là-bas, sur la gauche, près du sentier des remparts, à l'ombre d'un vénérable tilleul !

Parvenu au pied de la côte, au coin de la rue Notre-Dame, un attroupement lui bloqua le passage vers la place. Le boulanger Raymoneau[173], devant l'établissement qu'il opérait pour le marchand Perthuis[174], avait maille à partir avec une demi-douzaine de femmes du quartier.

---

171 Le gerzeau, ou nielle des blés, est une mauvaise herbe qui s'introduit dans les champs de blé. La graine noire de cette ivraie contient une substance toxique qui, mélangée au blé, rend le pain impropre à la consommation.

172 En supposant que le blé rende son poids en pain, un quintal de farine donne 100 livres de pain.

173 Charles Raymoneau dit Tourangeau (env. 1681-1725).

174 Charles Perthuis (1664-1722).

— Mais puisque j'vous l'dis! Pas de farine, pas de pain, vous pouvez comprendre ça! Mais prenez patience. J'ai appris que monsieur l'intendant va, ces jours-ci, obliger toutes les familles et tous les particuliers qui ont fait des réserves de farine pour plus de trois mois, et ils sont nombreux ça j'le sais, à nous vendre, nous les boulangers, leur surplus. Y'hésiteront pas à le faire car y seront payés pas moins de huit livres le minot[175]. Et s'ils refusent, y seront mis à l'amende.

— Mais dites-moi donc, boulanger, intervint une jeune mère entourée de ses deux marmots. D'où vient c'te belle farine de froment sur votre tablier? Vous en avez beaucoup comme celle-là dans votre cave?

— C'est pourtant vrai ça! s'écrièrent les autres. Expliquez-nous un peu, Raymoneau, pour voir.

— Mesdames, mesdames, j'vous en prie. Vous savez toutes que mon patron, monsieur Perthuis, a de gros contrats de biscuit[176] pour les vaisseaux qui r'prennent la mer. C'é pas moé qui a décidé ça. Vous savez combien y'a de navires devant la ville, en ce moment? Vingt-deux, pas un de moins. Y peuvent pas r'tourner en France sans biscuit, vous l'savez ben!

— Mais c'est misère de voir c'te belle farine servir à du biscuit. Pendant ce temps-là, on mange du pain bis[177].

— Ben voyons, Marie-Anne, ajouta l'une des femmes, t'as pas encore compris que les marchands pis les boulangers font ben plusse d'argent avec les livraisons de farine à Louisbourg et de biscuit aux capitaines de bateaux qu'avec not' pain bis. Mon mari a appris pas plus tard qu'hier que l'marchand Pascaud[178] envoyait

---

175 Le minot pèse 60 livres.
176 En mer, le biscuit constituait une bonne part de l'alimentation des matelots. Fait de farine de froment et de très peu d'eau et de levain, sans sel, il était cuit deux fois plus longtemps que le pain. Il présentait la forme d'une galette, sèche et dure, criblée de petits trous. Chaque biscuit pesait environ 180 grammes (6,3 onces) et la ration du marin était de quatre par jour.
177 Deux types de pain étaient proposés: le pain blanc (fleur de farine) et le pain bis (grosse farine sans son). Le premier coûtait 3 sols 9 deniers la livre, le second la moitié de ce prix. Jusqu'en 1712, le public pouvait choisir entre un pain blanc de quatre livres pesant et un pain bis de 7,5 livres. En 1714, on obligea les boulangers à produire aussi des pains mi-grosseur dans les deux catégories.
178 Antoine Pascaud (env. 1665-1717), marchand de Montréal puis de La Rochelle.

à Louisbourg cette année, à lui seul, 1 100 quintaux de belle farine! Tu sé c'que ça veut dire? Ça veut dire que, contrairement à c'qui prétendent, y'en a du blé dans les côtes mais que les marchands s'arrangent avec les habitants pour le t'nir caché pis le faire enlever de la colonie par les navires. Oui, madame! Pis moé j'vous l'dis: si l'intendant y va pas chercher la farine où al' é, ça s'ra pas beau betôt!

Jouant un peu des coudes, Bastien se fraya un chemin parmi la cohorte des frondeuses et, d'un pas allongé, franchit les quelque 250 pieds le séparant de la maison Chambalon.

— Pauvre vous, déclara Louise Thibault, je suis désolée; le capitaine Voutron vient de sortir. Après une sieste, il désirait se dégourdir les jambes. Mais, attendez! Il a pris l'habitude, à c't'heure, d'aller se rincer le dalot chez Saint-Jean[179], dans le Cul-de-Sac. Pas mal certaine que vous le trouverez là!

Dieulefit et Saint-Jean étaient de vieilles connaissances. Ce dernier avait été soldat de la compagnie d'Aloigny avant d'épouser une fille de la seigneurie de Maure et d'embrasser le métier d'aubergiste. Il avait pignon sur rue à l'enseigne du *Porte-Christ*, *alias* Saint-Christophe, le patron des voyageurs, dans le tournant du Cul-de-Sac[180]; sur deux étages, l'arrière de la demeure donnait sur le fleuve et, en devanture, elle regardait de biais la cordonnerie que Clément Chapelle avait désertée, deux ans passés.

En raison de la déclivité du terrain, les clients de l'auberge devaient descendre trois ou quatre marches pour accéder à la salle principale de l'établissement où des tables pour deux, quatre ou six personnes s'entremêlaient. Au milieu de l'après-midi, une demi-douzaine de clients était dispersée dans la pièce qui jouissait uniquement de l'éclairage offert par les trois fenêtres ouvertes sur le fleuve. C'est de ce côté, par ailleurs, qu'un assez long débarcadère avait été récemment érigé.

Il faut savoir que plusieurs citadins parvenaient à faire bouillir la marmite en mettant deux fers au feu. Jean Gatin, *alias* Saint-

---

179 Jean Gatin dit Saint-Jean (env.1681-1729). Bourgeois et aubergiste.
180 À l'endroit où est érigée aujourd'hui la Maison Chevalier.

Jean, était ainsi associé au maître de barque Hédouin[181] qui, pour le compte de Charles Perthuis, ravitaillait Louisbourg en farine, biscuit et pois après avoir fait de même durant quelques années à Plaisance. Les affaires étaient si bonnes que Perthuis, avec la permission de l'aubergiste, avait fait construire ce débarcadère où Hédouin pouvait charger sa goélette.

— Mais j'ai pourtant pas des visions! C'est ben mon sergent en personne qui vient faire honneur à ma maison!

Gatin, à trente-trois ans, peinait à marcher. Depuis longtemps, il était perclus de rhumatismes qui, d'ailleurs, lui avaient mérité une démobilisation. Poilu comme un singe, sa longue chevelure et ses moustaches déjà grisonnantes étaient indomptables. Son physique un peu ingrat s'effaçait complètement devant son caractère gouailleur bien parisien, et ses réparties insolentes et moqueuses semaient la bonne humeur parmi ses hôtes.

— Bien le bonjour, Saint-Jean, répondit Dieulefit, en lui donnant l'accolade. Comment vont la famille et les affaires?

— Sept rejetons en huit ans mais seulement quatre réchappés. Que voulez-vous? Pour ce qui est de mettre du foin dans mes bottes, ça va beaucoup mieux depuis que j'me suis découvert des talents commerciaux: mes parts dans les livraisons maritimes de Hédouin rapportent bien, pour le moment, bien sûr.

À ce moment, deux jeunes furies d'environ sept et neuf ans, l'une blonde, l'autre brune, déboulèrent l'escalier de l'étage et, passant sous les deux bras tendus de leur père, allèrent se jeter sur le dos d'un homme dans la quarantaine qui, attablé près d'une fenêtre, semblait fort absorbé par la copie d'un long document. Dès qu'il sentit l'ouragan arriver, il abandonna sa plume et, des deux mains, empoigna et sécurisa une bouteille d'armagnac qui trônait sur la table.

Gédéon de Voutron avait évité le pire et il acceptait d'emblée de prendre la charge à la légère.

— Ah! Mes bougresses! Attendez que je vous morde les fesses! Deux bouchées et ce sera terminé. Votre père ne vous a pas dit que je suis l'ogre qui mange les fillettes?

---

181  Charles Hédouin (1681-1720).

Gatin se précipita et, au milieu de cris déchirants, soulagea le capitaine de son fardeau en faisant mine de corriger ses filles.

— Excusez-les, monsieur, mais, depuis que vous êtes en ville, vous les avez gâtées et je crains qu'elles ne vous aient adopté. Elles sont comme cul et chemise, ces deux-là, toujours à concocter un mauvais tour. Leur mère, avec sa petite santé, a renoncé à les élever et elles deviendront probablement d'affreuses harpies. Que voulez-vous...

— Laissez, laissez, Saint-Jean! Vous savez à quel point elles me consolent de l'absence des miens. J'avais trente-six ans lorsque mon existence de célibataire a pris fin sur un véritable coup de foudre. Ma Louise[182] a tourneboulé ma vie : imaginez, une Vénus de dix-neuf ans qui a préféré aux Adonis de ma province l'humble capitaine que vous avez devant vous. En fait, et ne riez pas, je l'ai conquise grâce à ma plume.

« Oui, j'aime beaucoup la poésie et, dès le jour de notre première rencontre, j'ai fait le siège de son aimable personne avec une quantité folle de lettres enflammées, de poèmes et même de chansons, lorsque j'avais le bonheur d'être auprès d'elle. En campagne[183], je lui avais juré d'écrire quotidiennement et, dès que je croisais un navire français faisant route vers la Charente, je lui confiais mes paquets. La mer a toujours été ma maîtresse ; j'avoue, pourtant, que depuis mon mariage, il me coûte énormément de m'éloigner de ma femme. »

*Quand par un doux hymen, on a femme jolie,*
*Un peu de bien, quelque raison,*
*Que va-t-on chercher, je vous prie,*
*À mille lieues de sa maison ?*[184]

---

182  Louise de Queux (env. 1687-?), de petite noblesse charentaise.
183  C'est-à-dire durant une saison de navigation outre-mer.
184  Comme son auteur, les poèmes du capitaine de Voutron sont historiques. Ils apparaissent dans son journal de voyage en Acadie pour l'année 1706. Gédéon Nicolas de Voutron, *Voyages aux Amériques. Campagnes de 1696 aux Antilles et de 1706 à Plaisance et en Acadie*, Les éditions du Septentrion, Collection V, Québec, 2010, 285 pages.

Le capitaine avait récité le quatrain d'une voix lente et mélodieuse en fixant son regard sur le cageux qui, tout doucement,
descendait le fleuve et manœuvrait pour rejoindre l'entrée de la
Saint-Charles.

Une voix, que Voutron ne connaissait pas, reprit mot à mot
le poème, encore plus *lento con espressione*. Il fit volte-face et
trouva le visage de Bastien qui, les yeux mi-clos, tentait de fixer
dans sa mémoire ces quelques mots qui résumaient si bien ses
états d'âme.

— Capitaine, intervint l'aubergiste, permettez-moi de vous
présenter un ami à moi, le sergent...

— Mais... l'on se connaît, vous et moi, n'est-ce pas? déclara
vivement de Voutron. Sergent... sergent Dieu-le-fils, je crois.

— Oh! Quand même pas, voyez-vous, capitaine. Sergent
Dieulefit, secrétaire du commandant des troupes de la colonie, le
marquis d'Aloigny.

— Oui, bien sûr, nous nous sommes déjà rencontrés, je crois
bien...

— Effectivement, monsieur de Voutron, mais, je le précise,
jamais dans des circonstances aussi... comment dire, aussi... émo-
tives. Vos vers, pour des raisons qui m'appartiennent, me touchent
au plus profond du cœur, je vous le confesse. Qui plus est, capitaine,
je désirais vous parler.

Le sergent, invité d'un geste, approcha une chaise puis rappela
au commandant de *L'Afriquain* qu'il lui avait confié une lettre
pour un certain chanoine Chasteigner, d'Ingrandes, en Poitou, et
qu'il désirait la récupérer vu le décès du destinataire. Il l'entretint
ensuite des modalités d'embarquement des troupiers et officiers
destinés à Louisbourg, prenant note du jour approximatif où ces
militaires pourraient monter à bord du vaisseau.

Le capitaine leva la main et s'écria : « Saint-Jean ! Un verre
pour le sergent. Je veux qu'il goûte mon armagnac. »

— La date, précisa ensuite de Voutron, n'est qu'une estimation
grossière. Monsieur l'intendant, malheureusement, paraît avoir
la vilaine habitude de retarder indûment le départ des vaisseaux
pour différentes raisons et sous divers prétextes. Cela, je l'avoue,

et je m'en suis même plaint au ministre récemment, nous soumet à des conditions de traversée quasi hivernales, c'est-à-dire très périlleuses. C'est tout à fait inacceptable pour quiconque connaît la navigation dans l'Atlantique.

— Je vous crois, capitaine, intervint Dieulefit. Je fréquente le fleuve entre Québec et l'Islet sur une barque que me loue monsieur Prat, le capitaine du port, et, dans une bien moindre mesure, je suis familier avec les saisons de navigation sur le fleuve et leurs périls.

— Vous me dites, sergent, que vous avez une barque à votre disposition et que vous connaissez la navigation en bas de Québec?

— Oui, bien sûr. Ce sont de bons marins qui, il y a plusieurs années maintenant, m'ont initié au fleuve. J'ai eu longtemps une concession à l'île aux Oies et, avec ma barque, j'y naviguais très régulièrement.

De Voutron réfléchit un moment et gratta de ses doigts noueux un menton mangé par la barbe. Puis il planta ses yeux dans ceux de son interlocuteur.

— Écoutez bien ceci, sergent Dieulefit. Le seigneur de Vincelotte, Charles-Joseph Amiot, est un ami à moi depuis plusieurs années. Comme vous le savez probablement, il est non seulement seigneur mais aussi marchand et excellent navigateur. En fait, je doute que sa connaissance du fleuve entre Québec et le golfe soit surpassée. Contrairement à nous, les capitaines au long cours, il est familier des côtes, des anses, des courants, des battures et des mouillages sur les deux rives du Saint-Laurent.

« Nos pilotes à bord des vaisseaux naviguent très prudemment, cela va sans dire. Ils craignent tant les mauvais fonds qu'ils ne s'aventurent jamais près des côtes. En fait, on pourrait dire que nous naviguons le long de nos baies et de nos caps comme des étrangers. Or les navigateurs canadiens d'expérience affirment que nos côtes recèlent non seulement de bons lieux de mouillage mais aussi, tenez-vous bien, de chenaux inconnus fort navigables et plus directs.

« C'est ici qu'intervient Vincelotte. Depuis quelques années, déjà, il m'assure qu'il connaît l'existence d'un chenal on ne peut plus avantageux le long de la côte du Sud. Celui-ci non seulement raccourcirait le trajet fluvial jusqu'à Québec mais, surtout, permettrait aux navires d'éviter les difficultés et les dangers des traverses de l'île aux Coudres et de l'île d'Orléans, imaginez !

« Il raconte, et je le crois, être passé de Québec à Tadoussac, par vent favorable évidemment, en une seule journée grâce à ce chenal. Si cela peut, a priori, paraître exagéré, réfléchissons seulement aux marées auxquelles les capitaines sont assujettis lors de chacune de ces traverses. Par ailleurs les chenaux de ces deux passages sont étroits et rapides en vertu des courants, donc périlleux. »

— Et en quoi précisément, capitaine, pourrais-je vous être agréable ? demanda Bastien.

— Et bien, je le soulignais il y a un instant, avec les tergiversations et les sempiternels délais que monsieur Bégon impose aux capitaines, mon départ n'est pas pour demain. En conséquence, j'aimerais faire contre mauvaise fortune bon cœur et profiter utilement de mon inactivité forcée. Plus précisément, et j'ai même déjà écrit à monsieur de Pontchartrain à ce sujet, j'aimerais sonder le chenal dont Vincelotte m'a parlé et en dresser une carte la plus fidèle possible. Je crois, en toute humilité, que je rendrais un grand service à mon pays et à la colonie si je faisais de la navigation de ce merveilleux fleuve une aventure plus aisée et moins dangereuse.

« Actuellement, il n'est pas possible de trouver une seule barque disponible autour de Québec. Elles sont toutes affairées à participer au chargement ou au déchargement de la vingtaine de navires de la rade, ou encore à caboter vers Montréal, Gaspé ou Louisbourg. D'autres ont même été louées par certains marchands pour la saison de la pêche. La guerre est terminée et le commerce reprend ses droits, c'est ainsi !

« Vous aurez compris, sergent, que votre embarcation me serait très utile si vous acceptiez de me la louer. Je crois que, pour la circonstance, monsieur l'intendant accepterait de défrayer la dépense que l'on pourrait certes qualifier d'intérêt public. Vincelotte serait notre guide et mon pilote, Pétrimoulx[185], le seconderait. Bien sûr, si vous acceptiez, vous seriez des nôtres afin de nous faire bénéficier de votre expérience.

C'était maintenant au tour de Dieulefit de garder le silence. Il réfléchissait à la proposition aussi étonnante qu'imprévue. Il regardait aussi autour de lui, dans la salle basse, les quelques hommes qui, de temps à autre, levaient leur verre pour, qui sait, sceller un marché ou saluer un heureux événement. Il s'arrêta sur deux hommes dans la jeune quarantaine attablés à environ vingt pieds d'eux un peu perdus dans le demi-jour de l'auberge. Des marchands, probablement.

— Votre bateau n'est pas libre, peut-être ? s'inquiéta de Voutron. Ou bien vous êtes occupé ailleurs ?

— Aucunement, répondit le sergent en baissant la voix et en s'approchant du capitaine, les coudes sur la table. Je songeais à autre chose en rapport avec l'expédition. Comme disent les gens par ici, je *jonglais*. J'ai bien écouté votre exposé et je le trouve d'un immense intérêt. Je me disais seulement que notre curiosité est aussi celle de bien d'autres, en l'occurrence nos ennemis. Songez, monsieur de Voutron, que la survie de la colonie repose en partie sur la difficulté que présente la navigation du fleuve.

« Si celle-ci avait été aisée, la Nouvelle-France aurait probablement déjà été rayée de la carte, vous serez certainement d'accord avec moi. Imaginez le sieur Walker devant Québec, il y a trois ans, avec l'armada qui nous est maintenant connue : honnêtement, nos chances de victoire auraient été bien minces. Voilà pourquoi je dis : aider nos communications avec la France c'est, en même temps, paver la voie de l'invasion. Je crois simplement qu'il convient d'en être bien conscient.

« En conséquence, toute entreprise de découverte d'un nouveau chenal, plus rapide et moins risqué, devrait être entouré jusqu'à la fin, et même après si le succès est au rendez-vous, du plus grand secret. Ne croyez-vous pas ? »

---

185  Michel Pétrimoulx (1687-1750), pilote, capitaine de navire puis marchand de Québec. Marié à cet endroit en 1726.

Le capitaine sourit et tendit la main à Bastien.

— Je comprends parfaitement bien, maintenant, pourquoi le sagace et prudent marquis d'Aloigny vous a pris à ses côtés et vous gratifie d'une telle confiance. L'élève était sans doute prometteur mais il a pu compter sur un bon maître.

— Le meilleur, monsieur, soyez-en certain, lança fièrement le sergent. Mais dites-moi ceci : ce chenal du sud tant vanté par le seigneur Vincelotte, personne à Québec n'en a eu vent depuis un siècle ? Difficile à croire, ne diriez-vous pas ?

— Et vous avez raison. J'ai appris de mon ami Amiot que le sieur d'Iberville[186], qu'il connaissait très bien, avait identifié dans les années 1690 ce chenal qui passe au sud de toutes les îles de la région. Quelques années plus tard, l'hydrographe Deshayes[187] en aurait également parlé. Mais, pour des raisons inconnues, probablement reliées à toutes ces années de guerre, les autorités coloniales et métropolitaines n'ont pas cherché à établir une fois pour toutes les mérites de cette voie nouvelle.

— Extraordinaire histoire, murmura Dieulefit comme pour lui-même.

— Alors voilà ! conclut le commandant. Engageons-nous à ne pas ébruiter les fins réelles de notre expédition. Nous pourrons dire, simplement, que nous cherchons à localiser dans ce secteur des ancres de navires qui sont restées prises lors d'une tempête. Je réponds de la loyauté et de la discrétion de Pétrimoulx, mon pilote, à qui j'imposerai d'ailleurs le secret. Quant au seigneur

Vincelotte, je demanderai à monsieur l'intendant de lui adresser un mot allant dans le même sens : ça l'impressionnera durablement.

« Enfin, si ce chenal tient ses promesses, mon rapport sur le sujet, de même que la carte qui lui sera annexée, seront protégés en tout temps. Je crois même que jusqu'au départ de *L'Afriquain*, je confierai ces documents au notaire Chambalon, chez qui je loge durant mon séjour ici. Nous n'en serons que plus rassurés. »

---

186  Pierre Le Moyne d'Iberville (1661-1706).
187  Jean Deshayes (env.1650 -1706).

Les deux hommes se séparèrent peu après. Rendez-vous avait été pris pour le surlendemain, lundi matin, au débarcadère de Gatin au Cul-de-Sac. La marée serait alors favorable. Dieulefit, accompagné de Basile Richard, y embarquerait de Voutron et les siens et leur consacrerait deux journées de navigation. Après quoi, le capitaine, Pétrimoulx et Vincelotte poursuivraient seuls leurs sondages à bord de *La Marie-Josèphe*.

Bastien venait de quitter l'auberge du *Porte-Christ* et le capitaine Voutron avait repris son travail de copiste avec attention. Deux tables à l'écart, dans la pénombre accentuée d'une fin d'après-midi, alors que le soleil disparaissait lentement du côté du cap Diamant, deux présumés marchands se fixaient du regard en silence. Le plus petit, joufflu et affecté de strabisme, faisait face, ou à peu près, au maître de *L'Afriquain* tandis que son compagnon à lunettes, chevelure blonde bouclée sous son tricorne, lui tournait le dos.

— Alors, Laforge, on peut parler, demanda celui-ci en se rapprochant sensiblement de son compagnon ?

— Ça va, oui. Il est perdu dans ses papiers. Avant que le sergent ne baisse la voix, il était assez facile de saisir la conversation ; par la suite, cependant, je ne suis pas certain d'avoir bien compris.

— Tu as raison, mais l'essentiel de l'échange a été fait par Voutron. Ce que Dieulefit a pu dire à voix basse n'était que mise en garde, si j'ai bien entendu. Cependant, le plus important probablement, ce sont les mots du capitaine vers la fin... Tu sais, il était question de notaire...

— Moi j'ai entendu « ... loge chez le notaire... » mais le nom de celui-ci m'a échappé, dit Laforge.

— Pour ma part, j'ai saisi les mots « rapport », « carte », « notaire » et « Afriquain ». Il m'apparaît assez évident que Voutron et ses gens veulent trouver et cartographier un chenal inédit en bas de Québec. Une journée pour rejoindre Tadoussac : j'ai bien entendu.

— « Aventure aisée et moins dangereuse », j'ai retenu ces mots.

— Écoute. Je ne crois pas me tromper de beaucoup en affirmant que les résultats de leur recherche seront confiés à un notaire jusqu'au départ de *L'Afriquain*. Si Voutron loge chez un notaire, il s'agira sûrement de la même personne. Il suffit donc de suivre notre bonhomme jusqu'à son logis. Moi, je te quitte maintenant pour assister à l'arrivée du navire. Toi, tu ne le perds pas de vue et tu me fais rapport.

L'homme se redressa, sortit un mouchoir immaculé de la pochette intérieure de sa veste et prit le temps de nettoyer ses lunettes. Il les rajusta sur son nez et salua Laforge.

— Décidément, se dit celui-ci, ce verre sombre sur l'œil gauche lui sied beaucoup mieux que l'horrible bandeau qui lui barrait le visage et lui conférait une allure sinistre.

À la faveur de la marée montante, le brigantin anglais, baptisé *Leopard,* se présenta devant la ville. Il devait être dix-sept heures ou environ. De toute évidence, c'était un navire qui ne comptait plus les lieues qu'il avait franchies et qui, bien entretenu dans l'ensemble, pouvait encore espérer un service prolongé. D'une capacité de 150 tonneaux, ce gros deux mâts tirait son nom de la *brigantine,* une large voile trapézoïdale qui s'étale derrière le grand mât auquel elle est en partie fixée. Son capitaine se nommait Perkins et son adjoint n'était autre que Cyprian Southack, un navigateur expérimenté de Boston qui, trois ans auparavant, avait mis ses talents de marin et de cartographe au service de l'amiral Walker lors de sa funeste tentative d'invasion du Canada.

À leur descente de chaloupe, au pied de la place Royale, Perkins et Southack furent accueillis par le lieutenant du roi à Québec, Charles-Gaspard Piot, sieur de L'Angloiserie, et par les deux commissaires anglais présents dans la ville, John Williams et John Stoddard. Tous montèrent au château du gouverneur dans le carrosse de monsieur de Vaudreuil.

Dès le lendemain, au même endroit, commencèrent les discussions et négociations se rapportant au rapatriement des captifs anglais de la dernière guerre. Tous savaient déjà qu'elles seraient longues et pénibles. Et le gouverneur avait un navire à prendre pour, enfin, revoir la France et sa très chère Louise-Élisabeth, loin de lui depuis cinq ans.

# XVII

## Un ciel d'orage

*18 août 1714*

« J'ai très bien déjeuné ce matin, chez le notaire. Les deux sœurs Thibault sont d'excellentes cuisinières. Quand même, je prendrais bien volontiers un chocolat chaud, madame Genest!» Le sieur de Voutron avait franchi la porte de l'établissement sur le coup des huit heures et il avait attrapé au vol le sergent qui se préparait à sortir. Il était radieux: une toilette sommaire et une barbe indigne de son statut témoignaient de son empressement à revoir Dieulefit.

L'auberge de la rue Saint-Nicolas était achalandée comme jamais ce matin-là. Pas moins de quatre négociants avaient envahi la maison depuis quelques jours, deux des Trois-Rivières et deux de Montréal. En conséquence, Alexis et Julien avaient cédé leur chambre commune et s'étaient réfugié chez leur ami Jean Bonneau, le boulanger du roi à l'intendance. Six livres par jour et par personne pour chambre et pension, ça ne se refuse pas.

Bastien avait quitté l'auberge dès potron-minet en tenue de sergent afin d'effectuer une tournée d'inspection des postes de garde de la ville en compagnie de son homologue Chandonné. Il était rentré déjeuner en compagnie de Jacques de Sanzelles qu'il avait croisé dans la côte du Palais.

— Sergent Dieulefit, j'ai de bonnes nouvelles. Nous sommes rentrés hier, en fin de journée, et *La Marie-Josèphe* est amarrée chez Gatin, en parfait ordre, je vous l'assure. Comme vous le constatez, je suis bien excité et j'ai cherché à vous parler le plus vite possible.

— Suivez-moi en arrière, capitaine, nous serons plus à l'aise pour causer.

Ils se retirèrent donc dans la vaste cuisine dont le centre était occupé par une table carrée à battants. Avant de s'asseoir, Voutron regarda Sanzelles puis hésita.

Bastien comprit la réticence du marin et le rassura : « Ne soyez pas inquiet, monsieur. Jacques de Sanzelles est un ami, un voisin chez nous au Poitou et mon ancien lieutenant. Il est même chevalier, chevalier de Saint-Ustre. Nous pouvons le faire entrer dans nos confidences sans crainte. »

En quelques mots, le sergent mit l'ancien officier au parfum des recherches maritimes du commandant de *L'Afriquain* et de ses amis puis Voutron fit rapport.

— Sergent, dit-il en prenant place à la table, nos efforts ont été couronnés de succès. En bref, ce n'est pas un mais deux chenaux que nous avons identifiés dans ce secteur du fleuve. Le premier, ici sur la carte, au sud de l'archipel et jusqu'à l'île aux Coudres, offre quatre brasses de profondeur à basse mer. C'est celui dont parlaient messieurs de Vincelotte et d'Iberville. *L'Afriquain* peut donc y naviguer aisément et, d'ailleurs, j'ai bien l'intention de l'emprunter dans quelques semaines pour rentrer au pays. Cela devrait convaincre monsieur de Pontchartrain, notre ministre.

« Peu de temps avant de se retirer, Vincelotte et Pétrimoulx ont découvert un second chenal, toujours vers la Côte-du-Sud, et il est indiqué sur le même plan. Mais, tenez-vous bien, il serait profond de sept brasses, pas moins ! Des sondages additionnels seront nécessaires pour bien le cartographier ; néanmoins, nous sommes déjà en mesure d'espérer « le » passage de demain, celui qui nous mènera encore plus sûrement vers Tadoussac, sans les traverses de l'île aux Coudres et de l'île d'Orléans et sans mouillage aucun ! »

— Bravo, capitaine ! s'écria le sergent en tendant la main à monsieur de Voutron. Voilà qui devrait être apprécié à la fois ici, dans la colonie, et à Versailles. Depuis le temps que l'arrivée et le départ de Québec sont problématiques, il était plus que temps qu'un déblocage se produise ! Et là, qu'allez-vous faire de ces trouvailles précieuses et stratégiques ? Vous désirez toujours les confier au sieur Chambalon, le notaire ?

— Bien sûr ! Vous m'avez ouvert les yeux sur l'importance, que dis-je, l'extrême nécessité, de garder le secret entourant la découverte. Demain, j'écrirai un mémoire plus détaillé sur toute l'expédition, avec références au journal de bord et à la carte dressée. Dans deux jours, je demanderai au notaire de rédiger un acte de dépôt pour tous ces papiers. Je les retirerai de chez lui la veille du départ et les prendrai avec moi à bord de *L'Afriquain*.

Françoise survint avec un cabaret contenant des bols de café et de chocolat qui emmêlaient leurs arômes et leurs chaudes volutes. Voutron et Sanzelles accueillirent avec une satisfaction joyeuse l'arrivée des boissons.

— Holà ! Belle dame, osa ce dernier. La brise rapporte par les temps qui courent que de grandes modifications sont à prévoir au *Dauphin d'Acadie* ?

L'ancien lieutenant avait lancé sa boutade en illuminant son visage du plus beau des sourires tout en promenant son regard sur la rondeur apparente de l'aubergiste. Car six mois de grossesse embellissent une femme de bien des façons.

— J'voudrais vous cacher certaines de ces *modifications*, comme vous dites, que j'en serais bien incapable, monsieur le chevalier. Hier, encore, d'ailleurs, le curé et son vicaire, que j'croisais devant la cathédrale, m'ont toisée sournoisement à défaut de me questionner. Je crois qu'ils ont bien compris pourquoi le sergent désire entrer sans trop tarder dans les frais d'une messe basse.

— Et, ma chère, s'enquit Voutron, la messe aura-t-elle lieu avant que *L'Afriquain* ne m'arrache à vos beaux yeux ? J'aimerais, voyez-vous, en souvenir de ma femme Louise, vous offrir un cadeau de noces. Nous nous sommes épousés il y a huit ans à Soubise, tout à côté de Rochefort, une semaine avant que mon navire n'appareille pour Plaisance et l'Acadie. Or le sergent me dit qu'il mettra le cap sur la France peu de temps après vos épousailles. Ces circonstances déchirantes m'amènent à partager avec vous ces quelques vers sans prétention que j'avais, à ce moment, couchés sur le papier.

*J'étais alors dans les délices,*
*Je les goûtais du matin jusques au soir,*
*Et je souffre aujourd'hui grand nombre de supplices,*
*Mais le plus grand, c'est de ne vous point voir.*

Durant le même voyage, enfermé dans ma chambre, c'est toujours languissant que j'ai aussi écrit ceci, à la lueur tremblante d'un lumignon :

*Ô vents qui régnez sur cette onde*
*Et qui poussez ce bâtiment,*
*Faites-moi dans un jour parcourir tout le monde,*
*Pourvu que dans le même instant,*
*Avec la même vitesse,*
*Vous me portiez aux pieds de ma chère maîtresse.*

*Vous ne sauriez être si prompts*
*Que le voudrait ma passion,*
*Mais je vous prie en vain de soulager ma peine.*
*Il faut attendre ici que six mois me ramènent*
*Et je n'ai point d'autre secours*
*Que de rêver à mes amours.*

Rouge de plaisir et de gêne, Fanchon s'approcha de Bastien et, par derrière, vint dissimuler son visage réjoui dans les boucles noires et indociles de son amant.

— Vous savez parler aux femmes, capitaine, dit-elle ensuite en se redressant. J'doute pas qu'vos lettres pis vos poèmes aient aidé votre Louise à supporter votre éloignement. Mais Dieulefit ne partira que cette fois, probablement, et, avec la brioche qu'y a mis' au four, j'sais même pas si j'aurai l'temps de penser à lui. Vous voyez comm' les choses sont bien faites !

Les rires fusèrent autour de la table et, à son tour, Bastien s'empourpra.

Quarante-cinq minutes après, le capitaine et le chevalier s'apprêtaient à passer la porte lorsque le premier revint sur ses pas, prit la main de l'aubergiste, la baisa et dit : «Chère madame Françoise, avant de vous quitter, je désire vous faire don de quatre malheureux vers qui me viennent du plus profond et que ma femme, j'en suis certain, acceptera de partager avec vous, en tout bien, tout honneur :

*Sans aller chercher de reine,*
*J'en vois une dans ces lieux*
*Qui mérite bien la peine*
*De lui donner tous nos vœux.* »

— Et n'oublie pas ton certificat de démobilisation, sergent ! lui cria Françoise, au moment où il gagnait l'extérieur.

Sans se retourner, il agita le papier haut dans les airs, au bout de ses doigts, dans un geste rassurant ; puis il s'élança dans la rue qu'il grimpa d'un pas alerte pour rejoindre le sentier des remparts. Le cœur gai, les idées alertes et bien en place dans sa tête, il éprouvait pour la première fois l'exaltant sentiment de plénitude qui accompagne la prise en main de son destin. Ce sous-officier devenu, par la force des choses, autoritaire et respecté, n'avait jamais été maître de sa vie et, mis à part les vingt-quatre derniers mois, il n'en avait pas eu conscience : un parfait petit soldat qui ne s'encombre pas le quotidien de questions inutiles.

Dans un calepin qui ne le quittait jamais, ainsi d'ailleurs qu'un crayon de plomb, il relisait les notes qu'il se préparait à transmettre au notaire pour la préparation du contrat de mariage.

Certes, plusieurs clauses de ce dernier s'imposeraient d'elles-mêmes en vertu de la coutume de Paris qui était suivie en Nouvelle-France, plus précisément, en l'occurrence, celle régissant le mariage d'un célibataire avec une veuve ayant charge d'enfants. Mais d'autres dispositions, ou conventions, pouvaient être insérées dans l'important document à la demande de l'une ou des deux parties en cause. Françoise et Bastien s'étaient donc livrés, en tête à tête, à l'identification et à la rédaction première de ces volontés particulières.

Il était bien passé dix heures lorsque Dieulefit, sous de lourds nuages gris cendré, déboucha du sentier des remparts et se laissa entraîner vers le pied de la côte de la Montagne. L'orage éclata, violent, marqué d'un tonnerre roulant et d'éclairs déchirants. C'est tout juste si l'homme put chercher abri de l'autre côté de la rue, sous le porche du menuisier Brodier[188], où celui-ci était à aiguiser la lame d'un rabot.

« Arrivez, sergent, sinon vous allez vous *neyer!* »

— Pour sûr, Brodier. Je ne l'avais même pas vu arriver, celui-là, répondit Bastien à l'ancien soldat. J'étais perdu dans mes pensées, je crois bien. Mais en août, très souvent, ces tambourinades ne font qu'un petit tour et puis s'en vont.

Et effectivement, avant que les deux hommes n'aient eu le temps de faire le point quotidien sur la crise des farines, et alors que des clous d'eau tombaient encore, un large rayon de soleil perça la grisaille et envahit la partie haute de la côte, à proximité du séminaire.

— Vous avez dit vrai : v'là l'diable qui bat sa femme pis marie sa fille !

Le sergent reprit sa descente sous un soleil ardent et chargé de l'humidité qu'il exécrait tant. En outre, la forte pluie avait eu tôt fait de transformer la voie en un cloaque mouvant qui arracha une ribambelle de jurons grossiers au piéton.

Chez le notaire Chambalon, Bastien ne fit pratiquement qu'entrer et sortir. Pour les tabellions, les contrats de mariage

---

188  Joseph Brodier (ou Brodière) (env. 1668-1724), menuisier.

n'étaient que routine tant ils se ressemblaient. Habituellement, ne se posaient que les questions relatives au régime des biens choisi par les époux, aux montants du douaire et du préciput, aux avoirs et apports de chacun et aux avantages que l'une des parties pourrait consentir à l'autre, advenant son décès sans enfant vivant. Évidemment, le sergent allait y indiquer noir sur blanc que l'enfant que portait la future mariée était issu de son fait et qu'il en assumait entièrement la paternité.

Chambalon raccompagna son client jusqu'à sa porte. Au moment où ils se disaient au revoir, une clameur se fit entendre à l'extrémité de la rue Notre-Dame, le long de la rue de la Montagne.

— Mais qu'est-ce encore que ce tumulte? questionna le sergent. Même en temps de guerre, je n'ai jamais senti autant d'inquiétude et d'exaspération chez les habitants de la ville, ni vécu autant d'agitation dans nos rues.

— Gageons que c'est à nouveau la farine qui fait déborder la marmite, répondit le notaire. Pas une journée, pratiquement, où le moindre minot transporté ne déclenche un chahut. La maréchaussée ne sait plus où donner de la tête. En tout cas, elle n'est jamais au bon endroit au bon moment.

« Les gens sont sur les dents, surtout depuis la publication des dernières ordonnances de monsieur Bégon. La plus récente, vous le savez peut-être, défend à tous de se servir de bluteaux[189], à Montréal, aux Trois-Rivières et ici, dans notre gouvernement. La prévôté a même reçu ordre d'apposer des scellés sur tous ces appareils. L'intendant est très sérieux, vous savez: 500 livres d'amende aux réfractaires! Le but est de contrôler non seulement les arrivages de blé mais aussi la production et la distribution de la farine. Monsieur Bégon est excédé d'entendre dire que la farine quitte subrepticement les campagnes et il désire calmer les esprits. »

Dieulefit se laissa entraîner par les échos de la turbulence et pointa son nez moustachu dans la rue qui, pour reprendre la

---

189 Tamis cylindrique de grosse toile où tombe la mouture et qui, retenant le son, ne laisse passer que la farine.

façon de dire de ce temps, menait de la basse à la haute ville. D'assez loin, entre les têtes et sur la pointe des pieds, il aperçut une charrette tirée par un pauvre canasson poil-aux-pattes, qui approchait de la rue Saint-Pierre et se dirigeait lentement vers le Sault-au-Matelot. À bord de la voiture à deux roues et ridelles, deux hommes avaient pris place, l'un assis sur un baril, l'autre sur une grosse poche. Et la populace tout autour vociférait :

« C'est pour qui c'te fleur ? Qui êtes-vous et d'où arrivez-vous comme ça ?

— Laissez-moé passer ! cria le plus jeune des deux arrivants, celui qui menait le cheval. C'est une livraison pour le marchand de Lestage[190], pas loin icitte, sur Sault-au-Matelot.

— Pis les bluteaux de l'intendant, t'as pas entendu parler ? s'époumonait une grosse femme époitraillée, bien étrangère aux ronds de jambes.

— C'te farine a été moulue ben avant l'ordonnance et ça la concerne pas pantoute. Demandez à monsieur de Lestage, si vous m'croyez pas ! claironna alors le plus âgé des deux livreurs.

— Mais, on veut savoir d'où vous v'nez, c'est-y clair ? insista un homme âgé appuyé sur sa canne, menu et joyeusement replet. Rapport qu'y'a des paroisses autour qui sont pas franches et qui sont pleines de ratours avec nous.

Pressé d'en finir avec ce face-à-face stérile, le conducteur mit pied à terre et, saisissant le cheval par la têtière de la bride, il voulut l'engager dans la rue du Sault. Mal lui en prit : la douzaine de personnes qui entouraient la charrette se portèrent sur-le-champ à l'entrée de la rue et en interdirent l'accès dans un concert sonore d'injures et de menaces.

Un géant blond fendit la foule et, les mains sur les hanches et la sueur au front, vint se planter à deux pouces du charretier : « Si tu veux pas mourir de male mort icitte, drette là, tu fais mieux d'répondre aux questions : qui êtes-vous et d'où vous v'nez comme ça ? »

---

190  Jean de Lestage (1668-1728) marchand originaire de Gascogne.

— Nous sommes les frères Asselin, de Saint-François de l'île. Moé, c'est Thomas, et lui c'est Jacques. Y'a ben des s'maines de ça, le marchand Lestage nous a d'mandé de lui livrer deux quarts[191] pis deux grosses poches de farine. Alors c'é c'qu'on fait aujourd'hui.

Dieulefit, pendant ce temps, s'était rapproché de la scène mais il ne parvenait pas, en dépit d'un jeu de coudes agressif, à percer la muraille humaine qui s'était maintenant constituée à l'angle des deux rues. Et c'est à ce moment qu'un cri provenant de la rue Saint-Pierre mit le feu aux poudres :

« V'là la maréchaussée ! Elle vient de tourner à la batterie Royale ! »

Il n'en fallut pas plus. Comme si un plan bien élaboré avait présidé à la suite des choses, quatre hommes se précipitèrent sur les frères Asselin et leur clouèrent les épaules contre le mur de la maison La Chesnaye, rue de la Montagne. D'autres crièrent :

« Allez, on emporte tout ! »

— Ne faites pas ça, s'écria Bastien, tenu à distance. Vous serez poursuivis et condamnés. C'est un crime que vous commettez là !

Mais déjà Pierre Dasylva et François Savary empoignaient un baril et l'emportaient dans la rue du Sault où ils demeuraient. Philippe Beaudin et André Loup les imitèrent aussitôt mais déguerpirent avec leur quart vers leurs maisons de la rue Champlain en empruntant la rue Notre-Dame et la place du marché. Quant aux deux poches de farine, une horde de femmes les chargèrent sur leurs épaules et, le plus silencieusement possible, s'évanouirent dans la basse ville.

Les commères de la place Royale, où se tenait en même temps le marché des bouchers, affirmèrent peu après avoir reconnu parmi ces furies Catherine Pluchon, Jeanne Greslon, Anne Aumier, la veuve Prieur et Marie Stems, la femme du Polonais. Quoi qu'il en soit, à l'arrivée sur les lieux de la maréchaussée, une quarantaine d'hommes et de femmes étaient encore sur place, jouant les badauds tandis que les frères Asselin et le marchand de Lestage fonçaient les

---

191  Le quart contient 180 livres de farine, soit l'équivalent de trois minots.

bras levés vers l'exempt François Foucault. Plus qu'enragés, ils semblaient incrédules et sidérés par le vol en plein jour et en pleine rue qui venait de se produire.

La réaction de l'intendant, la chose était prévisible, fut terrible. Non seulement son autorité était-elle bafouée, mais, qui plus est, ces événements survenaient en pleine crise frumentaire et au moment où il tentait désespérément de mettre du pain sur la table des habitants. Dans les yeux furibonds de Bégon, l'observateur pouvait percevoir un autre sentiment bien humain quoique rare chez lui : la peur.

De la ville et des campagnes, depuis une dizaine d'années surtout, parvenaient aux dirigeants de la colonie des rapports souvent alarmants soulignant non seulement l'esprit d'indépendance des Canadiens mais aussi leur manque de respect pour l'autorité, leurs propos ouvertement frondeurs et leur attitude provocatrice. L'insoumission, à en croire les curés, les capitaines de milice et les seigneurs, était devenue un caractère commun et un élément de fierté.

Depuis le palais épiscopal, qu'il occupait durant les travaux de reconstruction de sa propre résidence, l'intendant somma la prévôté d'appréhender les coupables de ce geste d'insubordination criminelle et de récupérer les 508 livres de farine subtilisées. L'acte de piraterie ne représentait en argent qu'environ 200 livres et, de ce strict point de vue, ne justifiait pas la vindicte publique qui allait être déclenchée. Bégon voulut être clair : «Ces sortes d'attroupements, violences et enlèvements ne doivent point être permis, d'autant que c'est une émotion et assemblée illicite et populaire qui ouvre la porte à des séditions et soulèvements publics. »

Lorsque Dieulefit se retira et regagna son officine à l'étage de l'hôtel d'Aloigny, il était aux prises avec un véritable cas de conscience : rendre compte de ce dont il venait d'être témoin, et identifier les quelques personnes coupables qu'il était parvenu à reconnaître, ou laisser la justice du roi suivre son cours. *Joli cas de casuistique*, se dit-il en lui-même. Qu'en penserait mon bon Chasteigner ?

*Jeudi, 23 août 1714*

Monsieur de Saint-Simon avait fait de la belle ouvrage. À la tête de ses archers, il avait saisi au collet ceux et celles qui avaient fait main basse sur la précieuse poudre blanche et les avait fait incarcérer dans les anciens cachots rénovés de l'intendance. Si les bourgeois, grands et petits, se félicitaient dans l'ensemble de la tournure des événements, la classe populaire craignait que le message hautement politique et social du geste posé par une poignée d'encolérés n'échappe, ou ne soit sous-estimé, par les dirigeants du pays, et particulièrement par l'intendant, le responsable autant des approvisionnements que de la justice. Aujourd'hui, les huissiers avaient distribué les appels à témoins et les assignations à comparaître ; la justice était en marche.

« L'affaire du Sault-au-Matelot », est-il nécessaire de le souligner, n'avait cessé depuis cinq jours de défrayer la chronique à 20 lieues à la ronde. Partout, dans les cabarets et les boutiques, sur les places et aux coins des rues, le camp de l'ordre et du droit en décousait en paroles avec celui des manouvriers. Heureusement, en ces jours de canicule, où les esprits n'étaient pas les derniers à s'échauffer, d'autres événements alimentaient les conversations.

Ces maudits Anglais, d'abord.

*Qu'attendent-ils pour rembarquer? Quasiment trois semaines qu'ils sont ici, à manger nos provisions et à boire notre vin, à occuper nos lits, à tourner autour de nos filles, à épier nos défenses et à se réjouir de nos malheurs! Monsieur de Vaudreuil a été trop bon et trop patient avec ces RPR. Ils se promènent de long en large dans la ville et ils s'enfoncent dans nos côtes, supposément pour retrouver leurs gens. Allez ouste! Hissez les voiles et levez les amarres! Et que l'on ne vous revoie pas avant la prochaine guerre!*

Plus troublant et inquiétant encore était le spectre d'une épidémie grave qui, avec la chaleur, s'était insidieusement glissée dans la vallée du Saint-Laurent. La rougeole avait fait son apparition le mois précédent, en juillet, et la maladie contagieuse, depuis lors, n'avait cessé de faire des victimes : une trentaine de décès dans la ville de Québec seulement, le plus souvent des nourrissons et des jeunes enfants. Jacques Jamin, le nouveau secrétaire de monsieur Bégon, avait aussi été emporté par le fléau qui, selon toute vraisemblance, atteindrait bientôt un niveau épidémique[192].

Les peurs et les passions s'exacerbaient les unes les autres et engendraient une atmosphère lourde et tendue qui marquait les regards et les attitudes. Les armes ne s'étaient tues, aurait-on dit, que pour livrer la population à des calamités plus cruelles encore.

En route vers la rue Saint-Pierre, Dieulefit croisa, au pied de l'escalier Casse-cou, quelques hommes et femmes qui, débouchant de la rue Champlain, le verbe et les poings hauts, se rendaient chez le boulanger Raymoneau, histoire de s'informer des arrivages de farine dans la ville. Au moment où le sergent et les manifestants s'engageaient dans la rue Sous-le-fort, Jourdain Lajus franchit le seuil de sa maison.

Dans ses bras, un paquet boudiné et enveloppé dans une vieille pièce de lin écru. Les traits toujours sévères du chirurgien étaient pâles et empreints de tristesse. Émaciés par la fatigue, aussi, et l'on devinait qu'il n'avait pas rencontré le sommeil la nuit précédente.

— Pas votre petite Marie-Louise, docteur ? s'informa Marie-Françoise Grossejambe, la femme du pâtissier La Grillade.

Lajus hocha la tête de haut en bas : « Deux mois seulement. Elle n'avait aucune chance. Je monte à l'église pour la remettre au curé. »

« Père, je peux vous accompagner, si vous le désirez ? » dit Marie-Anne, sa fille de quatorze ans qui se tenait debout sur le pas de la porte.

— Non, reste auprès de ta mère, je ne serai pas long à revenir.

La scène était devenue presque routinière dans les rues de la ville ; cependant, la mort d'un enfant touchait toujours autant le

---

192  Jacques Jamin, âgé de 30 ans et d'origine inconnue, avait succédé à Charles Seurat en qualité d'écrivain du roi et de secrétaire de l'intendant Bégon. Auparavant, il était soldat dans la compagnie du capitaine Claude-Michel Bégon, le frère cadet de l'intendant.

cœur des gens. Bien sûr la race était vigoureuse et saine et les femmes d'une fertilité exceptionnelle. Mais la grande faucheuse, indifférente à l'immense affection que les hommes et les femmes du pays témoignaient à leurs rejetons, se délectait de ces jeunes pousses qui ne cessaient de voir le jour.

Le sergent reprit son chemin, songeur. *Qu'adviendra-t-il de leur enfant, à Françoise et à lui ? La furieuse épidémie écumera-t-elle encore la ville lorsqu'il verra le jour, dans moins de trois mois ? Connaîtra-t-il la douleur d'apporter la dépouille d'un fils ou d'une fille à l'église ?* Il prit tout à coup conscience du paquet qu'il portait sous le bras : quelques pièces de vêtement appartenant aux fillettes Gilbert et que Geneviève Macard désirait confier à Paul-Augustin Juchereau afin qu'il les remette à leur père, à Saint Augustin.

Il frappait à la porte du sieur de Maure au moment où la cloche de l'église de la basse ville sonnait l'angélus de midi. Paul-Augustin descendit les marches de l'étage deux à deux et vint ouvrir, l'air préoccupé.

— Ah ! Sébastien, c'est toi... entre. Monte, suis-moi, j'ai un visiteur.

Dans le bureau du receveur de la recette des castors se tenait un prêtre, debout, s'épongeant fébrilement le front avec un mouchoir. Dès qu'il l'aperçut, le sergent songea que toute sa sueur n'était pas imputable uniquement à la chaleur du jour. L'homme, en effet, promenait autour de lui un regard anxieux et son piétinement témoignait d'une impatience évidente.

— Sébastien, je te présente le curé de chez nous, monsieur Desnoyers[193], qui m'arrive vraiment comme un cheveu sur la soupe. Monsieur le curé, voici le sergent Sébastien Dieulefit, secrétaire du commandant des troupes, le marquis d'Aloigny. Mais, ce bureau est trop exigu, passons dans ma chambre, nous y serons plus à l'aise.

Bastien refila son colis à Juchereau avec quelques mots d'explication et les trois hommes se retrouvèrent assis au centre de la pièce, à proximité de la fenêtre, entre bibliothèque et lit-cabane.

---

193  Pierre Auclair-Desnoyers (1684-1748), prêtre en 1713, curé de Saint-Augustin en 1714.

— Alors, Desnoyers, qu'aviez-vous commencé à me raconter ? Vos gens marchent sur la ville, dites-vous ? Allez, parlez devant le sergent, c'est un homme discret et de devoir.

— C'est comme je vous le dis, monsieur de Maure, commença le curé en rangeant enfin son mouchoir dans la poche de sa soutane. Depuis quelques semaines, ça grenouille dans ma paroisse. Les habitants redoutent une très mauvaise récolte et se plaignent de l'augmentation effrénée et inconsidérée du coût des marchandises domestiques. Ils considèrent que, depuis la fin de la guerre, les marchands ne cherchent qu'à refaire leur fortune sur le dos des gens et au plus vite. Le moindre morceau de tissu, le moindre outil, le moindre carré de fer-blanc ou de tôle, a vu son prix s'envoler.

« Ils se sont réunis à plusieurs reprises et, à ce que je sache, les esprits se sont échauffés. Ils sont d'avis que monsieur l'intendant mange dans la main des marchands pour des raisons, disons... d'intérêt personnel. C'est ce qui m'est parvenu aux oreilles. J'ai entendu dire de source bien informée que les animateurs de la grogne populaire ont couru les rangs non seulement à Saint-Augustin, chez nous, mais aussi du côté de Lorette, nos voisins d'en haut. Ils ont enflammé les esprits et voilà qu'ils sont déterminés à demander des comptes à monsieur Bégon.

« Dimanche dernier, après la messe, je leur ai adressé la parole et j'ai tenté de les convaincre de mettre sur papier leurs récriminations et leurs arguments. Je m'engageai même à rédiger leurs doléances et à les transmettre à monsieur l'intendant. J'ai cru, un moment, que j'avais réussi à leur faire entendre raison. Hier, cependant, Philippe Amiot[194], le capitaine de milice de la paroisse, m'a prévenu qu'une marche sur la ville avait été décidée pour ce matin. Avant l'aube, Amiot et son lieutenant, Dubeau[195], m'ont emmené en canot jusqu'ici.

« Je m'en vais de ce pas prévenir monsieur Bégon, à l'évêché, mais, auparavant, j'ai cru essentiel de vous informer de ce

---

194  Philippe Amiot de l'Erpinière (1669-1722).
195  Jean Dubeau (ou Duboc) (1669-1743), beau-frère du précédent.

mouvement. En tant que seigneur, vous exercerez sur la foule un pouvoir bien plus grand que le mien, je l'espère en tout cas. Il faut dire que je suis nouveau dans la paroisse et mon autorité sur ces âmes n'est pas encore bien établie. »

— Mais c'est folie que cette marche ! s'écria Juchereau. Les autorités sont déjà sur les dents avec toutes ces explosions populaires à propos des farines. Depuis le vol des derniers jours, monsieur Bégon a la mèche très courte et il n'est pas d'humeur à pactiser avec ce qu'il appelle la *populace* ou pire, la *canaille*. Mais qui sont ceux qui les mènent et où sont-ils actuellement ? Quelle route entendent-ils emprunter ?

Les remarques du seigneur avaient déclenché une nouvelle vague de sudation sur le visage du jeune curé. Le mouchoir réapparut pour éponger l'épiderme empourpré.

— Chez nous, les têtes les plus chaudes seraient Louis Dugal[196] et Laurent Dubeau[197]. À Lorette, ils auraient embrigadé Charles Routhier[198]. Ils seraient les meneurs. Quant à leur localisation, je n'en sais trop rien. Ils se sont certainement mis en route tôt ce matin ; ils devraient arriver dans le cours de l'après-midi. Selon moi, ils emprunteront le chemin sud de la Saint-Charles[199] : il aboutit à l'Hôpital Général puis au palais. S'ils désirent être vus et entendus par monsieur l'intendant, c'est là qu'ils doivent se rendre ; tous savent, en effet, que celui-ci passe le plus clair de ses journées à diriger les travaux sur le chantier du nouveau palais, près de la rivière.

Paul-Augustin réfléchit un moment puis regarda ses visiteurs.

---

196  Louis Dugal (1679- 1726).

197  Laurent Dubeau (ou Duboc) (1672- ?), frère cadet de Jean Dubeau.

198  Charles Routhier (1677-1747), de l'Ancienne-Lorette.

199  C'est en 1706 que l'intendant Jacques Raudot ordonna la construction d'un chemin le long de la rive droite de la rivière Saint-Charles, entre l'Ancienne-Lorette et l'Hôpital Général de Québec. La guerre retarda les travaux et, en juin 1713, l'intendant Bégon dut intervenir pour forcer leur aboutissement. L'année suivante, certains ponts n'étaient probablement pas encore construits. On peut penser que les manifestants prirent place dans des charrettes capables de franchir les cours d'eau. Une autre route, au nord de la rivière, existait depuis au moins les années 1680.

— Je crois, monsieur Desnoyers, que vous avez raison en ce qui concerne la route prise. Je selle Agénor, ma jument, et je file intercepter ces écervelés le long du chemin, en haut de l'intendance. Si vous le désirez, vous montez en croupe et je vous laisse chez monsieur Bégon. Quant à toi, Sébastien, il serait souhaitable que nos deux marquis[200] soient informés des événements et qu'ils prennent les dispositions qu'ils jugeront utiles : tu te charges de les prévenir ?

Ainsi fut dit, ainsi fut fait. Le sieur de Maure se porta au-devant des manifestants qu'il ne parvint pas à faire rebrousser chemin, en dépit de son autorité et du respect qu'il commandait. Il en fut quitte pour les escorter jusqu'aux fortifications de la rue Saint-Nicolas. Il était environ trois heures lorsque la quarantaine de contestataires descendit des charrettes. Un certain nombre avaient des fusils à la main et la tension était palpable dans les rangs des révoltés. D'autant que, alignés devant les ouvrages de défense et armes au pied, une centaine de soldats et de miliciens leur faisaient face, avec, à leur tête, le gouverneur de Vaudreuil, le marquis d'Aloigny et le colonel des milices de Québec, le marchand Jean Crespin[201].

Avant que le gouverneur ne donne l'ordre de les disperser, le seigneur Juchereau, grâce à un ultime appel, tenta de faire comprendre à ces paysans que, dans l'aventure, ils avaient tout à perdre et rien à gagner. Il fut entendu par environ la moitié des arrivants qui, en maugréant et en jetant des regards haineux et vindicatifs du côté des forces de l'ordre, firent tourner leurs attelages et reprirent la route. Les autres, essentiellement ceux qui étaient armés, encadrés par les trois chefs de l'expédition, demeurèrent sur place.

Louis Dugal s'avança vers le gouverneur et se découvrit.

— Monseigneur, dit-il, nous v'nons de Saint-Augustin et de Lorette et nous désirons nous adresser à monsieur l'intendant. Il doit écouter nos griefs car ils sont justes et partagés par tous nos

---

200  De Vaudreuil et d'Aloigny.
201  Jean Crespin (env. 1656-?).

paroissiens. Nous avons fait et subi une très longue guerre sans r'chigner, nous avons été de toutes les corvées, que ce soit pour les fortifications, le palais de monsieur l'intendant ou les chemins. À cause de tout ça, nos terres ont pâti pendant des années et nos revenus itou. En plus, le peu de monnaie de cartes qu'on avait nous a été rach'té à moitié de sa valeur. Ça fait qu'on peut pus acheter la marchandise des marchands parce qu'y z'ont monté tous leu's prix.

« On nous a dit : semez du lin et du chanvre pis apprenez à tisser ; vous pourrez avoir des tissus. Alors on l'a fait. On s'é même bâti des métiers. Mais c'é pas suffisant, y nous faut ben d'aut' choses : du sel, de la poudre, de la chaux, des outils, des sou'iers, pis ben d'aut' choses. Y faut que monsieur l'intendant comprenne pis qu'y fasse entendre raison aux marchands. Y sont en train d'nous manger la laine su' l' dos, ça peut pus durer d'même qu'on vous dit ! »

Vaudreuil, c'était bien connu, aimait les Canadiens, leur esprit d'endurance, de combativité, leur jovialité et aussi leur loyauté. Toutefois, l'eût-il souhaité, il ne pouvait accepter de pactiser avec des gens en armes. Le précédent aurait été trop dangereux ; l'exemple, pernicieux.

— Messieurs, dit-il finalement, ignorez-vous qu'une telle assemblée en armes, devant la ville, équivaut à un soulèvement, à une sédition ? Ignorez-vous la peine encourue par quiconque participe à une telle jacquerie ? Le roi n'a jamais négocié avec ses sujets et, lorsque ceux-ci eurent le malheur de s'armer, les têtes roulèrent aussitôt.

« Si vous, les Canadiens, ne le savez pas, vos pères et grands-pères ont le devoir de vous l'apprendre. Qu'ils vous renseignent sur les croquants du Limousin, du Languedoc et du Périgord, qu'ils vous enseignent la fin tragique des Bonnets Rouges en Bretagne[202]. Aujourd'hui, vous n'avez qu'une chose sensée à faire : rentrer dans vos foyers avant que le sang ne soit répandu. Quant à vos doléances, mettez-les par écrit et confiez-les au curé

---

202  Révoltes paysannes et populaires en France dans le cours du dix-septième siècle.

Desnoyers ou à votre capitaine de milice. Elles seront lues par monsieur l'intendant, je puis vous l'assurer. Maintenant, si vous ne vous dispersez pas dans la minute qui vient, je lance la troupe contre vous et je lui ordonne de tirer, c'est bien compris?»

Les paroles du gouverneur firent mouche. Elles avaient été prononcées d'une voix calme mais autoritaire et nul ne pouvait douter de la détermination de monsieur de Vaudreuil à se faire obéir. D'autant qu'à peine avait-il terminé son appel, un officier, l'épée à la main, cria «En joue!» et tous les fusils se pointèrent. Ravagée par son échec, la troupe paysanne rembarqua dans ses charrettes et, à son tour, s'éloigna.

Triste spectacle pour tous ceux qui avaient participé à ce face-à-face. Dans le camp des vainqueurs, les mines étaient grises. Tous semblaient prendre la mesure de l'événement rarissime, voire sans précédent, auquel ils avaient été mêlés. Plus remarquable encore, ils étaient conscients du fait qu'une cassure s'était produite entre le peuple et ses maîtres, et les mieux informés parmi eux réalisèrent que les frondes métropolitaines à l'endroit du vieux roi venaient de trouver leur écho en terre d'Amérique.

Vainqueurs, vaincus? Il aurait fallu poser la question aux centaines de citoyens de Québec qui, à la nouvelle de la manifestation, avaient envahi le bas quartier de même que tous les points de vue dominant la scène de la rencontre. D'Aloigny le réalisa soudainement lorsque plusieurs cris de désapprobation et de colère s'échappèrent des hauteurs. Il se retourna vivement et scruta le sentier de l'Hôtel-Dieu ainsi que celui menant à la redoute du bourreau, tout là-haut, en surplomb à l'ancien palais : une foule imposante s'était déplacée à la hâte et n'avait rien perdu du bref mais tragique affrontement.

Le commandant des troupes s'approcha du gouverneur et lui demanda, perplexe: «Et les trois chefs de la malheureuse expédition, ceux sans doute qui ont enflammé les autres, vous les laissez rentrer tranquillement chez eux?»

— Ils nous sont connus, marquis, et nous ferons enquêter sur leur rôle véritable dans cette affaire. Mais sachez une chose: les gens derrière nous attendent un héros, sinon un martyr, et il faudrait que le crime commis soit très grave et, surtout, bien connu de tous, pour que je lui en fournisse un. Vous saisissez ce que je veux dire ? Où se situe l'intérêt véritable du roi ? C'est ce qu'il convient d'avoir toujours à l'esprit.

❦

Quiconque aurait déambulé dans la ville sur ces entrefaites aurait pu croire que le soleil avait oublié de se coucher, car un tel désert dans les rues ne se rencontrait qu'en début de nuit. Sur la place du marché, un chat, deux chiens et trois nourrissons dans les bras de leur mère occupaient ce vaste espace d'ordinaire achalandé et bruyant. En plus, quelques femmes, assises sur des chaises empaillées, prenaient un peu de soleil. Toutes ces personnes paraissaient attendre avec impatience des nouvelles du palais. Car ceux qui, à l'annonce de la confrontation, avaient pris leurs jambes à leur cou, reviendraient bien leur en faire le récit !

S'il en est un, place Royale, qui n'aurait pas déserté son poste, c'est bien le notaire Chambalon. Très peu pour lui les fêtes, distractions et autres perturbations populaires, qu'elles qu'en soient les raisons ou occasions : *le travail est une chose sérieuse ; l'on doit s'y consacrer pleinement.* Tel était le *credo* et le *leitmotiv* de ce quinquagénaire à qui le ciel n'avait pas accordé d'enfant vivant malgré deux mariages.

Si l'on excepte ses devoirs religieux, seule une maladie grave était en mesure de le tenir éloigner de son étude. Or, la veille, dans la soirée, une foudroyante attaque de goutte l'avait conduit à l'Hôtel-Dieu, à demi-conscient. Cet homme sérieux et rigide présentait un défaut de cuirasse : il était reconnu pour ses excès de table et d'alcool. Depuis des années, déjà, ses repas plantureux et bien arrosés avaient provoqué des crises de goutte toujours plus aiguës.

À l'en croire, quelques saignées bien à point, pratiquées par le bon Sarrazin, son voisin, auraient dû lui permettre de poursuivre son régime de bon vivant. Mais celle que l'on appelait *la maladie des rois* avait vaincu des patients plus coriaces encore. Par le biais des reins, particulièrement. Quoi qu'il en soit, cette hospitalisation serait sa dernière, le docteur Sarrazin le lui avait souligné : la maladie l'emporterait, chez lui, dans son lit, à la prochaine extravagance.

Pendant que, sous les yeux de la population rassemblée, monsieur de Vaudreuil et les siens attendaient l'arrivée des paysans, la maisonnée de Louis Chambalon se résumait à très peu de choses. Geneviève Roussel, l'épouse du notaire, était au chevet de son mari à l'Hôtel-Dieu tandis que Louise Thibault, la cadette des deux domestiques, prodiguait ses soins à son vieux père malade, à l'île d'Orléans. En conséquence, Marie Thibault était seule au foyer.

Le tabellion était propriétaire, rue Notre-Dame, d'une maison faite de pierre et de colombage qui comptait deux étages. En façade, elle faisait plus de quarante pieds de long mais Chambalon n'en occupait que la portion nord, qui avait vue sur la place. Comme son collègue Rageot l'avait fait avec la veuve Fauconnier, il avait loué l'autre moitié de la demeure à Agnès Maufay, la veuve Lefebvre, qui y tenait fort sagement l'auberge *Aux Trois Pignons*. Malheureusement, les ouvertures de celle-ci donnaient sur le côté de l'église de la basse ville.

Toutes deux âgées de quarante ans et sans époux, Agnès Maufay et Marie Thibault étaient davantage que des voisines : de véritables amies et complices qui s'entraidaient de mille et une façons et aimaient fort converser, voire placoter. En ce bel après-midi, assises côte à côte devant l'entrée du notaire, les langues étaient bien inspirées. Elles en étaient à dresser le bilan des divers heurts populaires dont la ville avait été témoin depuis deux ans. « On m'a raconté que du côté de Sillery, d'où je viens… », disait l'une, et « J'ai appris de très bonne source que les habitants de Saint-Laurent… », disait l'autre.

C'est à ce moment qu'un homme de belle apparence et de taille moyenne, bien mis, le visage un peu carré mais agréable, déboucha de la rue Saint-Pierre et traversa la place. Il avait l'allure d'un marchand, plus propre et plus distingué cependant. La chevelure blonde, pigmentée de roux, était attachée en catogan à la nuque et sa barbe de même couleur était taillée de près. Le nez, bien dessiné, supportait des lunettes à montures fines dont le verre gauche, cependant, était bouché.

Les femmes regardèrent le seul homme de la place venir vers elles. Justaucorps bleu marine, de belle facture, et tricorne galonné gris souris suscitèrent visiblement leur admiration.

— Bon après-midi, mesdames, dit-il en souriant et en soulevant son chapeau. Est-ce que l'une d'entre vous pourrait me dire ce qui se passe actuellement dans la ville? Serait-ce un jour férié que j'aurais mis en oubli?

— Pour sûr que non, monsieur. Les habitants des côtes s'apprêtent à envahir Québec afin de régler des comptes avec monsieur l'intendant, et notre gouverneur a décidé de leur barrer la route.

— Mais, ce n'est pas sérieux, c'est impossible...

— Du jamais vu, ça c'est certain. De l'impossible? Faut croire que non. Est-ce que nous pouvons quelque chose pour vous, monsieur...?

— Oh! Excusez-moi, mesdames: Martin Maufils, marchand. Je viens du Poitou et je suis ici pour quelques semaines encore.

Et, regardant l'aubergiste, il ajouta: «Est-ce que j'ai l'honneur de parler à madame Maufay, la propriétaire des *Trois Pignons*?

— Tout à fait, monsieur. C'est pour une chambre? Il m'en reste justement une.

— Non, pas exactement. J'en ai déniché une déjà dans le Sault-au-Matelot. En fait, je voudrais rendre visite à monsieur Guillaume Ferré, le marchand: on me dit qu'il loge chez vous.

— Vous avez la bonne adresse, monsieur. Je crois d'ailleurs qu'il est chez lui, en train d'additionner des colonnes de chiffres, sans doute. Mais, dites-moi un peu: votre visage me semble familier; auriez-vous déjà visité notre bonne ville de Québec?

— Non, malheureusement, car si toutes les dames, ici, sont aussi jolies que celles que j'ai devant moi, j'ai perdu mon temps à parcourir le vaste monde, foi de Maufils.

Agnès et Marie roucoulèrent de plaisir en recevant le compliment de la bouche d'un homme aussi galant et bien élevé.

— Oh! Monsieur, est-ce bien honnête... Enfin... vous trouverez votre homme à l'étage, la chambre du devant. Au plaisir, monsieur Maufils.

Comme celui-ci pénétrait dans l'auberge, Marie, encore toute émue, regarda sa voisine et lui dit: «Agnès, on voit que t'as déjà été mariée, toi. Les hommes, tu sais leur parler, c'é pas comme moé. J'te dis: moé, j'gèle dans mes sou'iers!»

À peine entré, le visiteur décontracté et souriant abandonna son masque. Sévère et tendu, les sens aux aguets, il s'élança le plus silencieusement possible dans l'étroit corridor qui lui faisait face. À l'extrémité de celui-ci, il franchit une porte basse sur la gauche et pénétra dans la cuisine. Sans prendre le temps de regarder autour de lui, il passa une autre porte qui donnait accès à une cour arrière exiguë. Il remarqua vaguement la présence d'une latrine, d'un clapier, d'une cage à poules, de quelques étagères supportant des pots et d'un hangar en planche.

La remise était adossée à un mur de pierres grossières d'environ sept pieds de hauteur. Comme s'il avait été un habitué des lieux, Maufils renversa une grosse cuve de lavage en bois, la plaça devant le hangar et grimpa sur la couverture de ce dernier. Il jeta un œil dans la cour voisine: comme il l'espérait, une autre remise, guère plus haute, prenait aussi appui sur la muraille mitoyenne. En deux temps, trois mouvements, il se retrouva dans la cour du notaire.

À l'instar de l'auberge voisine relativement exiguë, l'habitation Chambalon comptait cinq pièces: deux au rez-de-chaussée, salle basse[203] sur la place et cuisine sur la cour, et trois à l'étage, l'étude à l'avant et deux chambres à l'arrière.

La porte de la cuisine n'était pas barrée, comme de coutume à cette heure. Maufils l'ouvrit délicatement et se glissa dans la pièce. Le dos au mur, il tendit l'oreille, attentif au moindre bruit. Le plus difficile était à venir, soit quitter la cuisine, remonter le corridor vers l'avant et emprunter l'escalier de l'étage. Heureusement, la porte sur la place était entrebâillée et les deux amies étaient encore

---

203 *Alias* salle de séjour, vivoir, salle commune.

activement engagées dans le commentaire des secousses populaires récentes.

Tel un chat, l'homme avala silencieusement les marches. Sur le palier, il n'eut même pas un coup d'œil pour les chambres arrière, dont celle louée au capitaine de Voutron. Au contraire, il gagna sans hésiter l'étude du notaire dont il ouvrit doucement la porte. Puis, il s'arrêta net. Seul son regard perçant et mobile le distinguait alors d'un mannequin. Il repérait, enregistrait et analysait tous et chacun des meubles de la pièce bien rangée : une armoire en noyer fermant à huit volets, une autre en érable, plus petite, à quatre volets, une tenture de tapisserie de Bergame, une horloge, un miroir, deux tableaux superposés sur un mur, l'un représentant l'église romane de Notre-Dame-la-Grande, à Poitiers, l'autre, un marchand fortuné à barbe grise, probablement le père du propriétaire.

Tournant légèrement la tête vers la fenêtre close, il nota ensuite la présence d'un poêle, de cinq chaises couvertes de drap vert, d'un lit de plume étroit, d'un coffre-bahut, d'une table de travail à pied tourné et d'un coffre massif couvert de cuir. Enfin, une porte basse en pin s'ouvrait sur un cabinet aveugle, sans doute à l'usage d'un clerc notaire, qui ne recelait qu'un lit garni et une table de travail avec sa chaise empaillée.

— Ah ! songea le faux marchand, Voici donc le sanctuaire, l'antre du scribe, pratiquement son unique lieu de vie à en juger par la présence du lit.

En compagnie de son cousin plus âgé, Joseph Prieur, Louis Chambalon avait mis pied au pays vers 1687. Originaire des environs de Poitiers, il envisageait alors une carrière de commerçant. Sans doute un peu désillusionné, cinq ans plus tard, il réorienta sa vie lorsqu'il accepta de l'intendant Champigny[204] une commission de notaire royal. Depuis lors, son étude était devenue la plus fréquentée de la région.

---

204 Jean Bochart de Champigny (env.1645-1720), intendant de la Nouvelle-France de 1686 à 1702.

Maufils n'avait consacré que deux ou trois secondes à ce tour d'horizon de la pièce. Dès avant sa venue place Royale, ses réflexions avaient ancré dans son esprit un certain nombre de déductions : un greffe de près de 4 000 minutes nécessite la présence dans l'étude de plusieurs armoires ; l'homme du Poitou est un homme ordonné, propre, précis, il suffit pour s'en convaincre de le lire ; ses minutes seront donc bien classées, les plus récentes se trouvant très certainement les plus rapprochées de son bureau.

Par ailleurs, l'officier public est malade et cela depuis quelque temps déjà ; c'est dire que les actes rédigés ces dernières semaines n'ont peut-être pas été rangés définitivement. Enfin, Voutron ne lui a confié ses documents que temporairement ; il les reprendra dans un mois, environ. En conséquence, surtout en raison de la carte qui est annexée au rapport, les papiers recherchés se trouvent possiblement à portée de main.

La haute armoire à huit volets et autant de serrures, sans doute construite sur mesure pour le notaire, ne retint pas l'attention du voleur ; l'essentiel du greffe y était sans doute rassemblé sauf les papiers les plus récents. L'autre armoire, celle à quatre battants, renfermait probablement les écrits des dernières années et, pourquoi pas, les papiers personnels du notaire, dont ceux relatifs à ses activités commerciales. Restaient donc le bahut, le coffre et le bureau. Ce dernier l'intriguait en raison de son tiroir latéral aux dimensions tout à fait disproportionnées.

Il sortit aussitôt de sa poche de veste un clou forgé d'environ six pouces de long. En une seconde, il força l'arceau métallique du cadenas qui maintenait en place une tige de fer bloquant l'ouverture du tiroir. À l'intérieur de celui-ci, à côté de la panoplie des outils de l'écrivain, une forte liasse de documents était retenue par un ruban rouge. Tous ces actes étaient disposés chronologiquement. Ce fut un jeu d'enfant d'y trouver les papiers du capitaine de *L'Afriquain*. Sur un feuillet épinglé au document était écrit à l'encre rouge : *Capitaine de Voutron, dépôt, lundi 20 août 1714. À récupérer.*

Avec ces papiers pliés et fourrés à l'intérieur de son justaucorps, le voleur refermait la porte de l'étude lorsque la voix de Marie Thibault lui glaça le sang et le figea sur place.

— Mais non, Agnès, attends! Je reviens avec du fil et une aiguille. Ce n'est qu'un accroc, ce sera facile à réparer.

La servante entra dans la maison en chantonnant et en ressortit quelques secondes plus tard. Après un bref moment, l'homme aux lunettes descendit l'escalier, se faufila dans la cuisine et sortit de la maison. Moins d'une minute après, il réintégrait la cuisine des *Trois Pignons*.

À mi-chemin dans le corridor de l'auberge, il entendit, soudain, au-dessus, un pas sur la première marche de l'escalier. «Ce ne peut-être que le logeur», se dit-il. Calmement, en se drapant dans son plus aimable sourire, il se présenta au bas des degrés.

— Ah! Vous devez être monsieur Ferré, monsieur Guillaume Ferré?

L'homme surpris poursuivit sa descente, plus lentement toutefois. Il avait au-delà de cinquante ans, c'est certain, et ses doigts étaient tachés d'encre. Filiforme, il semblait flotter dans un manteau léger, sans forme et délavé. Quant à son chapeau de feutre noir, il montrait des cernes blanchâtres et crayeux de sueur. Une barbe poivre et sel de trois jours complétait une allure si peu soignée.

— Oui, c'est bien moi mais... à qui ai-je l'honneur?

— Je m'appelle Martin Maufils et je suis marchand. On m'a dit que vous importiez des tissus français, et peut-être même, maintenant, anglais. C'est exact?

— Mais pas du tout, monsieur, quelle idée? Je suis commerçant de bois et en affaire avec monsieur de Ramezay. J'allais d'ailleurs de ce pas inspecter l'un de ses cageux qui arrive de Chambly. On vous aura induit en erreur, j'en ai bien peur.

— Ou bien j'aurai mal compris, ce qui est toujours possible, n'est-ce pas?

Les deux hommes gagnèrent l'extérieur de l'auberge, où le soleil rayonnait dans un ciel cotonneux. Toujours aimable et souriant, le tricorne à la main, Maufils, sensible aux deux femmes qui, à quelques pas à peine, le regardaient avec insistance et ne perdaient pas un mot de ses paroles, prit congé du marchand.

— Je vous remercie, une fois encore, cher monsieur Ferré, pour votre entretien et les conseils judicieux. Vous m'avez été d'un grand secours. Si, à mon tour, je puis vous être agréable, n'hésitez pas à me joindre. Je demeure à la première auberge en entrant dans le Sault-au-Matelot. Au revoir, encore !

L'élégant Poitevin tourna les talons et se dirigea vers la rue Saint-Pierre, en n'oubliant pas de saluer courtoisement mesdames Marie et Agnès dont les yeux miroitaient de ravissement. Pendant ce temps, au milieu de la rue Notre-Dame, Guillaume Ferré regardait s'éloigner son étrange visiteur et il cherchait désespérément à démêler la scène qu'il venait de vivre et qui lui avait réservé un rôle aussi étrange.

❦

— Charlotte, tu es ma bonne étoile. Sans toi, jamais je n'aurais réussi ce coup fumant. Tu m'as fourni toutes les informations dont j'avais besoin : la division des maisons, le mur mitoyen dans la cour, la présence de Ferré à l'auberge et même, l'absence du notaire et de sa femme. Les étoiles se sont définitivement alignées avec l'arrivée sous nos murs de nos braves paysans. C'était inespéré. Comment te remercier, ma toute belle ?

— Embrasse-moi, Vincent, ce sera déjà un bon début. Et ce soir, dans notre bas-côté, tu auras le loisir de m'apporter toutes les preuves que tu voudras de ta reconnaissance. Pour ce qui est de mes informations, Agnès et moi sommes des amies maintenant et je la visite à l'occasion. Quant au notaire, j'étais dans son étude, il y a deux ans, lorsque j'ai acquis *Le Grand Saint-Luc*. Tu as d'ailleurs lu mon contrat, n'est-ce pas ?

Il sourit de complicité et l'étreignit contre lui, en douceur, contrairement à ses pulsions habituelles de bête effrénée. Son baiser même était à l'unisson, tendre, profond et prolongé. Elle apprécia et en redemanda.

— Quand je pense qu'encore une fois tu m'es revenu. À deux reprises tu as rebondi dans ma vie alors que je te croyais parti définitivement. Il y a deux ans, déjà, j'avais cru te perdre lorsque

*La Bonne Aventure* avait mis les voiles avec Chapelle à son bord, mais je t'avais retrouvé peu après.

— Dans une entreprise comme la mienne, tu vois, il faut savoir endormir ses adversaires. L'occasion était belle non pas de jouer le mort mais, plus précisément, de feindre la poudre d'escampette. Cela m'a assez bien réussi. Aujourd'hui, dit-il en la bécotant délicatement dans le cou, tu dois mon retour à une personne qui m'a offert une occasion inespérée. Je ne veux pas parler du pasteur John Williams, non : celui-ci ne pense qu'à rapatrier sa fille Eunice à Deerfield et il s'enfonce dans l'abîme des prières. C'est un Quaker, et je n'aime pas particulièrement ces fanatiques.

« Non, je veux parler du major John Stoddard, le véritable chef de l'expédition, arrivé à Montréal en février dernier pour rassembler les captifs. À Boston, il m'a offert de les accompagner en tant que porteur. Je dois dire que je n'aurais jamais cru pouvoir endurer de telles souffrances. Je te le dis, à toi que j'aime : j'ai vu la mort dans les yeux, et plus d'une fois. Cependant, je devais revenir, pour toi bien sûr, et pour des raisons... disons, stratégiques. »

— Et ce document, la liste que tu devais intercepter aujourd'hui, chez le notaire Chambalon, elle valait les risques que tu as courus ?

— Et plus encore. Imagine : le nom de tous les frères réformés de la région de Québec. Et même au-delà ! Les deniers de Judas, tu sais, ont toujours cours en ce pays, aujourd'hui encore. Les autorités ont fait courir le bruit que Chapelle, ou Languedoc si tu préfères, avait livré ces noms à l'intendant pour sauver sa peau lorsqu'il fut mis au cachot, mais c'est archifaux ! Chapelle est Cévenol, c'est tout dire. Il est fils spirituel des illustres prédicants camisards, les Brousson, Séguier, Mazel et Marion. C'est un héros, rien de moins.[205]

---

205 Les Réformés des Cévennes, dans le Languedoc, étaient surnommés *Camisards*. Parmi les meneurs spirituels de ces Protestants, à la fin du dix-septième siècle et au début du dix-huitième, figuraient Claude Brousson, Esprit Séguier, Abraham Mazel et Élie Marion.

— Mais pourquoi une telle liste, et chez le notaire encore?

— Une expulsion systématique peut-être, ou encore des représailles dans les familles de la métropole? Quoi qu'il en soit, un grand ménage se préparait. Mais, voilà, c'est terminé et tout est bien qui finit bien.

Et Marquet, *alias* Maufils, prenant place sur une chaise de la cuisine, se saisit de l'aubergiste et la tira avidement contre lui, enfouissant son visage barbu dans son ventre et glissant une main vagabonde sous ses jupons: «Discrète, friponne, secrète, dit-il d'une voix rauque de désir, votre mystère ne tient plus et, ce soir, je vous ferai disparaître: il ne restera de vous que ce parfum de violette dont je m'enivrerai.»

# XVIII
## RACE DE MONDE

*Vendredi, 14 septembre 1714*

— Mais, Charlotte, que fais-tu toute vêtue, à pareille heure? Nous ne sommes même pas à la barre du jour! Tu as un rendez-vous galant ou quoi? Et moi qui viens à peine d'émerger d'un doux rêve dans lequel je te rencontrais pour la première fois, à Montréal il me semble. C'était la nuit, dans une rue sombre, et je te tirais des mains d'agresseurs très mal intentionnés qui, ma foi, en voulaient à ta vertu. Je les avais mis en fuite à coups de pieds et de poings et, après avoir séché tes larmes, je t'avais raccompagnée chez toi où, bien sûr, tu t'étais montrée pleine de gratitude. Et là, dans les bras l'un de l'autre, nous avions connu une nuit...

— De rêve, oui, je sais, tu l'as déjà dit, c'était un rêve, seulement un rêve.

Marquet, appuyé sur un coude et nu au creux du lit, sous la couverture, ouvrit des yeux étonnés et perplexes.

— Que se passe-t-il, qu'as-tu donc ? Tu es fâchée ? J'ai fait quelque chose qu'il ne fallait pas ? Parle, ma belle, tu m'inquiètes.

Charlotte Campion fixait la cour à travers les carreaux de la fenêtre. La mine maussade, elle gardait les bras croisés sous la poitrine. Elle se mura plusieurs secondes dans un silence total. Puis elle tourna la tête vers son amant.

— C'est terminé entre nous, Vincent. Je désire donc que tu quittes mon auberge le plus tôt possible.

Abasourdi, hébété, Marquet chercha ses marques. Il regardait l'aubergiste en scrutant le fond de ses yeux, comme le pêcheur qui, dans quatre pieds d'eau, veut identifier le poisson qui a mordu à sa ligne. L'exercice avait eu ceci de bon qu'il avait maintenant pleinement recouvré ses esprits. Il se redressa d'un coup de reins et, toujours nu, les jambes pendantes hors du lit, il ramena sa tignasse blonde vers l'arrière en la ratissant de ses doigts.

— Là, Charlotte, tu parles comme un curé : autoritaire, cassante et ténébreuse. Rajoute une parabole et ce sera complet. Allez ! Vide ton sac. Qu'est-il arrivé ?

— Alors voilà. Je suis habillée, car je suis sortie. Et je suis sortie pour aller chez le notaire.

— Le notaire ! Que veux-tu dire, tonnerre de Dieu ? Chambalon ?

— Oui, Chambalon. J'avais quelque chose à lui rapporter. Des documents, plus précisément.

Assommé, Vincent était bouche bée. Il avait peur de comprendre.

— Ne t'inquiète pas, voyons, enchaîna Charlotte, soudain sarcastique. Il ne s'agit pas de ta liste de RPR : non, je ne l'ai pas trouvée, celle-là. J'ai plutôt remis une carte, la carte du fleuve en bas de Québec, sur laquelle des chenaux sondés sont identifiés, très clairement même. Une œuvre d'artiste, vraiment, mais pour spécialistes de la navigation. Heureusement, un rapport complémentaire était joint à la carte et j'ai trouvé ce texte très éclairant.

« J'ai aussitôt pensé que tu avais mis la main sur ces documents par erreur, l'autre jour, car, tu en conviendras, ça n'a rien à voir avec la chasse aux Protestants. J'ai donc décidé de les rendre à qui de droit. Mais… tu sembles contrarié, choqué même : je n'ai pas bien fait ? »

L'explosion prévue ne se produisit pas. Au contraire, Marquet trouva dans ses ressources le calme qui ne l'abandonnait que très rarement. Lentement, il se leva puis enfila la robe de chambre du sieur Fauconnier.

— Je t'imagine mal frappant à la porte du notaire et déclarant : « Excusez-moi, mais je crois que ceci vous appartient. »

— J'ai dit que j'avais rapporté les papiers, non pas que je les lui avais rendus en main propre.

— Et, maintenant, demanda Marquet en lui faisant face, tu vas pouvoir me dire pourquoi tu as posé ce geste ? Pourquoi tu as agi avant de me parler ?

— Tu le sais mieux que quiconque et je ne devrais pas ajouter une explication, encore moins une justification. Mais je vais te répondre car tu apprendras peut-être certaines choses à mon sujet. D'abord, tu m'as trompée. Dès le départ, tu as endossé la défroque du réformé traqué, comme ses frères, objet de toutes les injustices et sévices. Je t'ai cru et j'ai sympathisé sincèrement car il est indigne, selon moi, de maltraiter des Chrétiens.

« Non seulement tu m'as manipulée, mais, surtout, tu m'as considérée comme une pauvre veuve esseulée, une proie consentante et facile entre les mains du joli parleur que tu es et qui, croyais-tu, fermerait volontiers les yeux sur tes petites affaires. Or, je ne suis ni une catin ni une bêtasse ; cela, Fauconnier te l'aurait confirmé. Tu vois, Vincent, dans une situation comme la nôtre, la confiance fait foi de tout. Je ne te connaissais ni d'Ève ni d'Adam, tu m'es apparu franc et honnête, je t'ai accueilli, tu m'as abusée. Les fondations de notre aventure se sont écroulées et j'en suis véritablement peinée.

«Enfin, une dernière précision. Si j'ai de la pitié pour les réformés pourchassés et traités comme des bêtes, je n'en suis pas pour autant traître à mon roi et à ma patrie. Je ne suis pas sotte, vois-tu! J'ai tout de suite compris ce que représentaient les papiers que j'ai trouvés parmi tes hardes sales: la façon pour l'ennemi anglais de parvenir sans danger jusqu'à Québec. Je crois comprendre que ce sont tes frustrations et malheurs religieux qui t'ont porté vers la trahison mais, vraiment, je ne veux pas m'immiscer dans tes calculs ni dans tes luttes de conscience.

«Allons! Ne prolongeons pas inutilement ces adieux et quittons-nous maintenant.»

Il la contempla, puis alla quérir sa sacoche de toile dans laquelle il fourragea quelques secondes. Pendant qu'il en retirait un pistolet, Charlotte le regardait sans émotion aucune.

— Tu vois, Charlotte, il est vrai que j'ai démérité, que je t'ai menti à propos des papiers du notaire. Je savais, j'avais senti, que tu ne serais jamais infidèle aux tiens. Mais il est faux de prétendre que je ne t'ai approchée qu'à des fins égoïstes; je t'ai aimée sincèrement, je t'aime encore et jamais je ne t'ai campée dans le rôle d'une bonasse ou d'une niaise. Ton caractère est trop bien trempé pour cela. Il est vrai par ailleurs que, chez moi, les mobiles religieux ont débouché, depuis longtemps, sur d'autres plus... politiques, je dirais. Je n'en ressens aucune honte: c'est un long parcours dont les tenants et aboutissants sont complexes et trop longs à raconter. Mais considère ceci, Charlotte: toute autre femme ou toute autre personne, dans ta position actuelle, serait déjà *ad patres* après un coup comme celui que tu viens de faire.

En prononçant ces derniers mots, l'homme aux lunettes avait doucement soulevé son arme et l'avait fait tournoyer devant les yeux secs et détachés de la femme. Cinq minutes plus tard, sans un mot de plus, Vincent Marquet, *alias* Martin Maufils, quitta *Le Grand Saint-Luc* et monta vers la haute ville. Incertain, le jour se levait et déjà, charrettes et chevaux défilaient dans les rues étroites pour gagner la place du marché.

Pour de nombreux habitants de la ville, parmi lesquels figuraient certainement les dirigeants du pays, la guerre de la Succession d'Espagne prit fin le 4 septembre 1714, vers les dix heures du matin, lorsque le brigantin anglais *Leopard* disparut lentement dans le coude de l'île d'Orléans, passé la pointe de Lauzon. Le commandant Perkins et les émissaires néo-anglais prenaient le chemin de Boston avec une très maigre récolte de vingt-six captifs. Ils abandonnaient au Canada plus de 125 anciens prisonniers et c'est la rage, la honte et le chagrin au cœur que, de retour dans leur pays, ils rendraient compte de leur mission au gouverneur Dudley. Bien sûr, les responsables de leur échec seraient le gouverneur Vaudreuil et les «jésuites papistes»[206] qui avaient la main haute sur les décisions du premier.

Entre-temps, à la mi-septembre, la population de Québec avait retrouvé sa capacité et la dignité d'enfin pouvoir régler ses problèmes et lécher ses plaies loin des regards importuns. La petite société locale, d'une certaine façon, n'était qu'une grande famille à l'intérieur de laquelle tous et chacun, ou peu s'en faut, partageaient des liens, des secrets, des expériences et des rêves. Le spectacle de leur vie en commun, à certains égards, était considéré comme strictement privé.

Par exemple, lorsque l'intendant s'était, à son tour, rendu chez le curé pour l'inhumation de son second fils, victime de la redoutable rougeole, les passants, en bordure de la côte du Palais, s'étaient non seulement signés mais aussi appropriés ce père de famille affligé qui, dorénavant, s'intégrait dans leur groupe humain. Bégon et les siens venaient de s'enraciner.

En ce vendredi matin, alors que les voleurs de farine prenaient leur déjeuner derrière les barreaux de leur cachot et au lendemain de la comparution devant le Conseil supérieur des rebelles Dugal, Dubeau et Routhier, le clan Dieulefit-Genest

---

206  Pour les autorités et les colons en général de la Nouvelle-Angleterre, toutes les «robes noires» de la Nouvelle-France étaient des «jésuites», les suppôts papistes de Satan.

se présentait chez le notaire pour la signature du contrat de mariage de Françoise et de Sébastien. Rendez-vous avait, assurément, été pris plusieurs jours à l'avance ; pourtant, les futurs époux, suite au vol par effraction chez le notaire Chambalon, se questionnaient sur le climat qui règnerait dans sa maison.

— Entrez, mais entrez, sergent ! Et vous aussi madame Genest ! Superbe journée pour jeter les bases d'une nouvelle famille !

Le notaire, les traits marqués par sa récente maladie, était cependant radieux. Tout sourire, il avait lui-même reçu le couple à la porte, ce qui était un fait rare. Notant la surprise évidente sur les visages de ses visiteurs, il comprit leur embarras.

— Non, ne craignez rien. Le nœud gordien du mystère a été tranché ! D'un coup d'épée inespéré bien qu'encore non revendiqué. Oui, oui ! Imaginez-vous que, dès avant l'aube, un inconnu a rapporté les documents volés ; il les a laissés à ma porte, ici même, enveloppés dans une pièce de tissu. Croyez-moi ! Les dernières semaines furent les pires de ma vie ; la goutte m'a physiquement amené aux abords du trépas pendant que ce cambriolage menaçait ma raison.

Les futurs mariés étaient arrivés place Royale en compagnie de Julien, d'Alexis et de Martin Kellogg qui attendait toujours le retour de l'ouest de son frère. Plusieurs autres personnes, comme c'était la coutume, devaient honorer les promis de leur présence ce jour-là : le marquis d'Aloigny et sa femme, bien sûr, mais aussi Jacques de Sanzelles, Paul-Augustin Juchereau, Jean-Paul Dupuy, Louis Prat et sa femme Angélique, le capitaine de Voutron, François Dumontier, ancien sergent et secrétaire du gouverneur, et Charles Chandonné, dit Léveillé, sergent de la compagnie d'Aloigny.

Chambalon fit entrer les quatre personnes dans la salle commune, sur la gauche.

— Je désire dès maintenant vous prévenir que, ce matin, un événement hors de mon contrôle viendra perturber notre rencontre. Je viens en effet d'apprendre qu'une exécution de peine aura lieu dans peu de temps sur la place. Vous avez peut-être remarqué, avant d'entrer, le poteau que le charpentier Guillot vient de planter devant l'église. Le fouet et la flétrissure seront administrés à un jeune soldat de Montréal coupable de vol et dont l'appel, ici, devant le Conseil supérieur, a été rejeté.

« En principe, la sentence aurait dû être exécutée à Montréal mais, en l'absence de bourreau à cet endroit, il a été décidé que Rattier[207], notre maître des hautes œuvres, se chargerait ici même d'appliquer ces peines. Comme vous le savez peut-être, ces exécutions ont toujours lieu sur une place publique et au moment du marché, exemple oblige. En tout et partout, cette affaire devrait durer environ une trentaine de minutes. Considérant le chahut qui l'accompagne, peut-être devrions-nous attendre qu'elle soit terminée ? À vous de voir. »

La douzaine d'invités se présentèrent chez le notaire, peu après, et la décision fut prise de procéder une fois accomplie, seulement, la tâche du bourreau. Le groupe regagna donc la place et, se mêlant à la foule du marché, attendit l'arrivée du tombereau du fils Rattier.

Le défilé de circonstance déboucha sur la rue Notre-Dame, cinq minutes après. Encadré par quatre archers de la maréchaussée et précédé du grand prévôt, il était suivi de l'exempt. Il arrivait, bien sûr, des cachots de l'intendance et avait dû traverser une bonne partie de la ville haute avant de s'engager dans la côte de la Montagne. Comme l'usage dictait de le faire, le jeune prisonnier de dix-neuf ans, les mains attachées sur le devant, marchait en chemise à l'arrière de la voiture à laquelle il était attaché par une corde.

Arrivé sur la place, Rattier, un costaud dans la trentaine et à la mine cent fois plus patibulaire que celle du condamné,

---

207 Pierre Rattier dit Dubuisson (1680-1723) succéda à son père, Jean, à titre de maître des hautes œuvres en 1710. Il n'y avait pas de volontaires ou de candidats pour ce poste. Les titulaires acceptaient tous à contrecœur cette fonction très impopulaire afin de se soustraire à de lourdes peines encourues suite à des crimes graves.

délia ce dernier et l'attacha au poteau planté dans la terre. Des murmures s'élevèrent de la foule pendant que le bourreau s'approchait du jeune soldat avec, en guise de fouet, une poignée de verges de bouleau liées ensemble. Pierre Richard, dit Bonvouloir, le torse nu, attendait son premier châtiment.

Fixant des yeux la foule, il cria soudain : « Mais... ce vol était ma toute première offense ! Lorsque j'ai volé de l'argent au tonnelier Lafleur, j'étais complètement ivre et inconscient. D'ailleurs, je ne me suis même pas sauvé ; j'ai continué de boire toute la nuit et, au matin, on m'a cueilli dans mon lit, au corps de garde, et le reste de l'argent fut rendu, foi de soldat ! Pourquoi cette sévérité ? »

À ces mots, l'assistance se mit à chahuter avec plus de véhémence. Ce jeune troupier, à ses yeux, n'était pas un dangereux criminel, un violeur ou un assassin. Un huissier lut à haute voix l'acte d'accusation et le prononcé de la sentence. La foule apprit ainsi qu'en première instance, à Montréal, Bonvouloir avait été condamné à la peine de mort : « Pendu et étranglé jusqu'à ce que mort s'ensuive. » Des poings se levèrent parmi le public qui cria à l'injustice.

Sept coups de fouet furent nécessaires pour faire jaillir le sang. C'était le signal d'interrompre la peine. Puis Rattier descendit de son tombereau, un réchaud à moitié rempli de braises rouges et fumantes encore. Il le déposa par terre puis y planta une tige de fer, de deux pieds de long, au bout de laquelle une fleur de lys forgée avait été soudée. Lorsqu'il la retira du feu, après cinq ou dix minutes, la fleur s'était colorée d'un blanc mat tacheté de rouge incandescent.

Le bourreau travaillait vite. Son épaule coinçant le soldat contre le poteau, sa main droite saisit et immobilisa le bras droit du garçon. En même temps, et d'un geste rapide, il appliqua brutalement le fer rouge sur l'épaule droite du condamné. Une fumée blanche, une odeur âcre de chair rôtie, un cri déchirant puis l'homme écroulé, inconscient dans ses liens. En moins d'une seconde, tout fut consommé.

Alors que Rattier chargeait le jeune soldat dans le tombereau et que, toujours escorté, il reprenait le chemin du Palais, le marquis, entouré de Dieulefit, de Juchereau et de Voutron, ne put s'empêcher de commenter les événements.

— Avez-vous remarqué, messieurs, à quel point le peuple murmure, de plus en plus, lorsque les siens, même coupables, sont pris à parti? Outre ce à quoi nous venons d'assister, pensons simplement aux épisodes récents des farines ou des rebelles. En tout cela, je vois poindre quelque chose de nouveau : une fidélité, une identification nouvelle et plus profonde? Je ne saurais dire. L'autre jour, face aux paysans, les cris provenant de la ville m'avaient procuré la même impression.

« Assisterions-nous à l'émergence d'une sorte de conscience collective des natifs de ce pays, particulièrement lorsqu'il s'agit de s'opposer à des nouveaux venus métropolitains, considérés comme des étrangers, voire des exploiteurs? Pourrait-il s'agir, d'un autre côté, de manifestations de solidarité de la part des couches les plus laborieuses et démunies de la nation? Des deux, peut-être?

Tous se regardèrent et acquiescèrent de la tête. Effectivement, il sautait aux yeux de tout observateur un peu attentif et critique que le peuple des manouvriers et artisans, pour n'inclure que ceux-là, acceptait de plus en plus difficilement les diktats de ses dirigeants et, encore moins, ceux émanant de la métropole ou des marchands.

— Je vous crois perspicace, marquis, dit Juchereau de Maure. Si nous revenons à l'épisode de ce matin, savez-vous pourquoi l'exécution de la sentence a eu lieu dans notre ville? Oui, je sais, ils n'ont pas de bourreau présentement à Montréal, mais ce n'est pas tout. Par le passé, dans des cas similaires, notre maître des hautes œuvres se déplaçait et allait officier dans cette ville, escorté par les archers. Or, dans les derniers jours, les maîtres de barques et les canotiers de Québec se sont tous défilés; personne n'a accepté de conduire le condamné, le bourreau et son escorte à Montréal, sous un prétexte ou un autre.

«Et écoutez bien. Les charpentiers du roi de Québec ont tous fait de même lorsqu'est venu le temps de choisir celui qui taillerait et installerait le poteau de torture sur la place. Personne, semble-t-il, ne trouvait le temps de s'acquitter de la tâche. Or, en qualité de charpentiers du roi, il entrait dans leurs attributions de réaliser ce travail. Certains ont préféré quitter leur emploi, c'est tout dire, n'est-ce pas? Finalement, Guillot fut choisi qui n'avait guère le choix d'accepter; il fut informé qu'en cas de refus, non seulement il perdrait son emploi mais, en outre, il devrait restituer tous les gages qu'il a touchés dans le cadre de sa fonction. Je vous pose la question: avez-vous déjà été témoins d'un tel comportement?»

— Ah! intervint Dieulefit, je comprends maintenant la mine renfrognée de Guillot lorsque je l'ai croisé plus tôt ce matin, en arrivant sur la place. Nous sommes presque voisins, rue Saint-Nicolas, et de bons amis. Or, il ne m'a même pas rendu mon salut! J'avais trouvé son attitude pour le moins bizarre.

«Mais, pour aller dans le sens du propos de monsieur le marquis, je voudrais ajouter ceci. L'autre soir, à l'auberge, une partie de *pharaon* rassemblait autour d'une table quatre Canadiens, dont trois n'étaient que de passage. Un moment, je portai attention à leur conversation qui, faut-il s'en surprendre, portait sur les lois, les juges et la justice. L'un d'eux, offusqué, fit valoir que, parmi la douzaine de membres du Conseil supérieur, dont quelques substituts, pas moins de huit sont des métropolitains. En plus, sept marchands siègent à cette cour. Il va sans dire que tous, le poing sur la table, dénoncèrent une telle justice qu'ils qualifièrent, tenez-vous bien, d'étrangère.»

— Il me semble, en effet, intervint Juchereau, que les Canadiens éprouvent de plus en plus de difficultés à se reconnaître dans leurs frères français. L'un de ceux-ci me confiait, récemment, avoir flairé dans ce pays un esprit particulariste. Il est même allé jusqu'à dire, et j'emploie ses mots: «Tout respire ici l'indépendance!»

— Écoutez, conclut d'Aloigny se dirigeant à nouveau vers l'étude du notaire, le phénomène m'apparaît aussi naturel qu'inévitable et il ne convient pas, selon moi, d'y voir un complot quelconque. Souvent à leur insu même, les Canadiens, qui ne connaissent à peu près rien du royaume mais qui sont attachés à leur roi, ont développé au contact de ce pays rien de moins que libertaire une mentalité profondément différente de la nôtre. Nous-mêmes, d'ailleurs, et je parle ici des natifs français, avons été marqués plus que nous n'en avons conscience, peut-être, par cet étrange pays et ses habitants, fussent-ils sauvages ou blancs.

« Je suis certain que, de retour dans notre patrie d'origine après tant d'années d'exil, nous et les nôtres allons éprouver certaines difficultés à vivre ensemble au quotidien, voire à rétablir les ponts. Regardez-moi, par exemple : j'ai 52 ans et j'ai mis les pieds dans ce pays à l'âge de vingt-et-un ans ; ne suis-je pas davantage Canadien que Français ? J'en suis convaincu, messieurs : nous cohabitons avec une race canadienne. C'est aussi simple et naturel que cela. »

Les dames avaient déjà pénétré dans la maison de Chambalon et les hommes s'y rassemblèrent à leur tour. Le notaire et Voutron s'étreignirent à nouveau, se félicitant de l'heureuse conclusion des événements. C'est Marie Thibault qui, aux aurores, en mettant le chat Grisou à la porte, avait trouvé les précieux documents. Sans déballer le paquet et soupçonnant son contenu, la servante s'était ruée dans l'escalier de la demeure afin d'éveiller son maître qui, après le vol, à son retour de l'hôpital, l'avait vertement grondée et sermonnée. N'eût été de madame notaire, très attachée à elle, la Marie se serait retrouvée à la rue. Quoi qu'il en soit, sans perdre une seconde, Chambalon s'était précipité dans la chambre du capitaine et, sans frapper, était entré pour lui claironner la bonne nouvelle. Les deux hommes, se regardant à bout de bras, avaient fondu en larmes.

Les futurs mariés, entourés des parents et amis, occupèrent bientôt le plancher complet de l'étage. Monsieur de Voutron avait ouvert bien volontiers sa chambre à la compagnie tandis que, déjà, Françoise et Bastien prenaient place dans l'étude, face au notaire qui allait entreprendre la lecture du contrat. La formalité pourtant importante ne consommerait que peu de temps ; point n'était besoin, en effet, d'une main de papier[208] pour rendre compte des quelques clauses que recelait le contrat de mariage des gens simples.

À ce moment, la maîtresse de maison, Geneviève Roussel, se fraya un chemin parmi les personnes présentes et rejoignit son mari : « Je viens d'apprendre par un messager que monsieur François Dumontier et sa dame ne pourront se joindre à vous aujourd'hui : leur fille de six jours, Marie-Angélique, vient d'être emportée par la rougeole. Ils vous prient de bien vouloir les excuser. » Madame Roussel n'avait jamais pu donner d'enfant à son mari et, tout en se malaxant les jointures, elle laissa échapper deux larmes de ses yeux chagrins. « *Ne vaut-il pas mieux, tout considéré, ne pas avoir eu d'enfant plutôt que de les perdre si douloureusement à peine séparés du sein de leur mère* », se disait-elle.

Malgré la triste nouvelle, la cérémonie du contrat de mariage se déroula dans une atmosphère détendue et amicale. Françoise, un peu intimidée peut-être par la présence du marquis et de sa femme, était calme et sereine, néanmoins. Naturellement fière et indépendante, elle n'était pas la plus démonstrative des femmes, ni la plus causeuse, et sa réserve aurait pu prêter le flanc à la médisance. Si sa grossesse faisait jaser dans tout le quartier jusqu'à rejoindre l'intendance, elle n'en avait cure. Et ceux qui la connaissaient bien lisaient dans ses yeux un bonheur indicible.

Pendant que les invités s'attablaient à tour de rôle pour signer l'acte notarié, à commencer bien sûr par les notables – dans l'ordre, les d'Aloigny, Sanzelles, Juchereau, Dupuy, Prat et Voutron – Bastien s'approcha de Françoise qui, près de la fenêtre, observait l'agitation du marché. En toute discrétion, il

---

208   Une « main de papier » rassemble 25 feuilles. Une « rame de papier » équivaut à 20 mains.

prit sa taille et appuya sa jambe contre la hanche de son amante. Aussitôt, Fanchon interposa sa main et planta ses yeux dans ceux de son futur. Le message était clair : *« Doucement, sergent... On nous surveille et rien n'est encore joué. »*

Dieulefit sourit dans ses moustaches noires frémissantes. *« Si je dois me faire Canadien pour tâter du bonheur et enfin apprivoiser la vie que j'aurai moi-même choisie, qu'à cela ne tienne ! Par ici, monsieur le curé et vogue la galère ! »*

Quatre ou cinq personnes n'avaient toujours pas signé lorsque le notaire s'impatienta : « Est-ce que monsieur Fornel est arrivé, dites ? Quelqu'un pourrait s'informer à madame ma femme ? Il devrait être traversé, pourtant. »

Le tailleur Boucher[209] était déjà sur place. Comme Fornel, il avait été mandé pour agir à titre de témoin.

Le marchand se faisant attendre, Jacques de Sanzelles se porta volontaire pour aller frapper à sa porte, de l'autre côté de la place. Pendant qu'il gagnait le rez-de-chaussée, Julien s'était rapproché de sa mère. Il avait toujours subodoré que Fanchon, malgré son caractère émancipé, reprendrait mari, un jour, et ce rendez-vous dans le temps, inéluctable à ses yeux, il l'avait longtemps appréhendé. Aujourd'hui, avec un soulagement évident, il assistait à l'entrée du sergent dans la famille. À dix-sept ans, le beau-père lui convenait parfaitement.

À son tour, le garçon posa les yeux sur les commerçants et les chalands qui s'agitaient à ses pieds. Il vit Sanzelles se faufiler parmi ce peuple grouillant et se diriger d'un pas résolu vers la maison de Fornel. Soudain, une onde quelconque, provenant d'un repli de son cerveau, brouilla sa vision. Une image, aurait-on dit, cherchait son double dans son esprit. Il porta les mains à ses tempes et ferma les yeux. Doucement, deux représentations se superposèrent parfaitement dans sa tête : *Voilà, ça y est ! Oui, c'est tout à fait cela : le mystérieux marcheur éjarré et emmitouflé dans la nuit noire nimbée de brume !*

---

209    Élie Boucher dit Lajoie (1676-1726), tailleur d'habits.

— Sergent! s'écria-t-il, inconscient de son entourage et des circonstances du moment.

Le notaire et ses hôtes sursautèrent et dévisagèrent le jeune homme qui, enfin, revint sur terre et rougit de confusion. Dieulefit, le sourcil froncé, traversa la pièce et s'approcha de Julien.

— Mais qu'as-tu donc, Papou, tu parais bouleversé! Tu as vu le suaire du Christ, ma foi? Un revenant alors?

— Vous rappelez-vous, sergent, y'a deux ans passés, vous étiez allé conduire des recrues à Montréal pis à Chambly? C'était en octobre pis vous m'aviez demandé de surveiller l'homme au bandeau, Chapelle pis le capitaine Morineau pendant votre voyage? À vot' retour, j'vous avais fait rapport et j'vous avais conté que j'avais vu, un soir de brume, un inconnu bien bâti entrer à l'auberge de la dame Fauconnier. L'homme, grand mais voûté, avait une démarche ben à lui, un long pas éjarré.

— Bien sûr, je me rappelle. Alors quoi?

Un sourire aux lèvres et l'air triomphant, Julien Genest chercha l'effet théâtral: «J'ai r'trouvé mon homme, sergent, chu's certain. »

— Dans cette fourmilière, en bas?

— Oui, monsieur! Pis dans deux secondes, j'va's vous le faire admirer, en chair et en os.

Bastien et Julien jetèrent un regard sur la place, en contrebas. Soudain le garçon longiligne enfonça son coude dans les côtes du futur beau-père: «Le v'là, y sort de la maison, de l'autre côté, en face; y'é't avec monsieur Fornel. R'marquez son allure, sa carrure, son pas pressé et écarquillé. On dirait un canard. Ça peut être que lui! C'é ben l'homme que j'ai vu. »

— Oh! Garçon, la personne que tu me désignes, c'est le chevalier, c'est Sanzelles! Comment est-ce possible?

— V'là pourquoi ct'e démarche dans la nuit m'avait frappé! dit Julien en se tournant vers Dieulefit. J'l'avais déjà r'marquée, c'é sûr, lors d'une de ses visites au *Dauphin d'Acadie!*

Le sergent regardait venir vers lui son compatriote, tout en appuyant le pouce et l'index sous ses moustaches qu'il caressait du même geste. Il sentit alors un besoin pressant, celui de reprendre toute l'histoire depuis le début mais avec un regard neuf. «Mon Julien, je crois que tu es mûr pour une promotion!»

Les mains se serrèrent, les vœux et les félicitations se succédèrent et, réunis dans la salle du bas, l'assemblée fut sur le point de se disperser. Rendez-vous fut pris à l'église de la haute ville pour le lundi suivant, jour des épousailles.

Cependant, le capitaine Voutron, chapeau en main, désirait encore, semble-t-il, se retirer avec le dernier mot. Grand chantre des amours nouvelles, il demanda la parole.

— Chers amis, dans quelques jours *L'Afriquain* mettra les voiles et m'emportera vers la France, notre patrie à tous. J'aurai le plaisir de revoir Louison, ma muse, ma reine, que je devrai, après une aussi longue absence, reconquérir comme au premier jour. Car l'amour doit être un éternel renouvellement, un tendre combat à l'issue duquel, au terme de la vie, il n'y aura eu que des gagnants.

«À Françoise et Sébastien, j'ai déjà fait part de nombreux souhaits capables d'assurer leur bonheur. Je désire simplement ajouter ces mots ultimes: Sébastien, sachez préserver votre perle et faites-lui un écrin d'enfants. Elle n'en sera que plus belle et ravie et votre existence sera douce auprès d'elle. Et pour vous, belle Françoise, j'ai écrit l'indigne quatrain qui suit:

*Dans cette blonde*
*On voit des feux*
*Plus pénétrants que tous ceux que les cieux*
*Nous font sentir sur la terre et sur l'onde.*

L'aubergiste n'était pas une ingénue, encore moins une sainte nitouche. De la rivière au Dauphin qui baigne Port-Royal, le lieu de sa naissance, jusqu'à ce jour plus de trois décennies s'étaient écoulées. Des années parfois heureuses, souvent sombres, difficiles et exigeantes. C'est en voyant défiler, dans sa tête, sa vie d'enfant, de jeune fille puis de femme que ses yeux s'embuèrent bien plus qu'à l'écoute de la poésie modeste et un brin obséquieuse du capitaine. Peu importe, se dit en elle-même la belle blonde : « *Grand bien leur fasse, à tous ceux qui se méprendront sur le sujet !* »

Ce soir-là à l'auberge, pendant qu'une pluie fraîche de septembre évacuait de la chambre la chaleur emmurée d'une fin d'été, Bastien ne cherchait même pas le sommeil. Étendu sur les couvertures de son lit, il jonglait. *Quelle journée, quand même, jarnicoton ! À marquer d'une pierre blanche dans la vie mouvementée d'un petit sergent.* Curieusement, cependant, c'est l'image de Jacques de Sanzelles traversant en diagonale la place du marché, aux côtés du marchand Fornel, qui revenait en boucle. *Que penser d'une identification aussi incertaine ? Une nuit vaporeuse, un inconnu au visage absent et à la silhouette grossière qui s'engouffre en tapinois chez la veuve Fauconnier...*

Pourtant, il avait éprouvé à plusieurs reprises la perspicacité et la vivacité d'esprit de Julien. Son sens de l'observation faisait même sa fierté. À l'île aux Oies, où ils chassaient ensemble à l'automne depuis quelques années, ils passaient souvent le temps à distinguer les rapaces dans le ciel : « Hé, non ! Sergent, ce n'est pas un faucon, c'est un busard, un busard des marais. Les deux ont une longue queue, il est vrai, mais chez les faucons elle est plus étroite. De plus, ceux-ci ont les ailes pointues tandis que celles des busards sont arrondies. Et puis, regardez-le planer : ses ailes sont un peu relevées, vous voyez ! C'est bien un busard, avec son croupion blanc, là, à la base du dos. Dans sa livrée gris clair, c'est un mâle. Monsieur Normand, le père de Madeleine, chasse de la Canardière à la côte de Beaupré et il m'a dit que les gens d'en bas les appellent les mange-poule. On se doute bien pourquoi ! »

Jusqu'à preuve du contraire, Dieulefit devait faire confiance à son témoin. D'un autre côté, que viendrait faire le chevalier dans l'affaire Marquet ? Certes, lui revenaient en tête les armoiries des Sanzelles sur le coffre glissé sous le lit de Morineau, à bord de *La Bonne Aventure*. Pourtant, l'ancien lieutenant avait lui-même effacé cette piste en exhibant le coffre que son père lui avait expédié. Tout à fait crédible. Bien sûr, le chevalier était un Protestant et c'est à peine s'il en faisait mystère. Une éventuelle complicité avec Marquet et Clément Chapelle n'était pas pour autant recevable.

Puis, enfin, conclut le sergent, à quoi sert d'échafauder un argumentaire qui viendrait soutenir la thèse de l'implication de Sanzelles dans un quelconque complot politico-religieux qui avait vu le jour il y a deux ans et qui n'avait jamais refait surface. *La Bonne Aventure* avait repassé la mer, emportant dans ses flancs les acteurs et le scénario d'une pièce qui, vraisemblablement, avait dû être interrompue et abandonnée *sine die* dès après le premier acte.

*Samedi, 15 septembre 1714*

— Sergent, j'ai le regret de vous dire qu'à deux jours de votre mariage, vous allez devoir vous surpasser. Vous voyez dans quel état je me trouve, cloué au lit, incapable de me redresser sans l'aide de Marie ou de Valentin ? Je deviens impotent, mon cher, rien de moins, et à 52 ans encore ! Je ne sais même pas comment je ferai pour supporter la traversée en navire, dans quelques semaines à peine. Ah ! C'est du joli !

« Quoi qu'il en soit, nous sommes à nouveau à ce temps de l'année où nous devons rendre des comptes, dresser des bilans, faire des recommandations, justifier nos actions et nos décisions : le ministre et le roi attendent nos rapports de pied ferme. Habituellement, vous le savez, j'écris de ma main certains de ces mémoires mais aujourd'hui, je le crains, vous devrez prendre la plume. Heureusement pour vous, mes brouillons sont assez clairs et leur copie ne devrait pas poser problème.

« Il vous faudra, en plus, copier les dossiers individuels des trente soldats et quatre officiers qui passeront dans quelques jours à Louisbourg en compagnie de monsieur de Vaudreuil. Ces hommes ne seront bientôt plus sous mon autorité. »

D'Aloigny s'interrompit et, par la fenêtre toute proche, écouta un moment le chant si agréable d'un rossignol sauvage qui venait de se percher sur une branche haute du tilleul de la cour. « Quand je pense : expédier mes hommes, si nécessaires ici, dans ce coin brumeux et excentrique du continent... Comment la future ville fortifiée sera-t-elle en mesure de défendre l'entrée du Saint-Laurent et de la maintenir ouverte afin d'assurer nos communications vitales ? C'est folie d'entretenir une telle illusion ! Une forteresse à Gaspé avec une petite flotte de guerre dans sa baie profonde, voilà ce dont nous aurions besoin, sacrebleu ! Enfin ! Qui suis-je pour avoir des idées et des opinions ? Allez, sergent, fais-moi de la belle ouvrage, comme on dit. »

Sébastien gagna son cabinet à l'étage et, perdu dans ses projets d'avenir, il se mit au travail. À en croire le marquis, la Fanchon pourrait bien devoir se passer de ses câlins la nuit prochaine. Il avait déjà la plume à la main lorsque l'on gratta à la porte de sa chambre. C'était Madeleine.

— Excusez-moi, monsieur Sébastien. Madame Geneviève m'envoie vous porter un bol de café. Elle a dit que ça aiderait vos méninges. Je lui ai demandé si j'en avais des méninges, moi, et elle a levé les yeux au ciel pis elle a dit que j'en avais trop ! Elle était bien sérieuse...

Plus tard dans l'avant-midi, Dieulefit entendit au rez-de-chaussée des éclats de rire retentissants. Deux femmes, dont la marquise, échangeaient des propos sans doute cocasses et l'humeur était plus que joyeuse. L'on aurait dit de vieilles connaissances qui se retrouvaient. Trente minutes après, environ, le sergent fut à nouveau interrompu dans sa fastidieuse besogne de copiste. On frappait à sa porte.

— Madame de Lotbinière ! Vous ici ? Ça alors, si je m'attendais ! Entrez et asseyez-vous, je vous en prie.

Françoise Zachée, à soixante-cinq ans, était relativement menue mais elle était droite comme une épée. Trois fois veuve, elle portait une robe noire d'étamine sur soie et une coiffure de même couleur en mousseline unie, bordée d'un ourlet plat. Elle aurait été pimpante et assez jolie encore, n'eût été sa prédilection excessive pour la poudre et le rouge à lèvres. Voilà pourquoi, d'ailleurs, se disait le sergent, la Canadienne Geneviève Macard, pourtant du même âge, paraissait plus jeune et plus charmante.

— Je sens bien que je vous importune, sergent Dieulefit. Cependant, en dépit de ce que j'ai déclaré à mon amie Geneviève, c'est vous, en premier lieu, que je suis venue rencontrer.

— Et bien, soyez la bienvenue, madame. Je ne signalerai pas votre visite à ma future épouse car elle est très jalouse des belles femmes que je fréquente.

— Sergent, sergent! Vous êtes bel homme mais vous restez un homme, c'est-à-dire un flatteur et un fieffé menteur.

— Vous me causez beaucoup de chagrin, madame Chartier. Enfin, que puis-je faire pour vous être agréable?

Françoise Zachée toisa un moment son interlocuteur, un peu comme quelqu'un qui hésiterait à livrer son message.

— Je crois, sergent, que ce serait plutôt à moi de vous aider. Je vous intrigue, n'est-ce-pas? Alors voyons si j'ai raison. Il y a deux ans, vous avez fait appel à moi, ou plutôt à ma chambre sur porche, pour surveiller l'auberge de mon amie la veuve Fauconnier. Vous m'avez informée que vous recherchiez particulièrement un certain Marquet je crois, un beau blond avec un bandeau sur un œil. Vous vous rappelez?

— Bien sûr, madame. Grâce à votre aide, d'ailleurs, il s'en est fallu de peu que je ne mette la main au collet de mon borgne. Avec l'assistance de complices, il m'a échappé de justesse. En fait, cette nuit-là, il était accompagné d'un autre inconnu, de plus petite taille. Dites, madame, auriez-vous rencontré mon blondin récemment?

Excitée, la veuve s'avança sur le bout de sa chaise puis, les yeux pétillants, acquiesça: « Je crois bien que oui, sergent. Attendez que je vous raconte. »

«Hier matin, j'étais debout très tôt, au lever du jour pratiquement, car j'aime bien devancer tout le monde au marché : je veux avoir le premier choix, vous comprenez. J'étais à m'habiller dans ma chambre du porche car je ne déménage qu'en octobre, comme je vous l'ai expliqué. Tout à coup, une porte a claqué en face, de l'autre côté de la rue. J'ai immédiatement recherché à la fenêtre la cause du vacarme ; la lumière était suffisante pour éclairer les alentours et c'est là que j'ai aperçu notre homme, sergent. En sortant, il avait presque fracassé la porte de l'auberge Fauconnier. »

— Vous en êtes certaine, madame de Lotbinière ? demanda Dieulefit. Vous l'avez eu sous les yeux suffisamment longtemps pour le reconnaître, vous croyez ?

— Oui, monsieur, car avant de se diriger vers la côte de la Montagne, il lui fallut attendre cinq ou dix secondes pour traverser ma rue à cause de quelques attelages qui roulaient vers le marché. Pendant qu'il patientait, il était juste en face de moi, c'est dire si je l'ai vu ! Je ne pouvais me tromper car il avait son chapeau à la main. Une sacoche dans l'autre, il paraissait avoir quitté l'auberge pour de bon et il était d'évidence de fort méchante humeur, d'où certainement le bruit de porte. En fait, il n'y a qu'un détail qui ne cadre pas : barbe et cheveux blonds bien taillés avec des reflets de roux, taille moyenne, habillé de belle façon et propre, assez bel homme... sans bandeau toutefois.

— Jarnicoton ! grommela Bastien en écrasant son poing sur le bureau. C'était trop beau.

— Attendez, voyons ! Il me reste un détail à vous communiquer : il porte des lunettes aux verres ronds. Et le verre de gauche est noir, sans vision. Il me semble, à moi, que c'est bonnet blanc et blanc bonnet !

Le sergent sauta de joie en criant et, s'emparant de la veuve par la taille, la projeta dans les airs, ce qui provoqua chez elle un cri d'effroi.

La visiteuse était à l'apogée de son ascension lorsque la porte s'ouvrit. La marquise, avec Madeleine dans ses jupes, assista, ahurie et muette, au retour de la dame entre les bras du forcené.

— Mon doux Jésus, sergent, souffla péniblement madame de Lotbinière, mais calmez-vous, de grâce, ou vous aurez ma mort sur la conscience !

— Sébastien, que se passe-t-il ? intervint enfin Geneviève, les mains plaquées au visage. Vous êtes devenu fou ou quoi ? Laissez la dame, voyons ! Ces jeux ne sont plus de son âge !

Dieulefit, en guise de réponse, éclata de rire et embrassa sur les joues les deux vieilles amies. Puis il se sauva raconter la nouvelle au marquis.

*Dimanche, 16 septembre 1714*

D'Aloigny avait eu raison. L'abrutissante tâche de copiste avait rivé le sergent à la table de son cabinet jusqu'à deux heures de la nuit. Heureusement, Marie Racette, avant de se retirer dans sa chambre, l'avait gratifié d'une cafetière fumante et l' «homme à la belle plume» avait bien noirci une main de papier avant de se jeter tout habillé sur son lit.

Au déjeuner matinal, Bastien montrait des yeux creux et rougis de fatigue. Même ses fières moustaches noires étaient affaissées et, aux sempiternelles questions de la Madeleine, il ne répondait que par monosyllabes, le nez enfoui dans un bol de chocolat chaud. Lorsque le marquis se traîna jusqu'à la table et le félicita pour la corvée de la nuit, il ne lui réserva qu'un vague grognement.

Il accompagna la maisonnée à la messe dominicale de la cathédrale et il prit congé des d'Aloigny au sortir de l'église.

— Vous ne dînez pas à la maison, Sébastien ? Marie a mitonné un bœuf en daube à la mode poitevine qui embaume.

— Non merci, madame. En d'autre temps, ce serait avec plaisir, vous imaginez bien. Je me marie demain, vous n'avez pas oublié, j'espère, et j'ai beaucoup à faire en ce dimanche.

— Oui, railla Charles-Henri, dont convaincre une innocente créature de lier son sort à un chenapan de la Vienne! Il me semble qu'une aussi belle fille aurait pu trouver un meilleur parti, plus élégant, avec de la prestance, ma foi, du panache!

— À de tels propos diffamatoires, monsieur le marquis, je ne répondrai que par un dicton de mon pays et que mon père appréciait particulièrement; il a, en plus, le mérite d'être d'actualité: *Mieux vaut pain en poche que plume au chapeau!*

En retrouvant sa liberté, Dieulefit avait sa petite idée en tête: aller saluer l'hôtesse du *Grand Saint-Luc. Il y a longtemps que j'aurais dû rendre visite à la belle veuve.*

Lorsqu'il frappa à la porte de l'auberge, c'est le capitaine Durant qui ouvrit. Pendant le séjour du *Saint-Jérôme* dans le port, il avait élu domicile chez la veuve Fauconnier.

— Bonjour, salua Bastien. Ne seriez-vous pas le capitaine Durant dont m'a parlé monsieur Prat?

— Tout à fait monsieur. Mais à qui ai-je l'honneur…

— Sébastien Dieulefit, sergent des troupes mais, avant tout, secrétaire particulier du marquis d'Aloigny.

— Ah oui! Prat m'a aussi parlé de vous et de votre marquis. Vous serez tous deux mes hôtes, je crois, à bord du *Saint-Jérôme* dans quelques semaines?

Durant n'avait que quarante ans, environ. Plutôt court sur pattes, il présentait une taille fine, un visage rond et une chevelure clairsemée. Un peu distant dans ses manières, il paraissait très sérieux, néanmoins.

— Nous aurons en effet cet honneur, capitaine.

— Et là, vous venez pour me voir, sergent?

— Non pas, je désirais plutôt m'entretenir avec votre logeuse.

— Dans ce cas, vous allez m'excuser et je vais monter à ma chambre. Au revoir, sergent.

Charlotte Campion apparut dans la seconde au bas de l'escalier de la maison. Toujours bien mise, élégante même, elle n'en avait pas moins perdu son sourire enjôleur et c'est d'un ton monocorde qu'elle demanda: «Oui, monsieur, c'est pour une chambre?»

— Non, madame. J'aurais aimé m'entretenir avec vous de Vincent Marquet qui logeait ici jusqu'à tout récemment. Je suis le sergent Dieulefit et c'est assez important, si je puis me permettre.

La veuve Fauconnier était d'une humeur noire, triste et abattue. Clairement, la conversation n'entrait pas dans le programme de sa journée, toute dominicale fût-elle, et le sujet de son ancien amant était probablement le dernier qu'elle aurait accepté d'aborder. «D'autant plus que, pensa-t-elle soudain, personne n'avait eu vent des retours de Marquet à l'auberge après avoir fui la justice et sa propre complicité dans la dissimulation du traître demeurait secrète.»

— Monsieur Marquet, vous dites? Mais... je n'ai pas remis les yeux sur ce chenapan depuis deux ans. Il me doit d'ailleurs encore une semaine de loyer.

— Et pourtant, madame, l'homme a bel et bien été vu sortant de chez vous pas plus tard qu'il y a deux jours, très tôt le matin.

— Mais voyons... c'est impossible, répondit l'aubergiste en haussant le ton et en joignant les mains. Il y a erreur sur la personne, c'est certain. Puisque je vous assure que...

— Madame Fauconnier, je cherche ni à vous piéger ni à vous causer des ennuis. Je suis aux trousses d'un traître qui, fort probablement, a abusé de votre confiance et de votre... amitié. Il a troqué son bandeau pour des lunettes mais le borgne reste le même, je vous le répète.

Dieulefit, toujours dans la rue, regarda autour de lui et baissa la voix.

— Permettez-moi d'entrer afin de garder nos échanges confidentiels.

Et sans attendre l'invitation, il pénétra dans l'auberge et referma la porte. Interdite, sans voix, Charlotte ne trouvait pas les mots pour s'objecter et elle parvenait mal à cacher le malaise qui l'habitait. Elle se savait mauvaise dissimulatrice et elle craignait que, si bien informé, le sergent ne lise en elle comme dans un livre ouvert. Avant qu'elle n'ait pu trouver une esquive, Bastien avait résolu de profiter de son ébranlement et de jouer son va-tout : rien à perdre, tout à gagner.

— Je le répète, je ne vous veux aucun mal, encore moins vous compromettre. Sans appartenir à l'appareil policier ou judiciaire, je pourchasse, cependant, Marquet depuis longtemps. Ses complots et déplacements me sont connus. Je sais même ce qu'il était pour vous. En guise de preuve, je dirai seulement que, lors de la descente chez vous de la maréchaussée, il y a deux ans, les archers ne l'ont pas trouvé dans sa chambre parce qu'il était... dans la vôtre !

La foudre serait, à ce moment, tombée à ses pieds que Charlotte ne se serait pas décomposée davantage. Par réflexe, comme pour se mettre à l'abri, elle recula de trois pas en direction de l'escalier. Et là, la bouche bée et les bras ballants, elle resta silencieuse quelques instants.

— Mais ce n'est pas... mais comment ! Je ne vous permets pas... balbutia-t-elle enfin.

— Je ne transmettrai pas ces informations, vous avez ma parole. En échange, vous devez m'aider !

Dieulefit avait fait mouche. Clairement, il était parvenu à gagner un peu de sa confiance et, par-dessus tout, à la convaincre que son secret dépendait dorénavant de lui.

La salle commune, qui donnait sur la gauche en pénétrant dans la maison, était inoccupée si tôt le dimanche. L'aubergiste se dirigea au fond de la pièce, sans doute pour mieux protéger l'entretien d'oreilles indiscrètes.

— Pour vous prouver mes bonnes intentions à votre égard, dit l'enquêteur, je vais d'abord vous raconter ce que je sais de Vincent Marquet.

Brièvement, Bastien narra l'arrivée clandestine du Protestant à Québec, ses relations avec Chapelle et les prisonniers anglais, les notes prises et les plans dessinés en espionnant les installations défensives de la ville, l'introduction au pays des affiches infamantes envers le roi, la condamnation probablement injuste de Chapelle suivie de l'évasion de celui-ci des prisons, grâce à l'intervention de Marquet. Le sergent relata, enfin, son infructueuse poursuite des fuyards et leur départ à bord de *La Bonne Aventure*.

— En dépit de tous ces actes traîtres, poursuivit le sergent, Marquet est de retour au pays, nous le savons. Il a été vu et reconnu il y a deux jours quittant votre auberge au petit matin avec ses pénates. Deux questions se posent. D'abord depuis combien de temps est-il rentré et qu'a-t-il fait durant la période où je le croyais loin du pays ? Ensuite, quels sont ses plans maintenant qu'il est de retour ? Vous avez longtemps partagé sa vie alors que je le croyais absent, non ! Ne niez pas ! Et vous êtes la seule à pouvoir m'éclairer.

« Et laissez-moi vous dire ceci : il est parfaitement établi que, sous des dehors de simple apôtre et défenseur de la RPR, Marquet est un traître à son roi et à sa patrie. Nous avons tout lieu de croire que sa présence en ces lieux ne peut servir qu'à préparer, à la première occasion favorable, le retour de la flotte anglaise devant notre ville. Je connais les sentiments que vous éprouvez envers cet homme. Cependant, je vous exhorte à entendre ceci : les liens personnels ne doivent surtout pas vous aveugler l'esprit quant à sa déloyauté et sa fourberie. L'homme, j'en suis convaincu, n'a qu'un but : pour des frustrations au départ religieuses et personnelles, il souhaite la ruine du royaume de France et de ses colonies. »

Charlotte Campion avait, disons-le, écouté attentivement le laïus du sergent et elle avait été marquée par la sincérité évidente du propos. D'ailleurs, le portrait et le parcours de Vincent, ainsi retracés, correspondaient tout à fait à ce qu'elle aurait pu en dire.

Elle resta silencieuse un long moment puis elle accepta, enfin, d'entrouvrir son tiroir à secrets.

— Sergent Dieulefit, je vous estime sincère et franc. Je vous confesserai même, au nom de ma fidélité au roi et à mon pays, la Nouvelle-France, que vos paroles cernent assez bien le personnage de Marquet tel que je le connais. Je reconnaîtrai aussi que nous avons été amants pendant deux ans. Mais je me hâterai de préciser que Vincent, exception faite de ses croyances et croisades religieuses, ne se confiait pas à moi, connaissant fort bien mes loyautés. Cela vous devez le croire.

« Ma conscience m'impose, malgré tout, de vous ouvrir les yeux sur certains événements que vous semblez ignorer. Sachez, tout d'abord, que Marquet n'est jamais retourné en France à bord de *La Bonne Aventure*. En effet, seul Chapelle est demeuré à bord du vaisseau du capitaine Morineau ; Vincent est reparti en canot et il est rentré en ville. Craignant que la maréchaussée ne surveille mon auberge, il n'est pas revenu ici. Je n'en sais guère à ce sujet, bien qu'il semble qu'il ait eu un autre lieu de résidence à la haute ville.

« J'ignore totalement à quelles activités il s'est livré à ce moment. Il ne me parlait que de religion et des captifs anglais. Il est parti pour Boston à la fin de l'hiver, soit vers les mois de mars ou avril 1713. J'ai cru deviner que ce voyage difficile avait pour but de porter là-bas des papiers quelconques. Il est rentré au pays avec la mission anglaise de messieurs Williams et Stoddard qui est arrivée à Montréal en février dernier, je crois. »

Charlotte marqua un temps d'arrêt et recommença à se masser les mains, signe évident d'un malaise. Elle avait quelque chose à ajouter très certainement mais elle hésitait à parler.

— Et depuis ce temps, madame Fauconnier, que s'est-il passé ? Qu'a-t-il fait ? Ayez confiance, je tairai votre nom dans cette histoire, c'est promis.

Et Charlotte, dans un soupir de résignation, fit le récit du vol de documents chez le notaire Chambalon trois semaines auparavant, un crime qu'elle avait contribué à perpétrer croyant que les papiers volés ne concernaient que des Protestants traqués. Elle raconta, enfin, sa découverte du pot aux roses, la remise des documents puis sa rupture avec Marquet.

Puis l'aubergiste disparut vers la cuisine arrière d'où elle revint avec deux verres d'eau-de-vie. « Je ne sais pour vous, sergent, mais j'en ai grand besoin, tout à coup. »

Avant de mettre les pieds dans l'établissement, Dieulefit était certes habité d'un fol espoir, toutefois les révélations de la dame allaient bien au-delà de ses attentes. Enfin, il avait devant les yeux un canevas opérationnel cohérent, venant éclairer plusieurs trous noirs qui, depuis longtemps, hantaient son esprit et sa compréhension des événements.

Il cala d'un coup son verre et réfléchit un instant; «Vous dites, madame, que Marquet a quitté rapidement votre auberge. Aurait-il, dans sa hâte, abandonné ou oublié ici certains objets personnels, des papiers, des lettres, je ne sais trop?»

— Je n'ai rien remarqué, en tout cas. D'ailleurs, il rangeait toujours ses effets dans son grand sac. Il était sur le qui-vive et comptait bien s'échapper en vitesse à la moindre alerte.

— Vous n'avez donc rien conservé de lui, souvenirs ni mots doux?

— J'avais, effectivement, reçu deux ou trois billets de lui, mais je les ai brûlés l'autre jour.

— Et son nom? Je ne crois pas que «Marquet» soit sa véritable identité; n'a-t-il jamais rien dit à ce sujet?

— Non, il n'en a jamais prononcé d'autre, autant que je me souvienne.

Bastien se leva et remercia sincèrement Charlotte Campion pour sa franche collaboration et son sens du devoir.

— Je n'ignore pas ce qu'il vous en a coûté de m'ouvrir ainsi votre carnet intime et je n'en suis que plus reconnaissant, croyez-le, madame Fauconnier. S'il vous revenait en mémoire des faits susceptibles de compléter mon dossier, j'ose espérer que vous les porterez à ma connaissance. Vous pouvez me joindre soit à l'auberge du *Dauphin d'Acadie*, rue Saint-Nicolas, soit chez le marquis d'Aloigny, au coin de la rue de Buade.

Charlotte, l'espace d'une seconde, fixa le vide. «Attendez, sergent, je viens de penser à quelque chose.» Elle quitta la salle et gagna sa chambre, à l'arrière de l'auberge. Peu de temps après, elle réapparut tenant à la main un manteau d'homme en serge bleu marine qu'elle remit au sergent: «J'oubliais ce capot. C'était le sien mais il ne l'a jamais porté devant moi. Un jour d'hiver, je me rappelle, il l'a sorti de son sac et me l'a donné, me disant d'en disposer à ma guise.»

Bastien l'examina attentivement. Un vêtement tout simple et banal, du genre de celui que tout paysan ou manouvrier portait à la ville comme à la campagne. Il était évidemment muni d'un capuchon mais ne montrait aucun parement ni rabat, contrairement aux plus élégants. Il ne croisait pas, non plus, sur la poitrine et ne fermait que grâce à quatre boutons dont un au col. Point de belle ceinture rouge pour celui-ci. À l'origine, deux poches à l'avant avaient tout de même agrémenté ce pardessus mais, depuis, l'une d'elles avait été arrachée.

Le sergent chercha la lumière de la rue pour inspecter à nouveau le vêtement. Il examina l'endroit où une poche manquait puis fouilla l'intérieur de l'autre. Elle contenait un morceau de papier qui, vraisemblablement, avait d'abord été froissé avant d'être comprimé par d'autres objets.

Sous le regard intrigué de l'aubergiste qui s'était approchée, Dieulefit défroissa délicatement le papier, un carré d'environ trois pouces et demi de côté. Apparut alors le plan intérieur d'un bâtiment également carré, tracé assez grossièrement au crayon. Le chiffre « 1 » était inscrit, en bas à gauche. À l'endos, un plan similaire était dessiné, au bas duquel apparaissait le chiffre « 2 ».

Le sergent montra le papier à la veuve et dit simplement, en le retournant : « Un bâtiment, deux étages. » Il s'attarda au rez-de-chaussée dessiné.

— Regardez, dit-il. La construction n'est pas véritablement carrée : à gauche, ici, et là, un léger pointillé démontre qu'elle se poursuit dans cette direction ; même chose sur le tracé du second étage. Il s'agit donc de la section de droite d'un bâtiment plus vaste. D'autre part, la division des pièces, la localisation des portes d'accès, et aussi de l'escalier, indiquent que la personne qui a tracé ce plan accordait de l'importance à ces renseignements.

« Eurêka ! Comme disait le chanoine, j'ai trouvé ! Madame Fauconnier, vous avez sous les yeux le plan de la partie droite du palais de l'intendant, soit le logement et les bureaux de monsieur Bégon. Ici, le rez-de-chaussée, que je connais assez bien pour y avoir été à quelques reprises. Remarquez la salle de réception, le large vestibule d'entrée, vers l'arrière les bureaux, ici l'escalier qui mène à la cuisine de la cave et là celui vers l'étage supérieur.

«Ce qui intéresse notre homme au premier degré, ce sont les bureaux: le plus vaste, celui de l'intendant est marqué d'un «B» pour Bégon, à ce qu'il semble; le plus petit, ici, qui débouche sur une chambre, laisse voir un «S», pour Seurat, probablement, ou encore «secrétaire». Tout concorde. Notre homme voulait s'introduire, de nuit sûrement, chez l'intendant. Bien évidemment, le vol était son but, le vol de documents car seuls les bureaux sont identifiés.

Dieulefit s'interrompit et se tourna vers Charlotte Campion: «Ne m'avez-vous pas dit, il y a un instant, que Marquet vous avait refilé ce capot en hiver?»

— Très certainement, sergent, et... doux Jésus! Vous savez à quoi je pense?

— Oui, je crois. À la fameuse tempête de la nuit du 5 janvier, il y a deux ans, celle au cours de laquelle le palais a été la proie des flammes.

— C'était mon premier hiver à Québec, se rappela l'aubergiste, et jamais je n'avais entendu le vent hurler aussi fort et brasser des maisons aussi violemment. Je n'avais pas fermé l'œil de la nuit. Le froid pénétrait à l'intérieur par la moindre des fentes et, au creux de mon lit, je récitais des prières que je n'avais plus dites depuis ma plus tendre enfance... Mais alors... Marquet serait un meurtrier! Et j'aurais pu être sa complice!

— Je crois, en effet, dit Bastien en se redressant, que nous possédons maintenant un sérieux indice quant à l'identité du criminel.

La dame Fauconnier ne dit mot.

Le sergent poursuivit son investigation du capot bleu. Il en palpa toutes les bordures, toutes les coutures, puis, dans une ultime vérification, il plongea la main dans la poche intérieure du manteau. Perplexe, il en ressortit une clé, assez particulière, d'ailleurs, car son anneau enfermait une fleur de lys dorée.

Une fois encore, l'aubergiste et son visiteur échangèrent un long regard.

— Si je ne m'abuse, madame, notre indice précédent acquiert de la valeur. J'en mettrais ma main au feu mais, avant de conclure, une vérification auprès de monsieur l'intendant s'impose. Si vous le permettez, j'emporte la clé et, dès demain... non demain, je me marie... mais après-demain je vous apporte des nouvelles fraîches.

Bastien quitta la dame Charlotte au son de l'angélus du midi. Mais celle-ci n'entendait pas les cloches. Son esprit était ailleurs, auprès d'un homme qui lui avait pourtant si bien fait l'amour et qui s'adressait à elle comme un prince. Quelle déveine, tout de même !

Lorsque Dieulefit s'avança lentement vers l'intendant, celui-ci terminait son repas du dîner, à l'extrémité de la table de la salle à manger du palais épiscopal. Tout naturellement, le visiteur adopta un air digne, fermé et un peu mystérieux. C'est chez son maître le chanoine qu'il avait puisé cette façon un peu théâtrale de dévoiler un mystère ou de divulguer un secret.

Monsieur Bégon était privé de la compagnie de sa femme, Élisabeth, qui relevait de couches et pleurait encore le décès de son nouveau-né. Pour la circonstance, il avait donc invité son secrétaire intérimaire, le notaire Barbel, à partager son repas. Les deux hommes étaient déjà intrigués par la demande d'audience, à cette heure, du secrétaire du marquis d'Aloigny. Ils n'en furent que plus inquiets lorsque Dieulefit s'approcha, tête haute, le menton pointé et le regard impénétrable.

— Soyez le bienvenu, monsieur Dieulefit. Vous avouerais-je que votre présence ici, maintenant, me trouble un peu ?

Mais asseyez-vous, d'abord, et prenez le café avec nous, cela détendra l'atmosphère.

— Si vous le permettez, monsieur l'intendant, je passerai outre à votre aimable invitation et resterai debout car j'ai peu de temps. Je me marie demain matin, voyez-vous, et j'ai beaucoup à faire.

Bégon et Barbel échangèrent un regard perplexe.

— Puisqu'il en est ainsi, monsieur, je vous écoute, dit l'intendant.

Tel un acteur de tragédie, Bastien présenta la main qu'il tenait cachée dans son dos puis, dans un silence de circonstance, il exposa lentement aux convives la clé énigmatique. Il la tenait par le panneton afin que l'anneau soit bien à la vue. Toujours muet, il s'avança et la déposa délicatement sur la table, sous le nez de Bégon.

Il est certain que celui-ci reconnut immédiatement sa clé. Mais l'incrédulité dans son regard était telle qu'il ne sut le montrer qu'après une bonne seconde. Et alors, tel le jeune Arthur, brandissant Excalibur après l'avoir dégagée du rocher, il se leva, la saisit à deux mains et l'exposa à la lumière. On l'aurait cru hypnotisé par un objet magique ou d'une grande beauté. Puis, se maîtrisant, il comprit soudain combien sa joie était futile. Le bel objet n'était plus d'aucune utilité. À prime abord, la clé ne conservait qu'un pouvoir évocateur : celui des flammes, des ruines et de la mort. Néanmoins, ne donnait-elle pas accès au royaume des conjectures ?

— Monsieur, expliquez-moi, murmura l'intendant. Comment cette clé se retrouve-t-elle entre vos mains ? Vous connaissez son usage ?

— Si vous me confirmez, monsieur, que la clé vous appartient et si vous consentez à m'avouer qu'elle ouvrait un tiroir de votre bureau privé, je pourrai vous apprendre que, malheureusement, l'incendie de votre palais, dans lequel vous et madame votre épouse avez risqué votre vie, ne fut pas d'origine accidentelle. Je vous dirai qu'un voleur s'était introduit chez vous, cette nuit-là, et qu'il a camouflé son crime en allumant délibérément ce feu mortel avant de prendre la fuite. À vous de voir, maintenant, monsieur l'intendant, ce que contenait ce tiroir fermé à clé et de donner suite à cette découverte si vous le jugez à propos.

Monsieur Bégon jeta un coup d'œil à son secrétaire, assis à sa droite, et rumina quelques longues secondes. Puis, levant enfin les yeux sur le sergent : « Est-ce que l'on connaît le responsable de ces crimes ? »

— Oui, monsieur. Il est décédé maintenant, c'était un Huguenot de Boston.

Dieulefit avait, dès le départ, prévu la question et sa réponse avait été mûrement réfléchie. D'un côté, il avait promis l'impunité et l'anonymat à Charlotte Campion sans laquelle, de toute façon, la culpabilité de Marquet dans les événements d'il y a deux ans comme dans les plus récents chez le notaire, n'aurait pas été connue. D'un autre côté, il était convaincu que Bégon préférerait d'emblée ne pas ébruiter l'affaire du vol des documents et des circonstances réelles de l'incendie.

Depuis la tragédie, les cendres refroidies étaient bien dispersées ; le ministre Pontchartrain n'apprécierait vraiment pas apprendre maintenant que des documents de première importance avaient été dérobés à la barbe de l'intendant. Des revers semblables avaient souvent coupé court à des carrières pourtant bien engagées dans l'administration du royaume et l'expérimenté Bégon en était bien conscient.

Bastien se retira avec le sentiment du devoir accompli. Avait-il entendu la remarque récente du gouverneur : *Où se situe l'intérêt véritable du roi ? C'est ce qu'il convient d'avoir toujours à l'esprit.* Au nom de la justice, cependant, celle que réclamaient Seurat et les autres victimes de l'incendie, Marquet devait maintenant être capturé et mis hors d'état de nuire. Dans le sort ultime qui lui serait réservé, le sergent sentait bien sa responsabilité engagée. L'avenir trancherait, se disait-il.

❧

*Lundi, 17 septembre 1714*

Sous un ciel maussade et menaçant, brassé par un méchant nordet, en cet été presque achevé, l'ex-sergent «Sébastien Dieulefit, dit La Plume, fils de feus Romain Dieulefit, régisseur du château de la Groye, à Ingrandes en Poitou, et de Jacquette Thibaude, sa femme, originaire dudit lieu d'Ingrandes» épousa la belle «Françoise Granger, native du Port-Royal, en Acadie, veuve de Bertrand Genest et fille de feus Jean-Baptiste Granger, habitant dudit Port-Royal, et de Perrine Comeau, sa femme».

Pour la circonstance et compte tenu de l'ordonnance royale, le marié perdit sa qualité de sergent des troupes et le privilège de porter son bel uniforme blanc-gris et rouge. La métamorphose, bien qu'il y eût été habitué depuis qu'il exerçait la charge de secrétaire particulier, n'avait pas été sans convaincre encore davantage l'ancien sous-officier qu'en ce jour, deux pages se tournaient à la fois: il unissait sa destinée à la femme choisie et, du même coup, il abandonnait le seul métier qu'il ait connu, celui des armes. Il effectuait, en quelque sorte, une révolution complète sur lui-même.

Pour sa part, en sortant de la cathédrale au bras de son mari, Françoise s'efforçait de paraître paisible et décontractée, adressant ses plus beaux sourires aux invités et acceptant sans rougir les vœux de ces derniers, y compris ceux ayant trait à la *belle et nombreuse progéniture*. Bien sûr, nul ne pouvait ignorer, parmi les parents et amis réunis, comme aussi dans le groupe des habituels curieux, que le nouveau couple avait fêté Pâques avant les Rameaux. Fanchon exhibait d'autant plus facilement sa grossesse de sept mois que son homme, sous ses noires bacchantes retroussées, affichait la fierté du paon.

Sur la place d'Armes, chez Aussion, le P'tit père, tous avaient goûté l'excellent graves de la Gironde importé par le patron et l'on avait trinqué à la santé des nouveaux mariés.

Au sortir de la joyeuse assemblée, les sergents Chandonné et Framery, de la compagnie d'Aloigny, avaient organisé une réunion informelle d'un certain nombre d'anciens compagnons d'armes de Dieulefit, maintenant mariés et installés dans la ville. Des cabaretiers et des aubergistes, évidemment, comme Chandelier, dit Saint-Louis ou Gatin, dit Saint-Jean, mais aussi le ferblantier Loiseau, le journalier Billy, le cordonnier Prudhomme et quelques autres.

Vers midi, alors que les occupants du *Dauphin d'Acadie* regagnaient leur demeure, Fanchon et Bastien se surprirent à rire en aparté.

— Est-ce parce que nous formons dorénavant un couple respectable que nous rions chacun dans son quant-à-soi? demanda le marié Je croyais que le couple était partage?

— J'ai aucun secret pour toi, sergent, tu devrais l'savoir! Moi, je revoyais le curé Thiboult qui, en nous bénissant, ne pouvait s'empêcher de lorgner ma couvée. Il doit se réjouir, maintenant, d'avoir tiré des griffes du démon l'une de ces dangereuses veuves d'auberges, Celles par qui le mal arrive dans la vie des hommes! Mais toi? Qu'est ce qui t'amusait tant?

— Oh moi! Je me rappelais mon père et ce qu'il m'avait dit alors qu'à quinze ans je ne rêvais qu'aux filles et à leur corps comblé de mystères joyeux. Avec ses mots de maquignon il m'avait prévenu, en me regardant sévèrement avec des yeux de charbonniers: «La femelle pleine sera celle que tu épouseras!»

On dit parfois que les amoureux ont le bonheur hermétique et inconscient. Cela est probablement attribuable à une perfusion mutuelle d'humeur irraisonnée sous l'influence de laquelle ils se retrouvent en état d'osmose. Le goutte-à-goutte, dirait-on, se produit sous cloche et paraît exclure tout contact avec la réalité extérieure.

Si, un peu plus tôt, en rentrant chez eux, les nouveaux mariés avaient croisé sur la place de la cathédrale le docteur Sarrazin portant à son tour au curé la minuscule dépouille empaquetée de sa fille de quelques jours, l'auraient-ils seulement remarqué ?

◆

Trois jours plus tard, Philippe de Rigaud de Vaudreuil s'embarquait sur *L'Afriquain* et quittait le pays pour un séjour de deux ans en France. À bord du vaisseau du roi, commandé par le capitaine de Voutron, prenaient aussi place les trente soldats et quatre officiers des troupes de la Marine que le gouverneur de la Nouvelle-France allait conduire à Louisbourg, ce poste de pêche que d'aucuns considéraient comme la clé du continent et de la survie de la colonie.

# XIX

## *Fiat Lux*

« F anchon, c'est la dernière fois que je te le demande : c'est oui ou c'est non ? Moi, je dois donner ma réponse à Durant aujourd'hui. Nous sommes à la fin octobre et *Le Saint-Jérôme* va appareiller dans une ou deux semaines. »

L'Acadienne lança un œil excédé à Dieulefit, attablé dans la cuisine, qui trempait son pain beurré dans un bol de café. Elle pointa sèchement du doigt la salle où quatre personnes attendaient leur déjeuner. *Bonne Sainte-Anne ! Quand y' m'tombe dessus, lui, avec ses discussions pendant que j'ai l'écume à la bouche !*

Quarante-cinq minutes plus tard, Françoise venait de saluer le dernier client. Elle réapparut dans la cuisine, en replaçant son chignon et sa coiffe. « Excuse-moi, sergent, mais c'tait pas l'temps, tu comprends ? Demande-moé pas un oui ou un non dans une situation pareille, pis surtout quand c'é sérieux, bonté divine ! »

— Voyons, ma douce, on en a parlé en long et en large, je t'ai tout expliqué, je t'ai fourni tous les détails afin que tu puisses te faire une bonne idée. Ça fait plus d'un mois que Julien a abordé la question et je ne vois pas pourquoi je lui refuserais ce plaisir, alors que son passage ne pose pas de problème. Je le prendrais avec moi dans ma cabine et le capitaine lui installerait un branle pour dormir. Avec moi, il ne risque rien, tu le sais. Il rêve de voir le pays et de naviguer, c'est de son âge ! Et puis, j'aimerais faire ça pour lui maintenant que... bien, maintenant que je suis son père, en quelque sorte.

Françoise ne relevait pas les yeux de son bol de café froid. Elle jonglait. Jamais le Papou ne l'avait quittée ; même veuve, elle avait toujours veillé sur lui et contrôlé ses allées et venues.

— N'oublie pas, non plus, insista Bastien, qu'il est maintenant âgé de dix-sept ans ; ce n'est plus un enfant. Ne suis-je pas arrivé au pays à quinze ans ? Et puis, il y a autre chose. Hier nous étions ensemble pour le *Te Deum* de Notre-Dame–des-Victoires et, en rentrant, après la cérémonie, on s'est arrêté sur le sentier des remparts pour assister au tir des canons et des mousquets auquel répondirent les sabords du *Saint-Jérôme* et de *L'Heureuse*. C'est à ce moment que Julien m'a raconté ses déboires amoureux : Madeleine Normand, qui a d'ailleurs dix-neuf ans maintenant, a jeté son dévolu sur André Marcoux, de Beauport, un jeune veuf sans enfant, jouissant déjà d'un beau patrimoine. Semble que le mariage serait pour bientôt et le Papou est inconsolable. Tu l'as bien vu ronger son frein dans la maison et tourner en rond comme un ours en cage.

— Tu sais ben que oui, répondit Françoise. Mais là, au moins, j'sais pourquoi. C'é pas à moé qu'y se confierait comme ça !

— L'essentiel, c'est qu'il parle, à toi ou à moi, quelle différence en fin de compte ? Non, tu vois, l'aventure arriverait bien à point pour le jeune ; il jonglerait à autre chose et retomberait sur ses pattes. D'ailleurs, pour parler franchement, je te dirai que s'il traîne sa misère encore bien longtemps, ici à Québec, il risque fort de s'engager pour l'ouest ou comme matelot dès qu'il aura dix-huit ans. Il rêve d'espace et de large ; aussi bien être à ses côtés dans ses premiers pas.

Elle le regarda, bouche bée et consternée, et puis chercha dans les yeux noirs de son homme la confirmation de cette idée à prime abord farfelue.

— Oui, c'est très sérieux, ma mie. Les jeunes gars de cet âge se retrouvent à un carrefour et c'est souvent à ce moment que, prêts ou non, informés ou pas, ils se lancent dans une direction ou l'autre. Comme toi, sans doute, je souhaite que Julien connaisse autre chose que la souille de l'intendance avant d'échafauder ses plans de vie. Les quelque huit mois pendant lesquels nous serions absents de la maison lui seraient profitables, je te l'assure!

— Et tu promets que tu me le ramèneras bien vivant et en santé?

En prononçant ces mots, Fanchon était venue prendre place sur les genoux de Bastien et, entre ses deux mains, elle tenait le visage de celui-ci, imprimant sa prière dans la profondeur de son regard. Puis elle chercha refuge au creux de son cou et pleura en silence.

Toute la journée, Dieulefit et d'Aloigny s'étaient enfermés dans le bureau de ce dernier afin de préparer les dossiers que le commandant transmettrait à son successeur pour la gouverne des troupes de la colonie. Certes, le marquis serait de retour au pays dès l'été suivant mais, d'ici là, l'intérim confié au major de Louvigny[210] devait pouvoir s'exercer dans la plus parfaite continuité.

Pour la circonstance, Bastien avait descendu du grenier une table en pin afin de prendre en dictée les instructions et rappels du commandant. Trois soldats à la demi-solde, qui rentraient en France à bord du *Saint-Jérôme,* avaient aussi besoin de certificats

---

210 Louis de Laporte, sieur de Louvigny (env.1662-1725), arrivé en Nouvelle-France avec d'Aloigny en 1683, également en qualité de lieutenant des troupes.

de service et de mise à la retraite, sans compter des permissions de s'embarquer.

Le soir descendait lentement sur la ville lorsque le secrétaire endossa son justaucorps et revêtit sa cape. Avant de quitter la maison de la rue de Buade, il se faufila dans la cuisine pour saluer dame Geneviève et Marie qui mettaient la dernière main au plumage et à la préparation de deux perdrix. Assise à la table, Madeleine coupait machinalement et sans enthousiasme les choux et les raves d'accompagnement sous le regard compatissant des deux femmes.

Trois semaines auparavant, Étienne Gilbert, le père de la jeune servante, était mort subitement chez lui, dans la seigneurie de Maure. Son fils Augustin, âgé de dix-sept ans, l'avait découvert inanimé au bout de sa terre. Pour Madeleine et sa sœur Louise, les cadettes de la famille, qui n'avaient, à vrai dire, pas connu leur mère, la nouvelle de ce décès avait été ressentie très cruellement. Un vif sentiment d'abandon et de vulnérabilité avait assailli Madeleine et, à douze ans, l'on aurait pu croire que sa gaieté communicative et sa franche spontanéité étaient à jamais perdues.

Bastien se glissa derrière elle et lui vola un baiser sur la joue. L'espace d'une seconde, elle sourit tristement puis détourna la tête. Il regarda les deux cuisinières : *Quel spectacle désolant ! Quelle impuissance aussi à y remédier...* Geneviève l'accompagna à la porte et lui souffla : « Louise viendra lui tenir compagnie durant une semaine puis, celle d'ensuite, on renversera les rôles. De la sorte, la solitude et l'angoisse seront plus supportables. »

Dieulefit passa la porte et, à son d'habitude, dans la cour intérieure, rendit cérémonieusement le salut militaire que Valentin lui adressait, talons bien accolés et balai à feuille serré contre sa cuisse : « Repos, mon brave ! » Il s'engagea dans la rue de Buade et il sentit la bise mordante du fleuve qui plaquait sa longue cape contre son dos et ses mollets. C'est donc la main sur le tricorne qu'il contourna la cathédrale et remarqua le bedeau qui cheminait vers l'église. Une bourrasque virevoltante emporta l'informe chapeau de feutre de Brassard jusque dans les jambes de Bastien.

« Monsieur le bedeau ! J'ai quelque chose pour vous ! »

— Ah ! Merci sergent ! Sans vous, j'en étais quitte pour aller le courir chez les Jésuites.

— Vous paraissez accablé, monsieur Brassard ; vous êtes de corvée par les temps qui courent, n'est-ce pas ?

— Corvée, vous dites ? Une maudite, en effet ! Heureusement, mon garçon Jean-Baptiste s'envoye tout le gros du travail parce que moi, à soixante ans passés... Mais le plus difficile, c'est de côtoyer tout ce malheur au quotidien. Cette ribambelle de nouveau-nés et d'enfants, à peine sortis de terre et fauchés au ras du sol, arrachés à leurs parents. C'est démoralisant comme vous ne pouvez pas savoir.

« Vous savez combien on a enterré de corps jusqu'à maintenant ? Depuis juillet, cent vingt-cinq ! De ce nombre, environ cent dix enfants ont été emportés par la rougeole. C'est d'une tristesse... En passant, sergent, vous savez que monsieur Duplessis est à l'agonie, ici au coin de la rue ? »

— Je savais que sa santé était chancelante, sans plus. De ce pas, je vais aller prendre de ses nouvelles. Bon courage !

Dieulefit parvint rapidement chez le trésorier de la Marine. Sur un vaste terrain, la maison de pierre du haut fonctionnaire regardait la place et elle était érigée à l'écart de la rue. Ainsi, à l'exemple de la résidence des d'Aloigny, elle bénéficiait d'une cour avant close par un muret de pierre de trois pieds de hauteur.

Marie Leroy vint ouvrir. Grande femme très mince et à l'air sévère, elle avait épousé Duplessis à Paris, il y avait près de trente ans, avant de le suivre dans la colonie avec leur fille aînée. Le trésorier de la Marine et Dieulefit avaient assez fréquemment travaillé de concert et l'ex-sergent n'était pas un étranger dans la maison. Elle le fit entrer dans leur salon où l'âtre répandait une agréable chaleur.

— Le cœur semble avoir cédé tout à coup, expliqua-t-elle avec un très léger sanglot dans la voix. Le médecin n'a pas d'espoir, malheureusement. Pour le moment, il dort mais il paraît très faible ; je ne sais s'il passera la nuit.

— L'attaque me semble bien soudaine, non ? questionna Bastien.

Tendant ses mains vers le foyer et fixant les flammes des yeux, elle répondit sèchement : « Hier, aujourd'hui, demain, peu importe, en fait. Mon mari était condamné, sergent. C'est notre bon intendant qui lui a signifié son arrêt de mort. Je suis certaine que le marquis vous a mis au courant si vous ne l'étiez déjà. »

L'histoire était bien connue car elle était aussi sensationnelle qu'unique. Lors de l'incendie mémorable du palais, en janvier 1713, le feu avait consumé, parmi tant d'autres choses, des bons et papiers du trésor, des pièces justificatives de dépenses et, surtout, plusieurs centaines de milliers de livres en monnaie de carte. En sa qualité de trésorier-receveur, le sieur Duplessis était responsable de toutes ces valeurs. L'intendant, en bonne partie par inimitié personnelle, avait convaincu le roi et son ministre que le fonctionnaire devait rembourser les sommes perdues, soit plus d'un million de livres !

— Si mon mari décède, c'est moi et les miens qui devront couvrir la dette. Voilà de quel bois se chauffe notre noble intendant de justice ! Et dire qu'au même moment, il traficote avec des marchands sur le blé et le retrait du marché à moitié prix de la monnaie de carte. Bégon s'est fait les dents en France, pourtant c'est ici qu'il est venu festoyer et se remplir les poches.

Une fenêtre à carreaux, par-delà la cour intérieure, ouvrait la vue sur la place Notre-Dame et, en dépit de la noirceur envahissante, il restait possible d'observer le va-et-vient des piétons devant la maison. C'est ainsi qu'au moment de prendre congé de la dame Leroy, Dieulefit aperçut du coin de l'œil deux hommes, marchant côte à côte, qui descendaient lentement la rue. Sur le champ, il reconnut le chevalier de Sanzelles et Vincent Marquet, engagés dans une conversation animée. Ils s'arrêtèrent devant la maison voisine, celle de l'ancien officier, poursuivirent pendant quelques secondes leur échange de propos et entrèrent enfin dans la demeure.

Immédiatement, Sébastien retrouva la voie publique, fit quelques pas en direction de la maison du chevalier puis s'immobilisa et observa les lieux. Sa décision était prise : on ne rate pas un tel coup de chance. Il poussa la porte de bois du mur d'enclos, restée entrouverte, et franchit la cour avant. Au moment de se saisir du heurtoir, des éclats de voix parvinrent à ses oreilles.

— Quand comprendras-tu, enfin, que c'est terminé ? La paix est signée, les prisonniers consentants sont rentrés chez eux et l'hiver ne tardera pas à se montrer. Que feras-tu, ici ? Jouer au prédicant du désert en plein Québec ? Ça n'a pas de sens, tu dois partir et retourner en France. D'ailleurs, tu risques ta vie dans cette ville ; des gens te connaissent et ce n'est qu'une question de temps avant que tu ne sois arrêté.

De toute évidence, Sanzelles avait prononcé ces paroles tout en marchant de long en large dans la salle commune. Marquet, pour sa part, devait avoir pris place à la table, vers l'arrière de la pièce, car il répondit d'une voix un peu lointaine mais régulière :

— J'ai pensé à tout cela, tu imagines bien. Mais je me dis que l'encre de ce traité n'aura pas le temps de sécher avant qu'il ne soit déchiré. Les colonies d'Amérique forceront la main de l'Angleterre et reprendront l'assaut vers Québec.

« La mission que je me suis confiée, si elle est interrompue, n'est pas pour autant terminée. Quelqu'un doit faire rapport sur tous les aménagements défensifs récents et à venir dans la colonie, c'est vital. Et il y a les postes de l'ouest et Louisbourg à visiter. Enfin, tu me l'as dit toi-même, d'Aloigny et Dieulefit prendront place à bord du Saint-Jérôme ; tu ne crois tout de même pas que je vais m'embarquer en leur compagnie ?

— La croisade a assez duré, ne vois-tu pas ? rétorqua le chevalier en haussant le ton. Porter assistance aux religionnaires, j'en suis et je l'ai prouvé. Ta bonne œuvre, cependant, s'est depuis longtemps transformée en félonie et je n'ai pas l'intention de te suivre plus longtemps dans cette voie indigne. En fait, je ne te pardonne pas de m'avoir caché si longtemps tes véritables desseins. Tu m'as utilisé, trompé et entraîné sur le chemin de la trahison. Je n'irai pas plus loin.

« Je veux que tu disparaisses de ce pays. *L'Heureuse* lèvera l'ancre très bientôt. Je connais son capitaine, Bernard Vayres, mais surtout son affréteur, le marchand Riverin. Il te fera une place à bord pour gagner La Rochelle, compte sur moi! Et sache bien ceci : il y a longtemps que je t'aurais dénoncé si tu n'étais mon frère!»

À l'extérieur, la révélation laissa Dieulefit pantois et incrédule. Pendant qu'un sifflement envahissait ses oreilles, toutes les images associées à l'imbroglio des deux dernières années papillonnèrent dans sa tête. Ce n'est qu'au prix d'un violent effort que son esprit vif les présenta dans un ordre enfin compréhensible.

— Jarnicoton! *Fiat lux!*

À ce moment, Bastien réalisa que le fruit était mûr et le temps de le cueillir venu. Il actionna le heurtoir. Du coup, le silence se fit à l'intérieur de la maison. Sanzelles vint ouvrir, le visage aigri.

— Dieulefit? Que se passe-t-il?

— J'aimerais m'entretenir avec vous, chevalier, dès maintenant.

— Il vous faudra repasser, j'en ai peur, sergent. J'ai un invité présentement.

L'ancien officier avait parlé d'un ton impatient avec, à la clé, une pointe d'irritation. Pour autant, le visiteur n'en fut pas désarçonné.

— Écoute-moi bien, Jacques. Je suis au parfum de toute l'affaire et je sais aussi que ton invité s'appelle Gédéon de Sanzelles, chevalier de Maujean, ton frère, ou, si tu préfères, Vincent Marquet. Alors, permets-moi d'entrer car nous avons tous à parler sérieusement.

Le ton et le regard de l'ancien sergent étaient si déterminés, sa déclaration si extraordinaire, que le maître de maison, encore abasourdi par la tournure des événements, s'effaça et lui fit signe d'entrer.

Maujean était resté sur place même si, terrorisé, il avait d'abord pensé fuir. Il avait préféré mettre à profit la brève conversation, à la porte d'entrée, pour adopter une contenance désinvolte et assurée. À cette fin, il était demeuré assis à la table de la salle à manger et avait croisé négligemment ses jambes étendues. Un sourire et un œil goguenards étaient même venus maquiller son visage.

— Et bien! dit-il d'entrée, pour une surprise, ç'en est toute une! Si je m'attendais à revoir, ici et maintenant, le bon petit Bastien des curés, le fils spirituel du chanoine Chasteigner, le petit soldat du marquis de la Groye, son «maître Jacques», que dis-je, son torche-cul! Belle journée pour tuer le veau gras, ne dirais-tu pas mon frère?

«Et tu n'as pas changé depuis les heureux jours d'Ingrandes. Moins crotté, il est vrai, mais toujours aussi fouineur, touche-à-tout et paysan. Je suis cependant peiné de constater que tu écoutes encore aux portes à ton âge. Je me rappelle du jour où, juché dans l'échelle du pigeonnier, tu nous avais épiés, Pointureau et moi, alors que nous organisions un rendez-vous nocturne. Toujours à écornifler et à moucharder. Quelle vocation!»

On ne la lui faisait pas, à l'ancien sergent. Il connaissait la musique: parler, discourir, haranguer pour ne pas avoir à répondre. Vieux comme le monde. Il attendit donc que Gédéon ait épuisé sa faconde. Pendant ce temps, il cherchait à comprendre comment il avait pu ne pas reconnaître son ancien compagnon de jeunesse. La barbe, peut-être? Les lunettes, sûrement. De plus, l'œil qui lui restait, au fil des années et des vicissitudes de parcours, s'était enfoncé dans l'orbite; ce qui, jumelé à l'épais sourcil en broussaille, lui conférait un air farouche et dissimulateur.

Bastien s'avança lentement vers la vaste table tout en détachant sa cape et en retirant son chapeau. Avant de parler, il lorgna du côté du frère aîné qui, manifestement, craignait pour la suite des choses et demeurait planté au sol, dans l'expectative.

— Ainsi donc, Gédéon, tu es bien vivant et tu as survécu à ton accident de cheval.

En disant cela, avec un sourire narquois, il regarda à nouveau en direction de l'ancien lieutenant. Puis il reprit.

— Je réalise que tu n'es pas emballé de me voir et nous savons tous les deux pourquoi, n'est-ce pas? Cela dit, après avoir assisté à tes méfaits, ici, depuis deux ans, et surtout après avoir tenté de les contrer, je ne m'attendais pas vraiment à ce que tu m'accueilles à bras ouverts. Je ne suis donc pas surpris que tes premiers mots aient cherché à salir les gens que j'affectionne particulièrement. Même mes parents font l'objet de tes sarcasmes. C'est que tu as oublié ce que ton propre père aimait à dire: *Le paysan n'a de grossier que ses sabots.*

« Quant à écouter aux portes, j'avoue qu'aujourd'hui je n'ai pu résister car je vous avais vus arriver ensemble et j'allais frapper pour m'inviter lorsque j'ai entendu un échange aussi intéressant qu'édifiant. D'ailleurs, je considère que c'est à cette indiscrétion que je dois de pouvoir enfin blanchir Saint-Ustre des soupçons que j'entretenais à son endroit depuis longtemps. Comme tu sembles t'en être fait une spécialité, tu as abusé, voire trahi la confiance de ton frère et tu t'es joué de ses sentiments. Cela aurait bien pu lui coûter la tête.[211]

« En fait, tu as trompé à peu près tout le monde en t'affichant auprès d'eux comme le champion de la cause RPR, le défenseur des opprimés, le pourfendeur des méchants papistes. Même l'honnête et sincère Chapelle a cru en ta mission religieuse. Cela lui a presque valu la corde. »

Maujean se raidit soudain et cria.

— Tu ignores sans doute qu'il me doit son évasion de prison et son départ du pays.

— La belle affaire ! railla Dieulefit. Tu lui as laissé porter l'odieux des affiches diffamatoires contre le roi alors que c'est toi qui les avais transportées au pays dans tes bagages. Quelle grandeur d'âme ! Je me demande ce qu'en penserait ton père, le baron de Nailhac ?

— Ne mentionne pas le nom du baron devant moi ! s'écria Gédéon. C'est un vire-capot et un Judas. Il est l'architecte de notre malheur familial ! Il n'a cherché qu'à protéger son nom et sa situation. Qu'il aille se consumer dans les feux de l'enfer !

Jacques de Sanzelles n'en croyait pas ses oreilles. Comme un automate, il se transporta à l'autre extrémité de la table et, la bouche entrouverte, prit place sans bruit dans un fauteuil à bras, tel le spectateur qui attend avec impatience le deuxième acte d'une pièce de théâtre aux rebondissements tragiques.

Toujours debout, et après avoir déposé cape et chapeau sur la table, Bastien, à son tour, commença à arpenter la pièce à pas lents.

---

211  Les nobles n'étaient pas pendus mais décapités. Cela constituait un privilège exclusif.

— Ton frère aîné paraît tomber des nues, mon cher Gédéon. Je crois qu'il mérite amplement d'en apprendre davantage sur les événements des deux dernières années et sur le rôle que tu as choisi d'y jouer. Commençons par le début, tu veux bien?

«Octobre 1712. Débarquement clandestin sur la Côte-du-Sud de *La Bonne Aventure* et arrivée à Québec. Peu après, autre opération similaire et secrète, toujours à la nuit tombée, dans l'anse de la Canoterie. Le clandestin, coiffé d'un tapabord, est pris en charge par deux hommes. Sans doute les mêmes qui nous assommèrent, le soldat Léveillé et moi. Ce n'est pas toi, par hasard, qui aurait cogné?»

Gédéon, *alias* Marquet, sourit de toutes ses dents, comme un gamin content du bon tour qu'il a joué.

— C'est bien ce que je pensais. Tous les deux, vous élisez résidence à l'auberge de la veuve Fauconnier, dont tu feras la conquête sans peine. Ton frère Jacques, par ailleurs, est aperçu au *Grand Saint-Luc* peu après. Tu profites de tes journées pour errer dans la ville et noter sur un carnet tout ce qui se rapporte aux plus récents ouvrages de défense de la ville et des faubourgs. Croquis, mesures, un beau travail d'espion, quoi!

«C'est ici qu'intervient l'épisode disgracieux des affiches contre le roi. À lui seul, il montre bien de quel bois tu te chauffes: celui de la politique tout autant que de la religion. J'imagine le pauvre Chapelle, sur la sellette, devant affronter la colère de monsieur Bégon qui tente lui faire endosser la responsabilité du libelle.

«Puis, fin octobre, après la visite de la maréchaussée, vous quittez en douce l'auberge pour vous réfugier quelque part à la haute ville. J'étais sur le point d'identifier l'endroit lorsqu'à nouveau, je fus bêtement terrassé par Ragueneau et Genevoix, sans doute de bonnes petites brebis réformées.»

Dieulefit interrompit alors sa déambulation et, index sur les lèvres, murmura comme en lui-même: «Oui, bien sûr! C'est sans doute ici que vos pas m'auraient conduit si tes sbires, anciennement les miens, ne m'étaient tombés dessus!» Il prit le temps de passer en revue la pièce où il se trouvait puis poursuivit sa récapitulation des faits.

— Je passe rapidement sur l'évasion de Chapelle des prisons et le départ de ce dernier du pays grâce au capitaine Morineau, ce cher homme qui, fort probablement, ignorait aussi tes machinations contre le royaume. Toi, Gédéon, tu ne pars pas et là, je l'avoue, tu m'as mystifié. Non, tu as mieux à faire, toujours davantage de repérage et de menées subversives. Tu dois paver la voie à la prochaine invasion anglaise ; un nouveau Livingston, quoi, mais en plus déterminé et fanatique encore. »

Le jeune Sanzelles était perspicace et malin. Il suivait bien l'ancien sergent dans sa chasse à l'homme et tentait même de le précéder. Que savait-il, au juste, ce fin limier ? Il s'agita donc sur sa chaise puis se leva. Il se dirigea vers une armoire en noyer, à deux corps et à quatre vantaux. De la partie supérieure droite, il sortit une bouteille de vin rouge à panse trapue, teintée vert foncé. Il s'en empara brusquement, la déboucha et en remplit un verre à ras bord, sans même demander la permission à son frère ni en offrir à la ronde. Observateur non dépourvu de finesse, Dieulefit ne le quittait pas des yeux : *Entre la chair et l'os, s'insinue la colère*, dirait un jour le poète.

— Tu rêvais de mettre la main sur des informations inédites, des documents précieux. Le château du gouverneur était vraiment inaccessible ; en revanche, le palais de monsieur Bégon offrait de belles opportunités. Une bonne tempête de neige, l'absence temporaire des maîtres, voilà de quoi stimuler ton imagination. Tu t'introduis, te dissimules jusqu'à la nuit et fais main basse sur des dossiers sans doute très riches. Puis, pour couvrir le vol, tu n'hésites pas à faire flamber la baraque : un peu classique comme procédé mais imparable. Bien sûr, des innocents devraient périr dans les flammes, quatre en fait, mais que valent quatre vies dans la guerre à outrance que tu mènes ?

Le jeune Sanzelles éprouvait maintenant beaucoup de difficulté à se contrôler. Le rodomont s'était évanoui. Ses yeux crachaient le feu et ses mâchoires tremblaient : « Tu n'as pas de preuves, cria-t-il, tu n'as pas le droit d'accuser ! »

— Au départ, reprit Sébastien, il est vrai que mon enquête ne m'avait ouvert que deux pistes : la protestante, à cause des méreaux recueillis à la sortie du palais, et aussi celle de l'intrusion au même endroit d'un inconnu, trahi par ses pas dans la neige derrière le long bâtiment et jusqu'à la côte de l'Hôtel-Dieu. De la seconde, on pouvait émettre deux hypothèses, possiblement reliées : le vol et l'incendie criminel, mais sans assurance, effectivement. Ce n'est que tout récemment que j'ai acquis la preuve non seulement de ta présence à Québec au moment des faits mais aussi de tes crimes au palais dans la nuit du 5 au 6 janvier 1713. Elle sera remise aux autorités lorsque je le jugerai à propos.

Seuls des maîtres comme Le Caravage, Rembrandt ou Vélasquez auraient pu reproduire sur toile les visages stupéfaits des deux frères : celui de l'aîné, teinté d'hébétude, celui du cadet marqué au coin du plus vif étonnement.

— Dis que ce n'est pas vrai! hurla tout à coup, hors de lui, Jacques de Sanzelles. Défends-toi! Apporte un alibi quelconque, enfin!

Maintenant livide, le chevalier de Maujean semblait vouloir se retrancher dans le mutisme. Les coudes appuyés sur ses genoux, il fixait le plancher.

— Mon récit n'étant pas tout à fait terminé, dit Dieulefit d'une voix calme, j'en reprends le fil, si vous permettez. L'année dernière, c'est-à-dire en 1713, j'avoue avoir perdu de vue notre ami Marquet. Mais j'ai appris qu'il a passé la frontière, ce printemps-là, pour aller rendre compte au gouverneur Dudley et, surtout, lui remettre les fruits de ses activités patriotiques. Son retour en Nouvelle-France eut lieu l'hiver dernier; il faisait partie du groupe des émissaires anglais venus négocier le retour des captifs en Nouvelle-Angleterre. À ce que je sache, ses trahisons ont repris il y a deux mois lorsqu'il s'est introduit chez le notaire Chambalon, à la place Royale, pour subtiliser un dossier d'importance stratégique que le capitaine de Voutron y avait déposé.

« Voilà ce que je peux prouver. Je tenais absolument, chevalier de Saint-Ustre, à ce que vous sachiez toute la vérité entourant les activités réelles de votre frère en ce pays. Bien malgré moi, j'ai été mêlé à tous ces événements, que ce soit à l'île aux Oies, au palais ou chez Chambalon. Quant au pourquoi des choses, cela n'est pas de mon ressort. J'espérais, néanmoins, que le principal intéressé accepterait, ne serait-ce que pour soulager sa conscience, de nous expliquer sa conduite indigne. »

Bastien respecta d'abord le lourd silence qui tomba sur l'assemblée. Puis il fit quelques pas dans la direction du jeune Sanzelles, tombé dans une profonde apathie. Il lui posa doucement la main sur l'épaule.

— Allez, Gédéon. Explique-nous ce qui t'a poussé vers des actions aussi contraires à ton naturel. Car, enfin, le garçon que j'ai connu était certes intransigeant mais droit et loyal.

Le jeune homme leva enfin les yeux, les porta sur son frère puis sur son ancien compagnon.

— C'est inutile, vous ne sauriez comprendre. Disons simplement que j'ai suivi un long, très long chemin qui a transformé un insondable chagrin en une colère assoiffée de vengeance. Il faut croire que, dans mon cœur, la frontière entre les deux était ténue. Je voudrais malgré tout préciser une chose...

— Cela suffit, Gédéon, tu en as assez dit. À moi de parler, maintenant.

Alors que les deux frères tournaient vivement la tête en direction de la voix douce mais ferme qui venait de s'interposer, l'ancien sergent, interloqué, faisait volte-face et cherchait à percer la pénombre qui enveloppait l'escalier auquel, durant toute sa narration, il avait tourné le dos.

Dieulefit reconnut immédiatement Henriette Deshayes, d'abord à son allure mince et élancée puis à sa physionomie agréable mais sévère et réservée. Depuis deux ans, sa chevelure grise avait sensiblement blanchi et les traits de son visage s'étaient creusés, particulièrement autour des yeux et de la bouche. La dame, c'était l'évidence même, avait combattu, ou combattait encore, une maladie épuisante. Sa voix, d'ailleurs, en portait la trace. Sa mise, pourtant, demeurait aussi irréprochable que lors de leur première rencontre.

Ce constat n'occupa l'esprit de Bastien qu'une fraction de seconde car toutes ses pensées convergèrent rapidement vers la véritable identité de la femme. Il va sans dire, en effet, que la dame qui venait de s'exprimer avec un tel ascendant, même contenu, n'était pas une ménagère.

Elle traversa la pièce d'un pas lent, mal assuré, et se dirigea vers le visiteur à trois pieds duquel elle s'arrêta. Très doucement, elle enleva ses lunettes rondes et soutint le regard interrogateur de son vis-à-vis.

— Madame de Sanzelles! murmura Dieulefit.

Puis retrouvant ses esprits, il lui prit la main : «Je pourrais dire que je tombe de Charybde en Scylla, aujourd'hui, mais ce serait considérer votre famille comme de dangereux ennemis, ce qui n'est pas le cas, bien sûr.» Il lui baisa la main comme il avait appris à le faire, mais toujours en riant, avec Geneviève Macard, rue de Buade.

Bastien accompagna Judith de la Boisnière à un fauteuil et alla s'asseoir près de l'une des fenêtres. La baronne s'était manifestée et elle avait demandé la parole. Il convenait donc de l'écouter.

— Mon cher Sébastien, je suis heureuse d'enfin pouvoir te parler. Pour quiconque d'autre que toi, je ne serais pas sortie de mon placard, bien que je n'apprécie guère cette facette de mon existence, tu n'es pas sans t'en douter. Tu sais certainement pourquoi je m'efface ainsi ; la politique religieuse qui prévaut dans ce pays est celle qui m'a fait quitter la France en premier lieu, il y a plus d'un quart de siècle.

«L'intolérance et les persécutions nous ont jetés sur les routes à ce moment, Gédéon et moi, et, depuis, une vie d'errance et d'exil a pratiquement toujours été notre lot. Hollande, Allemagne, Angleterre, nous avons tenté de trouver notre bonheur à l'étranger ; cependant, et en dépit de la liberté de culte, ces pays ne pouvaient répondre à nos besoins fondamentaux, qu'ils aient été économiques, sociaux ou culturels. Être forcé de quitter son pays, ses parents et amis, ses institutions et ses lois même, c'est être condamné au dépérissement et au malheur.

«Nous vivions près de Londres, en 1702 je crois, lorsqu'un cousin à moi retrouva ma trace et m'écrivit de la Nouvelle-Angleterre. Il s'appelait Moïse Prieur et il était ministre protestant, exilé à Boston depuis plusieurs années. Ce *Moses Prior*, il avait anglicisé son nom, était veuf et sans enfant. Il nous offrit de le rejoindre, ce qui nous a semblé une bonne occasion de nous rapprocher de Jacob, ou Jacques, si tu préfères. À elle seule, disons-le, la perspective de s'éloigner du sale climat de la capitale anglaise nous plaisait bien.

«Gédéon avait plus de vingt-cinq ans lorsque nous sommes débarqués dans notre nouveau pays d'adoption. Au même moment, ou presque, une nouvelle guerre éclata entre la France et l'Angleterre. Grâce à mon cousin Prior, Gédéon entra comme officier dans la milice volante du gouvernement de la *Massachusetts' Bay*. Ces gens se déplaçaient sans cesse pour porter secours aux villages de colons les plus exposés aux raids français et sauvages. C'est à partir de ce moment qu'il prit vraiment fait et cause pour les colons anglais. Vous devez comprendre, Sébastien, qu'il avait à peine treize ans lorsque je le tirai hors de son pays.

«Nous rentrâmes en France en 1711, *via* l'Angleterre, car on m'avait informé du décès de mon père. Comme mon mari, celui-ci avait abjuré pour demeurer au pays et conserver ses biens. Il me laissait une intéressante part de succession grâce à un subterfuge légal. Dans notre situation, l'héritage nous permettait d'envisager l'avenir de façon plus sereine. Sur l'entrefaite, Jacob m'avait écrit pour me faire part de ses problèmes d'avancement et de divers plans qu'il caressait dans le but de réorienter sa vie.

«Nous avons convenu de le rejoindre ici, à Québec, et de vivre ensemble. De mon côté, j'allais l'épauler financièrement dans ses projets commerciaux. Le vieux roi, malade, j'en étais convaincue, n'allait pas faire de vieux os et, une fois parti, un grand relâchement était inévitable, ce que je crois encore, d'ailleurs. Quoi qu'il en soit, nos amis réformés nous ont pris en charge et logés à La Rochelle même. Au printemps de 1712, ils nous ont mis en contact avec le capitaine Morineau, l'un des nôtres, qui a immédiatement accepté de nous embarquer clandestinement à bord de son vaisseau. Le hasard a voulu, Sébastien, que vous soyez mêlé à notre aventure dès notre arrivée ici, au début d'octobre. Et, j'en suis désolée, le fameux passager au tapabord, celui qui t'a valu une bosse sur la tête, c'était moi.

— Oh! se hâta de répondre Dieulefit, ne perdez pas le sommeil pour si peu, baronne. Dans toute cette histoire, j'ai connu des revers plus pénibles encore.

— Laissez-moi, cependant, poursuivre mes explications. Elles aideront à démêler un embrouillamini qui a, depuis des décennies, semé la zizanie dans ma famille et fourni de celle-ci une fausse image. Gédéon lui-même a longtemps cru que son père et moi nous étions quittés dans la plus profonde inimitié. Dans sa tête d'enfant, un tel déchirement familial n'avait pu résulter que d'une haine mutuelle implacable.

«Pourtant, je m'étais bien gardée d'accabler son père ou de lui faire endosser la responsabilité de nos malheurs. Mais, je le réalise, aujourd'hui, il m'aurait fallu lui expliquer beaucoup mieux nos dilemmes familiaux. Perdue dans mes peines et mes difficultés quotidiennes, je n'ai pas compris à quel point il tirait de sa mauvaise compréhension des choses une animosité extrême non seulement envers son père et son frère mais aussi envers son pays, sa patrie comme nous disons mieux de nos jours.

«Samuel, mon mari, partageait ma foi religieuse mais il refusait d'y sacrifier son nom, le passé et l'avenir des siens. La tempête passerait, disait-il, et, d'ici là, il fallait entrer la tête dans les épaules et consentir certains sacrifices, dussent-ils être religieux. Je n'étais pas d'accord avec sa façon de voir et je ne le suis toujours pas, quoiqu'il m'en ait coûté.

«Je dirai, enfin, que Jacob et moi ignorions tout des menées subversives de Gédéon. L'aide qu'il pouvait apporter aux Réformés de Québec, y compris les prisonniers anglais, nous était connue et nous approuvions ses initiatives. Il s'est bien gardé, cependant, de nous confier qu'il souhaitait et appuyait de ses œuvres le changement de drapeau de la colonie. Je n'aurais jamais toléré qu'il emprunte la pente de la trahison; je hais le roi Louis et sa cour mais mon seul pays est la France. Ce qui me bouleverse plus encore dans ces événements, c'est la mort de quatre personnes innocentes. Une déloyauté peut toujours être réparée mais comment effacer ces homicides ? »

Madame de Sanzelles s'arracha un peu péniblement à son fauteuil et s'approcha du visiteur.

— Maintenant, Sébastien, si tu voulais bien nous laisser pour aujourd'hui, je souhaiterais, sans plus tarder, aborder ces questions avec Gédéon.

Les intentions de Judith de la Boisnière, baronne de Nailhac, comme aussi sa droiture et sa fermeté, ne pouvaient être mises en doute. Bastien se leva, reprit sa cape et son chapeau, et, avant de se diriger vers la sortie, embrassa la salle du regard. La baronne paraissait calme et soulagée ; quant à Jacques, l'épaule appuyée contre le chambranle de la fenêtre, il regardait vaguement vers l'extérieur, pâle et la mine défaite.

Curieusement, par ailleurs, Gédéon semblait avoir surmonté son abattement. Pendant que sa mère parlait, il avait renoué avec une contenance plus détachée. Ses jambes étendues étaient à nouveau croisées et il avait adopté une physionomie fermée. Pas même un cillement n'était venu trahir son masque d'indifférence.

🌿

*Mardi, 30 octobre 1714*

Depuis sa captivité, il y avait maintenant dix ans, Martin Kellogg avait oublié ce que pouvait représenter une nuit ininterrompue de sommeil réparateur. Dormir d'un œil et se réveiller en sursaut, toujours prêt à en découdre, telles avaient été ses nuits depuis celle, fatidique, du 11 mars 1704. Mais l'homme et sa merveilleuse machine ont une capacité d'adaptation inouïe et l'Anglais, avec le temps, était parvenu non seulement à intégrer ce régime nocturne à sa vie quotidienne mais encore à y trouver son équilibre et son bonheur.

C'est donc avec gratitude que la maîtresse du *Dauphin d'Acadie* abandonnait aux mains de son pensionnaire la tâche très matinale de relancer le feu dans l'âtre de la salle commune et dans celui de la cuisine. Là, également, il fallait faire ronfler le poêle de fer. Les cheveux décoiffés tombant sur ses épaules, le jeune homme sifflotait doucement; il avait le cœur gai car une lettre de son jeune frère lui était parvenue deux jours auparavant. Joseph Kellogg, naturalisé Français, se préparait à rentrer du pays des Illinois en compagnie de quelques Canadiens. Que feraient-ils ensuite? Probablement un retour du côté de la rivière Connecticut où parents et amis les attendaient depuis fort longtemps.

Martin contemplait le fruit de son travail, en l'occurrence des flammes vives et réconfortantes qui s'attaquaient dans un crépitement sonore aux bûches de quatre pieds d'érable et de merisier. C'est alors qu'il entendit la clenche de la porte d'entrée que quelqu'un s'évertuait à actionner avec impatience. Il se retourna et aperçut dans le coin de la fenêtre voisine le visage inquiet et décoiffé d'un homme qui ne lui était pas inconnu. *Ah oui! Sanzelles, c'est ça, le chevalier!*

Il souleva la barre, la déposa contre le mur et ouvrit la porte cloutée. Jacques de Sanzelles, sans plus de formalité, s'engouffra littéralement dans la salle commune et la balaya du regard. Sans même saluer l'Anglais, qu'il connaissait pourtant, il demanda d'une voix anxieuse, le souffle court: «Où est Sébastien? Vous avez vu Sébastien?»

— Il est encore au lit, chevalier, comme aussi la patronne, répondit Kellogg. Je peux vous aider, peut-être?

Sans répondre, et de son pas si caractéristique, il traversa la salle et alla se camper devant la chambre des hôtes dont la porte était entrouverte. Sans frapper il appela: «Sébastien, lève-toi, vite, j'ai besoin de toi. Allez, debout!»

La voix était forte, impérieuse, et elle produisit l'effet désiré. Dieulefit s'encadra bientôt dans l'entrée de la chambre, nu, noir et velu, les cheveux et les moustaches en bataille, les yeux perçants et farouches. Une préfiguration, cinquante ans à l'avance, de la bête du Gévaudan.

— Qu'y a-t-il? Qui est-là? Qu'est-ce qui se passe? C'est le feu, c'est ça?

— Enfile ta robe de chambre et viens! Il faut que je te parle, c'est urgent.

Quelques secondes plus tard, Sanzelles avait entraîné Bastien vers une table à l'écart:

— Sergent, dit-il, excité, il s'est produit un drame affreux, épouvantable. Ma mère est morte, Sébastien! Je l'ai retrouvée dans son lit, ce matin: elle ne respirait plus. Je crois que son cœur a flanché durant la nuit. Hier, après ton départ, elle et Gédéon ont eu une discussion animée qui a très vite dégénéré en affrontement violent.

« Mon frère a accusé ma mère d'être responsable de la vie misérable qu'il a menée et des excès qu'il a, par la suite, commis. Il a pointé du doigt son fanatisme religieux, son orgueil face à mon père. Il lui a reproché l'effritement de notre famille et la situation actuelle qui est la nôtre; il a vraiment été implacable et méchant. De son côté, elle lui a imputé le déshonneur des Sanzelles en dénonçant son hypocrisie et ses instincts vengeurs et meurtriers. Elle a surtout insisté pour qu'il répare les torts causés, suggérant même qu'il aille se livrer aux autorités. Enfin, elle a dit songer sérieusement à retourner en France auprès de mon père, même si cela doit impliquer une vie faite d'ombre et de secret. »

Bastien se frotta les yeux, passa les doigts dans sa tignasse et avala difficilement. « Martin, aurais-tu la gentillesse de préparer le café ce matin? »

— Et ton frère, où se trouve-t-il, maintenant?

— Je n'en sais rien, il a disparu. J'ignore même s'il est au courant pour notre mère; peut-être a-t-il quitté la maison dès hier soir, après notre coucher? Quelque chose me dit, pourtant, qu'il sait... Comme tu l'as vu, ma chambre est en bas tandis que la sienne et celle de ma mère sont situées à l'étage. C'est en arrivant auprès d'elle, très tôt ce matin, que j'ai compris qu'elle était trépassée: sa bouche était ouverte et une expression douloureuse marquait ses traits.

— Et que comptes-tu faire avec sa dépouille? On ne pourra, sans doute, lui donner une sépulture catholique, tu le sais. D'ailleurs, l'aurait-elle souhaitée?

Le chevalier réfléchit un instant puis parut prendre une décision.

— Nous n'avons guère le choix et, d'ailleurs, je veux respecter la foi de ma mère. Je sais, elle était intransigeante, inflexible, en la matière ; toutefois, ses volontés sont sacrées pour moi. Je connais le fossoyeur des Hospitalières, il m'aidera, j'en suis certain.

— Écoute, dit Dieulefit, je ne suis pas certain de bien te suivre. Pourquoi t'adresser aux religieuses ? Je serais très surpris...

— J'ai parlé du fossoyeur, pas des Hospitalières elles-mêmes ! Lorsque des Protestants décèdent à l'Hôtel-Dieu, qu'ils soient matelots de passage, soldats ou autres, il faut bien les enterrer. On transporte alors les dépouilles vers les terrains vagues qui appartiennent aux religieuses près des fortifications, entre la rue Saint-Jean et la redoute Dauphine. C'est là que, dans l'anonymat le plus complet, les RPR sont mis sous terre. Moyennant rétribution, l'homme des Sœurs se chargera de ma mère. D'ailleurs, je vais m'en occuper dès aujourd'hui.

— Tu veux déjeuner avec nous ? demanda Bastien. J'aurai du café très bientôt.

— Je ne peux pas, je dois retourner chez moi, il n'y a personne à la maison. Peut-être Gédéon sera-t-il de retour ? Merci quand même.

Sanzelles se leva, se dirigea vers la porte, puis, hésitant, se tourna vers l'ancien sergent :

— Je dois te dire quelque chose, Sébastien. Hier, au plus fort de l'altercation, Gédéon a eu des mots très durs à ton endroit. Il te considère comme l'artisan de ses malheurs et des événements d'hier. Il a aussi... promis de se venger. Je tenais à te prévenir.

Le soleil se levait lentement à l'horizon et son globe orangé inondait d'une douce lumière rasante les vastes étendues de la Canardière, de la Saint-Charles et des longues battures du fleuve. Bastien, hors son île magique, appréciait plus que tout ce paysage matinal grandiose. Dans la paix et le silence, café dans la paume des mains, il ratait rarement le spectacle toujours renouvelé des bécassines, des canards et des outardes qui, en criant, prenaient plaisir à déployer et chauffer leurs ailes dans ces premiers rayons du jour.

Gédéon était maintenant le dernier de ses soucis. Bien sûr, il aurait aimé le faire comparaître devant les juges car il ne pouvait concevoir que les crimes dont il s'était rendu coupable demeurent impunis. Cela irait à l'encontre du principe de justice qui l'avait toujours habité et animé. D'un autre côté, il n'avait cesse de lui trouver des circonstances atténuantes. Ce garçon avait beaucoup souffert et, sans doute, beaucoup pleuré.

Pourtant, et en dépit des circonstances, la magie de l'aube à laquelle il venait d'assister ne laissait aucune place à la tristesse. Elle l'entraînait plutôt vers des horizons remplis de promesses, celles de sa vie nouvelle. Cela seul importait, dorénavant.

# XX

## Némésis

*Mardi, 13 novembre 1714*

« Maître après Dieu. » Bien sûr, mais encore ? En ces temps de foi aussi fervente et omniprésente, ces mots n'étaient pas vains et ils étaient employés d'abord pour bien camper le personnage du capitaine, exerçant à bord de son navire une autorité sans partage. Dans une circonstance de départ, cependant, il apparaissait clairement aux yeux de tous, que ce despote n'était qu'un pion entre les doigts du Grand Maître d'œuvre de l'échiquier universel.

Un navire encalminé ou aux prises avec des vents contraires était incapable de prendre le départ et, très souvent, il devait encaisser de longs et frustrants retards. Et là, dans la promiscuité déjà puante et lourde des ponts, ces quelques jours suffisaient aux voyageurs pour réaliser à quel point la navigation qui allait s'amorcer serait longue, ennuyeuse et pénible à l'excès.

Si prendre la mer était hasardeux et problématique, que dire d'entreprendre la descente du fleuve ! De sacrés capitaines et de fameux pilotes, ces hommes d'expérience qui, le nez au vent, prenaient tout à coup la décision de lever l'ancre et de mettre à la voile. Le rétrécissement de Québec, puis celui du passage sud de l'île d'Orléans, la grande traverse vers la rive nord, entre la pointe d'Argentenay et l'île aux Ruaux, enfin le chenal septentrional de l'île aux Coudres, autant de défis à surmonter en gardant constamment un œil au vent, l'autre sur les courants et les repaires. Ce fleuve magnifique conservait déjà en mémoire, même au niveau de son estuaire haut et moyen[212], de nombreux récits de naufrages et de tragédies humaines.

« Race de monde ! Tous les mêmes, ces seigneurs, les maîtres de la Création ! Voutron avait bien raison : ce Bégon les dépasse tous d'une tête. Après moi le déluge ! Délais, retards, atermoiements, mais il se moque de moi, à la fin ! »

Le capitaine Durant était hors de lui, furieux. À dix heures passées, il arpentait avec impatience le pont supérieur du *Saint-Jérôme*. À chaque fois qu'il croisait la coupée, il déversait un nouveau plat de bile. Plusieurs passagers étaient rassemblés à cet endroit : le marquis d'Aloigny, bien sûr, et aussi le capitaine Raudot de Chalus, Paul-Augustin Juchereau de Maure, François Dumontier, le secrétaire du gouverneur de Vaudreuil, Jean-Paul Dupuy, sans oublier Dieulefit et Julien Genest. Durant parlait à tout le monde et à personne en même temps. Il frappait son chapeau contre sa cuisse et s'étirait le cou afin d'apercevoir un mouvement quelconque à l'embarcadère de la place Royale.

— Dimanche, il y a deux jours, au matin, mon eau et mon bois étant à bord, j'ai tiré mon coup de canon et j'ai fait déferler le petit hunier[213] : c'est le signal de partance, personne n'ignore cela. Je désirais appareiller ce jour-là, en même temps que *L'Heureuse*, du capitaine Vayres. Or, ce roi de la paperasse m'a

---

212  Entre Québec et le golfe, le Saint-Laurent se subdivise en trois zones navigables. Le haut estuaire s'étend de la pointe est de l'île d'Orléans à La Pocatière – Baie-Saint-Paul. L'estuaire moyen rejoint ensuite la ligne nord-sud Tadoussac – l'Isle-Verte. Le bas estuaire, aussi appelé maritime, poursuit jusqu'à Pointe-des-Monts et Matane.

213  C'est-à-dire *déployer* le petit hunier, cette voile carrée du mât de misaine placée entre la misaine et le petit perroquet.

interdit de partir et j'ai raté un vent exceptionnel pour sortir d'ici. À l'heure actuelle, je déboucherais de l'Île aux Coudres, si ça se trouve. Pourtant, nous lui avons tous dit à quel point le fleuve et le golfe sont dangereux à naviguer aussi tard en saison. J'ai l'autorisation écrite de monsieur de Ramezay[214] pour quitter Québec! Lui, cependant, il n'en fait qu'à sa tête. Il n'est pourtant pas de la Saintonge pour être aussi cabochard!

— Regardez, capitaine, je crois que l'on s'agite, là-bas, sur la grève.

C'est le marchand Pierre de Niort qui avait parlé, le fils de l'ancien capitaine de Carignan Louis de Niort, sieur de Lanoraie. Lui aussi en était à son premier voyage dans la mère patrie; toutes ces années de guerre avaient reporté la mission commerciale sur laquelle il comptait tant pour faire fortune.

Une foule compacte était venue, comme à l'habitude, assister au départ du dernier vaisseau encore présent à Québec. Des dignitaires, des marchands, des familles de passagers, l'abbé Calvarin et ses enfants de chœur pour la bénédiction qui serait bientôt donnée, sans oublier la presse bigarrée et habituelle des jours de marché. Autant l'arrivée devant la ville des premières voiles soulevait l'enthousiasme et la joie de la population, autant le moment des adieux au dernier vaisseau était empreint de tristesse et d'un serrement de cœur. Ces dates encadraient, à n'en pas douter, les deux véritables saisons de la colonie et de ses habitants.

Pendant que la chaloupe du port s'éloignait lentement du rivage avec, à son bord le secrétaire de l'intendant, Jacques Barbel, Dieulefit se retira un instant du groupe et rejoignit Julien en haut, sur la dunette. Le fils de l'aubergiste vivait très certainement les instants les plus exaltants de sa brève existence. Son regard brillant d'excitation se déplaçait à une vitesse folle, allant de la haute ville à la basse, du grand fanal de poupe à la vergue d'artimon, des haubans à la hune du grand mât. Sans doute la plus extraordinaire machine qu'il lui ait été donné de voir! Lorsque Bastien arriva à ses côtés, l'adolescent le regarda avec un sourire éclatant. Tous les traits de

---

214  Cf. note 162.

son visage témoignaient à merveille du bonheur qui, alors, le portait à bout de bras.

Pour sa part, l'ancien sergent aurait dû, en un instant pareil, revivre en souvenir son propre départ de l'île d'Oléron, au printemps de 1693. À bord de *L'Impertinent*, âgé de quinze ans, fier sous l'uniforme neuf des soldats des troupes, il avait senti, lui aussi, le vent de son aventure humaine se lever. Entassés sur trois ou quatre navires, ils avaient été, en tout, près de cinq cents jeunes gens à se lancer dans l'inconnu américain. Promiscuité oblige, plusieurs dizaines parmi eux étaient décédés en mer des fièvres et de nombreux autres avaient rendu l'âme à l'Hôtel-Dieu de Québec. De quoi marquer durablement l'esprit sensible d'un jeune campagnard.

Pourtant Bastien, s'il regardait dans la même direction que son protégé, était perdu dans des pensées beaucoup plus immédiates. Trois heures plus tôt, environ, au moment de son arrivée sur la place en compagnie des parents et amis, et juste avant la messe du départ dans l'église des Victoires, les langues bien pendues n'en avaient eu que pour le drame de la nuit précédente. Rue Saint-Pierre, à l'enseigne du *Grand Saint-Luc*, vers les trois heures du matin, un gaillard blond et barbu, portant lunettes, s'était tiré une balle dans la tête.

Des voisins, au nombre desquels la dame de Lotbinière, avaient raconté au prévôt de la maréchaussée que l'individu était ivre et qu'il avait voulu forcer la porte de l'auberge de la veuve Fauconnier. Celle-ci, en dépit de force « Je t'aime, Charlotte ! » et « Pardonne-moi ! », avait refusé de lui ouvrir. L'homme s'était alors emparé d'un pistolet dans une besace et avait crié : « Ouvre-moi, sinon je me flambe la cervelle ! » Devant l'obstination de la dame, il avait fait feu. Le prévôt avait fait transporter le corps à l'hôpital, bien inutilement d'ailleurs, car la mort avait été instantanée.

Dieulefit aurait souhaité échanger quelques mots avec le chevalier de Sanzelles avant de s'embarquer, histoire de lui transmettre ses sympathies et de le réconforter un peu, mais il ne s'était pas présenté sur la place du marché. Avait-il seulement revu son frère ? Dire un adieu définitif à sa mère et son frère unique, en si peu de temps et dans d'aussi éprouvantes circonstances, voilà qui pouvait faire perdre pied au plus solide des hommes.

— Sergent ! Regarde, la chaloupe va aborder ! dit Julien

Les deux voyageurs se rapprochèrent du bastingage. Barbel grimpa dans l'échelle de bois et se présenta à la coupée avec l'air effarouché du valet qui craint de s'attirer les foudres destinées à son maître.

— Pas trop tôt ! éructa Durant. Pour ceux qui ne le sauraient pas, ou qui n'en auraient cure, ce vaisseau doit rentrer en France, et en même temps que ses voiles et son gouvernail ! Dites à votre maître, monsieur le secrétaire, qu'un jour, il me fera plaisir de lui réserver ma meilleure cabine pour une agréable traversée de fin novembre. Je suis sûr qu'il appréciera... et qu'il en tirera leçon. Enfin, non. Ne lui dites pas. Il est bien au-dessus de telles vétilles, pensez donc ! Mais ne le saluez pas non plus de ma part, c'est bien entendu ? Allez ! Bon retour sur la terre ferme.

Barbel avait à peine eu le temps de remettre au capitaine une cassette en cuir brun, de vingt pouces sur huit, avec sa clé, contenant les dernières missives et documents que monsieur Bégon envoyait au ministre. Le coffret, embossé de fleurs de lys, de couronnes et de « L » dorés, ressemblait à ceux utilisés en France par les messageries royales. Durant remit aussitôt la cassette à son second : « Dans mon armoire, sous clé ! »

« À l'appareillage ! », cria bientôt le capitaine. Pendant qu'à bord on hissait l'étendard, à terre l'abbé Calvarin bénissait cérémonieusement le vaisseau, son équipage et les passagers. Campé sur le gaillard arrière, Durant était entouré de ses officiers, du pilote Jacques Chaviteau et du maître d'équipage. Ce dernier siffla l'appel et, sans tarder, la cinquantaine de matelots se rassemblèrent sur le pont puis gagnèrent leur poste respectif.

À l'instant, pendant qu'un groupe actionnait le cabestan des ancres, l'autre grimpait aux haubans et prenait position le long des vergues. Au même moment, les servants des canons préparaient leurs pièces et, au commandement, lançaient une salve de salut de onze coups. Le château, sans tarder, leur en rendit neuf en guise de « Bon vent ! ». Chaviteau s'empara lui-même de la manuelle du gouvernail puis on largua la voilure adaptée à la brise du sud-ouest qui favorisait le départ.

De part et d'autre, des bras et des mains se tendirent dans des « au revoir » mêlés de gaieté et de tristesse. Françoise avait donné des mouchoirs très colorés à ses hommes afin de les identifier plus aisément le long du bastingage. *Rouge pour Julien, le sang de mon sang, bleu pour Bastien, l'azur de ma vie nouvelle.* Sur la grève, toujours, à quelques pas à peine, trois autres personnes pleuraient. Geneviève, Marie et Madeleine ; trois générations de femmes françaises, nées canadiennes.

Un vaisseau comme *Le Saint-Jérôme*, à plusieurs égards, était un modèle d'adaptabilité. Rares étaient les espaces intérieurs qui ne pouvaient être aménagés différemment, agrandis ou subdivisés, en fonction des circonstances et des besoins. Tout n'était que minces cloisons de planches de sapin qui, sous la baguette des charpentiers-menuisiers du navire, apparaissaient ou disparaissaient comme par enchantement. Le logement des passagers, particulièrement, donnait lieu à divers tours de passe-passe. Par exemple, la propre chambre du capitaine, en l'absence des encombrants canons, pouvait recevoir, de chaque côté, un certain nombre de cabinets attribués aux passagers nobles ou de marque. En l'occurrence, le marquis d'Aloigny, le chevalier de Chalus, Juchereau de Maure et Dumontier profiteraient de l'hospitalité du commandant.

Quant à Dieulefit, Julien, Jean-Paul Dupuy et Pierre de Niort, le sieur Durant avait offert de les loger ensemble dans la sainte-barbe. La pièce, relativement vaste et fermée, était située immédiatement sous la chambre du capitaine et, en temps de paix, elle pouvait être abandonnée par ses occupants habituels, soit le maître-canonnier et ses hommes.

À l'instar de l'entrepont, dont elle constituait le prolongement arrière, la chambre était basse et, surtout, obstruée par le long timon du gouvernail qui, actionné par la barre de conduite, à l'étage au-dessus, se déplaçait sans cesse en demi-cercle au-dessus des têtes. Les hôtes de la sainte-barbe couchaient donc à même le plancher sur des matelas et paillasses. Une table basse et quelques chaises leur permettaient d'écrire et de prendre les repas, ou encore de jouer aux cartes, aux dames ou aux échecs.

L'absence d'aise et de bien-être était, tout de même, préférable au lot du commun des voyageurs qui devait se contenter d'un hamac suspendu dans l'entrepont, là où, d'ordinaire, se déployait la batterie des canons, à bâbord et à tribord. Ces branles juxtaposés, en proie aux bruits et aux va-et-vient incessants, représentaient pour les non-initiés l'inconfort total.

Depuis Québec, la descente du fleuve pouvait être mémorable sous bien des aspects. Magnificence des paysages au gré des plaines, des coteaux et des montagnes, images mixtes et saisissantes de sauvagerie et de colonisation, hameaux paisibles lovés dans des baies secrètes à l'embouchure des rivières, chapelets d'îles verdoyantes formant labyrinthe, féérie d'ombre et de lumière, de brume et de soleil, de souffles et de silence, escorte animée de marsouins et de baleines, d'aigles et de faucons.

Néanmoins, les navigateurs auraient probablement accepté de sacrifier un mois de leur vie pour passer outre à cette corvée fluviale qui, selon les conditions climatiques, les gardaient sur le plus angoissant des qui-vive pendant une pleine semaine, parfois deux. À l'intérieur de la même journée, surtout tard en automne, le Saint-Laurent pouvait concocter le plus ahurissant des salmigondis météorologiques à partir des ingrédients les plus variés : pluie, neige, grêle, brume, soleil, accalmie et surface d'huile, vents contraires ou tempétueux, sans même entrer dans l'univers complexe des courants et des marées.

Durant tous ces jours et toutes ces nuits, le capitaine, son adjoint et les pilotes ne quittaient à peu près jamais la dunette et les observations visuelles s'accompagnaient sans cesse de sondages de profondeur, de calculs de vitesse des vents ou des courants et d'estimations de distances. Un incessant casse-tête qui coupait court au sommeil des officiers.

*Le Saint-Jérôme* atteignit l'île aux Coudres en deux jours. Il espérait bien gagner le cap aux Oies sur sa lancée ; cependant, les fameux nordets de novembre l'emprisonnèrent dans le détroit de l'île et le refoulèrent même vers la baie Saint-Paul où il dut mouiller dans très peu d'eau. Une journée durant, il tint tête aux vents contraires, arc-bouté sur ses ancres dont les câbles se lamentaient dangereusement.

Au quatrième jour, enfin, un sud-ouest permit d'appareiller à nouveau et de rejoindre Kamouraska et les îles Pèlerins. Ce soir-là, au mouillage, le commandant Durant se montra fort inquiet.

— Voyons, capitaine, demanda Julien, qu'est-ce qui vous fait peur ? Il fait un temps magnifique !

— Mon petit monsieur, apprenez ceci et ne l'oubliez jamais : à cette heure du jour, lorsque le soleil couchant et l'horizon croient bon se maquiller rouge sang, comme c'est présentement le cas, c'est qu'ils mettent en scène une cavalcade de tous les diables et qu'ils nous la présenteront très bientôt. Vous pouvez gager vos économies là-dessus, croyez-moi !

L'oracle ne fut pas démenti. Dans la nuit, la température chuta et les vents de l'est envahirent le fleuve, poussant devant eux une neige drue et glacée. Semblable poudrerie, en pleine noirceur, lorsque vous êtes immobilisés au milieu d'une étendue aussi vaste, vous inonde d'émotions vivaces faites d'incrédulité, d'angoisse et de solitude. Au matin, les foudres de vent avaient cédé la place à une brume pâle et diaphane qui se déplaçait au ras du fleuve escortée de millions de glaçons miroitants à demi coiffés de givre. Qui sait si, au même moment, le tsar Pierre le Grand, des fenêtres de son palais de Saint-Pétersbourg, n'était pas en train d'admirer un spectacle similaire sur la Néva ?

En guise de consolation, peut-être, cette tranquillité n'eut guère le temps de se fixer. Sur les dix heures, un vent arrière se leva ; Durant se hâta de larguer la grand-voile car l'occasion était belle de décamper de ce pays d'îles, d'autant que ce souffle providentiel balayait comme poussière blanche le frêle rideau brumeux. Pendant que l'équipage déneigeait le pont supérieur, les câbles, les haubans, les vergues et les rambardes, le navire doublait l'île aux Lièvres et gagnait le Bic. La péninsule de la Gaspésie se profilait déjà à l'horizon et les voiles, comme le moral des uns et des autres, étaient bien gonflées.

Toutefois, dans sa hâte d'avaler des lieues de mer, le capitaine força la chance. La grand-voile déchira subitement et son remplacement ne put être envisagé par un vent aussi énergique. Le maître décida donc de capeyer[215] avec la misaine et l'artimon. Ce procédé, habituellement temporaire, fit des miracles grâce à des conditions de vent favorables. Il tardait au capitaine de sortir du fleuve et c'est dans cet attirail qu'il se présenta, deux jours plus tard, au large de Gaspé puis dans la baie de Percé où, au milieu d'une flottille de pêche, la voilure fut enfin rétablie.

Le 20 novembre, huitième jour de la traversée, *Le Saint-Jérôme* appareilla à nouveau. Des provisions d'eau, de bois, de morue fraîche et salée avaient été faites en quelques heures la veille et, à la faveur d'une affraîchie de vent, le commandant mit le cap sur la haute mer. La direction était *grosso modo* sud-est, d'où l'on doublerait par le nord les îles de la Madeleine pour ensuite quitter le golfe en empruntant le couloir séparant l'île Royale de la pointe sud-ouest de Terre-Neuve[216].

L'homme et la nature collaborèrent magnifiquement tout au long de ce trajet et il ne fallut que trois jours pour le parcourir. En revanche, si belle régate n'avait pu être réalisée qu'au prix d'une mer fortement houleuse où roulis et tangage avaient relégué les passagers du *Saint-Jérôme* au creux des branles et des paillasses. Pâles comme des cadavres, ils s'imposèrent durant la course un jeûne digne du plus saint des anachorètes.

Au soir du 23 novembre, les creux de vagues s'amoindrirent et les voyageurs parvinrent à s'asseoir. À défaut de plats cuisinés, ils purent s'attaquer à des biscuits de mer et casser des noix. Certains trouvèrent même un peu d'estomac pour grignoter un bout de gruyère. Dans la sainte-barbe, Julien et

---

215 Ou *capéer*: maintenir la cape, i.e. par gros temps, la position d'un navire en travers du vent.
216 Aujourd'hui le détroit de Cabot.

Dupuy paraissaient amarinés[217] et enchaînaient vaillamment les parties de cartes pendant qu'au sol, de Niort et Bastien rongeaient leur frein et questionnaient la nécessité de leur voyage.

Soudain, la pièce raisonna d'un fracas assourdissant et, en même temps, vibra de toutes parts. L'arcasse, particulièrement, semblait en train de se déchirer. Un arbre, fendu par le milieu et s'ouvrant sur toute sa longueur, aurait provoqué sensiblement le même craquement sinistre. Puis, le silence revint un bref instant avant que deux coups de bélier, espacés de cinq secondes, ne viennent ébranler la poupe du vaisseau. Angoissés, les hommes se redressèrent dans un même élan et s'agrippèrent qui aux drosses, qui au timon.

Au même moment, un échange de propos vifs et impatients leur parvint du pont supérieur, juste au-dessus d'eux. Les mots étaient incompréhensibles ; pourtant, les voix étaient celles de l'homme de barre et du pilote Chaviteau. Bientôt le pas lourd du commandant se fit entendre et une discussion à trois s'engagea. Presque aussitôt, le pilote et le capitaine dégringolèrent l'escalier contre la sainte-barbe et y pénétrèrent sans frapper, chacun muni d'une lanterne.

— Le gouvernail ne répond plus, messieurs, dit Durant, dont le regard anxieux en disait long.

Les deux hommes, la lumière à bout de bras, inspectèrent tout d'abord les drosses, ces filins reliant la barre de conduite au timon du gouvernail. Durant fixa Chaviteau, l'air inquiet.

— Les drosses ne sont plus sous tension mais le timon semble en bon état : je crains que ce ne soit le gouvernail. Faites place, messieurs, il va nous falloir jeter un œil par les sabords.

En même temps, le commandant à gauche, le pilote à droite, dégagèrent et relevèrent les mantelets des deux sabords d'arcasse. Ils y engagèrent la tête puis la retirèrent aussi rapidement.

---

217 Accoutumés, habitués à la mer, n'éprouvant plus le mal de mer.

Chaviteau, les yeux exorbités et paniqués, cria aux quatre passagers :

— Le gouvernail ! Il n'est plus là... Nous l'avons perdu !

— Mais ce n'est pas possible, rétorqua stupéfait le capitaine, les chaînes...

Sous les coups de boutoir des vagues déferlantes, il arrivait parfois que le lourd gouvernail soit arraché de la poupe d'un vaisseau. C'est pour parer à une perte qui présentait tous les risques de devenir mortelle que la massive pièce d'orme se trouvait reliée à deux fortes chaînes dont le rôle était, justement, de retenir un gouvernail détaché.

Le pilote, déjà, était retourné explorer l'étambot[218] de la frégate. Malgré la houle et les vagues qui menaçaient de pénétrer par le sabord, il demanda aux hommes de bien le retenir par les jambes pendant qu'il engageait ses épaules dans l'étroite ouverture. Ainsi placé, il agrippa l'une des chaînes et réintégra la sainte-barbe.

— Par tous les saints du ciel ! Regardez ! dit-il au bout d'un moment. Ce dernier maillon a été presque entièrement limé, cela ne fait aucun doute. Mais, enfin... pourquoi ?

La seconde chaîne, on ne tarda pas à le découvrir, avait subi le même affront. Tous dans la pièce basse, le dos vouté, se regardaient incrédules et sidérés. À nouveau, Chaviteau enfila sa tête et ses épaules dans un sabord.

Cette fois, il se saisit de l'extrémité d'une pièce d'armature d'acier qui, à moitié arrachée, pendait à quelques pouces au-dessus de la mer. Il s'agissait d'une forte ceinture qui, fixée à l'étambot, se terminait par un gond. Ce dernier devait recevoir et enserrer un goujon rivé, pour sa part, au gouvernail même. Six charnières de ce type s'échelonnaient le long du gouvernail et assuraient sa mobilité.

— Sabotage, messieurs, sabotage ! dit-il d'une voix éteinte et grave, sur le ton de celui qui vient d'obtenir confirmation d'un doute.

---

218  Pièce de bois qui, continuant la quille, s'élève à l'arrière du navire et porte le gouvernail.

À tour de rôle, tous s'approchèrent du sabord et constatèrent *de visu* que la bande métallique avait également été limée, aux deux tiers certainement. Il était à peu près certain que l'auteur du méfait n'avait pas fait subir le même sort à toutes les charnières, d'autant que la plupart se retrouvaient sous l'eau. C'eût été inutile car il suffisait d'affaiblir l'ensemble du mécanisme en un point ou deux : le temps se chargerait du reste. Et d'autre part, se disait justement Dieulefit, le coupable avait très probablement monté son coup de façon à ce que le gouvernail ne s'arrache définitivement qu'une fois en mer, sous l'effet des creux de vagues accentués et des forts tourments.

Dans un tel moment, personne, si ce n'est Bastien, ne sentait le besoin de se questionner plus avant sur le *qui* et le *pourquoi* de l'intervention meurtrière ? L'urgence était bien ailleurs car, en définitive, qu'est-ce qu'un vaisseau privé de gouvernail en pleine mer sinon un cercueil flottant.

— Appelez Martineau, vite ! s'écria Durant.

Pierre Martineau, le premier charpentier du navire, se présenta dans la sainte-barbe. Homme court et noueux, il souffrait de calvitie avancée en dépit de ses vingt-neuf ans. Cependant, c'est bien davantage son regard qui attirait l'attention générale ; était-ce une conséquence de son métier, il maintenait son œil gauche presque fermé et bornoyait tout ce qu'il observait.

— Jetez un œil sur l'étambot, maître Pierre, et dites-moi s'il peut recevoir un nouveau gouvernail.

Le charpentier s'exécuta. Lorsqu'il revint pour faire rapport, il frictionnait de sa main droite son crâne chauve.

— Ce sera difficile, capitaine, car l'étambot a souffert dans l'épreuve. Il faudrait le raboter sur toute sa longueur, ou presque, avant de songer à y ajuster un gouvernail. Quoi qu'il en soit, pour refaire celui-ci, nous nous servirons de notre petit mât de hune de rechange. Il faudra ensuite refaire les charnières, autant sous l'eau qu'au-dessus. J'entreprends le gouvernail et je suggère de prier pour une sérieuse accalmie car, dans l'état actuel de la mer, ce travail de substitution est impensable.

Durant le regarda longuement, puis fit de même avec Chaviteau, le pilote.

— Allez-y, Martineau! Et prenez tous les hommes dont vous aurez besoin. Inutile de vous dire que c'est urgent! Dans l'intervalle, nous gouvernerons à l'artimon autant que faire se peut dans ce vent forcé.

Dès avant l'avarie, les fortes rafales de vent d'est avaient détourné *Le Saint-Jérôme* de sa route et, au soir du 23 novembre, à l'insu de ses pilotes, le navire avait dévié sur un cap sud-ouest qui l'avait déporté au large de Louisbourg. En dépit de vents moins violents, cette dérive s'était poursuivie depuis la perte du gouvernail et rien ne laissait prévoir qu'elle s'interromprait de sitôt.

Pendant que l'entrepont du navire résonnait du bruit des scies, des herminettes, des maillets et des masses, Bastien quitta la sainte-barbe et gagna le pont supérieur. Il lui tardait de s'entretenir des derniers événements avec d'Aloigny. Pénétrant dans la grande chambre, il trouva les quatre passagers assemblés près de la cabine du marquis, celui-ci assis jambes pendantes dans sa couchette. Avant que le secrétaire n'ouvre la bouche, Charles-Henri leva le bras.

— Inutile, dit-il, le regard défait, nous savons tout. Durant sort à peine d'ici et il nous a informés. Nos chances sont minces, messieurs, si ce gouvernail n'est pas rapidement remplacé. Se diriger à l'artimon, c'est certes faisable, mais dans des conditions optimales de vent, de mer et de courant. À ce chapitre, laissez-moi vous apprendre que, si les données du pilote sont le moindrement exactes, nous nous trouvons actuellement dans un secteur maudit.

«Si ce n'est déjà fait, nous serons bientôt aux prises avec trois courants aux orientations bien différentes. Actuellement, le courant de Belle-Isle nous pousse dans le dos et nous fait sortir du golfe. Celui arrivant du Labrador nous dirigera vers le sud-ouest et la côte atlantique, mais il rencontrera celui des Antilles[219]

---

219 Le Gulf Stream.

qui remonte en sens inverse, le long du continent. C'est dire que nous caracolerons dans un tourbillon océanique qui, comble de déveine, aura généré comme à l'habitude d'épais brouillards. Mais, surtout, c'est dire à quel point un bon gouvernail sera nécessaire. »

Est-il besoin de le souligner, les précisions nautiques du marquis, qui avait été promu capitaine de vaisseau l'année précédente, assombrirent encore davantage les physionomies. La confiance et l'espoir, que d'aucuns avaient manifestés jusque-là, disparurent de la conversation.

— Je dirais que nos perspectives d'avenir ne sont pas les meilleures, déclara, songeur, le chevalier de Chalus qui, à l'exemple des généraux d'état-major, affectionnait particulièrement la litote.

Un lourd silence pesa sur l'assemblée. Il eut néanmoins le mérite de faire entendre le tapage des charpentiers, à quelques dizaines de pieds de là, qui eux, s'il fallait en croire l'énergie déployée, continuaient à miser sur un miracle.

Et Juchereau de Maure, en lettré et philosophe qu'il était, se réserva le mot de la fin de la réunion impromptue en reprenant d'une voix théâtrale aux accents fatalistes et un brin cyniques les vers que Corneille avait mis dans la bouche d'Andromède, ligotée à son rocher :

*Affreuse image du trépas*
*Qu'un triste honneur m'avait fardée,*
*Surprenantes horreurs, épouvantable idée,*
*Qui tantôt ne m'ébranliez pas,*
*Que l'on vous conçoit mal, lorsqu'on vous envisage*
*Avec un peu d'éloignement !*
*Qu'on vous méprise alors ! Qu'on vous brave aisément !*
*Mais que la grandeur du courage*
*Devient d'un difficile usage*
*Lorsqu'on touche au dernier moment !*[220]

---

220  Pierre Corneille, *Andromède*, acte III, sc. 1.

Les hommes retournèrent à leur cabine respective pendant que l'ancien sergent s'approchait du marquis.

— J'ai bien entendu le mot *sabotage*, n'est-ce pas? dit celui-ci.

— Rien de moins, monsieur, et, en ce qui me concerne, je n'ai que cela en tête. Vous voyez à qui je pense, sans doute?

— Qui d'autre, bien sûr... Il a bien préparé sa vengeance avant de s'enlever la vie. Non seulement il comptait se débarrasser de toi, qui n'a cessé de le mettre en échec depuis deux ans, mais je suis convaincu qu'il lui plaisait de me voir faire le grand saut en même temps. D'autre part, son intention était probablement aussi de porter un dur coup à la colonie. Tu n'es pas sans savoir, comme lui également, que nous transportons plus de 200 ballots de castor vers la France, ce qui représente une véritable fortune pour les Canadiens.

— La haine et la vengeance lui tenaient lieu de raison. Pauvre Gédéon.

Bastien allait se retirer lorsqu'il aperçut sur le lit de d'Aloigny et contre sa cuisse, un pistolet de belle facture, en noyer, dont la poignée arborait fièrement les armes des d'Aloigny de la Groye. Charles-Henri intercepta le regard de son protégé et sourit.

— Belle pièce, ne trouves-tu pas? Elle n'est pas des plus modernes car mon père m'en a fait cadeau au moment de m'embarquer pour la Nouvelle-France, il y a plus de trente ans maintenant. J'en ai toujours pris grand soin et elle me suit partout. Tu connais ma devise? Toujours prêt! Et je ne te cacherai pas que si le pire survient, dans les prochaines heures ou dans les jours qui viennent, je n'ai aucune intention d'aller me colleter avec les morues et les monstres qui peuplent mes cartes marines.

Toute la nuit, à la faveur d'un tangage atténué, les voyageurs cherchèrent un sommeil qui se déroba. Par-delà le tintamarre des outils et des éclats de voix qui se répercutait dans la batterie, tous évaluaient leurs chances de sortir indemnes de la mésaventure. Le naufrage à la côte est, à tout prendre, moins désespéré qu'un désastre en haute mer, se disaient-ils, et le continent, heureusement, n'est pas encore bien éloigné.

❦

Au petit matin, le soulagement fut universel. Le vent d'est avait molli passablement vers la fin de la nuit et, sans tarder, malgré une visibilité très réduite, en raison d'un brouillard translucide, la grande chaloupe fut mise à la mer. Grâce à un palan, le nouveau gouvernail fut transbordé dans l'embarcation où une douzaine d'ouvriers et de marins avaient pris place. S'ensuivirent trois heures d'intenses travaux au cours desquels la lourde et encombrante pièce fut, tant bien que mal, accrochée à trois gonds improvisés à partir de rebuts de fer et fixés dans la partie émergée de l'étambot. Les drosses de la sainte-barbe furent retendus après quoi l'homme de barre et le pilote se livrèrent à des essais de manœuvrabilité.

Sur les dix heures, à la joie de tous, *Le Saint-Jérôme* appareilla avec ses voiles basses, histoire de ne pas soumettre le navire et son gouvernail à des secousses trop fortes. Le capitaine ordonna un cap bien approximatif car les pilotes n'avaient pas fait le point sur la situation du vaisseau depuis plusieurs jours à cause de la persistance des nuages. Jusqu'à midi, ce jour-là, tous les espoirs furent permis.

À ce moment pourtant, tel le phénix renaissant, le vent d'est réapparut. Vicieux, il chassa les fumées de mer et provoqua rapidement des creux de quinze pieds. Désireux de ménager sa machine, Durant, à nouveau, mit à la cape sous l'artimon. Il ne conserva que cette voile arrière et garda la barre du gouvernail sous le vent afin de ne plus faire route et de laisser dériver le navire. En d'autres circonstances, l'initiative du commandant se serait peut-être avérée heureuse et suffisante. Mais il ne pouvait savoir que ce regain de tourmente était le prélude d'une fougueuse tempête.

L'après-midi fut horrible. Les vents hurlaient, la pluie s'écrasait à pleins seaux et noyait le pont supérieur d'un pied d'eau pendant que la mer écumante se soulevait en des masses montagneuses qui nanifiaient les mâts. Toujours en place, le gouvernail n'était d'aucune utilité et il fallut s'abandonner à la fureur des vagues.

Les taquets et les amarres, qui ancraient au sol coffres, malles, armoires, cabanes et lits, se brisèrent en même temps et tout ce mobilier se tamponna pêle-mêle dans l'entrepont. À l'étage au-dessus, les cloisons amovibles de la grande chambre furent fracassées par des boîtes en planches qui se désarrimèrent. Au même niveau, mais dans le gaillard d'avant, le feu s'échappa de son antre et enflamma la cuisine. À elles seules, cependant, les trombes d'eau qui s'écrasaient sur la proue du navire étouffèrent rapidement la menace.

Les matelots les plus endurcis, ceux pour qui les grains et les mers démontées n'étaient que routine, lançaient dans toutes les directions des regards effarés et paraissaient confrontés à des visions de mort tant de noires ténèbres, en plein jour, s'épaississaient autour d'eux. Sur ordre du capitaine, l'un des plus braves grimpa au mât d'artimon afin de libérer la voile déchirée qui claquait au vent comme l'oriflamme gigantesque d'un vaisseau fantôme. À peine était-il parvenu au sommet des haubans qu'une enfléchure[221] se rompit. Déséquilibré et emporté par le violent tourbillon des bourrasques, l'homme, un instant, sembla s'envoler à bâbord puis, tel un canard sauvage abattu et désarticulé, il plongea dans les flots monstrueux en poussant un long cri désâmant.

«Où sommes-nous, Chaviteau? Bon Dieu, je dois savoir où nous nous trouvons!» clamait le commandant Durant. Là était bien la question. Depuis bien des heures, déjà, les vents et les courants avaient dû emporter le *Saint-Jérôme* au-delà de l'île Royale.

---

221  Échelon de cordage tendu horizontalement entre les haubans de distance en distance, sur toute la longueur, pour monter à la tête des mâts ou en descendre.

— Nous sommes certainement sortis du détroit, répondit le pilote, mais je ne crois pas que nous soyons à proximité de l'île Royale. Je parierais plutôt que nous nous dirigeons plein sud. Si c'est le cas, nous échapperons peut-être à la tempête qui m'apparaît remonter plus près du continent.

Effectivement, sur les quatre heures, une lueur blafarde perça lentement les nuages et fit un peu reculer la pénombre ambiante. En même temps, les vents diminuèrent d'intensité et le vaisseau sembla se dégager des griffes de la bête et de ses furieux assauts. Spontanément, l'aumônier du navire, un capucin à barbe longue, nommé Foucard, abandonna ses confessions et apparut sur le pont supérieur en entonnant des actions de grâces. Jusqu'à maintenant, hors ses messes matinales, il n'était guère sorti de sa cabine, celui-là.

À la suite du moine, l'équipage rassemblé et les passagers récitèrent de longs passages de psaumes à la gloire du Sauveur :

*Et ils criaient vers Yahvé dans la détresse,*
*De leur angoisse, il les a délivrés.*
*Il ramena la bourrasque au silence*
*Et les flots se turent.*
*Ils se réjouirent de les voir s'apaiser,*
*Il les mena jusqu'au port de leur désir.*[222]

Si le creux de la dépression était passé, les conditions de navigation n'en demeuraient pas moins sévères. Une mer encore très formée et des bourrasques intempestives faisaient craquer le vaisseau de bois des vergues aux membrures. D'ailleurs, à la vérité, si chacune de ses plaies avait été pansée, il n'aurait exhibé que charpie.

Sans plus tarder, cependant, le capitaine et le pilote décidèrent de reprendre en main le navire. Un cap fut déterminé pour gagner les bancs de Terre-Neuve et le gouvernail fut, à nouveau, mis à contribution. *A posteriori*, il appert que la décision fut précipitée.

---

222  Psaume 107 : *Dieu sauve l'homme de tout péril.*

Vingt minutes à peine s'étaient écoulées lorsque l'étambot, une fois de plus, se déchira dans un fracas lugubre. Durant et Chaviteau se précipitèrent à l'extrémité de la dunette et ils assistèrent angoissés à la disparition du gouvernail dans les flots tumultueux.

Comme cela arrivait en mer dans des situations particulièrement tragiques, le commandant résolut de réunir tout son monde dans l'entrepont, y compris les passagers. La peur panique, si elle se répand à bord d'un navire, peut avoir des conséquences désastreuses ; il convient donc de tenir conseil, d'informer, d'entendre les idées et, enfin, de décider de la suite des choses.

— Capitaine, crièrent les uns, où se trouve la terre ? Il faut chercher terre et accoster, nous ne pouvons plus affronter les éléments. En dépit des risques, nous aurons nos chances, pas vrai ?

— La nuit est tombée, conseillèrent les autres, laissons-nous dériver durant les heures de noirceur ; les vents se calment peu à peu et nous ne craignons rien pour le moment, de toute évidence. À l'aube, il sera toujours temps d'aviser.

L'accord se fit autour de cette proposition. Durant ajouta même, en guise de conclusion :

— Nous nous sommes remis à la gouverne trop tôt. Croyez-moi, j'ai retenu la leçon. Dès demain, à l'aide d'un autre mât de remplacement, nous confectionnerons un nouveau gouvernail. Nous l'installerons seulement à la faveur d'une accalmie sérieuse et nous multiplierons ses ancrages, même sous l'eau. Enfin, nous n'appareillerons de nouveau que par petit vent favorable. De la sorte, nous mettrons toutes les chances de notre côté.

Et l'espoir revint. Une nouvelle voile d'artimon fut enverguée et, encore une fois, on mit à la cape. Sauf les matelots de quart, tous les gens embarqués regagnèrent branles, hamacs et paillasses et essayèrent de trouver le repos. Bien qu'encore passablement ballottés, la plupart s'endormirent enfin. Personne n'entendit la cloche du changement de quart de minuit, hormis les hommes concernés.

Tout au long de la nuit, les bourrasques s'étaient apaisées et, aux environs de quatre heures du matin, si les creux de mers persistaient, ils n'étaient que séquelles de la terrible dépression des deux derniers jours. Lorsque la houle encore forte serait passée, on pouvait espérer qu'une véritable accalmie s'installerait enfin.

Durant et Chaviteau, sans un mot, échangèrent un regard de satisfaction et de soulagement. Les deux hommes n'avaient pas quitté la dunette de la nuit. À la vigie, non loin, Isaac Lametière surveillait seulement l'apparition de la ligne d'horizon. Elle promettait de se manifester sans trop tarder car un mince filet de lune était venu, depuis une heure environ, leur tenir compagnie.

— Là-bas, capitaine, intervint la vigie, droit devant, ou presque, il m'a semblé apercevoir brièvement une ligne claire.

Durant ajusta sa lunette d'approche et fouilla la surface des flots le plus loin possible.

— Rien à signaler, se contenta-t-il de dire.

Lametière revint à la charge quelques minutes après.

— Cette fois, c'est davantage qu'une ligne, capitaine. Une étroite bande pâle : je l'ai vue apparaître puis disparaître aussi vite.

— Oui, je crois que j'ai vu moi aussi, répondit le commandant, le sourcil enfoui dans l'oculaire. Ce pourrait être de l'écume mais il n'y a pas de récifs par ici. Je crois qu'il s'agit plutôt d'un reflet de lune sur les vagues.

— Erreur, capitaine, grossière erreur ! aurait hurlé l'expérimenté de Voutron, si *L'Afriquain*, ce matin-là, avait navigué de concert avec *Le Saint-Jérôme*. De grâce, consultez vos cartes ! Elle est là, vous la verrez : très basse sur l'eau, un véritable serpent de mer à moitié immergé et qui dessine un arc d'or ! Un long ruban de huit lieues sur, à peine, 17 arpents de largeur ! Oui, d'accord, on ne la remarque guère car une seule vague peut la dissimuler aux regards. La moindre brume de mer l'enveloppe toute entière et la fait s'évanouir en moins d'une minute. Il est impossible qu'elle vous soit inconnue, voyons! Bien sûr, latitude et longitude de cette barre étroite sont imprécises encore mais elle hante toute la région. Vous savez bien, capitaine, c'est l'île de Sable[223] et elle est là, là! Droit devant!

Bastien s'était assis sur sa paillasse. Un mal de tête lancinant l'avait tiré de son sommeil et, des doigts des deux mains, il se massait le front, la nuque et les tempes. Il était excédé par ce vaisseau, son confinement, la méchante odeur de moisi et de sueur, l'humidité suintante et la saleté repoussante. Et ces vagues obliques qui, profitant de la dérive du voilier, le soumettaient à un incessant brassage latéral, qui ne faisait d'ailleurs qu'empirer. Il ne pouvait savoir que *Le Saint-Jérôme*, après avoir été déporté loin vers la haute mer, venait de réintégrer le plateau continental, une plateforme qui prolongeait les grands bancs de Terre-Neuve. Ce sont les profondeurs soudain réduites de l'océan qui provoquaient à la fois l'amplification et le resserrement des vagues.

*De l'air, de l'air, et de l'espace aussi!* Dieulefit se leva, rechercha un moment son équilibre et décida de gagner le pont supérieur.

— Où vas-tu, sergent? demanda Julien, appuyé sur un coude. Le soleil n'est pas levé, il me semble.

— Je monte sur le pont, je n'en puis plus! J'étouffe! Seuls les rats et les morts tolèrent d'être emmurés entre quatre planches! Et puis, j'ai soif.

— Je viens avec toi!

Sur le tillac, Julien s'apprêtait à boire l'eau d'un quelconque réservoir en cuivre lorsque son beau-père arrêta son bras.

— Laisse cette eau de cochon, elle grouille d'asticots. Il y a des baquets d'eau de pluie vers l'arrière.

Les deux hommes se désaltérèrent, échangèrent quelques mots avec Durant et ses acolytes puis se retirèrent à l'extrémité de la dunette. Adossé à la rambarde latérale, Bastien étirait ses membres et inclinait sa tête de tous bords. Dans ce vent encore bien

---

223 Français et Anglais connaissaient bien cette île, certains y ayant déjà fait naufrage. Les premiers l'avaient même colonisée et habitée, de 1598 à 1604, lorsque le roi Henri IV avait confié au marquis de La Roche la mission d'y fonder une petite colonie commerciale. Plus tard, Marc Lescarbot et Samuel de Champlain l'ont dessinée sur leurs cartes.

présent, qui décoiffait délicieusement les tignasses, il se sentait revivre. L'air était vif et bon ; il rendait une odeur vivifiante d'iode et de varech qui transporta sur-le-champ les deux compagnons à l'île aux Oies, après l'orage, dans l'anse du nord-est.

Lors de cet exquis moment de renaissance et de bien-être, la tragédie, comme elle affectionne souvent de le faire, choisit de frapper.

Dans un premier temps, les événements s'entrechoquèrent rapidement. L'aube se faisait encore attendre et, dans le peu d'obscurité que le ciel avait sacrifié, une brume de mer s'était infiltrée. C'était un de ces moments où l'on ne parvenait à voir que ce que l'on avait pressenti. Car, sur quoi poser le regard sinon sur un vaste plan d'eau évanescent, barré transversalement et de proche en proche par des vagues crêtées d'écume. Et pourtant, des hommes bien éveillés, tous les sens aux aguets, auraient dû voir ce que leurs oreilles entendaient : une plage, à mille pieds peut-être, sur laquelle se fracassaient bruyamment les immenses paquets de mer de la tempête en allée.

Contrairement au navire qui fait naufrage en enfonçant les brisants acérés d'une barrière de récifs, et dont l'immense coque de bois rugit en s'encastrant dans l'obstacle, *Le Saint-Jérôme*, lorsqu'il heurta le banc de sable sous-marin, n'émit qu'un grondement étouffé. Il fut, certes, parcouru d'une longue vibration, semblable à une secousse sismique modérée ; toutefois, c'est la brusque décélération du lourd voilier qui fut la plus vivement ressentie.

La projection vers la proue de tous les objets non fixés au plancher fut instantanée et brutale. Durant, Chaviteau et Lametière furent chassés de la dunette et ils s'écrasèrent violemment sur le pont supérieur en heurtant soit un mât, soit un cabestan, ou encore, un rebord d'écoutille. Dieulefit, foncièrement terrien et, de ce fait, sensible et attentif au moindre mouvement du sol, leva les mains dès qu'il sentit sous ses pieds les prémices de la vibration. Dans un pur réflexe, son bras gauche se cramponna au garde-corps pendant que le droit accrochait rudement Julien par le cou.

— Un haut-fond ! Nous avons touché ! cria-t-il, apeuré.

Le choc avait été d'autant plus violent que le vaisseau n'avait pas simplement glissé sur le fond de sable, il s'y était bel et bien planté. L'immobilisation s'était faite rapidement et, dès lors, des plaintes, des cris et même des prières s'étaient échappés des entrailles de la coque. Un coup de feu, aussi.

Bastien et Julien ne surent jamais ce qui s'était passé à bord par la suite. À peine arrêté dans sa course, d'immenses rouleaux de mer prirent d'assaut le navire par l'arrière. Les deux naufragés de la dunette, encore sous le choc, n'avaient pas anticipé le coup de Jarnac. Lorsque la première lame, gigantesque, s'écrasa sur l'arcasse du bâtiment, ce dernier fut projeté vers l'île et les deux hommes, éjectés par-dessus bord. De tous ces événements, bien plus tard, une image en particulier reviendrait souvent hanter la mémoire de l'ancien sergent, celle d'une incroyable envolée parmi les éléments déchaînés avec, dans les bras, une tête blonde d'adolescent.

Les poupes de navire n'ont pas, face à de pareilles déferlantes, la résistance des proues. Plus élevées et, surtout, plus massives et verticales, elles ne doivent pas s'offrir à la brutalité des flots. C'est pourquoi la vague initiale avait, d'un coup, arraché une partie de l'arcasse du vaisseau et violemment amené celui-ci sur son tribord. Il gisait là, incliné vers l'île et parallèle à celle-ci.

La même muraille d'eau avait libéré de ses ancrages la cage à volailles qui, sur tous les navires au long cours, occupait une partie de la dunette. La boîte de bois ajourée, d'environ huit pieds en carré et d'un pied et demi de hauteur, suivit à peu près la même trajectoire que les plongeurs et amerrit à quelque quinze pieds d'eux.

Accrochés à ce poulailler sinistré, dont les pensionnaires criaient leur désespoir, le sergent et son protégé se préparaient au pire. Le ressac les avait quelque peu ramenés vers le large mais ils craignaient que le rouleau suivant ne les projette contre la coque monumentale de l'épave. Lorsque la trombe d'eau s'amena, effrayante de hauteur et de puissance, elle avait l'apparence d'une charrue à deux versoirs dont le soc bouillonnait d'écume. Heureusement, les deux naufragés furent emportés par la lame droite du monstre et ils évitèrent, de la sorte, le contact avec le navire. Cette navigation sur crête leur fit franchir une telle distance qu'ils se retrouvèrent en quelques secondes entre le vaisseau et l'île qu'ils contemplaient d'ailleurs pour la première fois.

Ce deuxième assaut souleva le voilier et le laissa retomber lourdement dans la mer. Du coup, les mâts du navire se fracassèrent et la coque s'entrouvrit, laissant pénétrer d'énormes quantités d'eau. La troisième vague se révéla plus dévastatrice encore. *Le Saint-Jérôme* fut d'abord soufflé vers le haut puis roulé sur lui-même en direction de la plage. Il demeura un moment retourné, la quille vers le ciel, et, à la faveur du reflux, amorça une lente dérobade. Ainsi ballottée et martyrisée, la noble bête, lentement, se disloqua, laissant échapper de son ventre crevé ses richesses et une partie de sa cargaison humaine.

Cramponnés à leur bouée improvisée, Dieulefit et Julien touchèrent enfin terre grâce à la poussée irrésistible d'un énième rouleau de mer. Tandis que l'aîné, engourdi et abattu, semblait incapable de prendre la mesure des événements qu'il venait de vivre, le cadet, peut-être soumis à une forte réaction nerveuse, s'élançait déjà sur le sable et courait de tous côtés, secoué vraisemblablement par la démonstration inouïe dont il venait d'être témoin : l'extrême fragilité humaine en regard de l'infinie puissance de la nature.

— Ici, sergent, viens vite !

Bastien rassembla ses forces et tituba plus qu'il ne marcha en direction du jeune homme, à deux cents pieds de là. Julien, à genoux dans l'eau, avait identifié un cadavre dont les jambes, de toute évidence, étaient fracturées à la hauteur des cuisses.

— Jarnicoton ! Pauvre Juchereau..., dit le sergent, lui qui aimait tant vivre et se moquer de la vie. Allons, Julien, une prière pour cet homme bon qui était notre ami.

Les naufragés se relevèrent et firent quelques pas vers le haut de la grève. Puis, soudain, le moustachu s'arrêta, se tourna vers le corps inerte du seigneur de Maure et le regarda.

— Comment disais-tu, déjà, Paul-Augustin ?

*L'une partit de Boston*
*Sur cent vaisseaux portée ;*
*Les plus beaux ont fait le plongeon*
*Dedans la mer salée.*

« Walker et sa bande t'ont jeté le mauvais œil, je parierais... Et vous, maître Prat, avouez que vous n'avez rien fait pour le tenir à distance, ce mauvais œil ! Se construire un navire avec les débris de la flotte anglaise, ce n'était pas de la provocation ? Une « manne providentielle » que vous disiez, ce soir-là, à l'auberge, une « gratification généreuse de la reine Anne » avez-vous ajouté. Un vent bien contraire que vous avez soufflé là, je vous le dis ! Maudits Anglais, quand même... »

# ÉPILOGUE

*Port-Rasoir, Acadie,*
*Vendredi, 7 décembre 1714*

Fanchon, mon aimée,

*Julien et moi venons de vivre, il y a environ dix jours, une aven-*
*ture effroyable lors de laquelle il s'en est fallu de peu que nous ne*
*perdions la vie. Mais, rassure-toi, nous nous portons très bien,*
*maintenant, et tout danger est écarté. Je m'empresse de t'écrire*
*pour éviter que tu n'apprennes la mauvaise nouvelle d'une autre*
*source et que tu n'en tires de fausses conclusions.*

*Le Saint-Jérôme, à la suite d'une terrible tempête et de la perte*
*de son gouvernail, au large de l'île Royale, s'est échoué sur l'île*
*de Sable et a sombré. Je dois malheureusement te dire que nous*
*sommes les deux uniques survivants de ce tragique naufrage. Les*
*quelques corps que la mer a rendus ont été ensevelis décemment.*
*Nous n'avons pas trop souffert du froid ni de la faim grâce aux*
*multiples débris recueillis sur la plage. Avec des ballots de four-*
*rure et quelques boîtes, un abri a été construit, une voile en guise*

*de couverture. Des caisses de nourriture ont été récupérées ; elles contenaient, entre autres, poisson fumé, fruits secs et biscuits de mer. Des volailles et un porc ont aussi survécu à l'hécatombe.*

*Le feu ne nous a pas fait défaut grâce à mon briquet, à du bois de plage et à divers matériaux combustibles. Ce qu'un vaisseau naufragé et brisé peut receler de biens hétéroclites et utiles est extraordinaire. À chaque matin, nous allions ratisser la plage du désastre et nous ramassions avec application tous les restes susceptibles de nous servir dans l'éventualité d'un long abandon, par exemple, des vêtements dont nous avions grand besoin. Tout ce qui pouvait être séché et brûlé était mis de côté.*

*Les barils de goudron, bien scellés et échoués sur le sable, s'avérèrent probablement les plus utiles car ils nous sauvèrent la vie. Allumés, ils dégagèrent une lourde fumée, noire, dense et âcre. Au large, elle avertit de notre présence des pêcheurs anglais qui, partis de Plaisance, faisaient route vers Boston.*

*Un midi, il y a trois jours, ils s'approchèrent de l'île pour identifier la mystérieuse fumée et ils nous embarquèrent. Les pêcheurs nous invitèrent à rester à bord jusqu'à Boston ; je leur demandai, plutôt, de nous débarquer en chaloupe sur la côte acadienne. Ils nous déposèrent au Port-Rasoir[224], dans une baie profonde et accueillante, entre Chibouctou[225] et le cap de Sable[226]. Nous y avons été hébergés par Claude Bertrand et sa famille, rare pêcheur à n'avoir pas abandonné son village côtier depuis la prise de Port-Royal par les Anglais.*

*En arrivant ici, nous songions à hiverner dans ton pays et à rentrer à Québec le printemps suivant. Cependant, voici que l'opportunité de poursuivre notre voyage se présente. Les Bertrand*

---

224  Aujourd'hui à proximité de Shelburne, Nouvelle-Écosse.
225  Halifax.
226  À l'extrémité sud-ouest de la Nouvelle-Écosse.

*m'ont fait connaître un navigateur de Port-Royal, nommé Charles Mius d'Entremont, dont la goélette relie entre eux certains établissements acadiens de l'ouest, dont Ménagouèche, en bas de la rivière Saint-Jean, Port-Royal, le cap de Sable, Port-Rasoir, La Hève et aussi Louisbourg.*

*Ce jeune maître de barque quitte le Port-Rasoir demain et rentre chez lui, à Port-Royal, pour quérir sa femme et sa fillette : ils passeront l'hiver à Louisbourg. M'ayant informé que des pêcheurs français sont toujours là-bas et qu'ils n'appareilleront pour la France que dans quelques semaines, nous avons convenu qu'il nous reprendrait ici, dans une semaine environ, pour gagner Louisbourg. À cet endroit, nous ferons des arrangements avec un capitaine français pour traverser, ça ne pose pas de problème.*

*Je confie cette lettre à monsieur d'Entremont qui s'engage à la faire suivre de Port-Royal à la rivière Saint-Jean où elle sera confiée au père Loyard, le missionnaire jésuite de la mission de Médoctec[227]. Des Abénaquis de l'endroit acheminent, me dit-on, assez régulièrement durant l'hiver le courrier acadien vers Québec. Tu devrais donc me lire dans quelques semaines, si tout va bien. Ne t'inquiète surtout pas pour Julien, je t'ai promis que je veillerais sur lui.*

*Je t'embrasse ainsi que notre enfant qui, je le sens, vis à tes côtés. Je pense à vous deux sans arrêt depuis notre départ et je sais que nous serons bientôt tous réunis.*

*Pour toujours,*

*Bastien*

LÉVIS, 7 AVRIL 2011 – 15 AVRIL 2012

---

227  Jean-Baptiste Loyard (1678-1731).

# TABLE

# Publications

Avec André Charbonneau, *1847: Grosse-Île au fil des jours*, Québec/ Ottawa, Ministère des Travaux publics/ Services gouvernementaux, 1997, 283 p.

*Les Abénaquis, habitat et migrations (17ᵉ et 18ᵉ siècles)*, Montréal, Éditions Bellarmin, 1976, 247 p.

*Commerce et navigation sur le canal Chambly*, Ottawa, Parcs Canada, Ministère des Approvisionnements et Services, 1983.

*La main d'œuvre des canaux du Richelieu, 1843-1950*, Ottawa, Parcs Canada, Ministère des Approvisionnements et Services, 1983.

1

CET OUVRAGE, COMPOSÉ EN GARAMOND,
A ÉTÉ ACHEVÉ D'IMPRIMER SUR LES PRESSES
DE L'IMPRIMERIE FRIESENS,
ALTONA, MANITOBA, CANADA
EN JANVIER DEUX MILLE TREIZE
POUR LE COMPTE
DE MARCEL BROQUET ÉDITEUR